DON JUAN

Luis María Anson

PLAZA & JANES EDITORES, S. A.

Diseño de la portada: Zimmermann Asociados, S. L.
Fotografía de la portada: © Juan Gyenes
Fotografía de la contraportada: © agencia Efe
Fotografías interiores: archivo Luis María Anson/archivo *ABC*

Primera edición: noviembre, 1994
Segunda edición: noviembre, 1994
Tercera edición: noviembre, 1994

© 1994, Luis María Anson
Editado por Plaza & Janés Editores, S. A.
Enric Granados, 86-88. 08008 Barcelona

Printed in Spain – Impreso en España

ISBN: 84-01-37528-2
Depósito legal: B. 39.274 - 1994

Fotocomposición: Víctor Igual, S. L.

Impreso en Hurope, S. L.
Recared, 2-4. Barcelona

A Beatriz, mi mujer.
A Leticia, Marta y Beatriz, mis hijas.

SUMARIO

INTRODUCCIÓN

Capítulo I

DON JUAN, DERROTADO Y HUMILLADO

—Ahí tienes la carta del generalísimo —dice Don Juan secamente—. Ábrela... ábrela.

Anson se acerca a la mesa. Sobre ella, entre el desorden, ve dos cortaplumas, uno de plata con la corona real, el otro corriente, de hueso. Encima de la carpeta de piel gastada y oscura, el sobre de Franco grita cruzado sobre la carta del Príncipe de Asturias, leída por el Rey tres horas antes. Con el cortaplumas de hueso, Anson quiebra los lacres. Don Juan se ha sentado en su butaca de audiencias, delante de la mesa. Viste pantalón beige claro arrugado, chaqueta azul marino *blazer* con los codos gastados, corbata negra, zapatos mocasines lustrados a conciencia. Hace un calor húmedo que agobia. El aire acondicionado de la ventana está apagado. Es miércoles, día 16 de julio de 1969. El pequeño despacho de Don Juan, poco más de cuatro metros por cuatro, estalla de luz apenas velada, luz de cal viva que hiere los ojos. El Rey, en su butaca de cuero indefinible que se ha ido adaptando a su cuerpo con los años, se ha encajado en ella como la mano en el guante. Fija la vista en el suelo, la expresión impenetrable, rasgado el gesto, curtida el alma de viejos y nuevos dolores apretados, bronceada la piel de yodo y de mar.

De pie, con voz clara, Anson lee la carta autógrafa del dictador al Rey:

«Mi querido Infante:

En los momentos en que en cumplimiento del artículo VI de la Ley de Sucesión tomo la decisión de proponer a las Cortes mi sucesor en la Jefatura del Estado, en favor de vuestro hijo D. Juan Carlos, quiero comunicároslo y expresaros mis sentimientos por la desilusión que pueda causaros, y mi confianza de que sabréis aceptarlo, con la grandeza de ánimo heredada de vuestro augusto padre D. Alfonso XIII.

Me imagino los sentimientos contradictorios que esta noticia va a despertar en vuestro ánimo; pero la grandeza de la Monarquía está precisamente en ser un camino de sacrificio de las personas reales a la Institución, por ello me permito preveniros contra el consejo de aquellos seguidores que ven defraudadas sus ambiciones políticas.

Yo desearía comprendiérais, no se trata de una restauración, sino de la instauración de la Monarquía como coronación del proceso político del Régimen, que exige la identificación más completa con el mismo, concretado en unas Leyes Fundamentales refrendadas por toda la nación.

En este orden la presencia y preparación del Príncipe D. Juan Carlos durante 20 años y sus muchas virtudes le hacen apto para esta designación.

Confío que esta decisión no alterará los lazos familiares de vuestro hogar ya que nuestras diferencias constituyen un imperativo de servicio a la Patria por encima de las personas.

Le saludo con todo afecto y consideración.

FRANCISCO FRANCO»[1]

El nombre del dictador se queda como varado en un silencio fugitivo. Después, Don Juan, con la vista todavía baja:

—¡Qué cabrón! —exclama, arrastrando la ce.

Es la primera vez en muchos, en largos años, que Anson le escucha una imprecación contra Franco.

Los dos saben en ese momento que, con la carta del *caudillo*, todo está consumado.

Las relaciones entre Don Juan y Franco han originado decenas de libros y millares de artículos. Se han abordado en seminarios y cursos universitarios, en debates en radio y televisión. Salvo algún historiador sagaz, en la mayor parte de los casos se han simplificado las posturas: Don Juan estuvo al lado de los aliados, en contra de los totalitarismos, en favor de una Monarquía constitucional como la inglesa o la belga; Franco fue germanófilo, organizó un Estado totalitario, impulsó una política carnicera, promovió una Monarquía en la que el Rey era la guinda sobre los Principios y Leyes Fundamentales del Movimiento Nacional. Tal vez, en líneas generales, todas estas simplificaciones sean verdad. Pero no toda la verdad, y por eso se debatirá durante numerosos años sobre las posiciones mucho más complejas y sutiles de ambos personajes.

Porque la verdad de fondo, cruda y descarnada, es que, en la contienda entre Don Juan y Franco, las posiciones ideológicas contaron poco. Fue sencillamente una lucha sin cuartel por el poder. Ahí está la clave para entender todo lo que ocurrió. Franco se vio alzado a la cumbre del Estado por el azar del accidente que terminó con Sanjurjo, en 1936. Se jugó la vida en una terrible Guerra Civil, de la que salió victorioso, y desde el primer momento decidió mantenerse en el poder hasta la muerte. Don Juan, tercer hijo varón vivo de Alfonso XIII, se convirtió en heredero por las deficiencias de sus hermanos mayores. Desde 1941 hasta 1969, el Rey en el exilio trató de derribar a Franco con todos los medios a su alcance. Fue una guerra abierta

---

1. Archivo Don Juan de Borbón.

y frontal en ocasiones; sutil y florentina, en otras. Pública cuando a veces Don Juan, a veces Franco, entendieron que les convenía. Sorda y subterránea casi siempre. Ambos se mintieron a través de una correspondencia delirante, los dos se trataron de engañar, de confundir, de sortear, de hacer daño. Franco volcó el entero aparato del Estado contra Don Juan. El Rey aguantó las tormentas refugiado en el mundo internacional. Y así se azotaron sin piedad durante décadas, a veces con látigos de hierro, a veces con látigos de seda. Pero los dos procuraron siempre el exterminio político del otro.

Y veintiocho años después, en aquella mañana del largo y tórrido verano que ardía en las ventanas de *Villa Giralda*, Franco aplastaba finalmente a Don Juan, y sin misericordia alguna, sin una conversación, sin negociar ni siquiera la rendición, le daba la puntilla en el centro del ruedo ibérico con el instrumento que más daño podía hacerle: su propio hijo, el Príncipe de Asturias, Don Juan Carlos.

Hundido en su sillón, desolado y en silencio, Don Juan no podía ni imaginar en ese momento que nueve años después, solo nueve años, con el mismo instrumento con que Franco le enviaba al desolladero político, tras cortarle las orejas y pasearlas en triunfo por el anillo bronco de España, se produciría la más clamorosa venganza de la Historia. El Príncipe que Franco nombraba sucesor a título de Rey en julio de 1969, firmaría, el 6 de diciembre de 1978, la Constitución que vendría a liquidar la entera obra del dictador y que consagraría la Monarquía constitucional deseada por Don Juan, literalmente la contraria de la que había establecido Franco.

Anson contempla a Don Juan mudo, malherido, con la mirada entristecida y turbia. Al mejor Esquilo de la *Orestiada*, al Sófocles más turbulento de la *Antígona* estremecida, no se les hubiera ocurrido escribir una tragedia tan patética como la que en ese momento desgarraba al Rey de España. Después de tres décadas de lucha encarnizada por el poder, el dictador, el amigo de Hitler y Mussolini, el que envió la División Azul en apoyo de los nazis, permanecía en su madriguera de El Pardo y usurpaba a Don Juan con su propio hijo, para infligirle la humillación más refinada y definitiva. Era una escena de tragedia griega. «Con engaño fue muerto el Rey; con engaño deben ser muertos sus matadores.»[2] Anson no sabía hasta qué punto se iba a cumplir lo que escribió Esquilo dos mil quinientos años antes.

Se levanta el Rey. Golpea con los dedos sobre la mesita, junto al acondicionador de aire, un libro bellamente encuadernado en blan-

---

2. *Las siete tragedias de Esquilo*. Madrid, 1880. Traducción F. Segundo. Pág. 241.

co, tal vez *La maison royale Des deux Siciles*, de Villarreal de Álava. No profiere una queja. Anson siente la inmensa humanidad herida de Don Juan. Le impresiona la dignidad de aquel semblante impasible.

—Chiquito —le dice el Rey derrotado—. ¿Hiciste lo que te dije antes?

—Claro, ya están avisados don Pedro y Areilza. ¿No deberíamos llamar también a Pemán?

—Con Pemán ya he hablado yo.

—Señor, no estoy seguro, pero creo que mientras V.M. estaba en misa ha llamado el Príncipe.

—Ya lo sé. —Don Juan mira a los ojos, heridamente, a Anson—. Pero no me voy a poner.

Las tres puertas del pequeño despacho están cerradas. Forrada de cuero con un grabado, la que da al saloncito usado por Doña María; de dos hojas, la que comunica con el salón; Don Juan abre la tercera, y sale al pasillo de la escalera. Anson cree ver a Juan Tornos escabullirse fugazmente.

—Tengo ahora un almuerzo —dice Don Juan en voz baja—. Vente con Pedro después.

Y musita con gesto dolorido: «Menos mal que mi madre no puede ver todo esto», mientras se dirige a su dormitorio, que preside el crucifijo besado por Alfonso XIII poco antes de morir, enmarcado por el pendón de Castilla y la bandera de España que le acompañaron al exilio.

Anson se queda solo en el despacho del Rey. Está abrumado. El reloj apenas sobrepasa la una.

Capítulo II

LA MUERTE
DE LA REINA VICTORIA

En tres ocasiones, el 26 de noviembre de 1967, el 11 de junio de 1968 y el 17 de diciembre de ese mismo año, Pedro Sainz Rodríguez le había dicho a Anson, con una seguridad que éste no acertó a entender hasta muchos años después:

—Franco no nombrará sucesor hasta que se muera la Reina Victoria.[3]

El 5 de enero de 1968, el Príncipe de Asturias, Don Juan Carlos de Borbón, cumple treinta años, es decir, la edad exigida por la Ley de Sucesión de la dictadura. El 30 de enero nace el Infante Don Felipe. La Reina madre Victoria Eugenia y Don Juan y Doña María se trasladan a Madrid para asistir al bautizo. Franco se queda desconcertado por el enorme éxito popular que acompaña al Rey en aquellas jornadas. Le impresiona, además, la conversación que mantiene con la Reina Victoria, ya muy enferma. El dictador se da cuenta de que, si no se ataja a tiempo, la popularidad creciente de Don Juan se haría imparable. La Universidad se mantiene durante 1968 en plena agitación. Las huelgas obreras se suceden. Durante el verano comienza la actividad del terrorismo de ETA. El 7 de septiembre, el dictador portugués Salazar sufre un ataque cerebral y pierde la consciencia, lo que deja a Franco atribulado. Ante la situación portuguesa, se acentúa la necesidad de articular la sucesión en España. En enero del 69, el Príncipe de Asturias hace unas declaraciones que despejan todos los interrogantes sobre su posición. Franco dispone, además, de una fórmula insospechada para paralizar la reacción de Estoril. Por su parte, Laureano López Rodó, respaldado por Carrero, está entregado en cuerpo y alma, y conduce con mano maestra una operación de presión sobre el dictador para que nombre sucesor a Don Juan Carlos.

A las once horas y dieciocho minutos del 15 de abril de 1969, fallece la Reina madre Victoria Eugenia, en *Vieille Fontaine*, su casa de Lausana, desde la que se divisan los entristecidos cipreses del cementerio de Bois-le-Vaux. Sobre su cadáver, en el dormitorio blanco con alguna pincelada rosa, extiende Don Juan el manto de la Virgen del Pilar; al fondo, el tríptico de la pasión que el Papa San Pío X re-

---

3. Archivo Luis María Anson.

galó a Alfonso XIII al nacer el malogrado Príncipe de Asturias, Don Alfonso Pío.

Embalsamado el cadáver de la Reina, se deposita en un féretro de nogal y damasco blanco, en el salón amarillo de *Vieille Fontaine*. Don Juan ayuda, en latín, claro, a la primera misa que se celebra en la capilla ardiente. Tiene grandes ojeras, el sufrimiento anclado en el alma, y contenido, y su figura imponente de negro riguroso contrasta con la apoteosis del blanco de aquel salón, al que se llamaba amarillo por algún detalle aislado de ese color. El sofá, las butacas, las alfombras, las paredes, la Reina muerta, todo es blanco. La Familia Real en pleno, los cuatro hijos vivos de Doña Victoria, Juan, Jaime, Beatriz y Cristina, y casi todos los nietos, besan la frente de quien durante veinticinco años fuera Reina de España. Flores blancas y rosas cubren el féretro. Marino Gómez Santos[4] ha explicado con minuciosidad y exactitud el entierro y funerales de la Reina Victoria. No es propósito de este libro detenerse en el relato de los actos sociales de la vida de Don Juan.

Hablan padre e hijo

El Rey llama al Príncipe a su habitación en el hotel *Royal*. El duque de Alba transmite el recado, acompaña a Don Juan Carlos y deja solos al padre y al hijo.

—Fue una conversación poco grata —diría Don Juan a Anson, en Estoril, unas semanas después, el 3 de junio de 1969—. Estábamos cansados y tensos tras aquellos días, con la muerte de mi madre. Murió un martes, el 15, ya sabes, y no llamé al Príncipe hasta el viernes, después del entierro.

—¿Y le habló de las declaraciones a la agencia *Efe*?[5]

—Sí... Juanito quería esquivar el tema. No le dejé... Debo decir que estuve demasiado brusco.

Hizo una pausa y resumió así lo que hablaron:

—En definitiva, me repitió que si él estaba en España era para aceptar lo que había... Y yo le contesté: «Sí, pero no para suplantarme a mí».[6]

---

4. Marino Gómez Santos. *La Reina Victoria Eugenia*. Prólogo de Luis María Anson. Espasa Calpe. Madrid, 1993. Pág. 291s. (Metodología para la cita de libros: la primera vez se especifica editorial y año; las sucesivas veces, solo el título y la página; en el apéndice bibliográfico, el autor, el título, la ciudad de edición y la fecha.)

5. Se refería a la declaración de Don Juan Carlos de 8 de enero de 1969. Véase pág. 368 de este libro.

6. Archivo Luis María Anson.

El Príncipe se va enseguida. Al día siguiente, sábado 19, asiste en Madrid al funeral por la Reina madre. Se celebra en San Francisco el Grande y lo preside el dictador. Se canta la *Misa* de Perosi y Franco entra en el templo bajo palio.

Telegrama de Franco y carta de Don Juan

A media tarde del día 16 de abril, le entregan al Rey un telegrama de Franco enviado a *Vieille Fontaine*. Estaba escrito por el propio general, con una redacción puramente convencional: «... envío a Vuestra Alteza y egregia familia mi más sentida condolencia por tan dolorosa pérdida». Lo firma «Generalísimo Franco».

Varios consejeros privados de Don Juan, próvidos lamerrabeles de El Pardo, opinan que había que contestar enseguida ante texto tan generoso, demostrativo de la grandeza de espíritu de Franco. Don Juan, que quería de verdad a su madre y no estaba para grandezas, encarga a Pemán la carta de respuesta.

En el salón de lectura del hotel *Royal* se reúnen, el 16 por la tarde, Sainz Rodríguez, Pemán y Anson, que lleva una máquina de escribir portátil. En unos minutos queda escrita la carta. En unas horas, diez o doce consejeros privados la estropean, a conciencia y con entusiasmo. Hay una frase que Sainz se niega a suprimir: «... una conversación, a celebrar donde y cuando V.E. quiera». Don Pedro deseaba cortarle cualquier salida a Franco, con el fin de que se celebrara una nueva entrevista entre el Rey y el dictador. Él sabía muy bien por qué quería esa entrevista. Los demás, no. Pero se equivocó. El *caudillo* no embistió la muleta tendida por la hábil muñeca de Pedro Sainz.

Don Juan lee la carta por la noche. No le gusta. Y se la guarda en un bolsillo. Bien peinada por don Pedro, se la envía a Franco, desde Estoril, el 8 de mayo de 1969. La carta era una torpeza más de las muchas que el Rey cometió en su relación con Franco, y decía así:

> «Mi querido General:
> No quiero que pase más tiempo sin decir a V.E. cómo he agradecido de todo corazón, y cómo he apreciado en su justo significado, la reacción del Estado Español ante el doloroso trance de la muerte de mi madre, la Reina Victoria Eugenia (q.e.p.d.). Esta actitud oficial, inspirada personalmente por Vuestra Excelencia, me ha procurado además el consuelo de ese amplio sentimiento de pésame nacional que se ha manifestado libremente por toda España. Deseo tener la satisfacción de que podamos reunirnos para expresar a V.E. mi vivo reconocimiento.

Ya comprenderá, mi General, que mi estado de ánimo en estos tristes momentos está lejos de cualquier preocupación de tipo personal, y que el dolor más bien ha acentuado, si cabe, la serenidad de mi espíritu. Pienso así que un encuentro con V.E., en estos instantes de culminación de su obra histórica, sería ocasión propicia para tratar de las grandes cuestiones nacionales que a los dos por igual nos preocupan.

Yo no contemplo esta posibilidad como una entrevista con agenda u orden del día, aunque tampoco veo inconveniente en ello, sino una conversación, a celebrar donde y cuando V.E. quiera, sobre aquellos puntos en donde convergen nuestros desvelos por España. Y con esta mira tan alta, ¿no parece evidente, mi General, la conveniencia nacional de que hablemos con sosiego y corazón abierto?

Le saluda con todo afecto.

JUAN»[7]

Cuando Franco recibe la carta, De Gaulle ya ha dimitido tras un referéndum menor que le resulta desfavorable. Al generalísimo le irrita la dinamita que se enciende entre las palabras del artículo sobre el presidente francés *El último envite*[8] de José María de Areilza, secretario general del Secretariado Político de Don Juan.

Testamento de la Reina

El día 21 de mayo de 1969, se abre el testamento de la Reina. Había expectación porque desde su visita a Madrid se especuló sobre un cambio de su actitud política. El texto del testamento era impecable con relación a su hijo heredero: «Encarezco a mi hijo Don Juan que, si la Providencia le otorgase la posesión efectiva de la Corona de España, entregue su vida y desvelos a procurar a su pueblo el mayor bien posible.»

Según Ricardo de la Cierva,[9] Jesús Pabón le aseguró a Seco Serrano, en 1968, que Doña Victoria le había dicho a Franco: «Ya tiene usted a los tres, Franco. Escoja.» Es falso. ¿Quién le dijo eso a Pabón, Franco, la Reina? Sin duda Pabón se lo aseguró, tal vez con algún matiz, a Seco. Pero era solo el deseo de Pabón, irritado desde que fuera destituido, en febrero de 1966, de la representación política de

---

7. Archivo Don Juan de Borbón.
8. *ABC*, 29-IV-1969.
9. Ricardo de la Cierva. *Historia del franquismo*. Barcelona, 1975 y 1978. II. Pág. 255.

Don Juan, por ineficacia. Laureano López Rodó,[10] Luis Suárez,[11] Ricardo de la Cierva,[12] Federico Silva[13] y Paul Preston[14] se han hecho eco de esa actitud inexistente de la Reina Victoria.

Franco, que temió siempre una declaración pública de la Reina en favor de Don Juan si nombraba sucesor a Don Juan Carlos, fue alimentando la idea, entre los que le rodeaban, de que la Soberana estaba de acuerdo con él.

Todavía viva Doña Victoria, el dictador, en *Mis conversaciones privadas con Franco*,[15] tras la visita de la Reina a Madrid, habla extensamente, el 12 de febrero de 1968, de la conversación mantenida con la Soberana cinco días antes, y no alude ni de pasada al problema sucesorio, sencillamente porque no habían hablado de la cuestión. Muerta la Reina, el 3 de mayo de 1969[16] le dirá a su primo: «Jamás ha sido hostil a la idea de que el heredero fuese Don Juan Carlos. De estos asuntos hablé con ella cuando estuvo recientemente en Madrid.» Mentía el dictador.

En el Consejo de Ministros del 21 de julio de 1969 sería más explícito y dará por cierto, en su escalada, el acuerdo con la Reina muerta.[17] Anson visitó a Doña Victoria la última semana de mayo de 1968. En las notas de su archivo no se precisa la fecha exacta. Enferma Doña Victoria, tardó un día en recibirle. Anson llevaba un álbum con las fotos de su visita a España. Antes había llamado a Don Juan por teléfono.

—Sería bueno que fueras personalmente. Además, hay un paquete en Ayala, lo recoges y se lo llevas también. Y pregúntale como cosa tuya sobre los rumores de su conversación con Franco.

En el salón de *Vieille Fontaine,* y en presencia de Luis Alba, la Reina miró a Anson con alguna malicia antes de responder a su pregunta sobre la conversación con Franco.

—Seguro que te lo ha encargado Juan.

—No, Señora —mintió Anson—. Cuando recibí la carta de V.M. pidiéndome las fotos del viaje a Madrid, ya pensé aclarar este asun-

10. Laureano López Rodó. *La larga marcha hacia la Monarquía*. Noguer, 1977. Pág. 270. Cfr. *Memorias II*. Plaza & Janés, 1991. Pág. 471.

11. Luis Suárez. *Francisco Franco y su tiempo*. Tomo VIII. Azor, 1984. Pág. 27.

12. Ricardo de la Cierva. *Franco y Don Juan*. Época, 1993. Pág. 651.

13. Federico Silva. *Memorias políticas*. Planeta, 1993. Pág. 238.

14. Paul Preston. *Franco, caudillo de España*. Grijalbo, 1994. Pág. 911.

15. Franco Salgado-Araujo. *Mis conversaciones privadas con Franco*. Planeta, 1976. Pág. 518.

16. Ibídem. Pág. 598.

17. Cfr. López Rodó. *Memorias II*. Pág. 471. Silva. *Memorias políticas*. Pág. 238.

to con V.M. La verdad es que no se habla de otra cosa en algunos medios profesionales.

La Reina, que era muy sagaz, le creyó, sin embargo. Anson desvió la mirada, mientras mentía, hacia el cuadro de Laszlo con Doña Victoria en la plenitud de su belleza, y escuchó con agrado las palabras de la madre de Don Juan.

—No crucé una palabra con Franco sobre la sucesión y jamás se me hubiera ocurrido decirle que eligiera entre los tres. Hubiera escogido al *baby*.

Le brillaron los ojos, ya de vuelta de todo, con esa ironía sutil que le acompañó hasta la muerte.

—Sí le dije —aclaró—, ya sabes, como todo el mundo habla de mi predilección, entre mis nietos, por Alfonso, que encontraba a Juanito cada vez más maduro y preparado. Maduro y preparado, eso fue todo.

Don Juan nunca tuvo duda del monarquismo estricto de su madre. Comprendía que Franco prefiriera retrasar la sucesión hasta después de su muerte. Como era hombre generoso dijo en alguna ocasión que Franco no quería dar un disgusto a Doña Victoria designando a Don Juan Carlos en lugar de a él. La explicación en realidad es más mezquina. En todo caso, está claro que para Doña Victoria no había más Rey que Don Juan. La protocolaria reverencia pública que la Reina madre hizo a su hijo, ante millares de personas, tras bajar la escalerilla del avión que la trajo a Madrid en febrero de 1968, fue inequívoca. Don Juan se lo confirmó a Sainz Rodríguez en 1979: «Mi madre era muy ortodoxa en esa materia.»[18]

López Rodó acosa a Franco

La actividad de Laureano López Rodó en favor del nombramiento de sucesor se intensifica. El 24 de abril de 1969, despacha en El Pardo y le aborda la cuestión. A Franco le desagrada, pero traga. El otro dictador ibérico, Salazar, lleva siete meses en cama, inconsciente.

López Rodó se convierte en una apisonadora y actúa con extraordinaria habilidad, movilizando los más varios resortes a su alcance.

El 5 de mayo, Gregorio López Bravo visita a Franco y le plantea también el problema sucesorio. Con mucho respeto, claro. Los ministros sabían que al ser destituidos, si se habían portado bien, es

---

18. Sainz Rodríguez. *Un reinado en la sombra*. Planeta, 1989. Pág. 314.

decir, si habían sido dóciles y leales, Franco les amortajaba con largueza en los catafalcos de los Consejos de Administración.

El 7 de mayo, López Rodó consigue que Carrero le envíe un memorándum al dictador. «Comenzaban a preguntarse muchos —escribe Luis Suárez— sobre qué sucedería en el caso de que Franco fuese también abatido por una repentina enfermedad. En un informe político, el 7 de mayo de 1969, Carrero Blanco contemplaba con crudeza esta posibilidad: pronto el generalísimo cumplirá setenta y siete años; debía nombrar sucesor a Don Juan Carlos lo antes posible.»[19]

El 19 de mayo le visita Silva. Hablan de la crisis de Gobierno. El ministro, que se ha ganado la confianza de Franco y es uno de los hombres clave de la época, le plantea la sucesión. El dictador le responde: «Estoy en ello; lo haré.»[20]

El 28 de mayo le va a ver Camilo Alonso Vega, su compañero de armas, que al día siguiente cumple ochenta años. López Rodó explica por extenso la entrevista.[21] Suárez la resume así: «Pintó la situación con colores oscuros: Rodrigo ha muerto. Muñoz Grandes está fuera de combate, él mismo ya no podía con los problemas. Solo estaba Carrero Blanco frente a la agitación, la incertidumbre. Hay que decir a los españoles quién le va a suceder. Al día siguiente López Rodó asistió a la misa que el ministro encargara por ser su cumpleaños, y recibió la respuesta: «Misión cumplida.»[22]

El 29 de mayo, Franco le encarga a Carrero que estudie el mecanismo sucesorio. «Ya parió. Nombrará sucesor antes del verano», le dice el vicepresidente a López Rodó.

El 30 de mayo, el ministro del Plan de Desarrollo le informa a Silva: «Parece que el salmón ha picado.» Vale la pena recordar esta frase porque con una metáfora muy parecida, aunque menos suntuosa, se desarrollaba desde 1948 una operación desconocida por López Rodó pero de la que se había convertido en uno de los agentes destacados.

19. Suárez. *Francisco Franco y su tiempo*. Pág. 89. Cfr. López Rodó. *La larga marcha hacia la Monarquía*. Pág. 316. *Memorias II*. Pág. 426. Javier Tusell. *Carrero*. Temas de hoy, 1993. Pág. 339.

20. Silva. *Memorias políticas*. Pág. 230. Silva solo hace una alusión. La frase exacta la reproduce López Rodó. *Memorias II*. Pág. 429.

21. López Rodó. *Memorias II*. Pág. 431.

22. Suárez. *Francisco Franco y su tiempo*. Tomo VIII. Pág. 91. Alfonso Armada. (*Al servicio de la Corona*. Planeta, 1983. Pág. 128), fija esta entrevista en marzo y elogia a Alfonso Osorio por su cooperación en favor de Don Juan Carlos. También Calvo Serer: «Franco considera decisiva la intervención de Alonso Vega». *Franco frente al Rey*. Sodeca, 1972. Pág. 189.

El 2 de junio, el dictador se desmaya, o se le duerme, a Silva cuando iban juntos en coche a la inauguración de la presa de Iznájar.[23]

El 16 de junio, López Rodó, que ha enviado a Franco un proyecto de mensaje a las Cortes, visita al Príncipe y le dice que esté preparado.

Don Juan Carlos viaja a Portugal para pasar unos días en familia, con sus padres. El Príncipe le contaría a Vilallonga:[24] «Me acuerdo que a principios de julio de 1969 me fui de vacaciones a Estoril para pasar el día de San Juan con la familia. Muchos españoles iban por esas fechas a Portugal para felicitar al Rey.» El viaje se hizo, pero entre el 16 y el 23 de junio. Del 18 al 23, según Luis Suárez.[25] Ese día 23, a las diez y media de la mañana, salieron los Príncipes en avión desde Lisboa con destino a Madrid, pues el 24 debían asistir al Festival de Granada y a la inauguración de una exposición en la Fundación Rodríguez-Acosta.

El 19 de junio, el viejo dictador está ya a punto de morder un anzuelo que había arrojado a sus recelosos cañales Pedro Sainz Rodríguez, veinte años atrás. Pero todavía duda. Su instinto político le aconseja demorar las cosas. Se justifica: «Temo que designar sucesor pueda parecer una deserción»,[26] le dice a Carrero. Y añade que se le han traspapelado los escritos de 24 de octubre y 7 de mayo. Pero el último jueves de junio, el gran pez gordo muerde finalmente el anzuelo y le comunica a su vicepresidente que ponga en marcha con el mayor sigilo la operación sucesión.[27]

El Príncipe pasa unos días muy feliz con su padre. Le asegura que no sabe nada concreto sobre la sucesión. Don Juan le contó a Anson el 23 de septiembre de 1969:[28]

—Estuvo muy expresivo. Me dijo que, si yo quería, cogía a Sofía y a los niños y se venía a Portugal. Pero que si seguía en España y Franco le proponía como sucesor, no le quedaba otro remedio que aceptar. Añadió, y en eso le entiendo muy bien, que si no aceptaba, Franco nombraría a Alfonso Dampierre. Alfonso ha sido siempre una espada de Damocles sobre Juanito.

—¿Qué le dijo V.M.?

—Nada.

23. Silva. *Memorias políticas*. Pág. 230.
24. Vilallonga. *El Rey*. Plaza & Janés, 1993. Pág. 79.
25. Cfr. *Francisco Franco y su tiempo*. Tomo VIII. Pág. 93.
26. Tusell. *Carrero*. Pág. 340.
27. Armada. *Al servicio de la Corona*. Pág. 129.
28. Archivo Luis María Anson.

El día 23 de junio de 1969, en que los Príncipes se van de Estoril, el Papa Pablo VI, con religiosa gentileza, alinea a España con Nigeria, Vietnam y Oriente Próximo, entre los países en conflicto, lo que irrita sobremanera a Franco.

La visita de Don Juan Carlos deja tranquilo a Don Juan. Si el Príncipe hubiera sabido algo, se lo habría dicho. El 28 de junio escribe el Rey una carta a José María Pemán: «...A Motrico y el Secretariado les espero para el 15 de julio, pero, como supones, no habrá sino cosas de trámite, con lo cual estás totalmente dispensado de venir...»[29]

El Príncipe le dice a López Rodó, el 3 de julio: «No he podido adivinar cuál será la actitud de mi padre cuando el hecho se produzca.» La conversación con Don Juan, a la que se refiere el ex ministro en *La larga marcha hacia la Monarquía*, y la apuesta de cinco mil pesetas, no se produce, al menos en tales términos.

Ese mismo día, Carrero entrega a Franco el plan completo para la designación de sucesor. Es un trabajo minucioso y militar, al gusto del dictador.[30]

El 4 de julio, el invicto *caudillo* comunica a López Rodó, desde su dorado olimpo, que han terminado sus dudas, le da las fechas de la sucesión y le anuncia «que escribirá una carta al Conde de Barcelona para pedirle que renuncie a sus derechos dinásticos en favor de su hijo, como en su día hizo Don Alfonso XIII».[31] No la redactó así. Lo pensó mejor y su venganza fue todavía más sutil y refinada, como hemos visto.

Inmediatamente, Carrero le comunica en secreto la noticia a López Bravo. Éste se la desliza muy a la española, también en secreto, a John Patrick Fitzpatrick, y el americano se lo cuenta, en secreto, claro, al Príncipe, pero no habla con su amigo Don Juan, aunque tal vez lo intenta.

El 7 de julio, López Rodó tantea a José Antonio Girón, el hombre de mayor autoridad entre los falangistas. Éste no se compromete. Pero le asegura que votará lo que diga Franco.

---

29. Archivo José María Pemán.
30. Tusell. *Carrero*. Pág. 341.
31. López Rodó. *La larga marcha hacia la Monarquía*. Pág. 332. Cfr. *Memorias II*. Pág. 454.

Capítulo III

SAINZ RODRÍGUEZ REGRESA A MADRID

Mientras se desarrollan estos acontecimientos, se produce un suceso clave, recogido vagamente por Giménez-Arnau.[32] Pedro Sainz Rodríguez solicita, por vía ordinaria, pasaporte, que se le concede. Llega a Madrid el día 4 de junio de 1969. Tres meses después le seguiría un camión con doce toneladas de libros, ordenados en cajas de cartón por la maravillosa Consuelo Gil.

Con fecha 8 de mayo, Ramón de San Pedro escribe a Sainz Rodríguez: «No se lo terminará de creer. Pero todo está en marcha. El 1 ha decidido nombrar ya (subrayado) al P. Condición: no entrevistarse con el "Infante". Ojo. Condición "sine qua non". Espera de usted que todo sea verdad. Hable con el P. para convencerle. Y lo más grande... Pasaporte concedido, vaya a ver a Arnau y cuanto antes esté en España, mejor. Esto es mío, no del grande... No hay trampas en nada. Bueno, eso espero.»[33]

Pedro Sainz acaricia la llave, que siempre lleva en el bolsillo, de su piso en el Parque de las Avenidas, que no conoce. Tras un exilio interminable, ha llegado la hora del regreso. Se le humedecen los ojos al viejo luchador. Desde aquella carta que siempre escondió a todos, de 1965, Franco ha tardado cuatro años en levantarle el postigo de la frontera.

Sainz Rodríguez contesta al escrito de Ramón de San Pedro. Pero la respuesta no figura en su archivo, ni tampoco en el de Ramón de San Pedro. Tal vez le llamó por teléfono. Ramón de San Pedro no lo recordaba con precisión. Sí recordaba que Sainz quería saber si Franco exigía la abdicación de Don Juan para nombrar sucesor. Con fecha 14 de mayo, Ramón de San Pedro escribe a Sainz Rodríguez: «... ni se ha planteado la abdicación. Pienso, pienso yo, que le molestaría porque sería reconocer en el patrón lo que él no reconoce porque toda la legitimidad, su legitimidad, claro, procede de él. Sin problemas, pues. No hay problemas. Quiere que hable usted con el P. para que el P. no le pida una entrevista con el patrón. Ah, y que no haya reacción ahí, frenar a A.

»Nota importante. No llame por teléfono. Si se descubre algo se

---

32. Giménez-Arnau. *Memorias de memoria*. Destino. Págs. 315s.
33. Este texto figura en el archivo de Sainz Rodríguez, de puño y letra de José María Ramón de San Pedro, sin encabezamiento ni despedida.

estropea todo. Y véngase enseguida, los libros ya los enviará cuando sea. Todo está consumado. De verdad, de verdad.»[34]

Tras casi treinta años de exilio, acusado de masón por Franco, considerado por el Régimen sujeto de alta traición durante la Guerra Mundial, escupido con delectación por los falangistas, conspirador número uno contra la dictadura, apestado, vilipendiado, calumniado de forma permanente, *bête noire* del dictador, ¿hay alguien que seriamente pueda creer que el regreso a España de don Pedro se hizo sin consentimiento del general Franco? ¿Qué ministro se hubiera permitido autorizar la vuelta de Sainz Rodríguez sin pedir la venia al *caudillo*? ¿Por qué justo tras la muerte de la Reina madre —«Franco no nombrará sucesor hasta que se muera la Reina Victoria»—, justo antes de la designación de Don Juan Carlos, Pedro Sainz Rodríguez se traslada a Madrid? ¿Cómo se puede pasar por alto un acontecimiento de tan grueso calibre político? En el libro que tiene entre las manos encontrará el lector respuesta a algunos de estos interrogantes.

Al llegar a la frontera, y a pesar de mostrar el pasaporte en orden, los funcionarios, asustados, se niegan a dar paso a Sainz, que llama a Consuelo Gil y le ordena que localice a Luis Valls, con el que don Pedro mantiene contactos profundos. El banquero está almorzando en *Lhardy*. Consigue hablar con el ministro de la Gobernación, Camilo Alonso Vega, que no sabía nada, lo que deja a las claras que la autorización era directa de Franco. Y don Pedro cruza la frontera. El Príncipe da hora al consejero de su padre, el miércoles 9 de julio de 1969, para recibirle. ¿Hay alguien que, conociendo la situación entonces de la Zarzuela, crea que esa audiencia podía ser concedida sin que la secretaría de Su Alteza informara a Franco? ¿Se podía celebrar esa conversación sin que el *caudillo* la autorizara? ¿Por qué la permitió?

López Rodó[35] se refiere de pasada a la entrevista, lo mismo que Suárez y De la Cierva. Ninguno de los tres calibra su importancia. Don Pedro no va solo. Le llevan, en coche, Luis Valls, consejero privado de Don Juan y banquero de prestigio, y Pedro Plans, catedrático, hijo de un compañero de Sainz Rodríguez. Los dos asisten a la

34. Archivo de Sainz Rodríguez. Nota escrita a máquina con tachaduras, acompañada de unas letras manuscritas de Ramón de San Pedro. A. no es Anson, sino Areilza, al menos eso piensa el autor de este libro.

35. López Rodó. *La larga marcha hacia la Monarquía*. Pág. 339 y *Memorias II*. Pág. 451. Cfr. Suárez. *Francisco Franco y su tiempo*. Tomo VIII. Pág. 94. Cfr. De la Cierva. *Franco y Don Juan*. Pág. 659.

audiencia, viven los dos al redactar estas líneas y su testimonio es clave. El Príncipe había aplazado la audiencia —¿por indicación de Franco?— y los recibe el viernes 11. Valls recuerda perfectamente la fecha. Justo al día siguiente, el dictador le comunicaría a Don Juan Carlos la sucesión.

Don Pedro le dice al Príncipe que si «el generalísimo le proponía nombrarle sucesor, debía contestarle afirmativamente en el acto y sin demoras», pues «para eso y no para otra cosa estaba en España y llevaba tanto tiempo esperando». Y, además, «había que tener mucho cuidado con Alfonso Dampierre».

Le asegura que «de la reacción de su padre, del Consejo Privado y del Secretariado Político, yo me encargo. Puede estar tranquilo V.A.».

Añade que debía preservarse «la unidad familiar». «Llame al Rey por teléfono y cuente en todo momento con su madre. Doña María estará siempre al lado de Don Juan, pero hará todo lo posible por evitar la colisión entre V.A. y su padre.»

Cuando el Príncipe le hace referencia a que no sabía nada pero que el nombramiento de sucesor podía producirse en cualquier momento, don Pedro se calla y no hace la menor alusión a que estuviera en conocimiento de lo que iba a pasar. No dijo que «no creía probable que Franco se decidiera a designarle como futuro Rey», según piensa López Rodó.

La conversación se prolonga desde las doce a las tres de la tarde. Al concluir, don Pedro insiste:

—Si Franco se lo propone, V.A. está obligado a aceptar, por el bien de España y por encima de cualquier tipo de consideración personal, aunque debe preservar la unidad familiar porque eso lo estiman mucho los españoles.

Aprovecha luego para soltar una andanada contra Eugenio Vegas Latapié y, sin citarle, dice que el Rey se había equivocado en algunas ocasiones y que él nunca estuvo de acuerdo con las declaraciones a *The Observer*.[36]

De esta conversación Sainz Rodríguez no dio cuenta a Don Juan, ni entonces ni después. El Conde de Barcelona se murió sin conocerla. Tampoco le habló nunca a Anson, al menos de forma concreta. El entramado que llegó a tejer don Pedro es de tal sutile-

---

36. Archivo Luis María Anson. Notas manuscritas de Pedro Plans y notas del propio autor tomadas de una conversación con Luis Valls (28-II-1994). Ambos, Valls y Plans, testigos excepcionales de la entrevista, tienen ahora el convencimiento de que Pedro Sainz sabía todo lo que iba a ocurrir.

za que el autor de este libro ha tardado varios años en desenredar la madeja.

En todo caso, está claro que el Príncipe[37] acudiría al día siguiente a la llamada de Franco sabiendo que, aparte la reacción de los falangistas, tenía todos los flancos cubiertos, porque el principal consejero del Rey, y el hombre que mandaba realmente en Estoril, iba a controlar cualquier respuesta.

El Príncipe habla con su padre ese viernes, día 11, y le dice que no había nada, que su barco navegaba hacia Bélgica y que él se iría enseguida para participar en una regata.[38]

37. El autor ha comprobado que Don Juan Carlos no guarda memoria clara de esta conversación.

38. Calvo Serer (*Franco frente al Rey*. Pág. 190) traslada esa conversación al lunes 24. Con mala intención, pues no es lo mismo que el Príncipe conociera o no el nombramiento cuando habló con su padre. Según algunos testimonios, por otra parte, la regata iba a celebrarse en un lago suizo.

Capítulo IV

DOCE DÍAS DECISIVOS: DEL 12 AL 23 DE JULIO DE 1969

Sábado, 12 de julio de 1969

En Estoril, Don Juan dedica la mañana a los preparativos que exigía el *Giralda* para el crucero que tenía previsto por el Mediterráneo. Se muestra abierto y sonriente, y su aspecto es magnífico y jovial.

Mientras el Rey, en Cascais, se ocupa del barco, el Príncipe de Asturias, en Madrid, recibe una llamada de Franco, que le cita para después de comer, en El Pardo. Cinco minutos antes de las cuatro, Don Juan Carlos camina ya por los corredores del viejo Palacio de piedra dorada y triste hacia el despacho del dictador.

Franco le tiende la mano y le pregunta:

—¿Cómo está vuestra familia, Alteza?

—Muy bien, mi general, gracias.

El dictador se sienta sin invitar al Príncipe a hacerlo. El hermoso despacho cuadrado, un millón de veces fotografiado, con sus tapices, sus alfombras, la mesa abarrotada de carpetas y expedientes, la figura diminuta del que se llamaba a sí mismo *caudillo*, el ambiente entero, que respira solidez y firmeza, impresionan una vez más al Príncipe de Asturias.

Sin otros preámbulos, mirándole a los ojos, «el generalísimo le comunicó su decisión de designarle sucesor, a cuyo efecto el día 17 se publicaría la convocatoria de una sesión extraordinaria de las Cortes que tendría lugar el día 22. Le dijo que quería garantizar la continuidad y que esperaba del Príncipe que sabría imprimir un aire joven a la vida política española. Le leyó la carta que iba a enviar a Don Juan. El Príncipe le sugirió que la llevara alguien que tuviera ascendiente en Estoril, para asegurar la buena reacción de su padre. Franco le dijo que no creía que hiciera falta. Le advirtió, entre otras cosas, que, una vez designado sucesor, no podría salir al extranjero sin autorización del Gobierno y que aquel verano, por tanto, no podría pasar sus vacaciones fuera de España. Le indicó también que le nombraría general honorario de los tres Ejércitos, pero que al acto de juramento fuera con uniforme de capitán, puesto que el nombramiento de general se publicaría al día siguiente de la jura, el 24. La conversación fue muy cordial y emotiva. El Príncipe reiteró lo que le

31

había dicho ya el 15 de enero: que él estaba para servir a España, que a ello se había comprometido cuando juró la bandera. Al término de la entrevista, Franco le dio un abrazo».[39]
Don Juan Carlos cuenta esta escena así, ya Rey veterano, en 1992:

—Bien. Tengo que anunciaros algo —me dijo Franco sin cambiar de tono—. El próximo día 22 de julio voy a nombraros mi sucesor «a título de Rey».
Eso caía cinco o seis días más tarde. Me dejó estupefacto.
—Pero, mi general, ¿por qué no me dijo nada cuando le vine a ver antes de ir a Estoril?
—No quería que lo supierais antes de ver a vuestra familia —me respondió con la mayor tranquilidad del mundo.
—Mi general, de todas formas ahora debo poner a mi padre al corriente de sus intenciones.
—Preferiría que no lo hicierais.
—Mi general, yo no puedo mentir a mi padre y menos todavía ocultarle una noticia tan importante.
Me miró en silencio unos segundos, con cara impenetrable. Después me preguntó:
—Entonces... ¿qué decidís, Alteza?
No me dijo: «Tomaos tiempo para reflexionar vuestra respuesta.» No. Tenía que responderle allí, enseguida. Al fin había llegado el momento que yo tanto temía. De pie, frente al general, que esperaba imperturbable, hice un razonamiento muy sencillo, un razonamiento que ya había hecho a menudo para mis adentros. Mi padre, en contra de la opinión de muchos de sus consejeros, había querido que yo hiciera mis estudios universitarios y militares en España. Sabía mejor que nadie los riesgos que corría enviándome «al enemigo». No tardé mucho en saberlo yo también. Ahora, el envite principal no era saber quién iba a ser Rey de España, si mi padre o yo. Lo importante era restaurar la Monarquía en España. «¿Qué decidís, Alteza?», acababa de preguntarme el general Franco. Si no le respondía allí, enseguida, podía apartarme de sus proyectos, porque no le gustaba que lo contrariaran y no le faltaban peones para continuar el juego si yo le dejaba el sitio libre. En tal caso, era seguro del todo que Franco no acudiría al Conde de Barcelona. Dicho esto, en ningún momento (y Dios sabe que sí hubo momentos difíciles) creí que el general fuera a cambiar de opinión respecto a mí. Que tardara tanto en nombrar un futu-

39. López Rodó. *La larga marcha hacia la Monarquía.* Pág. 335. Cfr. Tusell. *Carrero.* Pág. 342. José María Toquero. *Don Juan de Borbón, el Rey padre.* Plaza & Janés, 1992. Pág. 273. Suárez. *Francisco Franco y su tiempo.* Tomo VIII. Pág. 95. Alfonso Armada, que estaba en la secretaría del Rey, en un puesto clave, sitúa, equivocándose, la entrevista el día 15. *Al servicio de la Corona.* Pág. 129.

ro Rey no quería decir que no fuera un monárquico convencido. España (y eso me parece significativo) nunca dejó oficialmente de ser un Reino durante todo el período que duró el franquismo. Yo hubiera querido, naturalmente, que las cosas pasaran de otro modo, sobre todo por respeto a mi padre. Pero aquel día Franco me puso entre la espada y la pared. Esperaba mi respuesta. Le dije: «De acuerdo, mi general, acepto.» Sonrió imperceptiblemente y me estrechó la mano.

De vuelta a casa, llamé a mi padre a Estoril y le conté lo que acababa de pasar. Mi padre tuvo entonces una reacción perfectamente lógica. «Eso quiere decir —su voz se había alterado— que lo sabías cuando viniste aquí y que no has querido decírmelo.» Le respondí que se equivocaba, que yo no sabía absolutamente nada cuando fui a Estoril. Estaba al corriente de ciertos rumores, lo mismo que él. Pero en Madrid hay que tomar los rumores por lo que valen. Yo decía la pura verdad, pero bajo el impacto de la noticia, mi padre no me creyó. Durante muchos meses estuvo muy frío conmigo. Después, con el tiempo, todo volvió a su cauce. Me abrazó y me dijo: «Después de todo, soy yo el que te ha puesto en ese trance al enviarte a España.» Después añadió con amargura: «Pero nunca hubiera creído que las cosas se harían así.»[40]

Don Juan Carlos no llamó a su padre a Estoril, en contra de lo que le asegura a Vilallonga, hasta el día 16, a media mañana, una vez que el marqués de Mondéjar había entregado su carta personal y manuscrita. No tuvo valor para la conversación personal previa. Probablemente hizo bien. Telefoneó tres veces al padre aquel miércoles 16, pero Don Juan no se puso al teléfono. Seguramente lo hizo su madre, Doña María, y en más de una ocasión. Por lo menos eso aseguraba Juan Tornos.

Pero Don Juan Carlos no le miente a Vilallonga. No lo hace nunca. Hay que decirlo en su honor. La conversación existió y, además, tal y como la recuerda el actual Rey. Pudo celebrarse el día 21, como afirma López Rodó.[41] Don Juan diría el día 29, a Sainz Rodríguez, Pemán y Anson, que había hablado con su hijo el jueves 24. Según Armada,[42] durante el acto de las Cortes, el 23, llamó Antonio Banda con este recado: «Que en cuanto termine la sesión, el Príncipe llame a su padre.» Probablemente no pudo comunicar esa noche con el barco y no habló hasta el día siguiente, 24. El propio Don Juan se contradice y le comentó a Pedro Sainz, el 26 de octubre de 1979, que ha-

40. Vilallonga. *El Rey*. Pág. 79s.
41. López Rodó. *La larga marcha hacia la Monarquía*. Pág. 367.
42. Armada. *Al servicio de la Corona*. Pág. 130. Cfr. José María Toquero, *Don Juan de Borbón, el Rey padre*. Pág. 274.

bló con Don Juan Carlos el 16, poco antes de llegar el embajador. Salas y Guirior también lo refleja así, equivocándose los dos.[43]

A la hora en que el *caudillo* comunica al Príncipe de Asturias su decisión, Pedro Sainz Rodríguez viajaba hacia Lisboa en coche, después de haber almorzado en el Parador de Mérida, en compañía de Jesús Obregón. Un fuego «que parecía del infierno» quemaba el asfalto y convertía el automóvil en «un baño turco».[44]

El Rey estaba enfrascado en una partida de cartas en el *Golf* de Estoril, con Salas y Guirior y unos amigos. Perdió, con visible disgusto. Antes había jugado al golf.

Domingo, 13 de julio de 1969

Avisado por Carrero el 11, el embajador Giménez-Arnau[45] llega a Madrid el domingo 13.

López Rodó y Carrero dedican el día a perfilar la estrategia del nombramiento.

Pedro Sainz Rodríguez se pasa la tarde del domingo terminando de leer *Literaturas de vanguardia en Europa*, de Guillermo de Torre.

Varios miembros del Secretariado Político de Don Juan se desplazan a Estoril en avión.

Anson lo hace en su *Seat-600*, que resiste los cuarenta grados de la carretera extremeña.

Areilza, en su casa de la Castellana, refugiado en su biblioteca de madera blanca, con libros de bellas pieles gastadas, perfila la reunión del Secretariado, convocada por el Rey para el día 15. Areilza estaba en el mejor momento de su vida política. Su lucidez y su cultura eran un asombro permanente. Realizó una espléndida labor al frente del Secretariado Político, fue hombre clave para las decisiones más complicadas y nunca la causa monárquica estuvo tan bien dirigida como cuando le correspondió a él la responsabilidad. La justicia exige escribir estas líneas.

---

43. José Salas y Guirior. *Don Juan visto de cerca*. Serie en *ABC*, 1978.
44. Archivo Pedro Sainz Rodríguez.
45. Giménez-Arnau. *Memorias de memoria*. Pág. 318s. El relato del embajador es sustancialmente válido aunque confunde las fechas y los días. Su vanidad indescriptible le hace permitirse alguna licencia, al margen de la realidad.

Lunes, 14 de julio de 1969

A mediodía, el dictador, vestido de paisano, recibe a su lacayo Giménez-Arnau. Le entrega la carta para el Rey y le ordena que no acuda a *Villa Giralda* hasta «que termine el *Consejo de los rabada-nes*[46] y se vayan todos».

El Príncipe de Asturias dedica la mañana a perfilar con sus colaboradores su discurso ante las Cortes, que debe aprobar Franco. López Rodó se aparece ya ante todo el sector tecnocrático con un halo virginal de santidad. Está en gracia santificante histórica. Una gripe le ha mantenido en cama varios días. Sabe, y es verdad, que ha sido hombre clave para lo que va a ocurrir.

El embajador Giménez-Arnau toma el avión de la tarde, palpitando todavía de emoción tras el placer imperial de haber contemplado al César. Se encuentra allí con «un grupo de tres personas de la Junta Política del Conde de Barcelona, de los que recuerdo a Miguel Ortega y a Santiesteban, y no acabo de identificar al tercero».[47] La Junta Política se llamaba Secretariado Político. Ortega era miembro del Consejo Privado y del Secretariado. Santiesteban no existe en ninguno de los dos organismos. Así que hace muy bien el embajador en no reconocer al tercer viajero.

A las ocho, Giménez-Arnau toma un whisky, en Palhava, con el conde de los Andes, miembro del Secretariado Político. «Embajador —le dice Andes—, hemos tenido un almuerzo con Su Majestad y todos estos rumores que últimamente nos han estado volviendo locos en España no tienen fundamento alguno. Pasado mañana se va el Rey a navegar y hasta octubre no hay problemas previsibles.» «El sobre sigue crujiendo y yo me pregunto cómo es posible que pudiera ser desconocido por todos los altos consejeros del Conde de Barcelona un hecho de la magnitud del que yo era portador.»[48] También López Rodó escribirá «los del Secretariado no se enteran».[49] Ni los del Secretariado, ni la mayor parte de los ministros, ni los procuradores, ni casi nadie sabía nada en aquel momento. López Rodó, por otra parte, no estaba enterado del fondo político en el que se movía la Restauración desde 1948.

Pedro Sainz Rodríguez llega a las siete y media de la tarde a *Vi-*

---

46. Se refería al Secretariado Político del Rey.
47. Giménez-Arnau. *Memorias de memoria*. Pág. 322.
48. Ibídem. Pág. 322.
49. López Rodó. *Memorias II*. Pág. 452.

lla Giralda. Se encuentra con Calvo Serer, que está en la secretaría con el marqués de Lema, tratando con desesperación de que alguien le haga caso. «Pedro Sainz se dirigió a Calvo Serer, con quien apenas había hablado desde hacía tres años, desde que éste se hizo cargo de la presidencia del diario *Madrid*, expresándole su convencimiento de que no habría designación de sucesor. A esas horas ya tenía el embajador Giménez-Arnau la carta de Franco para el Conde de Barcelona.»[50] Fue Calvo Serer el que, en casa de Lema, en el *Carpe diem*, aseguró que «no es una opinión; es una información. Está todo aplazado y Franco no hará nada». Varios consejeros, entre ellos Anson, le escuchan. Pedro Sainz Rodríguez, en cambio, el cáustico, cauteloso y reptante don Pedro, lo sabía todo. Callaba y esperaba. Y hacía ejercicios espirituales de simulación.

Martes, 15 de julio de 1969

A las diez de la mañana, los miembros del Secretariado están ya sentados en torno a la mesa del comedor de *Villa Giralda*. Preside el Rey, con José María de Areilza enfrente. El año anterior, 1968, y en la misma reunión, estuvo sentado el Príncipe Don Juan Carlos en el lugar que ahora ocupaba el que iba a ser su ministro de Asuntos Exteriores en 1975-76. Están presentes Hermenegildo Altozano, Luis Sánchez Agesta, Guillermo Luca de Tena, conde de los Andes, Fernando Aramburu, Francisco Melgar, Miguel Ortega, Eduardo Gil de Santivañes, conde de los Gaitanes, Jesús Obregón, Santiago Nadal, José María Ramón de San Pedro, Luis María Anson y Pedro Sainz Rodríguez. Gil de Santivañes asistía a las reuniones del Secretariado como secretario general del Consejo Privado; Sainz Rodríguez, porque le daba la gana. El Secretariado funcionaba como un Gobierno en la sombra.

Areilza hace un informe impecable de la situación general y de las actividades de la causa monárquica. Habla con precisión y brillantez. La luz, intensa, reverbera en el rico centro de plata de la mesa y golpea las paredes revestidas de una *boisserie* clara.

Los diversos secretarios intervienen a continuación. Don Juan escucha en silencio. Areilza hace alguna puntualización. La reunión está, como siempre, perfectamente preparada. Nadie divaga y todos intervienen con concisión y seriedad. Son las doce cuando concluye el orden del día.

---

50. Calvo Serer. *Franco frente al Rey*. Pág. 185.

Entonces, el Rey toma la palabra, carraspea con alguna intensidad y, aclarada la voz, dice:

—Os he escuchado con atención y quiero daros las gracias a todos, y de manera especial a José María de Areilza, por el trabajo que estáis realizando. Vuestro esfuerzo, podéis creerme, tiene todo mi reconocimiento. Pero hoy, antes de levantar la sesión, quisiera conocer vuestra opinión, uno a uno, sobre ese rumor tan extendido de que el generalísimo va a nombrar sucesor de forma inmediata.

Habla, primero, Paco Andes, que está a la derecha de Don Juan, y de forma muy jovial asegura que no había nada, que lo sabía «de muy buena tinta». De la misma forma, aunque no tan risueños, se expresan el resto de los consejeros. Cuando le llega el turno a Areilza, el jefe de aquel *Consejo de los rabadanes* se sonríe y dice:

—He preparado una comunicación para darla a la Prensa cuando se haya producido la dispersión veraniega.

Y lee:

«Una vez más, y en el entorno del 18 de julio, se dispararon los rumores en los mentideros políticos sobre la decisión del general Franco de elegir sucesor en la Jefatura del Estado. Una vez más, las predicciones de los agoreros se hundieron en las vacaciones estivales. Ni Franco ha pensado en elegir sucesor ni mucho menos, si lo hiciera, contraería la responsabilidad ante la Historia de quebrar de un hachazo el principio dinástico de la continuidad, que constituye la virtualidad más singular y fecunda de la Institución Monárquica...»[51]

Al concluir el documento, bastante extenso, Areilza recibe felicitaciones generales y la complacencia del Rey.

Continúa el resto de los miembros del Secretariado expresando su opinión brevemente, todos sin excepción en el mismo sentido, incluido José María Ramón de San Pedro. Anson, sentado a la izquierda de Pedro Sainz, que está a su vez a la izquierda del Rey, interviene en penúltimo lugar.

—Yo soy un informador profesional. El año pasado dije aquí mismo, delante del Príncipe, que las probabilidades de que Franco nombrara sucesor eran de un ocho o un diez por ciento. Hoy siento discrepar de lo que aquí se ha dicho. Tengo dos informaciones muy concretas: una, de López Ibor, íntimo amigo, como se sabe, de Alonso Vega; la otra, del duque de Alba, que está muy cercano a Navarro Rubio, gobernador del Banco de España, del equipo de López Rodó. Hablé con ellos el sábado para traer información y no rumores. Am-

---

51. Archivo Luis María Anson.

bos creen que las cosas han madurado y que el nombramiento puede producirse en cualquier momento. Así es que, en mi opinión, Señor —concluyó Anson, volviéndose hacia el Rey—, hay un cincuenta por ciento de probabilidades de que sí y un cincuenta por ciento de probabilidades de que no.[52]

Se hace un espeso silencio general, roto por don Pedro:

—Tenía que salir el periodista... ¿No leen ustedes a Massip? Si el presidente Nixon escupe en el rostro a la Reina de Inglaterra en su próximo viaje a Londres, se producirá un grave incidente entre las dos naciones... Estos periodistas, con tal de hacer titulares... Pero, naturalmente, como Nixon no va a hacer la cabronada de escupir a la Reina, pues no pasará nada... Franco, querido Anson, es un jugador de juegos malabares y tiene en el aire cuatro o cinco bolas, el Rey, Don Juanito, Alfonso Dampierre, don Hugo, el fiambre de Carlos VIII, la regencia... Si coge una sola bola, se terminó el juego, porque se caen todas las demás. Franco solo estará cómodo en el poder con todas las bolas en el aire, las malabares, claro, porque las suyas propias las tiene muy bien puestas.

Hay risas generales. Paco Andes palmotea. El Rey mira con disgusto a Anson y celebra, con una de sus famosas carcajadas plenas, la ocurrencia de Pedro Sainz. Se levanta la sesión y todos bajan a disfrutar del día y a almorzar en el hotel *Palacio* con Don Juan.

A las seis de la tarde, los *rabadanes* se van en avión, salvo Anson, que era un hombre a un *600* pegado, y Sainz Rodríguez, que se queda en su casa de Lisboa.

En Madrid, Carrero e Iturmendi se reúnen con el Príncipe para leerle el texto de la Ley y estudiar el acto de aceptación, el día 23, las palabras que Don Juan Carlos debía pronunciar y su posterior discurso ante la ficción de las Cortes Generales del dictador.

El Rey invita a Anson a cenar en *Villa Giralda* con amigos portugueses. Don Pedro se va al cine.

—Discúlpeme con el Rey de que no esté en la cena. Dígale que la reunión de esta mañana me ha producido un dolor terrible en los huevos... o lo que usted quiera, con tal de que sea convincente, porque con esa manía que tiene usted de no decir un solo taco, no hay quien le entienda. Pero quiero ir a ver a Romy Schneider en una película nueva que pasa en una piscina. Estará cojonuda.

En Madrid, Guillermo Luca de Tena, que ha salido del aero-

---

52. López Rodó relata con notable precisión la intervención de Anson y la reunión del Secretariado, informado tal vez por Hermenegildo Altozano. Cfr. *La larga marcha hacia la Monarquía*. Pág. 338.

puerto de Barajas en coche con Areilza, va a cenar a casa de Leopoldo Calvo Sotelo. Todos le preguntan. «No hay nada», contesta. Anson, en su hotel de Cascais, toma minuciosas notas de la reunión del Secretariado para redactar con rigor el acta de la sesión. Era su obligación como secretario de Información de aquel organismo. A las ocho, llega a *Villa Giralda* y va a la secretaría, donde está el marqués de Lema trabajando. A los pocos minutos llama el embajador[53] y dice que quería ver con urgencia al Conde de Barcelona.

—No puede ser hoy —responde Lema—. Tiene una cena que va a empezar ahora en *Giralda*.

—Es que traigo una carta de Su Excelencia el Jefe del Estado.

—Espera un momento, embajador.

Sube Lema al despacho de Don Juan y regresa a los pocos minutos.

—Embajador —dice—, el Señor te espera mañana a las doce y media.

Al subir a cenar, Don Juan hace un aparte con Anson.

—¿No viene Pedro?

—No, Señor. Se ha ido a ver una película de Romy Schneider.

—Bueno —se conforma el Rey—. Debo decir que esa chica tiene ojos muy bonitos.

Y luego:

—¿Sabes que hay una carta del generalísimo?

—Sí, estaba en la secretaría con Lema.

—Y ¿qué piensas?

—Las buenas noticias no se dan ya por carta, Señor.

El Rey asiente.

—¿Te importa venir mañana por la mañana temprano? Subes al despacho y me avisas.

El Rey, que es un gran encajador, permanece sereno, aunque pensativo, durante toda la velada. El Príncipe de Asturias llama aquella noche. Habla con su madre. Según López Rodó, tenía con ella una clave ingenua (si se había reventado o no el grano) para referirse a la sucesión. No está completamente explícito con la madre, pero le anuncia que Mondéjar había salido en el *Lusitania* con una carta suya. Probablemente Doña María no le dice nada a Don Juan por la noche, sino por la mañana temprano.

---

53. Las notas del archivo de Anson difieren ligeramente de la versión que da el embajador. Cfr. Giménez-Arnau. *Memorias de memoria*. Pág. 322.

Miércoles, 16 de julio de 1969

A las ocho y media, el Rey había desayunado y trabajaba en su despacho. Anson pide la venia y entra. Don Juan se pone en pie. Su inmensa mole, de casi dos metros, queda al trasluz de la ventana. El Rey tiende las manos y abraza con fuerza a Anson, que permanece firme, manteniendo con dificultad el protocolo.

—Está a punto de llegar Mondéjar con una carta de Juanito. Ve leyendo y ordenando todo esto y luego lo despachamos.

Dice algo más, con la voz empalidecida, y Anson pasa al llamado «saloncito de la Reina». Se sienta en un sofá, bajo el retrato del Infante Don Alfonso. No es capaz de ordenar las cartas y recortes que Don Juan le había entregado.

El marqués de Mondéjar llega a las diez menos veinte. Lema le acompaña hasta el despacho del Rey.

Mondéjar se cuadra ante Su Majestad, da un taconazo e inclina la cabeza.

—Señor —dice con los ojos bajos—, le traigo a V.M. esta carta del Príncipe.

Don Juan la toma entre sus gruesas manos de lobo de mar, la abre y la lee lentamente.[54]

Está escrita con letra clara y firme.

> «Madrid, 15-VII-69
> Queridísimo papá:
> Acabo de volver de El Pardo adonde he sido llamado por el Generalísimo; y como por teléfono no se puede hablar, me apresuro a escribirte estas líneas para que te las pueda llevar Nicolás, que sale dentro de un rato en el *Lusitania*.
> El momento que tantas veces te había repetido que podía llegar, ha llegado y comprenderás mi enorme impresión al comunicarme su decisión de proponerme a las Cortes como sucesor a título de Rey.
> Me resulta dificilísimo expresarte la preocupación que tengo en estos momentos. Te quiero muchísimo y he recibido de ti las mejores lecciones de servicio y de amor a España. Estas lecciones son las que me obligan como español y como miembro de la Dinastía a hacer el mayor sacrificio de mi vida y, cumpliendo un deber de conciencia y realizando con ello lo que creo es un servicio a la Patria, aceptar el

---

54. López Rodó afirma en *La larga marcha hacia la Monarquía*, pág. 339, que Don Juan no quiso leer la carta delante de Mondéjar. No es verdad. La leyó delante del Jefe de la Casa del Príncipe.

nombramiento para que vuelva a España la Monarquía y pueda garantizar para el futuro, a nuestro pueblo, con la ayuda de Dios, muchos años de paz y prosperidad.

En esta hora, para mí tan emotiva y trascendental, quiero reiterarte mi filial devoción e inmenso cariño, rogando a Dios que mantenga por encima de todo la unidad de la Familia y quiero pedirte tu bendición para que ella me ayude siempre a cumplir, en bien de España, los deberes que me impone la misión para la que he sido llamado.

Termino estas líneas con un abrazo muy fuerte y, queriéndote más que nunca, te pido nuevamente, con toda mi alma, tu bendición y tu cariño.

JUAN CARLOS»[55]

Al terminar la lectura, Don Juan deja la carta abierta sobre la mesa del despacho.

—Dios dirá... —musita, y se le humedecen los ojos—. ¡Qué le vamos a hacer!

Luego se interesa por el viaje de Mondéjar.

—¿Por qué no vienes a misa conmigo? —añade—. Hoy es el Carmen... María, Margot y todos han salido ya para la iglesia.

Mondéjar, que adoraba al Príncipe y quería y respetaba profundamente al Rey, asiente en silencio. Hace una inclinación de cabeza y baja las escaleras para esperar a Don Juan en el vestíbulo. Ya en Lisboa, tras la misa, recibiría una llamada de Doña María para tranquilizarle.

El Rey reclama a Anson.

—Quiero que leas la carta de Juanito —dice.

Anson lo hace despacio.

—¿Qué piensas?

Anson le dice lo que piensa con dureza.

El Rey asiente.

—Me voy a misa... Habrá que hacer algo. Llama a Pedro y a Areilza..., y pensad en algo.

Sale del despacho.

Anson, un poco aturdido, baja las escaleras y le explica a Lema lo que éste ya sabía. Tornos se mueve por toda la casa. Es un insufrible rabo de lagartija.

Anson telefonea a Sainz Rodríguez.

—Me coge usted recién salido del baño, mi querido amigo, en pelota picada —responde don Pedro con jovialidad.

Anson le explica lo que acaba de leer.

---

55. Archivo Don Juan de Borbón.

—¡Coño! —exclama don Pedro, con delicadeza. Y añade, finamente—: Hay que tocarse los cojones.

Un momento después:

—Como comer hay que comer, le espero en *Saisa* a la una y media. Y procure que el Rey no haga ninguna tontería hasta que yo llegue...

Anson le dice a Lema:

—Hay que avisar a Areilza.

Tornos se precipita al teléfono.

—Yo, yo, yo, yo le llamo a Motrico.[56] ¿Qué le digo, qué quiere el Rey?

—Que venga lo antes posible —contesta Anson fastidiado.

Tras la misa en San Antonio, Mondéjar vuelve a Lisboa. Don Juan se encierra en su despacho. Lema sube en tres ocasiones. A Anson le da la sensación de que Tornos está con Doña María. La apacible *Villa Giralda* parece electrificada.

Don Juan llama a José María Pemán y habla unos minutos con él. Después, en ausencia de Lema, marca personalmente el número de Antonio García Trevijano en Madrid. Le explica la situación y solicita su presencia en Estoril. Solo media hora después, Trevijano pisa ya el acelerador de su *Jaguar*, camino de Portugal. De esta llamada Don Juan no da cuenta ni a Sainz Rodríguez ni a Anson.

—Dice el Señor que me acompañes.

Anson, que estaba absorto, sube con Lema al despacho del Rey.

—¿A qué hora llega Arnau? —pregunta Don Juan.

—En unos minutos, a las doce y media.

—Vendrá más contento que unas pascuas —comenta el Rey, con desdén.

Y se refiere a asuntos menores del barco. Se va Lema. Don Juan mira a Anson fijamente. Siempre ha estado seguro de su lealtad.

—Espera fuera. Te llamo enseguida.

Anson pasa al saloncito de la Reina, que sigue vacío.

Llega el embajador de Franco. El Rey recibe de pie al lacayo de pútrida sonrisa. Toma con dos dedos la carta del dictador y, sin abrirla, la tira sobre la mesa.

Giménez-Arnau, con su afeitada cara, su traje, su corbata y sus zapatitos de atildado dependiente de grandes almacenes, lleva preparada alguna frase histórica sobre Alfonso XIII. El Rey le interrumpe. «¿Qué tendrá que ver la abdicación de mi padre, enfermo de

---

56. Areilza habla de otra llamada del Rey de madrugada. *A lo largo del siglo*. Planeta, 1992. Pág. 183.

muerte, con todo esto?», piensa irritado. Y le da los buenos días al recadero, sin dejarle hablar.

En sus *Memorias de memoria*,[57] el embajador, que había llegado con Miguel Jabala, al que, según él, pidió que cronometrara el tiempo de la entrevista, escribe pintorescamente: «Lo primero que pregunto a Jabala es cuánto ha durado la conversación. Yo no sabría si una hora y media o cinco minutos. No era ni una cosa ni otra. La conversación se había prolongado catorce minutos...»

Sin duda Jabala cronometró bien el caso que el Rey había hecho al embajador, pero éste debió bajar muy despacio la escalera, recreándose en el retrato de Alfonso XIII, de Laszlo. La gélida conversación con el Rey no duró más de tres minutos.

Don Juan llama a Anson y le dice que abra la carta de Franco, punto final de la lucha por el poder entre los dos personajes. Por eso he empezado la introducción a este libro con la escena terrible en la que culminó aquella lucha de tragedia griega entre el Rey y el dictador.

En *Saisa*, un restaurante absurdo entre Lisboa y Estoril, sobre el mar, Pedro Sainz Rodríguez espera ya, contemplando con evidente delectación las carnes prietas de las bañistas, que retozan en la sal oscura de la playa, sobre las arenas sopladas por el viento.

Una camarera, que no cabe en el traje, se les acerca sonriente, sangre yoruba en el rostro. Es «la mulata, dos pitones en punta bajo la bata», del verso azul y vegetal de Alberti.

Trae don Pedro el borrador de dos cartas, dirigidas a Pemán y Areilza, con la disolución del Consejo Privado y del Secretariado Político. Cumple así un compromiso que en ese momento Anson no puede adivinar. Ni siquiera se extraña de que se disuelvan los organismos presididos por Pemán y Areilza sin reunirlos antes.

También le lee, haciendo correcciones a la vez, el texto de una declaración o manifiesto de Don Juan. A Anson todo le parece bien. Está tan abatido que permanece indiferente ante las turgentes jovencitas con las que disfruta visiblemente don Pedro. «Son todas como putas», musita Sainz Rodríguez. Y con grave acento de experto añade: «Ni en un burdel enseñan tanto.»

A las cuatro de la tarde están ya en *Giralda*, en el despacho del Rey. Hace un calor insoportable. Don Pedro, más orondo que nunca, resopla, pero domina la situación. Don Juan llama a Lema y le ordena que copie las cartas a Pemán y a Areilza.

—Hay que poner fecha del viernes 18 para que coincidan con el manifiesto y éste quede respaldado por el Consejo —ordena Sainz.

---

57. Pág. 323.

Don Juan asiente. Luego, el manifiesto llevaría fecha del 19, aunque se distribuyó el 18.

No está el eficaz y discreto Eugenio Hernansanz, el hombre clave en la secretaría desde 1946, pero Lema sube a los pocos minutos con las dos cartas.

El Rey las firma en silencio. La de Pemán se la entrega a Anson.

—Areilza llega mañana y le daré personalmente su carta. A Pemán se la llevas tú.

—Creo que lo mejor que podía hacer Anson es marcharse ya a Madrid —ordena don Pedro—. Hay que comunicar a todos los consejeros la decisión de disolver el Consejo Privado y, sobre todo, hay que dar a las agencias la declaración de V.M. y atender a los periodistas..., a los extranjeros, que llamarán en racimos. Mañana, con Areilza perfilamos lo que haya que perfilar del Manifiesto y luego lo mejor que puede hacer V.M. es meterse cuanto antes en el barco. Ya tendremos después tiempo de ver qué es lo que se hace.

En Madrid, y según cuentan sus protagonistas, se les ocurre a la vez a Carrero, a López Rodó y a Doña Sofía —ya es casualidad— que a Don Juan Carlos se le llame Príncipe de España. Franco, por lo visto, no participa en la elección de este título, un poco grotesco desde el punto de vista histórico.

Pedro Sainz abandona *Villa Giralda*, mientras Anson viaja ya hacia Madrid. Don Juan quería estar solo, según entiende su consejero. No era así: lo que el Rey pretendía es que don Pedro no viera a Trevijano. Poco después de las siete llega éste. El Rey le abre personalmente la puerta de la casa y le da un abrazo. Ambos suben al despacho. Don Juan enseña a Trevijano la carta del dictador, no la del Príncipe. Trevijano se indigna y dice que es necesario responder. El Rey le encarga que redacte la respuesta.

Jueves, 17 de julio de 1969

Sobre una crónica de Massip, que asistió al despegue del Apolo XI hacia la Luna, *ABC* abre su primera página con este titular: «Franco dirigirá personalmente un mensaje sobre la sucesión en la Jefatura del Estado.»

El *Boletín Oficial del Estado* publica ese mismo día la convocatoria a Cortes Generales.

Antonio Fontán, director del diario *Madrid*, llama a Areilza y le da cuenta de una conversación con López Rodó[58] para pedirle que en lugar de nombrar al Príncipe sucesor a título de Rey, se le nombre Príncipe regente. Cree que es la fórmula legal para evitar la liquidación de Don Juan. Calvo Serer escribe sendas cartas a Franco y a Carrero en el mismo sentido. Areilza no hace ni caso del argumento. Es demasiado inteligente. Y sabe que la suerte está echada.

En Estoril, a las nueve de la mañana, Trevijano vuelve a *Villa Giralda*. El Rey le enseña entonces la carta del Príncipe de Asturias. Trevijano se llena de cólera contenida y le dice a Don Juan:

—Vuestra Majestad tiene el deber de contestar.

El Rey asiente. Luego encarga a Trevijano la redacción de la carta de respuesta. Bajan juntos a la secretaría. Don Juan busca su papel personal y se lo facilita a su acompañante. Éste se instala en la sala de gentilhombres, una pequeña estancia con una mesa de trabajo y vitrinas repletas de bellas porcelanas de Sajonia. Es el lugar donde trabajan los Grandes de España que hacen «servicio» en *Villa Giralda*. Trevijano, a la máquina, se queda solo y redacta las dos cartas dirigidas al dictador y al Príncipe. Al cabo de un largo rato, se abre la puerta y se asoma Juan Herrera, recién llegado de Madrid. Se queda de piedra espantada al descubrir la identidad de quien allí está escribiendo a máquina. Herrera pensaría y diría más tarde que estaba copiando el Manifiesto de Don Juan, lo que provocará el error de la mayor parte de los historiadores. Trevijano no intervino en ese texto.

A las once de la mañana, Areilza reúne en su casa de la Castellana, en Madrid, a los miembros del Secretariado Político que ha podido encontrar. Anson, cansado y entristecido, da cuenta de la jornada anterior. La desolación se hace general. Anson ha llamado a Jerez a José María Pemán, que estaba informado por el Rey, y ha dejado la carta con la disolución del Consejo Privado en el domicilio del poeta, en Madrid, en la calle Felipe IV, 9. Explica también que el Secretariado no existe y que el Rey entregará a Areilza la carta de disolución ya firmada. El conde de Motrico no comprende por qué hay que disolver el Secretariado. Lee Anson la carta del Rey a Pemán. Como Don Juan se la entregó abierta, Anson la copió con exactitud:

«Querido José María:
Las nuevas circunstancias creadas en España con motivo del nombramiento de Sucesor en la Jefatura del Estado hacen necesario,

---

58. López Rodó. *La larga marcha hacia la Monarquía*. Pág. 345. Cfr. también *Memorias II*. Pág. 458.

a mi parecer, un reajuste de las actitudes políticas en el campo de la Monarquía. Por ello he decidido proceder a la disolución de mi Consejo Privado que desde 1946 me acompañó con sus opiniones y su responsabilidad en la orientación de la Causa monárquica. Quisiera expresaras a todos y cada uno de sus componentes mi profundo agradecimiento por la lealtad y la abnegación con que me sirvieron a lo largo de estos años.

Y a ti, que has sido ejemplo y guía del pensamiento de nuestra Monarquía y que supiste mantenerte siempre en una intachable línea de fidelidad, quisiera hacerte llegar una vez más mi reconocimiento sincero y cordial por tu tarea y por tu conducta.

Te abraza con todo afecto,

JUAN»[59]

A continuación, Anson lee el texto del manifiesto. A Areilza no le gusta.

Se disuelve enseguida la reunión. Areilza le da instrucciones muy precisas a Anson sobre lo que hay que decir a los periodistas. Éste se instala en las oficinas del Consejo Privado, en Goya, 31, camufladas como la empresa de Artes Gráficas *AGASA*. Se pasa el día allí, con el conde de los Andes y Ramón Jordán de Urríes, atendiendo la agitación general, que se ha desbordado.

A las ocho de la tarde, llama Sainz Rodríguez.

—¿Sabe usted quién está aquí?

—Pues, no.

—¡García Trevijano! —exclama con ira.

Don Pedro no se explica la presencia de Trevijano, que no era miembro ni del Consejo Privado ni del Secretariado Político. Cree que Trevijano acaba de llegar, que le ha avisado ladinamente Areilza, y no sabe que está en Estoril desde el día anterior, 16, por la tarde. Sainz Rodríguez defiende con uñas y abundosos tacos su texto del manifiesto, que sufre algunas enmiendas.

Antes de la llegada de Areilza, Don Juan ha firmado y lacrado las cartas para Franco y el Príncipe, y le asegura a Trevijano que saldrán enseguida hacia Madrid.

López Rodó se mueve como una ardilla para flanquear la reacción de Estoril. Desconoce por completo que Franco ha utilizado un arma mucho más poderosa que la que su ministro podía soñar. Consigue López Rodó controlar *ABC*. Es lo más importante. Pero le falla todo lo demás. Trata de movilizar a tiempo a Juan Ignacio Luca de Tena, que no está en Madrid, a López Ibor, a Juan Herrera, a Luis Alba.

59. Archivo Luis María Anson.

Joaquín Satrústegui, que ha pasado la jornada del 16 con los suegros de Anson en su finca de Valdeprados, llega a Estoril, acompañado de Jorgina, su mujer, el 17, por la mañana. El Rey le recibe enseguida.

En Madrid, Franco, reservón, acepta los textos que le lleva Carrero, aunque no le gusta el título de Príncipe de España. España era él y por eso en las monedas había hecho grabar: «Francisco Franco, *caudillo* de España por la Gracia de Dios.» Franco es la historia de un mesianismo, según el espléndido libro crítico de Luciano Rincón.[60] Al dictador no le hacía gracia, por consiguiente, lo de compartir España. Pero como llamar a Don Juan Carlos «Príncipe de Asturias» significaba reconocer que su padre era el Rey, el generalísimo de los Ejércitos de Tierra, Mar y Aire, y *caudillo* invicto, termina asintiendo a la propuesta de Carrero, tras garantizarse generosas dosis de incienso en toda la operación. Para Franco, como decía Bernard Shaw, el arte de gobernar se reducía a la organización de la idolatría.

Don Pedro y Areilza cenan opíparamente aquella noche en el hotel *Ritz* de Lisboa invitados por Trevijano.

Viernes, 18 de julio de 1969

A las nueve de la mañana, Antonio García Trevijano acude a *Villa Giralda* para despedirse de Don Juan, quien le asegura que las cartas al Príncipe y a Franco han salido ya. El autor de este libro no ha podido comprobar que sus destinatarios las recibieran.

A las diez de la mañana, Sainz Rodríguez y Areilza perfilan el Manifiesto del Rey, ayudados por Satrústegui, en la terraza del hotel *Palacio*. Por la tarde, alertada por Juan Tornos, Doña María entra en la secretaría y advierte que no puede llevar fecha del 18 de julio. Se le pone fecha 19.

Es falso que Doña María intrigase durante esos días en contra de su marido. En los momentos más difíciles, y especialmente durante aquella semana terrible, Doña María permaneció siempre al lado de Don Juan. Estuvo también, eso sí, haciendo todo lo posible para que no se produjera un choque entre el padre y el hijo. Y su tacto, su habilidad y su firmeza fueron decisivos para que no se llegara a una situación de ruptura.

---

60. *Franco, historia de un mesianismo.* Ruedo Ibérico, 1964. El libro está firmado con el seudónimo de Luis Ramírez.

Don Juan aprueba el Manifiesto. No lo firma, porque a nadie se le ocurre decírselo. Los manifiestos del 45 y del 47 están firmados. El del 69 se da a los medios de comunicación a través de la Secretaría de Información del Secretariado Político. Areilza llama a Anson poco después del mediodía, le lee el Manifiesto y se asegura de que lo ha tomado correctamente. Anson lo lleva primero a *ABC* y después lo distribuye a las agencias extranjeras y españolas.

Fraga, ministro de Información, se entera en la tradicional recepción de La Granja, mientras escucha distraído *La vida breve*, de Falla. Cree que el Manifiesto de Don Juan atenta contra las Leyes Fundamentales y advierte duramente contra su publicación. Afirma que lo remitirá a la Fiscalía, por si fuera constitutivo de delito.[61]

ABC publica solo las últimas frases del Manifiesto. No se atreve a hacer lo que debía haber hecho para no desatar las iras de Fraga.

El texto aprobado por Don Juan es ciertamente importante y dice así:

«Españoles,

En 1947, al hacerse público el texto de la llamada Ley de Sucesión, expresé mis reservas y salvedades sobre el contenido de esa ordenación legal en lo que tenía de contraria a la tradición histórica de España. Aquellas previsiones se han visto confirmadas ahora, cuando al cabo de veinte años se anuncia la aplicación de esa ley. Para llevar a cabo esta operación no se ha contado conmigo, ni con la voluntad libremente manifestada del pueblo español. Soy, pues, un espectador de las decisiones que se hayan de tomar en la materia y ninguna responsabilidad me cabe en esta instauración.

Durante los últimos treinta años me he dirigido frecuentemente a los españoles para exponerles lo que yo considero esencial en la futura Monarquía: que el Rey lo fuera de todos los españoles, presidiendo un Estado de Derecho; que la Institución funcionara como instrumento de la política nacional al servicio del pueblo, y que la Corona se erigiese en poder arbitral por encima y al margen de los grupos y sectores que componen el país. Y junto a ello, la representación auténtica popular; la voluntad nacional presente en todos los órganos de la vida pública, la sociedad manifestándose libremente en los cauces establecidos de opinión; la garantía integral de las libertades colectivas e individuales, alcanzando con ello el nivel político de la Europa occidental, de la que España forma parte.

Eso quise y deseo para mi pueblo, y tal es el objetivo esencial de la Institución monárquica. Nunca pretendí, ni ahora tampoco, dividir

---

61. Areilza. *A lo largo del siglo*. Pág. 186. Cfr. Manuel Fraga. *Memoria breve de una vida pública*. Planeta, 1980. Pág. 250.

a los españoles. Sigo creyendo necesaria la pacífica evolución del sistema vigente hacia estos rumbos de apertura y convivencia democrática, única garantía de un futuro estable para nuestra Patria, a la que seguiré sirviendo como un español más y a la que deseo de corazón un porvenir de paz y prosperidad.

Estoril, 19 de julio de 1969»

Sainz Rodríguez ha sacado adelante lo sustancial del texto por él redactado. Anson, que tiene el primer borrador aprobado por Don Juan, solo advierte, aparte de varios matices, la supresión de una frase importante: «Como padre me siento en el deber de bendecir a mi hijo el Príncipe de Asturias y desearle que acierte en la decisión que ha tomado.»

Solo un historiador, Luis Suárez, ha calibrado el alcance del Manifiesto, una de las piezas magistrales en la estrategia global de Sainz Rodríguez. «Si se meditan cuidadosamente las palabras que en él se dicen —escribe Suárez—,[62] podemos llegar a descubrir una profundidad de intenciones expuestas con gran inteligencia y habilidad que escaparon a los comentaristas coetáneos. La Dinastía Real, en el largo paréntesis de treinta y siete años, había contemplado como prioritarias dos misiones: conservar la unidad entre sus miembros sin repetir las divisiones de 1830,[63] y proporcionar un candidato que pudiera ocupar el trono. Lo original, en este caso, era que no se manejaba un nombre sino dos, con alternativas diferentes: Don Juan no aceptaba la legalidad del procedimiento seguido para la restauración, pero se abstenía de alzar bandera en contra de su hijo. En 1969, el objetivo fundamental, la restauración de la Monarquía, parece a punto de conseguirse puesto que Don Juan Carlos recibía el juramento de las Cortes. Pero Don Juan no abdicaba. Si la operación resultaba mal, cosa que los consejeros de Estoril afirmaban, y el Régimen de Franco era derribado antes o en el momento de la muerte de éste, se mantendría siempre la imagen de una Monarquía partitocrática y constituyente como propuesta de futuro.»

En este lúcido párrafo, Luis Suárez casi toca el fondo de la cuestión. La estrategia de Pedro Sainz era ésa, pero todavía más sutil y acertada, como se irá desvelando a lo largo de este libro.

---

62. Suárez. *Francisco Franco y su tiempo*. Tomo VIII. Pág. 98.
63. Las divisiones, en realidad, al menos las de fondo, se produjeron en 1832 y al año siguiente. Cfr. Federico Suárez Verdeguer. *Los sucesos de La Granja*. CSIC, 1953. Cfr. también *Historia del Carlismo*, de Román Oyarzun, y la *Historia del tradicionalismo*, de Jesús Evaristo Casariego, libro elogiado calurosamente por Carlos Luis Álvarez.

Sábado, 19 de julio de 1969

Madrid es un hervidero político. Los falangistas celebran docenas de reuniones y solo encuentran una fórmula para que el Príncipe, al que odian visceralmente —no todos, claro, pero la mayoría—, no resulte designado sucesor: que la votación sea secreta. López Rodó desbaratará con mano maestra la maniobra.

Areilza, que no se ha quedado contento con el Manifiesto de Don Juan, hace pública una nota en la que ya no participa Anson, que prefiere atenerse a lo que ha dicho el Rey. La nota de Areilza es excelente y en ella se demuestra su perspicacia política y su visión de futuro.

«...la Institución —escribe— debería ser el instrumento histórico para superar una etapa excepcional, en vez de quedar convertida en una solución parcial y divisoria...» «... el sentido nacional integrador que caracteriza la Institución también está ausente...» «... la Monarquía propugnada por Don Juan de Borbón consistía, como lo ratifica en su declaración, en establecer la evolución pacífica y democrática que insertara nuestro país, que no es diferente, en los niveles políticos de Europa». «... sin la presencia activa del pluralismo social y político no puede haber un régimen verdaderamente libre».[64]

Con la colaboración de sus ayudantes, de forma especial Mondéjar y Armada, y con el asesoramiento de Carrero y López Rodó, Don Juan Carlos ultima su discurso. A las cinco de la tarde, el Príncipe le lee al dictador por dos veces el texto. Franco lo aprueba, pero, con la grandeza de espíritu que le caracteriza, suprime la única frase dedicada a Don Juan, en la que el hijo subraya el patriotismo del padre.

Entre el 17 y el 19, Don Juan, que habla telefónicamente con Anson cada hora y sigue de forma sorprendentemente serena los acontecimientos, recibe a una veintena de españoles destacados, entre ellos a Joaquín Satrústegui y Gaitanes. También a Juan Herrera y López Ibor, enviados por Rodó, así como al duque de Alba, portador de una declaración en la que han participado varios consejeros, entre ellos Pedro Gamero del Castillo.[65] Con López Ibor se queda de sobremesa hasta las dos de la madrugada de ese sábado, 19.

—Me enseñó —le diría Don Juan por teléfono a Anson a la ma-

64. Archivo Luis María Anson.
65. Archivo Gamero del Castillo. Lo explica Gamero en carta a Don Juan de 5 de agosto de 1969.

ñana siguiente— un manifiesto mío que había preparado López
Rodó y que quería que yo firmara. Debo decir que era la cosa más absurda que te puedas imaginar. Menos mal que Juanito no se ha atrevido a mandármelo, cosa que en realidad siento, pues, por respeto al
Opus, en lugar de pasármelo por el arco de la victoria lo hubiera em-
pleado en encender velas a San Antonio, en la iglesia de aquí, para
que el santo preserve, por los siglos de los siglos amén, la virginidad
de López Rodó.

Era absurdo, en efecto, el texto. López Rodó[66] quería que Don
Juan se hincara de rodillas ante su *caudillo*, diciendo: «... me dirijo
a los españoles para darles a conocer mi pleno acatamiento a la Ley
por la que se designa sucesor a título de Rey al Príncipe Don Juan
Carlos y mi decisión de transmitirle desde ahora los derechos y deberes inherentes a la Jefatura de la Dinastía...»

Los falangistas se reúnen con Solís en la Secretaría General del
Movimiento. La designación de Don Juan Carlos como sucesor es su
gran derrota. Al referirse a esa reunión, López Rodó, con insospechada ironía en hombre tan serio y comedido, la llama certeramente
«velatorio». Los falangistas se vengarían de los tecnócratas del Opus
desencadenando semanas después el escándalo *Matesa*.

A lo largo de toda la tarde del 19, varios ministros hacen cola
para ver a Torcuato Luca de Tena, director de *ABC*. Les envía el incansable López Rodó para que condicionen la postura del periódico,
el gran bastión de la Monarquía legítima y de su titular Don Juan de
Borbón. Es una tarde tensa y agria que Anson vive, con disgusto, en
el periódico. Al final, *ABC* capitula.

Domingo, 20 de julio de 1969

Torcuato Luca de Tena, director de *ABC* y procurador en Cortes, escribe al Rey para explicarle que ha decidido votar *no* en las
Cortes, pero publica un largo editorial en la primera del diario, *Con
la sangre de nuestros Reyes*, que, bien matizado y lleno de veladuras, supone de hecho la aceptación por parte del periódico de la voluntad del dictador.

Don Juan lo lee con tristeza, tras la misa en San Antonio, cerca
ya del mediodía, cuando se dispone a embarcar en el *Giralda* y
perderse en la mar, la amada y acogedora mar de sus reposos de
guerrero.

66. López Rodó. *Memorias II*. Pág. 336.

I will go back to the great sweet mother
mother and lover of men, the sea.

Tal vez el veterano luchador, el príncipe marinero, recordaría, en esos momentos de desolación y desgarro, los versos de Swinburne, el poeta preferido de sus tiempos de servicio en la Armada británica. En aquella mañana de sol, consumada ya su humillación, anhelaba perderse en el mar para lamerse tranquilo las heridas de la Historia.

El Infante Don Jaime y su hijo Don Alfonso de Borbón-Dampierre, hacen público, con alguna imprecisión de fechas, su servil asentimiento a Franco.

Pero la Familia Real decide no asistir a la proclamación. Doña María, la madre, se va a París. Doña Pilar y Doña Margarita, las hermanas, permanecen en sus casas. Ni siquiera asistirá el duque de Calabria. Don Juan Carlos se enfrentará solo, apoyado admirablemente por Doña Sofía, a las Cortes de Franco.

Joaquín Satrústegui, con ayuda de Zulueta, Miralles y Piniés, escribe una lúcida carta al Príncipe. Se queja de que el Manifiesto de su padre ha sido prohibido y no se ha publicado, y le pide que en su discurso «debe asumir la responsabilidad de esta divulgación [del Manifiesto censurado de Don Juan] pues hemos de suponer que, como consecuencia de la designación, ha de tener el derecho mínimo de exigir que los españoles conozcamos íntegramente y sin mutilaciones el pensamiento y la posición del Jefe de la Dinastía en que V.A. ha nacido».[67]

Lunes, 21 de julio de 1969

La noche del 20, madrugada del 21, nadie duerme en España. La sucesión, como había previsto Franco, hombre siempre dado a la marrullería, pierde presión ante el alunizaje de Armstrong, Collins y Aldrin.

El «*caudillo* de España por la gracia de Dios» abre el Consejo de Ministros, como el pastor el postigo del redil. Alude a su edad y comunica al rebaño, tras un cálido autoelogio, que ha decidido nombrar sucesor a título de Rey al Príncipe Don Juan Carlos.

Según López Rodó,[68] dijo también: «El año pasado cuando estuvo en Madrid la Reina Victoria y tuve una conversación con ella, me dio

---

67. Archivo Sainz Rodríguez. Copia mecanografiada del original.
68. López Rodó. *Memorias II*. Pág. 471.

a entender claramente que sus preferencias estaban al lado del Príncipe Don Juan Carlos.» Es falso lo que dice el dictador.[69] Pero desea que se crea así. Ha retrasado la designación de sucesor hasta la muerte de la Reina Victoria Eugenia porque no quería enfrentarse con una declaración de ésta en favor de su hijo Don Juan. Federico Silva[70] recoge la intervención de Franco de forma diferente a López Rodó: «Cuando estuve con la Reina Victoria me alentó a que si estaba decidido a instaurar la Monarquía en la persona de su nieto, lo hiciera lo más pronto posible.» Es impensable que Doña Victoria empleara la palabra instauración, prescindiera de su hijo y metiera prisa a Franco. Pero así se escribe alguna Historia.

El dictador arremete contra Don Juan y le lanza unas cuantas pedradas, sin que se produzca un solo balido en el rebaño, salvo los de placer. El silencio de los corderos se espesa mientras habla el pastor. Franco, en el apogeo de su gloria, asegura que Don Juan era «inservible» y dedica un turno a atacar expresamente a los *rabadanes* del Secretariado Político. Está eufórico.

A continuación, Carrero lee, en nombre de las ovejas, un largo escrito que lleva preparado y que Franco escucha con agrado. Adora la política áptera del incienso.

Castiella, ministro de Exteriores, no se atreve a decir que, en medio del esperpento, hay una persona digna: el Rey, que ha ordenado le supriman el Gabinete Diplomático. El fiel, discreto y perfecto marqués de Lema, y el incierto Tornos, abandonan *Villa Giralda*. Ese Gabinete, formado por dos diplomáticos, es todo lo que Don Juan había aceptado de Franco desde la Guerra Civil, y ello como demostración de que sus actividades eran transparentes y que no conspiraba, lo cual, por otra parte, está claro que no era cierto.

El Rey, suprimido el Gabinete Diplomático, reclamaría después a Don Juan Carlos la placa de Príncipe de Asturias. «Esto no es lo nuestro, de manera que venga la placa.»[71] En 1977, tras su abdicación el 14 de mayo, se la entregaría al nuevo Príncipe de Asturias, Don Felipe.

Durante la tarde de aquel día, el dictador se reúne con el Consejo del Reino, mientras los falangistas arrecian en su campaña para que la votación en las Cortes fuera secreta y se dijera no. Con

---

69. En la pág. 21 y sig. de este libro ha podido contrastar el lector la verdad de este asunto.

70. Silva. *Memorias políticas*. Pág. 238.

71. Pedro Sainz Rodríguez. *Un reinado en la sombra*. Pág. 276. (La placa a la que se refería Don Juan probablemente es la Cruz de la Victoria.)

la votación pública, cara a cara con Franco, casi nadie se atrevería a votar negativamente y perder los generosos pesebres con los que el Régimen tenía atados y bien atados a los miembros de su clase política.

Bau le cuenta a López Rodó[72] que Carlos Arias Navarro, antes de entrar a la reunión del Consejo del Reino, defiende que la votación sea secreta, incluso con Franco ausente en el momento de efectuarse. Arias era uno de los cabecillas falangistas más activos contra la designación del Príncipe. López Rodó creyó haberle aplastado en aquellas fechas. No podía ni imaginar que solo cuatro años después, el dictador, cada vez más consciente de que se había equivocado con la elección del Príncipe, nombraría, asesinado Carrero, presidente del Gobierno a Carlos Arias Navarro. La primera medida que tomó el veterano falangista fue liquidar a López Rodó del ministerio y enviarle a una embajada de segunda, para que pudiera recoger allí los escombros de su política.

Don Juan Carlos, entretanto, recibe a Vicente Mortes, al que muestra una carta de su madre.

Cena el Príncipe en el *Club 31*, con Doña Sofía y varias personas. Antonio García Trevijano está allí con un amigo. El Príncipe, al salir, se acerca a la mesa.

—¿No me saludas, Tono? —le pregunta a Trevijano.

Éste se levanta, le mira y responde, tendiéndole la mano:

—Saludo, como siempre, al amigo. Nunca al sucesor.

Martes, 22 de julio de 1969

Entran en funcionamiento las instituciones de la dictadura. El 94'6 de los procuradores le dice que sí a Franco en su propuesta de sucesor. López Rodó está exultante. No solo ha ganado a la Falange una partida en la que sinceramente cree, sino que se ha consolidado como el hombre fuerte de España después de Carrero. El futuro es suyo. Así lo cree él, así lo creen todos. Votan no, además de Luca de Tena y el teniente general García Valiño, que quiere reventar a Franco, diecisiete falangistas irreductibles. El grueso de los procuradores de Falange, arriados los pantalones, lo hacen afirmativamente. El voto es público, mirando cara a cara al dictador. El hemiciclo es un puro temblor de piernas. El César se muestra allí en el cenit de su gloria y su poder. También dicen sí Valdeiglesias, Valde-

72. López Rodó. *La larga marcha hacia la Monarquía.* Pág. 367.

casas y Fanjul que eran, además de procuradores, miembros del Consejo Privado de Don Juan.

El discurso del dictador carece de grandeza histórica. Es un texto autocomplaciente e irrelevante, reproducido por todos los periódicos españoles. Los procuradores ovacionan hasta el delirio a su *caudillo*.

Al relatar estos hechos, de nuevo Luis Suárez hace un juicio penetrante, recordando la apertura monárquica desde el manifiesto de Lausana en 1945 y afirma: «La jornada del 22 de julio de 1969 fue, en el fondo, más compleja de lo que sus protagonistas creían.»[73] Para Suárez se estaba produciendo un «juego a dos bandas de la Dinastía: Don Juan capitalizaba toda la oposición no comunista; Don Juan Carlos, las fuerzas que servían de apoyo al Régimen. El resultado debía ser, en todo caso, la restauración del Trono».[74] Es éste un párrafo clarividente. Desde 1948, Sainz Rodríguez había mantenido una sutil estrategia bifronte para engañar a Franco y asegurarse la Restauración de la Monarquía.

Miércoles, 23 de julio de 1969

En el Palacio de la Zarzuela, el Príncipe de Asturias firma la aceptación del nombramiento y pronuncia unas palabras sobre las que han trabajado Mondéjar, Armada y Gamazo.

«Formado en la España del 18 de julio —dice ante Antonio María Oriol, ministro de Justicia y notario mayor del Reino— he conocido, paso a paso, las importantes realizaciones que se han conseguido bajo el mandato magistral del Generalísimo.» Para coronar ese magistral mandato, Franco había ordenado que asistieran al acto de aceptación todos los miembros de la Familia Real que estaban en España, además del vicepresidente del Gobierno y el presidente de las Cortes. El Príncipe tuvo a su lado a Doña Sofía y a sus hijos, los pequeños Infantes. Don Felipe, en brazos de la Princesa. Ni su madre, ni Doña Pilar, ni Doña Margarita, ni Don Carlos de Borbón Dos Sicilias, asistieron. Sí lo hizo —paradojas de la Historia— su enemigo frontal, Alfonso de Borbón-Dampierre, acompañado de su hermano Gonzalo y de Luis Alfonso de Baviera. Este último recordaría durante muchos años la inmensa tristeza de los ojos del Príncipe de Asturias.

73. Suárez. *Francisco Franco y su tiempo*. Tomo VIII. Pág. 99.
74. Ibídem. Pág. 94.

Por la tarde, Don Juan Carlos llama a López Ibor para que hablara por teléfono con Don Juan. El hijo llevaba al padre en el alma. Pero el Rey está en el barco y López Ibor solo consigue hablar con Doña María. Difícilmente pudo hacer la Condesa de Barcelona lo que afirma López Rodó en uno de sus libros,[75] porque Don Juan, para ver la intervención de su hijo ante las Cortes falangistas, desembarca «en un pueblecito del Algarve», según la mayoría de los historiadores. En realidad navega hacia el norte, llega a Figueira da Foz, adonde no alcanza la televisión española, surca el Mondego, pasa por Montemor o Velho y desembarca cerca de Coimbra. Entra en un bar, pide que le sintonicen la televisión española y presencia la ceremonia. Pemán recogería una anécdota en boca de Don Juan —«Qué bien ha leído Juanito»— que es la que prosperó. Pero Don Juan dijo otras muchas cosas del acto a Pemán y a dos consejeros el 29 y, unos días más tarde, en la costa granadina a un grupo de sus partidarios entre los que estaba Fernando Almansa.

En la tarde de aquel día, 23 de julio, el Príncipe de Asturias va a buscar al *caudillo* a El Pardo y juntos se dirigen a las Cortes. En medio de una expectación inusitada Don Juan Carlos, con voz clara y serena, pronuncia un discurso de circunstancias en el que recuerda que en su familia se habían unido las dos ramas dinásticas. Pero no hace una sola mención a su padre por la prohibición mezquina del dictador.

Después presta juramento:

—Sí, juro lealtad a Su Excelencia el Jefe del Estado y fidelidad a los Principios del Movimiento Nacional y demás Leyes Fundamentales del Reino.

En el discurso, el Príncipe había afirmado que «mi pulso no temblará para hacer cuanto fuera preciso en defensa de los Principios y Leyes que acabo de jurar».

La justicia histórica exige reconocer que Don Juan Carlos nunca fue perjuro a este juramento y que toda la reforma política la hizo desde las leyes que había jurado, gracias a la habilidad impagable de Torcuato Fernández-Miranda y Adolfo Suárez.

Solo nueve años después de este juramento firmó una Constitución que liquidaba toda la ficción legislativa de Franco y que consagraba una Monarquía constitucional contraria a la que quería el *caudillo*, precisamente la misma defendida por su padre Don Juan de Borbón, como si la Historia quisiera apoyar los versos de Ercilla.[76]

75. López Rodó. *La larga marcha hacia la Monarquía*. Pág. 373.
76. Ercilla. *La Araucana*. XXXVII, 10. Cátedra, 1993. Pág. 954.

Pues por razón oculta a veces veo
que sale vencedor el que fue reo.

Terminada la sesión, al salir del hemiciclo, y en la llamada sala de ministros, López Rodó no da abasto para atender las felicitaciones que recibe. Su euforia y la de su equipo no tiene límites. Viven en un éxtasis permanente, en el orgasmo continuo del poder. Todo el grupo de López Rodó cree que el Príncipe es ya uno de los suyos y que, gracias a la operación victoriosa contra los falangistas, podrán seguir sacrificándose por la Patria durante veinte años más en los más suculentos cargos. Federico Silva[77] describe así la emoción general:

«Yo accedí a la sala detrás de Carrero y Fernando Castiella. El *caudillo* lloraba. Al darle la mano, me la retuvo y me emocionó profundamente. A continuación el Príncipe volcó su enorme humanidad sobre mí en un gran abrazo y me dijo textualmente: "Federico, gracias por lo que me has ayudado, no lo olvidaré nunca."»

Silva se lo creyó, claro. ¡Qué ingenuidad la de muchos de aquellos personajes! ¡Qué falta de conocimiento histórico de lo que era un Borbón! Solo siete años después, el 4 de julio de 1976, Federico Silva, en pasaje poco conocido, se convirtió en el auténtico sucesor político de Franco y su régimen. El Consejo del Reino le propuso por unanimidad como presidente del Gobierno, encabezando una terna en la que le seguía López Bravo y, con pocos votos, Adolfo Suárez. Don Juan Carlos, Rey de hecho desde hacía ocho meses, eligió al que menos votos tuvo. Adolfo Suárez, introducido en la terna por deseo del Monarca y por la habilidad escurridiza de Torcuato Fernández-Miranda, que engañó a los consejeros de Franco, fue nombrado presidente del Gobierno por el Rey, que desairó duramente a Silva.

Por la noche, estamos en el 23 de julio de 1969, los Príncipes cenan en la Zarzuela con sus colaboradores inmediatos. Don Juan Carlos tiene acentuada la tristeza en el fondo de la mirada. Pero el regocijo es general. Doña Sofía, dirigiéndose a Alfonso Armada, dice: «Hoy tomamos el mejor vino y yo brindo por usted, Alfonso.»[78] Doce años después, el 23 de febrero de 1981, cuando Jesús Picatoste pasó el vídeo del asalto al Congreso y se oyó la frase de «una autoridad, naturalmente militar», fue Doña Sofía quien dijo, mirando a Manolo Prado: «Ése es Armada.»

77. Silva. *Memorias políticas*. Pág. 240.
78. Armada. *Al servicio de la Corona*. Pág. 130.

Capítulo V

LAS CUATRO ETAPAS DE LA RESTAURACIÓN MONÁRQUICA

—El Rey nos invita a almorzar mañana en el *Albatroz*, no en *Villa Giralda*, porque Doña María está en Francia. Avise a Pemán —le anuncia por teléfono, el lunes 28, Sainz Rodríguez a Anson.

Pemán está escribiendo en Jerez su artículo para *Gaceta ilustrada* cuando habla por teléfono con Anson. No le hace gracia la interrupción al escritor, pero acude como siempre a la llamada de su Rey.

A la una del día 29, Sainz Rodríguez, Pemán y Anson esperan en el elegante vestíbulo blanco del hotel *Albatroz*, en Cascais, discreto palacio construido en el XIX por el duque de Loulé, asomado al mar sobre la *praia da Conçeicão*. Los pescadores portugueses llamaban al *Albatroz*, con alguna sorna, «la cajita de almendras». El calor húmedo acongoja. La luz del mar se mete como una herida azul en los ojos.

Don Pedro tiene un noble rostro de viejo senador romano. Trémula y triplicada la generosa papada abacial. La piel de patata hervida se le hace lechosa detrás de las orejas y bajo el cuello de la camisa. Tiene ojos como dos rayos cegatos, escondidos tras las gafas, inquisitivos y desdeñosos. Las manos son de cualidad vegetal, pero se le hacen alas al hablar. Viste un traje claro de alpaca y una corbata indefinible. Está orondo y lustroso, como la carrocería de un viejo automóvil de lujo. El pelo blanco, repeinado con feroz coquetería, le amarillea en las puntas. Ha cumplido setenta y un años. Es un conversador formidable, con la palabra salpicada de tacos y gruesas expresiones que en él no resultan nunca ni artificiales ni groseras. Se adhieren a su conversación como la piel a la carne, en la mejor tradición de lo rahez hispánico, tan penetrantemente estudiada por Sánchez Albornoz.[79] Ha disfrutado de la vida a bibliotecas llenas, a colmadas mesas suculentas y a repletos burdeles. Es bondadoso, cortés, iracundo y contradictorio. Tiene una de las cabezas políticas mejor amuebladas del siglo XX español y una vasta cultura

---

79. Claudio Sánchez Albornoz. *España, un enigma histórico*. Editorial Sudamericana, 1956. Pág. 226s. Sainz Rodríguez jamás empleaba un taco cuando había una dama delante. Tampoco lo hacía en las cartas firmadas por él, salvo rara excepción. Sí, en cambio, en las notas o comunicaciones sin firmar.

casi sin lagunas. Soltero a machamartillo, soporta mal el estigma de haber sido ministro de Educación con Franco durante la Guerra Civil, pero ha pasado casi treinta años en el exilio. Apoya su corta estatura combada en su bastón y su pipa y consigue estar a la vez tranquilo e impaciente.

A José María Pemán le hierve en los ojos la ironía y la gracia de Dios. Tiene la carne dormida y de pergamino, con arrugas de verde olivo dorado. La arterioesclerosis le amenaza ya en algún temblor fugitivo. Es, antes que nada, un hombre bueno y el escritor más celebrado y de mayor éxito en aquella España del Franco crepuscular y taimado. Ha cumplido setenta y dos años. Está dolorido porque unos meses antes, el 14 de enero de aquel año 1969, perdió a su mujer, a la que dedicó hermosos versos de resignación cristiana: «Por tu bondad y tu amor / porque lo mandas y quieres / porque es tuyo mi dolor.../ ¡bendita sea, Señor, / la mano con que me hieres!» Presidente del disuelto Consejo Privado, Pemán mantiene lealtad invariable al Rey, aunque en no pocos aspectos le asalta una admiración indisimulable por Franco, que le viene de las zozobras de la Guerra Civil. Viste protocolariamente de azul oscuro.

Luis María Anson ha cumplido treinta y cuatro años. Tiene luz en la mirada y rostro aniñado e impertinente. Recién casado, está muy delgado, la tez pálida. Se le considera periodista de relieve e influencia. El año 1967 lo pasó en el exilio a causa de la ira incontenible que produjo en Franco un artículo suyo titulado *La Monarquía de todos*, publicado en julio del 66. También viste traje azul oscuro.

El Rey llega solo, conduciendo la *carrinha*, un *Volkswagen* cinco puertas, que ha estacionado lejos del hotel. Avanza por la *travessa da Conçeicão* con cadencia de marino, como si estuviera en el barco. Viste un traje de alpaca beige claro. Sobre la camisa blanca destaca el negro de la corbata. Tiene el alma de luto por su madre. Ha cumplido ya cincuenta y seis años. Está grueso, rebosa salud y es un hombre de mar, de casi dos metros de altura. Como en el *Coeur innombrable*, podría decir: «... *j'ai le goût de l'azur et du vent dans la bouche*». El pelo escaso, planchado, la honda frente, la curva nariz esculpida con descaro por la Historia y la piel de bronce gastado, definen una personalidad muy fuerte que se amansa en la mirada cordial y en la pronta carcajada. Hay un latido agobiado en su cuello y bajo el labio inferior, casi imperceptible, se dibuja el pliegue del desdén y del cansancio.

El Rey abraza con alguna emoción a sus invitados. No los ve desde que embarcó el día 20, abrumado por las tensiones de la sucesión.

Tras beber Don Juan en el bar un *martini* (es decir, ginebra pura), pasan al comedor del *Albatroz*, con sus ventanales abiertos sobre el océano. El Rey se sienta de espaldas a la luz. A su izquierda, Pemán. Enfrente, Sainz Rodríguez y Anson. Don Juan, en perfecto portugués, pide para empezar *bacalhau assado a lagareiro*. Después, *chauteaubriand com molho bearnés* y vino de la ribera del Duero.

Don Pedro habla de la situación portuguesa. Salazar, el dictador, está todavía vivo, pero lleva casi un año descerebrado. Caetano lucha por dar continuidad al salazarismo. La situación, según Sainz Rodríguez, es crítica.

—Los portugueses se habían acostumbrado a Salazar —interviene Pemán—. Después de tantos años de paz... ahora sin Salazar, ¡qué sensación de orfandad!

Don Pedro le mira perplejo.

—Siento decirte, José María, que aquí nadie se siente huérfano. Más aún: esa sensación de orfandad a la que te refieres, se la van a pasar muy pronto los portugueses por el forro de los cojones. Porque esto no dura seis meses.

Y ante la mirada reprobatoria de Pemán, don Pedro concede:

—Bueno, tú que eres tan académico llamarías escroto al forro de los cojones. Pues si lo prefieres, los portugueses se van a pasar tu famosa orfandad por el escroto. Y además, créeme, con entusiasmo y delectación, como si se hicieran una paja.

Don Juan cambia la conversación.

—Os interesará saber que vi a Juanito en las Cortes. Navegué hacia el norte para evitar a la gente que me podía esperar en el Algarve. Llegué hasta Figueira. Luego fui a Coimbra.

Se le humedecen los ojos pero mantiene la voz firme.

—Debo decir que fue todo terrible.

Y pronuncia palabras muy duras sobre el acto de las Cortes.

—Pero el Príncipe leyó muy bien —suaviza Pemán.

—Sí... —asiente el Rey—. Pero ya veremos qué va a pasar ahora... Dios dirá.

Pemán atribuiría a Don Juan su propia frase sobre lo bien que «había leído el Príncipe»[80] y la mayor parte de los historiadores la repetirán. Hasta el propio Don Juan la asumiría.[81]

—Lo que más me ha dolido —se queja el Rey— es que Juanito me engañara. Cuando estuvo en casa, en junio, lo sabía todo y no me

80. José María Pemán. *Mis encuentros con Franco*. Prólogo de Luis María Anson. Dopesa, 1976. Pág. 254.
81. Sainz Rodríguez. *Un reinado en la sombra*. Pag. 315.

dijo nada. Se lo reproché el jueves pasado, pues hablé con él por teléfono... Por fin lo hice... es mi hijo.

—No le creo capaz al Príncipe de una cosa así —interviene Anson—. Seguramente no sabía nada.

Pemán apoya esta posición. Y don Pedro afirma con seguridad:

—Pero, Señor, el cabroncete de Franco no le dice nunca nada ni al cuello de su camisa. Seguro que el Príncipe no se enteró hasta que no quedó más remedio que se enterara. Si lo trata como a un paje... Don Juanito, además, es un muchacho muy sincero, incapaz de dobleces. Cuando tenía diez años le llevé un día al monumento de Juan II, el *Perfecto*. «¿Por qué le llamaban el *Príncipe Perfecto?*», me preguntó. «Porque no mintió nunca», le contesté. Al día siguiente, el niño me envió una hoja de cuaderno, que conservo, en la que decía: «Mi queridísimo don Pedro, yo voy a ser como Juan II el *Perfecto* y no voy a mentir nunca.»

Sainz Rodríguez se disculpa y se levanta para ir al cuarto de baño.

—No tiene razón Pedro —aprovecha Pemán—. Yo veo las cosas aquí muy sólidas. El Ejército y las Fuerzas de Seguridad garantizan la continuidad del salazarismo.

—No creas, José María, no creas —le contradice el Rey—. Tal vez sea exagerado decir que esto se viene abajo en seis meses. Pero no aguantará más de dos o tres años. Portugal no puede resistir el gasto de la guerra en Angola y Mozambique. Y el Ejército está cada vez más dividido. La infiltración comunista es aquí muy grande.

Vuelve don Pedro sonriente. Ha debido de meditar en los lavabos las agrias palabras de Don Juan sobre el juramento por el Príncipe de los Principios Fundamentales del Movimiento Nacional y la lealtad a Franco, y recita, para agradar al Rey, un verso clásico.

—¡...Oh, desdichado
de aquel que de mi amor ha hecho ausencia
y no piensa gozar la mi presencia!

—Estupendo, estupendo —celebra Pemán.

—No tanto —afirma Anson—. Porque el verso está mal.

Lo cita bien. Don Pedro vuelve la cabeza, con ira.

—Si usted lo dice...

—Sí, lo digo —asegura firme Anson.

No resiste la tentación y recita el poema entero. (Ni Sainz Rodríguez ni Anson sabían entonces que José Manuel Blecua[82] había

---

82. José Manuel Blecua. RFE, XXXIII, 1949. *Miscelánea*. Pág. 379. El poema profano *El pastorcico* se encuentra en la Biblioteca Nacional de París, reseñado por Mo-

encontrado el texto del poema popular del que San Juan plagió a lo divino el suyo.) Se hace un silencio breve. Es el primer momento en que Don Juan abandona su seriedad dolorida y rompe en una gran carcajada.

—Ahí queda eso, Pedro —le dice divertido.

—Sí —remacha Pemán—. Hay que ver cómo conoce Luis María a los clásicos. No se me olvidará nunca un día que hicimos juntos la subida al Monte Carmelo, en Israel, recitando a San Juan.

Don Pedro contraataca, tras embestir a todos con la mirada.

—Tú, José María, mucha subida al Monte Carmelo, pero con qué injusticia has tratado a Tirso de Molina en tu conferencia del Ateneo.

—No es verdad... Elogié el *Don Gil,* que es una obra que parece de hoy. Pero lo que pasa es que Tirso anda muy lejos de Lope.

—Ya quisiera Lope acercarse a la profundidad de Tirso, José María. Ahí están los estudios de Gerald Wade y los de la Universidad de Leeds. No solo Blanca de los Ríos y Penedo consideran superior a Tirso. También los de fuera. Y Américo, que ha escrito una monografía cojonuda, el muy cabrón...

—Pero el aliento lírico de Lope de Vega y la frescura de su verso no se pueden comparar con nada. Tú estás siempre perdido en la investigación y no sabes acercarte al temblor de la poesía.

Don Juan estalla, finalmente.

—¡Qué coño! —dice elevando el tono de voz—. Comprenderéis que no he dejado el mar y os he llamado aquí para asistir a vuestros torneos literarios.

Y añade con aire de gran convencimiento.

—Siento mucho comunicaros que a mí Tirso de Molina me toca las pelotas.

Se da cuenta de que ha sido parcial, borbonea entonces ágilmente y añade con cortesía, mirando a Sainz.

—Bueno, la verdad es que, en estos momentos, también me toca las pelotas Lope de Vega.

Se hace un silencio seco y súbitamente Pemán, don Pedro y Anson saben que ya no están reunidos cuatro amigos, sino tres consejeros con su Rey. La cabeza de cobre moreno y gris de Don Juan se recorta sobre la claridad de la ventana. Abajo, la *praia da Conçeicão*

---

rel-Fatio en su *Catalogue* nº 601, folio 188. Para el poema de San Juan de la Cruz, cfr. la edición más apreciada: *Obras espirituales...* Sevilla, por Francisco de Leesdael, en la Ballestilla, 1703. Pág. 492. Blecua, por cierto, también cita mal uno de los versos de *El pastorcico.*

se tuesta entre las arenas heridas por el sol. Saltan a través de las espumas transparentes las jóvenes en vacaciones. Es el esplendor de los soleados muslos, el furor y la miel de los vientres desnudos, las rotundas caderas rientes y tensas, la honda espesura de los escotes de fruta fresca, el polvo de estrellas de los sexos vueltos a la mar océana. La suntuosidad de la carne se esponja entre los colores vivos de los toldos y el azul intenso del horizonte. Porque la vida fluye y fluye sin cesar, indiferente a las cenizas inhóspitas, a las zozobras que azotan a unos y otros hombres.

Don Juan anuncia su decisión de abandonar Estoril

Y habla el Rey.

—He tenido ocasión de reflexionar profundamente en el mar —expone de forma pausada— y debo decir que he llegado a una conclusión que quiero explicaros.

Paladea un sorbo de café y continúa.

—No puedo seguir viviendo en Estoril. Voy a continuar residiendo aquí, eso sí. Vendré en Navidad y en alguna ocasión aislada. Pero Juanito es ya el sucesor. Si continúo aquí la gente seguirá viniendo a verme y cualquier cosa que yo diga será mal interpretada. Le haría daño a mi hijo, aunque no quisiera. Debo decir que no puedo hacer eso. Así es que he pensado en marcharme a Canadá, donde tengo algún amigo, y dedicarme a jugar al golf, a navegar... Aquello está muy lejos... nadie vendrá a verme. Y muerto el perro, se acabó la rabia.

Don Juan explica todo esto mirando a los ojos a Sainz Rodríguez. Se calla un instante, enciende un cigarrillo y añade.

—Me gustaría saber qué pensáis de esta decisión.

—La grandeza de espíritu de V.M. —interviene Pemán— me ha conmovido siempre. Lo que acaba de decir es una prueba más de la abnegación que caracteriza a V.M. Me parece muy noble el gesto. La suerte está echada y todos debemos esforzarnos porque el Príncipe no encuentre obstáculos en su camino.

—A mí me hace polvo, porque no tengo un duro y no podré viajar con frecuencia a Canadá. Pero si V.M. ha tomado esa decisión y cree que es lo que debe hacer, la verdad es que tengo poco que decir.

Sainz Rodríguez rechaza la decisión de Don Juan

Las palabras de Anson se pierden en el comedor inundado de azul, cuando Pedro Sainz Rodríguez comienza a hablar, la mano derecha extendida como la de un director de orquesta, acompañando cada frase de forma rítmica y precisa.

—Lo que ha dicho V.M. es muy bonito y muy patriótico... y lo que podía esperarse de la generosidad de V.M. Pero, ¡qué carajo!, V.M. no se va a ir de Estoril, ni va a abandonar el timón de la Restauración monárquica, ni se va a tocar los cojones en Canadá. Si en algún momento de su vida V.M. ha tenido el deber para su patria y su Dinastía de mantenerse firme y en su sitio, es éste.

Don Juan dirige a Sainz una mirada gris y quebrada. Su consejero prosigue y sus palabras se hacen cada vez más precisas y claras.

—La Monarquía de Don Juanito vendrá, efectivamente, cuando Franco estire la bota y durará, si no lo remediamos, lo que un pastel a la puerta de una escuela. La arrasará un vendaval revolucionario. En España se están generando ya movimientos subterráneos de masas, conducidos por los sindicatos clandestinos, que se harán imparables.

Se sube las gafas don Pedro, pasa su mano por el pelo blanco y continúa con voz cada vez más enérgica.

—Solo hay una persona capaz de evitar que la Monarquía sea arrollada: Vuestra Majestad. El Príncipe debe continuar desempeñando el papel que le hemos asignado: atraerse a la España de la victoria, a los vencedores y a los herederos de los vencedores de la Guerra Civil, a la España oficial del Ejército y la Guardia Civil. V.M. tiene la obligación de permanecer aquí polarizando la voluntad de los perdedores y de los herederos de los perdedores de la Guerra Civil, del exilio exterior y del exilio interior.

Hace una pausa y añade sorprendentemente:

—Del exilio interior, como mi gran amigo Vicente Aleixandre.

Sainz Rodríguez es ya el catedrático dando una lección magistral a su alumno predilecto: el Rey.

—Escuche, Señor —dice—, si en España se pone en marcha un movimiento en favor de la República, respaldado por las masas sindicales, no hay quien lo pare. La Monarquía estaría jodida y bien jodida. Hay que evitar la III República y eso solo lo puede hacer V.M. La Restauración de la Monarquía en España, en la que llevamos trabajando casi cuarenta años, tiene una inmensa complejidad. Carrero y López Rodó, por ejemplo, han conseguido ganarle la partida a

Solís y la Falange. Han estado magistrales. Vuestra Majestad sabe bien que los venimos utilizando desde hace muchos años, sin que ellos se hayan dado cuenta, para eso. Pero su posición es de una enorme simpleza. No se trata solo de restaurar la Monarquía, sino de que permanezca. Ésa fue la gran obra de Cánovas. Había que conseguir que Franco nombrara sucesor en contra de la Falange, de la Secretaría General del Movimiento. Se ha tardado veinte años en lograrlo. Pero ya está. Lo conseguido en este julio, al margen del dolor de V.M., parece definitivo. Pero es muy poco, es insuficiente. Ahora viene lo peor y desde luego lo más difícil: evitar la República. Ésa es la clave de la operación a realizar si queremos que se consolide la Monarquía.

Bebe don Pedro de su taza de café y continúa.

—Vuestra Majestad va a dedicar los próximos años, hasta que la Providencia nos dé la satisfacción de que Franco estire la cuarta pata, porque ha estirado ya tres, no hay más que verle, tiene media lagartijera, va a dedicar los próximos años, digo, a recibir individualmente a todos los dirigentes de la oposición democrática y les va a decir: «Usted es republicano y yo lo respeto. Pero convendrá conmigo en que si ustedes tratan de proclamar la República cuando mi hijo acceda al Trono, intervendrá el Ejército y tendremos una nueva dictadura. Una dictadura que durará seis, siete o diez años y que será derribada porque los pueblos caminan siempre hacia la libertad. Pero España sufrirá un gran trauma con sangre y violencia... Yo me comprometo (y V.M. tiene el aval de cuarenta años de exilio) a que mi hijo, una vez convertido en Rey, convoque elecciones libres. Y después de las elecciones hagan ustedes lo que quieran... Pero acepten la Monarquía al menos hasta ese momento para evitar al pueblo una nueva situación de confrontación y violencia.» Y a cada uno de los percebes que vengan a visitarle, dedíquele V.M. copiosos elogios. Porque, el elogio, Señor, incluso la persona más inteligente, aunque no se lo trague, al menos lo paladea.

Sainz mira a los ojos del Rey como el maestro a los del discípulo, con tranquila severidad, y añade, agitando las tabacosas manos:

—Para hacer esta operación hay que contar, sobre todo, con Joaquín Satrústegui y su grupo. Me opuse siempre a que se descalificara a Satrústegui y ahora se ve por qué. Él es la persona adecuada para relacionar a la oposición democrática con V.M. Para coordinarlo todo y para evitar esas declaraciones inadecuadas que V.M. teme, lo mejor es crear un Gabinete de Información.

—Pero si acabo de disolver el Consejo Privado y el Secretariado Político por consejo tuyo —se atreve a intervenir Don Juan.

—Sí, es verdad, el Gabinete de Información lo nombra ahora *in pectore* V.M. y dentro de unos meses se hace público. El secretario de ese Gabinete no puede ser otro que Anson, que deberá leer menos a San Juan de la Cruz y dedicarse más a lo que importa. Y el presidente, Luis Gaitanes.

—¿Por qué Gaitanes? —pregunta Pemán—. Gaitanes no sabe nada de información y mucho menos de esa cosa que dices de la oposición democrática y que supongo que es como llamas ahora a los rojos.

—Como yo estoy siempre atento a los gustos del Rey, me parece claro que a Su Majestad le cae especialmente bien Gaitanes. Por otra parte, es un hombre de dinero, que nos hará falta, hay siempre que exprimir a un rico, y, además, necesitamos alguien a quien echarle la culpa cuando meta la pata Anson, que es de quien no podemos prescindir porque los demás hablan y hablan pero no hacen nada.

Anson le mira en silencio dolido a don Pedro. No le hace gracia la banderilla trapera que le ha clavado al quiebro por los versos de *El pastorcico*.

Conversación clave para la futura Monarquía de Don Juan Carlos

La conversación prosigue ya diluida hasta que el Rey se levanta. Abraza a Pemán, primero, luego a don Pedro. Se hace un revuelo de camareros.

—José María, tendrás que decir algo, que todavía no has escrito una línea sobre todo lo que ha pasado —le reprocha el Rey.

Pemán, que cazaba las ideas al vuelo, escribiría dos artículos con las palabras del Rey: *Decir algo* y *Dios dirá...*[83]

—¿Me acompañas hasta el *Golf*? Me espera Pepe Salas —le dice Don Juan a Anson.

Caminan juntos hasta el coche. Don Juan pone sobre el volante sus manos gruesas y conduce con temeridad. Permanece largo rato en silencio y por fin dice:

—Pedro tiene razón.

No añade nada. Sus palabras significan que aprueba el proyecto de Sainz Rodríguez. Anson toma nota de ello. Una vez más se impone su sentido del deber... y el criterio de don Pedro. «El cumpli-

---

83. Publicados en *ABC* el 23-IX-69 y el 14-XI-69.

miento del deber —afirma Don Juan en una de las cintas grabadas por Salmador—[84] está por encima de cualquier otra circunstancia. Esta norma me la enseñó mi padre desde niño, y ha sido una constante de mi familia, que ha querido servir a España con todas sus fuerzas.»

En la puerta del club espera José Salas y Guirior, corresponsal de *ABC* y gran escritor. Salas es físicamente una mezcla de cantaor flamenco y espiritado faquir.

Anson regresa a su hotel en Cascais, el *Cidadela*, y toma notas minuciosas, según su costumbre, de la conversación. Tiene la experiencia profesional de que lo que no se apunta, se olvida o se recuerda de forma imprecisa.

Después paga la cuenta, mete su equipaje en el *600* y conduce hasta la *rua* Alexandre Herculano, 3, en Lisboa. Son las seis de la tarde, Pemán se ha ido en coche hacia Jerez y don Pedro espera a Anson entre libros, merendando chocolate y *bolachas*.

Anson se daría cuenta muchos años después de que en aquella conversación del mediodía en el *Albatroz* se había salvado, en proporción decisiva, la Monarquía de Don Juan Carlos, al hacer viable la fórmula establecida actualmente en España. No sabía el periodista al entrar en el pisito *middle class*, forrado de libros, de don Pedro, que éste iba a abandonar su recelo congénito y le iba a explicar, por primera vez en veinte años, el fondo de su estrategia.

Las cuatro etapas de la Restauración

—Mire usted, Anson —le aborda—, creo haberle demostrado que le quiero como a un hijo, lo que tiene mérito si tenemos en cuenta la gran desgracia de que sea usted periodista. Con sus condiciones podía ser usted profesor de filología o de griego clásico, en fin algo útil y razonable, en lugar de pasarse la vida escribiendo como un loco en los periódicos. A pesar de eso, le voy a explicar la trama de fondo de la Restauración de la Monarquía para que sepa usted dónde estamos. Aunque ya hablamos algo de esto hace tres años, el 28 de febrero de 1966.

—Fue el 5 de marzo —puntualiza Anson, con la irritación conte-

---

84. Víctor Salmador. *Don Juan de Borbón*. Planeta, 1976. Pág. 127. En una carta de 28-V-1952, dirigida a Juan Antonio Ansaldo y enviada desde Montevideo, que figura en el archivo de Sainz Rodríguez, Víctor Salmador firma como Víctor Gutiérrez Salmador.

nida por el pitorreo con los periodistas que Sainz Rodríguez había aprendido de su maestro Menéndez Pelayo.

—Se equivoca usted, querido Anson. Hablamos después del acto con motivo del XXV aniversario de la muerte de Alfonso XIII.

—Efectivamente —dice Anson con firmeza—. Pero el acto se celebró el 5 de marzo, no el 28 de febrero.

—Como usted quiera —cede don Pedro; y con cierta sorna—: No vaya a ser que me recite usted otro poema.

Y prosigue:

—Si la Monarquía termina por consolidarse en España, lo que es casi un milagro en las postrimerías del siglo XX, se deberá a dos circunstancias: en primer lugar, a la Providencia, que ha hecho horas extraordinarias por esta familia Borbón, tan puñetera; en segundo lugar, a una estrategia política global, cuidadosamente planificada.

Primera etapa: derribar la República

—La primera etapa para la Restauración, a la que podemos llamar «derribar la República», salió afortunadamente mal. Y me explico. Cuando las derechas se sumaron a la República, estaba claro que solo se podía restaurar la Monarquía a través de un golpe de Estado. La República fue una catástrofe y dio toda clase de facilidades para hacer viable ese golpe, porque la opinión pública estaba indignada. Pero el golpe de Estado del 18 de julio de 1936 fracasó porque los militares son unos ordenancistas, muchos que lo deseaban no se sumaron al Alzamiento, y se organizó una terrible Guerra Civil. El proyecto de Restauración consistía en derribar la República, Sanjurjo se hubiera hecho con el poder, hubiera organizado un referéndum en favor de la Monarquía, Alfonso XIII regresaría al Trono durante seis meses, y luego la abdicación y Don Juan. Se consiguió derribar la República, eso sí, pero todo lo demás salió mal. Sanjurjo se mató en un accidente por culpa del tontaina de Ansaldo, y cuando en el aeródromo de Burgos me dieron la noticia, me dije: «Hay que joderse, todo está perdido.» A partir de aquel momento había que ganar la Guerra Civil, olvidándose de cualquier otra circunstancia. Recuerdo todavía con vergüenza los discursos que pronuncié en aquella época y que me ponen los huevos en la garganta. Pero todo valía con tal de ganar al «enemigo».

Hace una pausa don Pedro. Bebe de su taza de porcelana el chocolate espeso, lo saborea, y resume:

—En España, la República no fue una forma de Estado sino una ideología revolucionaria, un pretexto, un instrumento para quebrar el orden social reinante y construir el socialismo real, es decir el comunismo. Para socialistas, comunistas y sindicatos solo ellos eran verdaderos republicanos. Ése fue el error de Ángel Herrera y Gil Robles: creer que serían aceptados como republicanos y que podían hacer el juego político en igualdad de condiciones. Pierre Gaxotte explica muy bien lo que significa la República como desarrollo de una ideología revolucionaria en su libro *La Revolución francesa*. ¿Lo ha leído?

—Claro, me lo prestó usted hace cinco años, diciéndome lo mismo que ahora.

—¿Y me lo devolvió?

—Sí, se lo devolví —afirma fríamente Anson.

—Cometió usted un error, mi querido amigo, no aprenderá nunca. No se deben devolver los libros que a uno le prestan. Sería demostrar poco interés por la obra prestada. Fíjese usted, tengo a orgullo no haber devuelto a lo largo de toda mi vida uno solo de los libros que me han prestado. Tampoco, por cierto, hay que ser tan *panoli* de andar prestando libros. Salvo a personas pías que los devuelven como Dodero o usted lo mejor es dar largas, o hacerse el sueco, que hay muchos cabrones a los que prestas un libro y luego no lo devuelven. Por otra parte, querido Anson, no se fíe usted para nada de los amigos que devuelven los libros prestados. Son gente rara en la que no se puede tener confianza.

—Le he dicho —continúa Sainz Rodríguez— que la Providencia ha hecho horas extraordinarias por la familia Borbón. Y así es. Ahora tengo el convencimiento de que si todo llega a salir bien, si el golpe de Estado triunfa, si el plan de Sanjurjo hubiera ido adelante, si en seis meses Don Juan se convierte en Rey de España, hoy no quedaría ni sombra de la Monarquía, porque en la Guerra Mundial, y a pesar de la simpatía anglófila del Rey a causa de su madre, hubiéramos intervenido en favor de Alemania y la Corona hubiera sido arrasada tras la victoria aliada, como lo fue en Rumanía, en Bulgaria e, incluso, en Italia.

Anson escucha expectante y un poco asombrado. Don Pedro está reconociendo que ha cometido errores, lo que significa que va a decirle la verdad. No toda la verdad, como Anson iría descubriendo tras la muerte de don Pedro, en 1986. Pero estamos en 1969, 29 de julio, y el Príncipe acaba de ser nombrado sucesor del *caudillo* de España.

Segunda etapa: derribar a Franco

—La segunda etapa de la Restauración puede resumirse así: derribar a Franco. Fue una operación de circo en plena Guerra Mundial. Con dificultad de comunicación, porque Don Juan estaba en Suiza con Vegas Latapié y López Oliván, el duque de Alba en Londres, y Gil-Robles y yo aquí, en Lisboa, hay que tocarse los huevos. Pero se actuó con tanta inteligencia, con tanta habilidad en las cancillerías extranjeras, que los aliados, contrariando a Stalin, que quería la vuelta de la República, acordaron derribar a Franco y establecer la Monarquía de Don Juan. Stalin aceptó pensando el muy cabrón que, luego, sería fácil derribar la Monarquía. Tras la conferencia de Yalta, todo parecía hecho. Bastaba con cumplir la condición, que se cumplió, de condenar el régimen totalitario de Franco, lo que Don Juan hizo en el Manifiesto de Lausana de 19 de marzo de 1945. Pero...

Don Pedro fija la vista en los libros que tapizan las paredes.

—Pero Roosevelt se murió en abril de ese año 45, y aunque Truman odiaba a Franco más que su antecesor, tenía los ojos abiertos y se daba cuenta del peligro de Stalin, que se estaba merendando media Europa. Así que decidió que Franco siguiera. Temía que con Don Juan se restaurara una Monarquía débil, que sería arrollada por el comunismo. La conferencia de Potsdam, en julio del 45, fue inequívoca. Se condenaba a Franco, se le aislaba diplomáticamente, pero no se aprobaba una intervención militar. Vegas y Gil-Robles, pobrecitos, saltaron de alegría como si fueran a joder con Lauren Bacall, acariciando sus muslos legendarios. Pero, como sabía bien nuestro enlace clave Allen Dulles, no Foster sino Allen, solo los carros de combate podían sacar a Franco de El Pardo y, además, con los pies por delante. Es un cabroncete, pero tiene el tío un valor físico escalofriante. Ésa es la verdad. Así que la segunda etapa de la Restauración fracasó. Fue muy brillante, pero al final no se consiguió derribar a Franco. Y si se hubiera conseguido, tal vez tampoco tendríamos ahora Monarquía porque no le faltaba razón a Truman. La Guerra Civil estaba muy cerca. Don Juan, que era entonces un jovencito inexperto y díscolo, hubiera tratado de ser un pacificador entre vencedores y vencidos. Pero las heridas estaban demasiado abiertas y lo probable es que, en unas elecciones, socialistas y comunistas se hubieran llevado por delante la Monarquía.

1946-1948: lucha por el poder en la Causa monárquica

—¿Qué pasó entonces?

—Que Don Juan vino a Estoril y durante dos años se produjo una lucha feroz por el poder en la Causa monárquica. Vegas Latapié, que era como esta madera, muy leal y muy estudioso pero como esta madera, hay que joderse, y Gil-Robles creían que no había que modificar la política antifranquista y que se podía derribar a Franco. Don Juan les apoyaba. Yo tenía que demostrar mi antifranquismo, cosa que no me costaba ningún trabajo, pero, a la vez, debía convencer al Rey de que, tras Potsdam, estaba claro que los aliados no iban a intervenir y que el generalísimo se había salvado. Por lo tanto, había que modificar la política seguida hasta entonces y trazar una nueva.

»Franco —continúa don Pedro— se había dado cuenta de lo mismo. Y como sabía que los aliados querían a Don Juan, hizo la Ley de Sucesión, para calmar los ánimos y ganar tiempo. El manifiesto de Don Juan de 1947 contra la Ley de Sucesión lo redactó Gil-Robles, ayudado por Vegas. Era lógico hacerlo, pero se podía haber escrito de otra forma. Vegas era un *panzer*. Muy buen amigo mío, eso sí, yo le quiero mucho... Las declaraciones posteriores de Don Juan a *The Observer* fueron el mayor error de Vegas. Hice lo posible por evitarlas, pero no lo conseguí. A Franco había que engañarle, no pegarle patadas en los huevos. Por fortuna, Don Juan se iba dando cuenta de la realidad y una conversación con Mountbatten, a fines del 47, terminó de convencerle. Aproveché la actividad de un personajillo que quería medrar, Julio Danvila, y le convencí a Don Juan para que aceptara una entrevista con Franco. La del *Azor*, en 1948. Vegas y Gil-Robles fueron liquidados en Estoril. Y a partir de ese momento, sin aquella gente que se pasaba el día tocándome los cojones, pude establecer la complejísima estrategia de la tercera etapa de la Restauración.

Tercera etapa: engañar a Franco

—Soy todo oídos —dice Anson.

—Esta tercera etapa acaba de concluir. Empezó en 1948, con la entrevista del *Azor*. Y siempre la he llamado así: engañar a Franco.

Don Pedro mira fijamente a Anson.

—Nunca he explicado nada de todo esto porque los monárquicos son unos cabrones que lo cuentan todo y lo joden todo, empezando por el Rey.

—Hombre, el Rey, no —se le enfrenta Anson.

—Sí, sí, el Rey también. En cuanto llegan los amigos esos que tiene del puñetero barco, lo larga todo. Los monárquicos no son capaces de guardar ni el más mínimo secreto y yo estoy en el exilio por una indiscreción de García Valiño y no descarto que de Eugenio Vegas. Bueno, indiscreción diría José María Pemán. Yo digo cabronada, porque fue una cabronada. Pero me ha demostrado usted, en ocasiones muy difíciles, una notable capacidad para el silencio, querido Anson. En todo caso, si lo que voy a decirle trasciende, dése usted cuenta, todavía se pueden estropear las cosas.

Sus manos son ya como pájaros blancos que aletean al compás de las palabras. Reflexiona un momento y prosigue:

—Solo se podía engañar a Franco de una forma. El generalísimo estaba aislado; el régimen, apestado; los embajadores se habían marchado. Franco quería a toda costa continuar en el poder. Nunca tuvo otro objetivo y a eso se reduce su política, a sobrevivir. Si eso coincide con el bien de España, pues el bien de España; y si no coincide, que se joda España. Todas estas circunstancias me hicieron comprender que solo había un cebo que podía picar el generalísimo en el anzuelo: el Príncipe de Asturias. Franco sabía que los aliados querían a Don Juan y a él mismo ni le hacía ni le hace la menor gracia, en sus delirios de grandeza, que le suceda otro general. Prefería que fuera un Rey, pero no Don Juan, que, por razones de edad, era una alternativa inmediata. El Príncipe, en cambio, tenía nueve años, con su presencia en España se daba la sensación a los aliados de que se caminaba hacia la solución que ellos querían, y poco a poco se iría deshaciendo el bloqueo. Había, pues, que arrojar a las aguas de Franco el cebo de Don Juanito, el único anzuelo que el generalísimo, con el tiempo, podía picar. Don Juan aceptó mi propuesta. Le argumenté que un Príncipe educado fuera de su país difícilmente puede reinar. Y no le expliqué nada más, no le podía decir toda la verdad.

—Eso era una deslealtad.

—Yo no soy Savonarola, querido Anson. Me gusta mucho joder. Eso en primer lugar. Y no, no era deslealtad, porque si le digo toda la verdad Don Juan hubiera dicho que no, el Príncipe no hubiera ido a España y todo se habría escoñado. En 1948, Don Juan no hubiera aceptado ninguna fórmula en la que él no terminase siendo el Rey. No aceptaba ni sombra de duda sobre esta cuestión. O Rey o nada. Eso tan cerril de *aut Caesar, aut nihil*, lo tenía grabado en el alma por culpa de Vegas. Y se trataba de hacer una operación diferente y muy compleja. Con el Príncipe en España, con el anzuelo lanzado, si Franco se moría de un accidente, de un atentado o de una enfermedad súbita, y la situación de los capitanes generales resultaba favorable, Don Juan se convertía en Rey de España. Si Franco vivía prolongadamente, Don Juan no tenía nada que hacer, porque el *caudillo* no le podía tragar de tantas patadas en el culo como le había dado. Por eso, si no se moría a tiempo, que es lo que debería haber hecho, menuda putada vivir tantos años, era necesario conseguir que nombrase sucesor a Don Juanito y que no impusiera otra fórmula, como la Regencia o Dampierre. Por eso, en 1959, yo hice una presión política tremenda contra el duque de la Torre, que tenía encargada la educación universitaria del Príncipe, para que ésta se entregara al equipo tecnócrata del Opus Dei, que luchaba abiertamente por el poder contra la Falange. Estaba claro que las gentes del Movimiento no aceptaban la Monarquía y que, con ellos, Don Juanito no tenía nada que hacer. Pero Carrero Blanco y los *lópeces* ganaban terreno por días y podían apoyarse en la solución Príncipe para derrotar a la Falange. La operación ha salido a pedir de boca. Naturalmente, yo hubiera preferido que Franco se hubiera muerto en un accidente y que Don Juan fuera el Rey. Lástima que aquella escopeta que le reventó hace ocho años, la Nochebuena del 61, no fuera más certera, lo digo con caridad cristiana, eso sí, pero hubiera sido estupendo que el cabroncete no tuviera tanta suerte. Bueno, todos estos señores, desde el pobre Pérez-Embid a López Rodó, que es el más hábil, López Bravo, Mortes, Fernández de la Mora, que es el más valioso intelectualmente, han cumplido a la perfección, y sin saberlo, el papel que les teníamos asignado, enfrentándose con la Falange, y han conseguido, con alguna ayuda indirecta por mi parte, que finalmente Franco haya mordido el anzuelo y haya nombrado sucesor a Don Juanito. Ahora basta con darle carrete y luego tirar del sedal. Franco está atrapado.

—Dice usted, don Pedro, con alguna ayuda de su parte. Además de poner al Príncipe en manos de los tecnócratas en 1960, ¿sabía usted algo más? Cuando hizo el pasado día 15, en la reunión del Secretariado, que todos se rieran de mí, ¿no sabría lo que iba a suceder, verdad, don Pedro?

—Querido Anson, la única cosa que no se puede decir cuando se va a devaluar la peseta es que se va a devaluar la peseta... Parece usted caído de un guindo. Además, con Franco nunca se sabe.

Anson se queda perplejo. Tardaría muchos años en enterarse de lo que don Pedro en ese momento no estaba dispuesto a revelar.

Sainz Rodríguez hace una alusión última a la carta de Franco a Don Juan.

—Una canallada —afirma Anson—. Comunicar por carta una cosa así, sin una conversación... De no creer tanta mezquindad... Menos mal que estaba escrita de forma correcta.

—¡De forma correcta! —grita don Pedro—. Está usted pemanizado, completamente pemanizado. Eso le pasa a usted por haberse casado, que es algo que entontece al más pintado. Voy a resumirle a usted «la forma correcta», que tanto elogia, a ver si se entera. Lo que decía la carta de Franco es lo siguiente: «Cabroncete: te has pasado la vida haciéndome putadas y te las he guardado todas, en especial las de la Guerra Mundial, cuando estaba yo más jodido. Así que ahora te vas a meter el cetro por el culo. Hasta nunca más, por los siglos de los siglos, jódete, Infante. Francisco Franco.» Ésa es la lectura exacta de la carta que ha escrito el *caudillo*.

—Bien —dice Anson, divertido, retomando la conversación—, Franco ya ha sido engañado. Ha mordido el anzuelo y usted cree que lo tiene atrapado. Y ahora, ¿qué?

Cuarta etapa: evitar la III República

—Ahora empieza una nueva etapa, la cuarta, que consiste en evitar la República. Don Juan sigue siendo la pieza clave y, si es capaz de conquistar a los dirigentes de la oposición democrática, como hemos hablado al mediodía en el *Albatroz*, tendremos una Restauración tranquila, unas elecciones libres y una situación estable. Lo que hace falta es que la Providencia convierta a Franco en fiambre enseguida, no vaya a ser que se dé cuenta del error que ha cometido al designar al Príncipe. No entiendo cómo el Espíritu Santo, en su infinita sabiduría, no comprende lo conveniente que sería para una nación tan cristiana como España que Franco se muriera enseguida.

—Me parece una ingenuidad lo que me explica, don Pedro. Aunque Don Juan haga maravillas con la oposición democrática, Don Juan Carlos, muerto Franco, se apoyará en el Ejército y se instalará en la Monarquía del Movimiento hasta que, efectivamente, una revolución popular le arrolle.

—Parece mentira que un hombre inteligente como usted no se dé cuenta de cosas que son elementales en política —alza la voz don Pedro, irritado, y le tiemblan las papadas—. Estos Borbones, desde Hugo Capeto, tienen una cualidad que nadie les puede negar: están siempre que les es posible al lado del poder. ¿O es que cree usted que el «París bien vale una misa», de Enrique IV de Francia, es solo una anécdota histórica?[85] Bueno, pues de todos los Borbones, ninguno ha tenido tan desarrollado el instinto del poder como Don Juanito, tal vez porque nació en el exilio. Por eso yo estaba seguro que terminaría diciéndole que sí a Franco, incluso en contra de su padre. Ahora bien, muerto el cabroncete del generalísimo, y rece usted para que Dios le acoja cuanto antes en el Purgatorio, ¿dónde cree usted que va a estar el poder, dónde, por tanto, estará Don Juanito? El poder estará en las masas, en la calle, en la opinión pública, en la democracia, como en el resto de Europa. Y ahí estará el Príncipe. ¿O piensa usted que va a conservar a su lado a Carrero, a López Rodó, a López Bravo, a Mortes? ¿Se imagina usted a las masas gritando enardecidas «¡Viva Mortes!»? Franco al nombrar sucesor ha actuado con la tosquedad política que siempre le ha caracterizado. ¡Qué torpeza! No concibe otra política que la envuelta en andrajos. Para él, todo es claro y lineal. Carece de la menor idea sobre la complejidad y la sutileza de la ciencia política. Si hubiera designado sucesor a Don Juan, éste tendría que haberse atraído a sus enemigos de la España oficial y el franquismo sería bien tratado. Pero Don Juanito tendrá al franquismo cautivo y deberá atraerse a la izquierda. Inevitablemente será un Rey de izquierdas, más demócrata que nadie. Franco, con su falta de visión política, es hoy como una de esas gallinas que dedican a que incuben huevos de pato. Cuando nace el pollito, no es un pollito, sino un pato que le dice adiós a la gallina y se va nadando a donde le da la gana. Franco está incubando a Don Juanito. El día que se muera, desde el Purgatorio se llevará la gran sorpresa al ver que el pollito incubado no es lo que él pensaba, sino todo lo contrario.

Anson no cree en nada de lo que está diciendo Sainz Rodríguez.

—Me parece una fantasía todo eso, don Pedro.

—Será una fantasía, pero yo me juego esos ocho tomos del Cornejo,[86] que valen un congo, contra su libro de Mao, que no vale dos duros, a que, una vez en el Palacio Real, Don Juanito se dirigirá todas las mañanas al Valle de los Caídos para mearse sobre la tumba de Franco, y tan copiosas serán las meadas que habrá que avisar a los bomberos para que achiquen la inundación en esa especie de tú-

---

85. Tal vez el autor de la frase fue el duque de Rosny.

86. Se refería a la *Chronica Seraphica* de Damián Cornejo. Editado por García Infanzón. Madrid, 1682. Son siete tomos, no ocho, y, además, no eran propiedad de Sainz Rodríguez. Anson se los había prestado a don Pedro, con gran ingenuidad. Nunca se los devolvió.

nel lóbrego que Franco llama basílica. En España va a pasar con el franquismo lo que aquí va a pasar con el salazarismo.

—Dice Pemán —le mortifica Anson a don Pedro— que el Ejército y las Fuerzas de Seguridad van a sostener el salazarismo.

—Dice Pemán, dice Pemán... ¿Qué sabrá Pemán? Misa debería decir Pemán, con esa cara que se le ha puesto de cardenal del Renacimiento. El Ejército aquí está dividido, se va a dividir más, y cuando los oficiales den orden a los soldados de disparar contra las masas, éstos taparán los cañones de sus fusiles con condones fabricados en Francia, que son los mejores, desengáñese usted, y se irán al *Chiado* a joder a calzón quitado.

—Lo cual, querido Anson —sigue don Pedro en el esplendor de su palabra—, es muy peligroso aquí y ándese siempre con especial cuidado, pues todas las putas de Lisboa están enfermas. Se contagian por culpa de los negros de Angola y Guinea. El Gobierno debería hacer algo. Yo ya se lo he dicho a varios ministros.

Anochece. De las *bolachas* y el chocolate no queda nada. Vicenta, el ama de llaves de don Pedro, refunfuña porque éste ha situado debajo de su cama la sección de poesía de su biblioteca. Anson se compromete:

—Haré en el Gabinete de Información lo que usted dice porque el Rey está de acuerdo y no diré una palabra a nadie de lo que hemos hablado. ¡Ojalá tenga usted razón, don Pedro! Yo no veo las cosas así.

La venganza de la Historia

Mientras el coche de Anson renquea por las torpes carreteras portuguesas y extremeñas, entre páramos desolados, ya en la penumbra de la noche, las ideas se agolpan en el cerebro del periodista. Está de acuerdo en que Don Juan se quede en Estoril y trate de conquistar a la oposición democrática. Comprende muy bien la obsesión de don Pedro, que asistió a la proclamación en olor de multitud de la II República, para evitar la articulación de una III República que arrollaría en las urnas. Quiere, siempre lo quiso, que Don Juan sea el Rey, pero acepta a regañadientes —lo había aceptado en 1966— que la estrategia de fondo trazada por Sainz Rodríguez era la acertada, en beneficio de la Institución Monárquica y de España; que la operación bifronte —Don Juan, Don Juan Carlos— se mostraba como la única fórmula para engañar a Franco y sacar la Restauración adelante. Pero no confía en las demás previsiones de don

Pedro. No cree que Don Juan Carlos sea capaz, muerto Franco, de desembarazarse del cerco de los *lópeces* y los tecnócratas. Aún más: piensa que ni siquiera lo intentará y que tratará de llevar adelante la Monarquía que ha aceptado y jurado, y que es inviable. No ve cómo Don Juan Carlos va a hacer una política —la de la Monarquía de todos, la Monarquía Constitucional— en la que no cree y para la que necesita quebrar el triple círculo de hierro del régimen. El futuro no podía estar más oscuro y los horizontes más turbios. La nueva generación y los movimientos de masas que desencadenarían los sindicatos, se llevarían por delante y para siempre a la Monarquía. Una revolución como la que solo cinco años después se produjo en Portugal, le parecía inevitable a Anson.

Y, sin embargo, Sainz Rodríguez tenía razón. La estrategia a largo plazo que había trazado aquel conspirador barojiano, aquel cerebro penetrante y lúcido, podía salir adelante, y así ocurrió... El tiempo terminó por desenredar las hebras doradas de la agria madeja política. ¿Cómo imaginar en aquella madrugada del 30 de julio de 1969, el Rey derrotado, el Príncipe elegido sucesor, Franco en el mesianismo de su gloria, la clase política tecnócrata triunfante, que solo seis años después el nuevo Rey autorizaría todos los partidos políticos, incluido el comunista? ¿Cómo podía imaginar Anson que *Pasionaria* volvería a entrar en el Congreso a lomos de los votos populares? Que también lo haría Alberti, poeta en la calle y en el alma. Que el Rey firmaría una Constitución de consenso, enviando a los desvanes de la Historia, como muebles apolillados, los Principios inmutables del Movimiento Nacional y las Leyes Fundamentales del Reino. Que el dictador sería arrojado, en los pueblos y plazas de España, a los basureros políticos entre la indiferencia general. Que se celebrarían elecciones libres según el compromiso contraído por Don Juan y que, solo tras conocerse su convocatoria, el Rey de derecho abdicaría la Corona en su hijo, el Rey de hecho. Que la Monarquía sería de todos y ensancharía su crédito nacional e internacional. Que la bandera de la hoz y el martillo ondearía en el balcón principal del Palacio de El Pardo cuando la visita de Gorbachov, en 1990. Y que los enemigos más caracterizados del dictador, desde Salvador de Madariaga a Carrillo, alcanzarían general reconocimiento en la nueva España. Que el Rey Juan Carlos hablaría ante el Congreso de los Estados Unidos de América y en la Cámara de los Comunes británica, pero también en Moscú, ante la *Duma* de la Unión Soviética, y en Pekín, ante la Asamblea Nacional china. Que Don Juan viviría los últimos años de su vida en olor de multitud. Que a su muerte, para rendirle tributo en el Palacio Real, se formarían colas no menores que las que le organizaron al *caudillo* fallecido; que un gobierno socialista, elegido democráticamente, aprobaría un decreto histórico situando a Don Juan en el lugar que le corresponde en la Historia. Que a su funeral, mientras la presencia en el de Franco se redujo a Augusto Pinochet e Imelda Marcos, asistirían, en El Escorial, reyes, príncipes, presidentes, jefes de gobierno y dignatarios de un centenar de naciones. Que el Rey y la Reina derramarían lágrimas durante el entierro ante todo el país. Que postrado ya en su lecho de muerte, escritores republicanos como Francisco Umbral le honrarían diciendo que nadie «puede ignorar la voz de la Historia, la palabra penúltima de un hombre mítico, sacrificial y sabio». Y que el cadáver de Don Juan, por decisión de su hijo, iba a reposar en el Panteón de Reyes del Monasterio de El Escorial, inscrito en su sarcófago el nombre Ioannes III.

Nada de todo esto podía imaginar Anson mientras viajaba entristecido hacia Madrid y pensaba que las previsiones de Sainz Rodríguez no se cumplirían, y que todo, a más o menos corto plazo, estaba perdido, completamente perdido. Anson era, en fin, demasiado joven y no había aprendido todavía que la política es una larga paciencia, un largo, largo saber esperar.

PRIMERA ETAPA DE LA RESTAURACIÓN: DERRIBAR LA REPÚBLICA

Capítulo VI

EL GENERAL FRANCO

La duquesa de la Victoria es una dama sensible y eficaz. En 1922 trabaja al frente de un equipo de enfermeras voluntarias en la guerra de África. Un día recibe una gran cesta llena de rosas, regalo de los legionarios del teniente coronel Franco. En el centro de las flores, dos cabezas de soldados moros cercenadas a machete completan el delicado presente.

Ese mismo año Franco ataca un blocao cercano a Dar Drius con doce voluntarios. A la mañana siguiente, según se pudo leer en *El Correo Gallego* del 20 de abril, Franco y sus voluntarios regresan victoriosos exhibiendo ante la Legión «como trofeos las cabezas ensangrentadas de doce harqueños».

En 1926, el general Primo de Rivera, dictador de España por la gracia del Rey, visita en Marruecos a un batallón de la Legión de Franco. Los legionarios presentan armas al presidente del Gobierno con cabezas de moros clavadas en sus bayonetas.[1]

El tiempo no haría variar en nada a este valeroso militar. Jefe de Estado y dictador de España solo concebía a sus enemigos, decapitados, con la cabeza política cercenada sobre una cesta. Pero sin rosas.

Un niño zarandeado por la crisis familiar

Había nacido Francisco Franco el 4 de diciembre de 1892 en El Ferrol. Hijo de Nicolás Franco, contador de navío, y Pilar Bahamonde. Él era bebedor, mujeriego, intransigente, jugador y desordenado. Ella era una mujer dulce y resignada con el alma inclinada a la melancolía. Religiosa y austera, tenía una gran capacidad para la abnegación y el sacrificio. Paquito desde niño despreció a su padre y se unió a su madre. Sus hermanos Nicolás, el mayor, Pilar, Ramón y Pacita, que murió a los cinco años, compartieron con él las estrecheces y amarguras de una familia de clase media alta venida a menos. «Aunque arruinados, aunque viviendo a un nivel económico lleno de

---

1. Paul Preston, en su libro *Franco, caudillo de España*, Grijalbo, 1994, recoge estas anécdotas. Págs. 49-53. Cfr. Ramón Garriga. *La Señora de El Pardo*. Barcelona, 1979. Pág. 40, y Guillermo Cabanellas. *La guerra de los mil días*. Buenos Aires, 1973. II. Pág. 792.

limitaciones, pertenecen los Franco a una clase distinguida que no puede abdicar. Que prefiere sacrificarse hasta extremos absurdos y de insólita crueldad antes que renunciar a la posición», escribe Luciano Rincón en un libro clave, *Franco, historia de un mesianismo*,[2] en el que se hace, con una escritura bella y profunda, el más penetrante análisis psicológico de cuantos se han publicado sobre aquel hombre. Paul Preston es el historiador que mejor ha comprendido la profundidad y el alcance del libro de Rincón. Preston, formado en la Universidad de Oxford, catedrático de Historia internacional, ha escrito a su vez una biografía de Franco extraordinaria e imprescindible. Publicada casi veinte años después de la muerte de Franco, con el desapasionamiento de la distancia, el historiador británico ha hecho un esfuerzo admirable de documentación y objetividad.

La vulgar existencia de su padre, «un mujeriego empedernido y bebedor», marcará para siempre al hijo tímido y concentrado en sí mismo. Una voz aflautada y un cuerpo demasiado menudo le convierten en blanco de las chanzas de sus compañeros de clase. Paquito, tan delgado que sus amigos le apodan el *Cerillito*, se sume a menudo en silencios prolongados y «parece meditar con sus ojos, grandes y muy abiertos, clavados en todo lo que le rodea, con su sensación de poca cosa, tímido hasta la enfermedad, absolutamente tímido, pero que cuando rompe ese círculo de hielo se mantiene firme en sus decisiones y más violento en sus posturas que sus hermanos...».[3] Tiene *Cerillito* una vena romántica y sentimental. A las chicas que le gustan, les escribe poemas. No queda una sola muestra de la producción lírica del que sería dictador de España casi cuarenta años.

El niño quiere ingresar en la Escuela Naval y continuar la historia familiar. Tiene ya quince años y se ceba en él la mala suerte: cierra la Escuela Naval. Pero Paquito no quiere seguir en su casa destrozada, en su hogar roto, porque el padre les ha abandonado y se ha fugado a Madrid. No se divorciará de Pilar. Cumplirá con sus obligaciones económicas hacia ella, pero vivirá con su amante Agus-

---

2. Firmado con el seudónimo Luis Ramírez y publicado en 1964, en *Ruedo Ibérico*. Luis Suárez, en su gran obra *Francisco Franco y su tiempo*, califica a «Luis Ramírez» de «autor imaginativo, nada veraz e incapacitado para comprender la honestidad de la vida de Franco...» Tomo I. Pág. 88. No le falta razón a Suárez en cuanto a los errores que comete Rincón, que no es propiamente un historiador. Pero tras *Franco, historia de un mesianismo* hay una pluma soberbia, un escritor inteligente y un trabajo de introspección psicológica que ha maravillado a varios historiadores y a muchos lectores cualificados.

3. Luis Ramírez (Luciano Rincón). *Franco, historia de un mesianismo*. Pág. 37.

tina Aldana, en la madrileña calle de Fuencarral, hasta su muerte en 1942.

En la Escuela de Infantería de Toledo: número 251 de su promoción

Ingresa Francisco en la Escuela de Infantería de Toledo. Sentado en un velador de la plaza de Zocodover recibe la noticia. 382 alumnos han sido aprobados. Está contento de apartarse de los escombros del hogar. Su vida se centra ya en él mismo. Así sería hasta su muerte. «Francisco —escribe Luciano Rincón— no elige como su hermano Nicolás entre la chata rebeldía de su padre o la rigidez expiatoria de su madre. O mejor, sí elige: pero en contra de ambos. Es decir, se elige a sí mismo. A sí mismo como centro y meta de todo.»[4] Preston subraya, sobre todo, el rechazo del padre. «Su abstinencia vitalicia de alcohol, juego y mujeres da testimonio de su esfuerzo por crear una personalidad que fuera la antítesis de la vida de su padre.»[5]

Ya oficial en 1910, con un mediocre número 251 de su promoción, de 312 cadetes, su primer destino es El Ferrol. Franco supera en todo a sus compañeros. Es más duro, más disciplinado, frío y seco como ninguno. «Pero también más justo.» No bebe. No fuma. Las mujeres le producen o temor o indiferencia. Es un tímido sexual, acomplejado por las inhibiciones.

Dos años después le destinan a Marruecos. Acompañado por su primo Franco Salgado-Araujo, *Pacón*, y por su amigo Camilo Alonso Vega, Franco —Franquito para sus compañeros— navega hacia África dispuesto a jugarse una vida por la que no siente especial estima. Sus fantasías heroicas se harían pronto realidad. Impasible, una y otra vez se juega la vida. No busca las rosas sino las espinas. Quiere que se abran en su carne las heridas de la epopeya. Y a todos asombra: jefes, compañeros, soldados. Franco está siempre, a pecho descubierto, donde hay más peligro. No participa en juergas. Rehúye a las prostitutas. Su austeridad y disciplina son espartanas. Se ha apartado de la práctica religiosa con la que le agobiaba su madre. Hace ya no solo lo contrario del padre al que odia, sino lo contrario de la madre, a la que ama. «Aquí no quiero mujeres, ni borracheras, ni misas», dice a sus regulares. Tampoco le gusta la buena mesa, ni

---

4. Luis Ramírez (Luciano Rincón). *Franco, historia de un mesianismo.* Pág. 42.
5. Paul Preston. *Franco, caudillo de España.* Pág. 24.

la música. Ha nacido para el mando y el valor. África y los moros le enseñan a ser receloso. No se fía de nadie. No se fiará nunca de nadie a lo largo de toda su vida, salvo de su hija Carmen. Su primera noche de campaña la pasó con la pistola en la mano y casi sin dormir, desconfiando de sus propios soldados.

Su ascenso a capitán «por méritos de guerra», gracias a su valor en la batalla de Beni Salem, se produce el 1 de febrero de 1914.

Herido en combate

Al frente de sus hombres como siempre, el 29 de junio de 1916, Franco asalta en Biutz un reducto harqueño. Con el fusil de un soldado herido, calada la bayoneta, encabeza el ataque. Una bala le rompe el vientre. Abrasado por el dolor, todavía dirigirá a sus hombres hasta el desmayo. Es casi un milagro que no muera. Así lo confirmaría el doctor Mallou. Pero como se recupera, solicita el ascenso. Se le deniega. Apela al Rey. Y Alfonso XIII le atiende. Con efectos de antigüedad de 29 de junio de 1916, es ya comandante.

Le destinan al regimiento del Príncipe en Oviedo. Según afirma Luis Suárez con algún optimismo, llega con la maleta cargada de libros.[6] La verdad es que la cultura de Franco fue siempre epidérmica. Vive en un hotel en la calle Uría. Pasea a caballo. La retranca de los asturianos le convierte en el «comandantín». Conoce entonces en una romería a una niña espigada y bella, una colegiala de quince años. Se llama Carmen Polo y Martínez Valdés. Se enamora de ella. No piensa en otra cosa que en el temblor y la seda de aquel cuerpo adolescente, en la luz de atardecer de aquellos ojos nuevos, en la sal y el desdén de una boca lejana y hendida. Y se enfrenta con la oposición familiar. Carmen pertenece a la alta burguesía. Sus padres quieren para ella un aristócrata. Franco es solo un militar aguerrido y descuartado.

El dinero apuesta por Franco

En 1917, la huelga extendida por media España prende en las cuencas mineras de Asturias. A Franco le dan el mando de una compañía de infantería, una sección de ametralladoras y otra de la Guardia Civil. Tiene órdenes de reprimir a los huelguistas. Aquel

6. Cfr. Luis Suárez, *Francisco Franco y su tiempo*. Tomo I. Pág. 117.

comandante de veinticinco años es un prodigio de frialdad y violencia, de crueldad y dureza. Franco se encarama en el éxito. Logra todos sus objetivos y algunos poderosos toman buena nota de ello. Según Luis Suárez, que discrepa de Paul Preston, de Seco Serrano y Luciano Rincón, Franco no reprimió nada porque nada había que reprimir en las *Fallas de los Llobos*. Cita como argumento —endeble argumento— un discurso del propio Franco de 19 de mayo de 1946.[7] Sea cual sea la verdad, lo importante es que todos creen que el joven comandante ha actuado con decisión y dureza contra los obreros socialistas en huelga.

«Franco está firmando —escribe Luciano Rincón en la frase más aguda de su libro— el primer contrato que le ha extendido el capital español.»[8] Así es. El dinero, el gran dinero, apostará ya por él hasta su muerte. A Anson no se le olvidará nunca una cena en casa del marqués de Aledo, cuando era un muchacho en 1956 y regresaba con cierta emoción de Estoril. Al apoyar con vehemencia a Don Juan, el marqués de Aledo, un hombre leal a la Monarquía, se volvió hacia él y sonriente le contuvo: «Bueno, bueno, sin tanta prisa, que Franco es todavía un buen negocio.»

El «comandantín», pues, vence, en 1917, a los hombres de otro ferrolano de relieve, Pablo Iglesias, que el 2 de mayo de 1879 fundara el PSOE en una taberna de la calle de Tetuán, en Madrid. ¿Se le despertó entonces la conciencia social que le atribuye Suárez? Tal vez sea así. Se trata, en todo caso, de una interesante especulación, porque no se le puede negar a Franco una clara preocupación social que entretejió en parte considerable la legislación durante su larga dictadura.

En la Legión

Tres años después de la huelga revolucionaria, Millán Astray funda la Legión. Franco se incorpora a ella como segundo jefe. En 1921, se produce el desastre de Annual y se abre el expediente Picasso para esclarecer responsabilidades por la derrota. Ramón J. Sender, en su novela *Imán*, relata con escritura de hierro la carnicería humana sobre la calcinada tierra. Franco conoce a Indalecio

7. Ricardo de la Cierva se suma al mismo endeble argumento y se apoya en el diario *Arriba*, 20 mayo 1946. *Franco Don Juan, los reyes sin corona.* Pág. 10. Cfr. Luis Suárez. *Francisco Franco y su tiempo.* Tomo I. Pág. 134.
8. Luis Ramírez (Luciano Rincón). *Franco, historia de un mesianismo.* Pág. 73.

Prieto, corresponsal de guerra de *El Liberal*. Ricardo de la Cierva lo explica cumplidamente en su *Vida de Franco*.[9] El teniente coronel Valenzuela es nombrado jefe de la Legión. Franco se irrita. Sabe que se merece el puesto. Le trasladan a Oviedo. Es el mes de marzo de 1923. El Rey le había distinguido ya con la medalla militar (12 enero 1923) y con el nombramiento de gentilhombre de cámara.

Franco conoce y admira a Sainz Rodríguez

Un joven catedrático asombra a todos en la capital asturiana por su sabiduría e ingenio. Se llama Pedro Sainz Rodríguez. Es bajo, gordo, zumbón y suficiente. Su mórbida encarnadura y los desdeñosos pliegues de su triple papada le atemperan la jubilosa cachondez de los ojos, que le retozan el alcacer. Lleva siempre un cuchillo de doble filo entre los dientes, y cuando saluda a una dama y toma su mano nadie sabe si va a besarla o a morderla. A su tertulia, en casa del marqués de la Rodriga, acuden los aristócratas de más relieve en la vida ovetense y las fuerzas vivas de la ciudad. Sainz Rodríguez cultiva también a los militares. Franco se incorpora zozobrante a la tertulia. Se queda boquiabierto ante la cultura de Sainz Rodríguez. Flagela sin piedad al joven catedrático al recitar un día para él, de memoria, *Oigo, Patria, tu aflicción...*[10] y lee en voz alta a los tertulianos los artículos escritos para su libro *Diario de una bandera* y, más tarde, para la *Revista de tropas coloniales*. Desea ardientemente el elogio literario, el aplauso cultural de Sainz Rodríguez. Será una aspiración duradera. Incluso durante la Guerra Civil, Franco buscará la admiración intelectual de Pedro Sainz. Entre ellos se establece una relación paralela a la de Nerón con Petronio.

Además, el codeo con los ilustres tertulianos de don Pedro (que corteja por aquella época a Lolina Teverga) rompe la frialdad de la familia Polo. El camino para la boda con Carmen queda abierto. Pero muere Valenzuela y Franco le sustituye, ascendido a teniente coronel, el 8 de junio de 1923. Y otra vez África. Antes que de Carmen, es novio de la muerte. Tras almorzar con el Rey[11] y cenar con

---

9. *Vida de Franco* (dirección y coordinación, Ricardo de la Cierva). Prensa Española, 1985. Pág. 93.

10. *Al dos de mayo*, poema de Bernardo López García. «Franquito se sabía el poema con todos sus ripios pero no se acordaba nunca del autor», solía decir Sainz Rodríguez.

11. El Rey le dijo a la Reina que Franco era el mejor militar que tenía en África. Al menos eso es lo que Gregorio Marañón Moya pone en boca de Doña Victoria tras visitarla en 1963.

Primo de Rivera, Franco regresa a Oviedo para casarse —el día 22 de octubre— con Carmen Polo. Alfonso XIII, que le había distinguido como gentilhombre, es el padrino de la boda, representado por el general Losada. Franco es un héroe de África y su boda se celebra en olor popular. El madrileño *Mundo Gráfico* se refería al acontecimiento así: «La boda de un heroico *caudillo*.» El padre, Nicolás, no asiste al acontecimiento familiar.

Ya casado regresa a África, en medio de la consideración general. Los legionarios le temen y respetan. *Pacón*, Franco Salgado-Araujo, cuenta cómo uno de sus hombres, en Uad-lau, se negó a comer el rancho y se lo tiró al oficial Montero. Franco sin alterarse formó el batallón, fusiló al legionario y ordenó a toda la tropa que desfilara ante el cadáver. El propio *caudillo* le contaría la historia a su primo sin la menor mala conciencia por el brutal homicidio.[12]

Enfrentamiento con Primo de Rivera

Hay ya dictadura en España y el general que la encarna acude a Marruecos. Cree que es necesario ceder y abandonar para no agravar más una situación tan incandescente. Franco le hace frente. No está dispuesto a que el dictador se baje los pantalones y muestre la jacarera popa al gusto de sus depredadores. «Este que pisamos, señor presidente —le dice—, es terreno de España porque ha sido adquirido por el más alto precio y pagado con la más cara moneda: la sangre española derramada.» Jefe de Estado, con poder absoluto, entregaría en 1956 Marruecos y, después, ya en los trasteros del olvido sus sueños imperiales de los años cuarenta, todo lo que le restaba a España del Imperio: Ifni, Guinea, Fernando Poo, Corisco, Annobon, Elobey Grande, Elobey Chico, el Sahara...

El 20 de julio de 1924, en Ben-Tieb, Franco ofrece al dictador Primo de Rivera una cena, según varios historiadores, de tres platos y postre a base de huevos. Era su forma de decir no al abandonismo de Marruecos. En 1972, Franco negó el menú, pero no el propósito. La mejor versión del incidente clave de Ben-Tieb la ofrece Ricardo de la Cierva.[13]

---

12. Francisco Franco Salgado-Araujo. *Mis conversaciones privadas con Franco*. Pág. 184.

13. *Vida de Franco*. Pág. 115 y ss. Es absurdo marginar a Ricardo de la Cierva, por su ideología, de la aportación que como historiador ha hecho a la figura de Franco. Su obra es de obligada consulta, pues se cuentan por centenares los datos claves

El más joven general de Europa

Dos años después, pasajes tan amargos como la retirada de Xauen, «Xauen, la triste», escribiría el futuro *caudillo* en un melancólico artículo, condicionan para siempre la psicología del joven militar. En las murallas de la ciudad Franco había instalado para engañar a los moros enemigos, como en el *Beau Geste* de P.C. Wren, muñecos disfrazados de legionarios. La firmeza del coronel «africano» triunfa finalmente sobre las vacilaciones del señorito dictador. Es el desembarco de Alhucenas. El joven coronel, ya en batalla, desobedece las órdenes recibidas, acogiéndose eso sí a las ordenanzas, se juega la vida y triunfa. En pocas semanas Marruecos se pacifica. Es la apoteosis de la dictadura. Primo de Rivera distingue a Franco con una irrefrenable admiración. También Alfonso XIII. Le asciende a general. Es el 3 de febrero de 1926. Su ascenso resulta eclipsado por el éxito de su hermano Ramón, que cruza el Atlántico en el hidroavión *Plus Ultra*. En El Ferrol agasajan a ambos hermanos y a la madre de los dos héroes. Francisco se alegra del éxito de Ramón, que luego se hará republicano, masón y hostil a todo lo que representa el general. Tiene Franco treinta y tres años. Es el más joven general de Europa. Philippe Pétain, considerado la máxima autoridad militar del mundo, comenta con algunos de sus colaboradores: «Este hombre tiene la más limpia espada de Europa.»[14]

Le destinan a la guarnición de Madrid. Alquila un piso en Castellana, 28, en el barrio más elegante de la capital. Un mundo nuevo que no entiende —el de la alta política y, sobre todo, el de la cultura, el de los intelectuales— le asalta inmisericorde en la capital de España y le hace sentirse inseguro. Franco estaba cómodo en el riesgo de África, en la violencia de la Legión, en la mentalidad de Millán Astray, el que un día gritaría en público para ofender a Unamuno: «¡Mueran los intelectuales!»

---

que ha descubierto. También su libro *Franco Don Juan, los reyes sin Corona*, supone un gran esfuerzo de objetividad y aporta muchos datos nuevos sin los cuales resultaría imposible entender la relación entre los dos personajes. Sus errores en este último libro se derivan en gran parte de los cometidos por Sainz Rodríguez en *Un reinado en la sombra*.

14. Luis Suárez. *Francisco Franco y su tiempo*. Tomo I. Pág. 185. El autor de este libro no ha podido encontrar la fuente fehaciente de la frase, que tal vez sea producto de los servicios de propaganda de la dictadura. Según Preston, *Franco, caudillo de España*, pág. 466, fue publicada en *ABC*, el 22 de junio de 1940. El autor ha repasado minuciosamente ese número de *ABC* sin encontrar la frase.

El joven general apenas es nada en Madrid. Apenas es nadie. Su frustración le confirma cada vez con mayor fuerza que los civiles no sirven para gobernar. Para él gobernar es mandar. Y eso solo lo saben hacer los militares. Para Franco, la España moderna empezó en 1923 cuando los partidos históricos fueron liquidados por el Rey y un militar se hizo con el poder. Paul Preston lo resume con agudeza: «En África adquirió las creencias centrales de su vida política: el papel del Ejército como árbitro del destino político de España y, lo más importante, su propio derecho al mando. Siempre consideraría la autoridad política en términos de jerarquía militar, obediencia y disciplina, y siempre se referiría a ella como *el mando.*»[15] Preston coincide en este juicio con la idea de Sainz Rodríguez sobre Franco, al que conocía tan profundamente. «Al regresar a España —escribe— Franco trajo consigo el bagaje político adquirido en África, que arrastraría el resto de su vida. En Marruecos, Franco llegó a asociar el Gobierno y la administración con la incesante intimidación de los gobernados.»[16]

Por esa época, Franco convierte el cine en su droga. Va casi todos los días a ver una película. Se queda hipnotizado ante la pantalla. Acude también a la tertulia del historiador Natalio Rivas y participa, incluso, en un filme, *La malcasada*, dirigida por Gómez Hidalgo.

El 14 de septiembre de 1926 nace, en Oviedo, su única hija: Carmen, *Nenuca*, sobre la que vuelca toda su ternura. Será ya la niña, luego la jovencita, más tarde la mujer, bella, prudente, una de las claves para entender a Franco.

Director de la Academia General Militar

Llega el año 1927. Primo de Rivera restablece la Academia General Militar, en Zaragoza. Franco será su director. Trabaja intensamente, incorpora a muchos de sus mejores amigos como profesores y recupera otra vez el placer del mando único. Lo inspecciona todo, lo vigila todo, lo ordena todo. Impone un régimen de vida espartano, una alimentación severa, una disciplina atroz. Lucha para erradicar las enfermedades venéreas y exige a todos los alumnos que lleven siempre en el bolsillo un preservativo.

En Zaragoza, el general Franco conoce a un abogado del Estado excepcionalmente inteligente, Ramón Serrano Súñer, que dos años

15. Paul Preston. *Franco, caudillo de España*. Pág. 35.
16. Ibídem. Pág. 72.

después se casaría con *Zita*, la hermana de Carmen. Testigo del novio, José Antonio Primo de Rivera; testigo de la novia, su cuñado Francisco Franco.

Cuando muere la Reina Cristina, el director de la Academia General pronuncia un discurso enternecedor. Franco sabe en dónde está el poder. O cree saberlo. El 4 de junio de 1929, el Rey le adula y le impone personalmente la medalla militar individual en el Retiro madrileño. Franco cree morir de vanidad. Le jura al Rey lealtad hasta la muerte.

Lectura de cabecera del joven general es, en aquella época, el *Bulletin de L'Entente Internationale contre la Troisième Internationale*, la revista anticomunista de Aubert y Lodygensky, a la que en 1934 se suscribiría.

Pero caído Primo de Rivera, el 28 de enero de 1930, la descomposición de la Monarquía es imparable. Franco, en su torre de marfil de Zaragoza, no lo advierte. Los intelectuales de la Agrupación al Servicio de la República —Ortega, Marañón, Pérez de Ayala— le arrancan sonrisas de suficiencia. Luis Suárez, que considera a Claude Martín uno de los más agudos biógrafos de Franco, le cita para subrayar que la educación del futuro *caudillo* era «diametralmente opuesta a la que Francisco Giner de los Ríos y la Institución Libre de Enseñanza estaban intentando inculcar en los intelectuales españoles».[17] Un emisario de Lerroux le invita a unirse a la conspiración republicana. Franco no hace caso. Participa, en cambio, en la represión por la sublevación de Jaca y aplaude el fusilamiento de Galán y García Hernández. Las cabezas de los enemigos deben ser cercenadas y ofrecidas en una cesta a la opinión pública. Entre esos enemigos está ya su propio hermano Ramón, que ha sobrevolado el Palacio Real con el propósito de bombardearlo. Pero Francisco le quiere. Le escribe una carta sermón y le envía dinero al exilio. Ramón toma el dinero pero no hace caso de la homilía fraternal. No está dispuesto a que le lleven por el buen rastrojo.

Y la República sorprende a Franco como un fogozano. El Rey, su valedor, se va de España, a la que ama, para que no se derrame sangre de españoles. Franco no lo entiende. Él se ha pasado la vida entera, desde los dieciocho años, derramando sangre, incluso la suya propia. El general condecorado por el Rey, el protegido por el Rey, el más leal al Rey, ordena a los pocos días, cuando se cumplen las ordenanzas, arriar la bandera roja y gualda e izar la tricolor en la Academia Militar. Hasta que la República no le arañó en su carrera,

17. Luis Suárez. *Francisco Franco y su tiempo*. Tomo I. Pág. 96.

Franco no se revolvería contra ella y aun así con cautela. «De momento los tres colores de la nueva bandera —escribe Luciano Rincón[18]— no han hecho más que empezar a tremolar, y Francisco Franco se ha instalado cómodamente a su sombra.»

El Infante Don Juan, con solo diecisiete años, con su niñez y adolescencia de príncipe privilegiado, tan diferente a la bronca formación de Franco, está ya en el exilio, abiertas ante él las largas sendas entristecidas de la amargura y la desesperanza.

---

18. Luis Ramírez (Luciano Rincón). *Franco, historia de un mesianismo.* Pág. 133.

Capítulo VII

EL INFANTE DON JUAN

— Alteza, la República se ha proclamado en toda España, el Rey no piensa resistir y se dispone a tomar el camino del exilio. V.A. debe hacer lo mismo. Así me lo han ordenado desde Palacio.

Fernando de Abárzuza mira al Infante. Don Juan de Borbón recibe el impacto con angustiada serenidad. Acude al despacho del director de la Escuela Naval de San Fernando. No entiende nada. Es solo un guardiamarina de diecisiete años que quiere a su padre y admira profundamente a su Rey. Llama por teléfono a Palacio. Habla con su madre, la Reina Victoria Eugenia. En unos minutos, aquel muchacho inteligente advierte la magnitud de la tragedia. Actúa con rapidez y decisión. Habla con el director de la Escuela, Wenceslao Benítez Inglot. Visita al capitán general del Departamento. Le pide un torpedero para trasladarse a Gibraltar.

—No sería prudente poner un buque de guerra al servicio de un alumno de la Escuela.

—No lo pido como alumno, mi general, lo ordeno como Infante de España.

Apenas habían pasado unas horas desde que su ayudante Abárzuza interrumpió su clase de gimnasia para darle cuenta de la caída de la Monarquía, cuando Don Juan de Borbón navega rumbo a Gibraltar en el torpedero número 16, bajo el mando de Luis Biondi. En la soledad de su cámara, las incertidumbres se enroscan en el alma de aquel joven marino, al que la vida le iba a zurrar severamente a partir de entonces. Es martes, 14 de abril de 1931.

Alarma por la hemofilia

Hijo del Rey Alfonso XIII y de la Reina Victoria Eugenia, Don Juan de Borbón y Battenberg había nacido en el Palacio Real de La Granja, el 20 de junio de 1913. Cuarto hijo varón del Soberano (el tercero nació muerto), el nuevo Infante de España fue bautizado, por disposición de su padre, en el Salón del Trono, mientras fuera, entre el boscaje, las fuentes se quebraban en la frágil brevedad de los cristales del agua. Apenas un año después vino al mundo su hermano Gonzalo, compañero de juegos y amigo del alma hasta su muerte.

El Infante es un niño rubio y fuerte, alegre y travieso. Siente admiración por el padre, quiere con ternura a la madre y es el nieto favorito de la abuela, la Reina madre María Cristina. Está rodeado de atenciones pero no de caprichos. Ve poco a sus padres, pero su abuela —*bama* para todos los nietos— le educa con severidad. Su primera tristeza es la de su madre al enterarse de que su hermano ha muerto en Flandes, cuando Europa cruje por los cuatro costados, zarandeada por la Gran Guerra. El Infante tiene tres años y nunca olvidará los ojos claros de su madre arrasados por las lágrimas.

El Rey nombra preceptor de Don Juan al conde del Grove, un hombre rígido. A pesar de la vigilancia en torno al niño, y con cuatro años cumplidos, el Infante se cae de una tartana, de la que tira un borriquillo al que llaman *El Moreno*, y se clava una espina de acacia en la pierna. Sangra a chorros. Sin proferir una queja, trata de sacarse la espina astillada y se tapona la herida con un pañuelo. Un percance sin mayor importancia, salvo en la Familia Real, pues la Reina Victoria es transmisora de hemofilia. La enfermedad aqueja ya al Príncipe de Asturias, Don Alfonso. El Infante, de cuatro años, genio y figura, hace lo que ya hará siempre: se esfuerza en no proferir una queja. Es la educación de la abuela Habsburgo, que le ha tallado en el alma el sentido de la dignidad. Pero se descubre la sangre y se produce conmoción en Palacio. Sin anestesia, con las manos agarradas al Rey y la Reina, el niño aguanta la cura del médico que le extrae la espina. Unas horas después, la gran noticia. Don Juan está sano. La sombra de la hemofilia se desvanece. El Rey le nombra soldado del Regimiento de Húsares de Pavía y le invita a Sevilla.

Destino de Don Juan: ingeniero militar

«Mi destino, en cuanto empecé las primeras letras —escribe Don Juan—[19] iba a ser ingeniero militar. En la familia se distribuía a los Infantes por las Armas según fuera conveniente...»

Su vocación de marino todavía no estaba aflorada. Al revés. «Uno de mis primeros recuerdos es el haber pasado unos mareos horribles en el viejo *Giralda* sentado sobre las rodillas del almirante Chalo Vierna, entonces joven alférez de navío.»[20]

Unos ganglios en la garganta alarman a su abuela. En compañía de su hermano Gonzalo, se instala en un pabellón de caza en el mon-

---

19. Juan de Borbón. *Mi vida marinera*. Asociación de Escritores y Artistas, 1978. Pág. 7.
20. Ibídem. Pág. 7.

te de El Pardo: el palacete de la Zarzuela, donde vive varios años. Según la Reina Cristina, los aires eran allí mucho más sanos que en Madrid y garantizaban la salud del Infante. En la Zarzuela leyó un día en un periódico que «sus augustos padres se llevaban niños a Palacio para sacarles la sangre y dársela a beber al Príncipe de Asturias, como bebida tonificante».[21] Don Juan aprendió demasiado pronto lo que era el amarillismo en la Prensa.

En aquel niño de ojos grandes e inteligentes, alegre y parlanchín, sumido a veces en largos silencios, se van perfilando los principales rasgos de un carácter que, con sus virtudes y defectos, le acompañará hasta la tumba. Alfonso XIII le enseñó el amor a España y el sentido profundo de la realeza. Exiliado casi en la adolescencia, Don Juan será siempre el enamorado de España. A su padre le querrá más como Rey que como padre. Con nueve años le confesó a su hermano Gonzalo que estaba dispuesto a morir por el Rey. De su madre, la Reina Victoria Eugenia, aprendió Don Juan la serenidad y el sentido del humor. De su abuela, el culto al deber y la dignidad, y, sobre todo, una profunda formación católica. Todos estos rasgos de su carácter, alimentados por el entorno familiar, giraron alrededor de la que siempre fue su mayor cualidad: la grandeza de espíritu, heredada tal vez de la Historia. Pero no todo eran virtudes en aquel niño de vida privilegiada. La frivolidad y el cortesanismo del entorno le acosaron a lo largo de toda su vida. Tuvo que soportar, tantas veces sin saberlo, los perjuicios de la aduladora educación de Palacio. Era el Infante Don Juan sensible y bondadoso, paciente y tranquilo. Un punto de soberbia le nublaba a veces la inteligencia y le llevaba a empecinarse en sus errores. Tenía una inmensa memoria, pero imprecisa. Se acordaba de todo, pero el rigor en las fechas o los datos lo relegaba a los rábulas y secretarios. En todo caso, ya adolescente, todos sabían en Palacio que era, con diferencia, el mejor de la familia, el más capaz y el más inteligente. Cien anécdotas de infancia y adolescencia pincelan su carácter.[22]

En 1920, por orden del Rey, se inscribe su filiación como soldado de la Primera Compañía del I Batallón de Ingenieros en el Cuartel de la Montaña. Un año después, Don Juan recibe, junto a su hermano, la Primera Comunión y aprende a ayudar a misa. Mientras se mantuvo la ceremonia en latín, le complació hacer de monaguillo.

21. José María Gironella. *Conversaciones con Don Juan de Borbón*. Afrodisio Aguado, 1967. Pág. 22. Cfr. Archivo Luis María Anson. Hay notas con esta misma historia en el resumen de tres conversaciones distintas con Don Juan.

22. Cfr. Fernando González-Doria. *Don Juan de España*. Prólogo de Luis María Anson. Palacios S.A., 1968.

Ayudaba a misa con frecuencia, incluso con más de sesenta años, durante su exilio en Estoril.

Don Juan y Franco en la jura de bandera del Príncipe de Asturias

En ese mismo año de 1920, el 14 de junio, en el terreno de polo de la Casa de Campo, asiste Don Juan a la jura de la Bandera de su hermano el Príncipe de Asturias. El Rey, en su discurso, recuerda que su padre Alfonso XII sirvió en el mismo puesto «que hoy ocupa mi hijo». «En el día de hoy —habla el Monarca— has tenido la honra más grande que puede tener todo buen español. Acabas de prestar juramento a tu bandera, y con este juramento has hecho el sacrificio de tu vida por la Patria.»[23] El Infante Don Juan escucha embobado a su padre. Está ya impregnado de lo que iba a configurar su vida entera: la Patria adorada, la bandera roja y gualda, el respeto al Ejército, la lealtad al Rey, el amor a la familia, el Papa y la religión por encima de todo, la dignidad de la realeza, el servicio a la Corona. Le faltaba todavía el mar y el amor a los humildes, que aprendió en la vida del exilio y en las encíclicas pontificias.

Tiene apenas siete años cuando ve a su hermano jurar bandera, pero ya percibe la preocupación del Rey, y las palabras guerra de África, huelga revolucionaria, crisis de Gobierno, empiezan a tener significante preocupación para él.

Entre los militares que asisten a la jura del Príncipe de Asturias, se encuentra un comandante que ha derrochado valor en la guerra de África: Francisco Franco. Es la primera vez que Don Juan y Franco se ven. El Infante no sabe quién es aquel militar, lealísimo al Rey, que le asciende, ayuda y protege, mientras sus soldados con las bayonetas desenvainadas arañan en África, día a día, la gloria del futuro *caudillo* de España.

Dos lecciones de la Reina Cristina

Tres años después, en 1923, realiza exámenes públicos, muy duros, en el Instituto San Isidro, de Madrid, para el ingreso y primer año del Bachillerato. Tiene diez años. Pronuncia su primer discurso en público en el acto de entrega de un estandarte al Batallón de Aerostación de Guadalajara.

23. Diario *ABC*, 15 junio 1920. Pág. 9.

Su preceptor, el conde del Grove, cada vez más exigente, le explica que, hemofílico el Príncipe de Asturias y sordomudo el Infante Don Jaime, los derechos y deberes de la Corona recaerán un día en él. El niño se queda atónito. «Era la primera vez —le diría cincuenta años más tarde a Anson— que pensaba en la posibilidad de ser Rey. Yo era muy novelesco. Así es que no me desagradó por lo que tenía de aventura y se lo conté a bama.» Pero la Reina Cristina le aclaró con dureza:

—La Monarquía se basa en la continuidad, en el automatismo hereditario, Juan. Tal vez ni Alfonso ni Jaime puedan reinar. Pero si se casan bien, sus hijos estarán antes que tú.

No tenía razón, pues, el conde del Grove. Su abuela era la sabiduría y la serenidad. Don Juan la admiraba. No olvidó nunca lo que aquella gran señora le dijo apretándole las manos, él con diez años, ella en la cumbre de su madurez política: «Mi hijo ha hecho lo que creía mejor para España, pero la dictadura arrastrará en su caída a la Monarquía.» Sobre el Madrid castizo y desconfiado, poblachón de los años veinte, declinaba ya el verano cuando el Rey aceptó el golpe de Estado —13 de septiembre de 1923— y lo legalizó al nombrar al general sublevado presidente del Consejo de Ministros.

El instinto de Don Juan, un niño de diez años, deformado por la vida de Palacio, le hacía pensar, sin embargo, que su abuela tenía razón. Desde entonces sufrió por su padre. «Tenía la conciencia clara de que un día nos echarían de España.» Recordaría siempre su larga meditación sobre los deberes que impone la Historia, ante el sepulcro del Príncipe Don Juan, el malogrado hijo de los Reyes Católicos. Era el año 1924 y el Infante Don Juan tenía once años.

Mientras se descompone la entraña de España, transcurren felices los años de la dictadura. Don Juan es un adolescente que estudia, ríe, juega, hace deporte, busca a las chicas con las que tiene gran éxito, se alegra con los triunfos de España y de su padre, sufre con las cosas que ve y no entiende, y apenas tiene conciencia de lo que está germinando en el fondo del pueblo español. Son años maravillosos. En Don Juan se desarrolla una inmensa alegría de vivir y una curiosidad creciente por todo que le acompañaría siempre. Tiene muchos amigos, pero sobre todo está rodeado de hermanos y primos. En alguna ocasión se fija en María de las Mercedes, tres años mayor que él y un torbellino de fuerza e ingenio. Alfonso XIII la llama Doña María la Brava.

Don Juan ve por primera vez a Sainz Rodríguez

Escondido detrás de unas cortinas mientras su padre recibe audiencias, se sorprende por la claridad expositiva y la contundencia al hablar de un joven gordo y orondo, de gran personalidad. Pregunta más tarde su nombre. «Pedro Sainz Rodríguez», le responden. Sería el hombre clave en su vida política, como lo fue Cánovas del Castillo para Alfonso XII. Sainz Rodríguez pronuncia el 27 de octubre de 1924 un demoledor discurso contra la dictadura durante un banquete en el *Palace*. El Madrid intelectual se suma a la posición del joven catedrático. Unamuno se adhiere desde el exilio. También Santiago Alba, Fernando de los Ríos, Sánchez-Albornoz. Sainz Rodríguez visita a Alfonso XIII para explicarle que él no se había intregado en el movimiento republicano y que era leal a la Monarquía.

Por esa época, Don Juan descubre el mar. Es de repente una vocación irrefrenable. Nada le podrá ya apartar de las inmensidades del océano, de las reflexiones profundas bajo las estrellas, de los látigos de espuma y el aire curtido sobre el rostro, paisaje definitivo de la vida y del alma. El mar, el mar, para meditar en todo. El mar, el mar, y no pensar en nada. El mar de Manuel Machado, reposo para el que había de ser guerrero de coronas, *caudillo*s y cortesanos. Convence a su padre de que quiere servir a España en su Armada.

La muerte de la Reina Cristina, en febrero de 1929, le nubla los ojos. Contempla el cadáver pálido en su dormitorio de Palacio. Pero no llora. No ha cumplido los dieciséis años y empieza ya a probar todo el bronco sabor de la existencia.

Ama los deportes del mar, pero también el fútbol, el golf, el tenis, los caballos, la pelota, la caza. Se enardece con la victoria de España sobre Inglaterra, el 15 de mayo de 1929, por 4-3 en Madrid, con el *divino* Zamora bajo los palos. También le entusiasma el cine, sobre todo las películas de Charles Chaplin. Se ríe con él y le emociona que Charlot esté siempre al lado del débil, del humilde, frente al fuerte y el poderoso. Gracias a Charlot germinaría en aquel adolescente una veta de progresismo que nunca le abandonaría.

La caída de Primo de Rivera, en enero de 1930, le estremece. Recuerda en silencio las palabras de su abuela, mientras ve a su padre agobiado y entristecido.

Ante su padre el Rey, el Infante Don Juan jura bandera

Hace sus exámenes en el ministerio de Marina para ingresar en la Escuela Naval de San Fernando. Ni hijo del Rey ni historias. Era el mejor. Se viste, por fin, el uniforme de Marina, que se ha ganado a pulso. Estamos en 1930. Acompañado por los capitanes de corbeta Fernando de Abárzuza y José María Amusátegui, Don Juan se incorpora el 31 de agosto a la Escuela Naval.

El 28 de octubre, ante su padre el Rey, jura bandera el Infante. Promete derramar por España hasta la última gota de su sangre. Todos los días de su vida estuvo dispuesto a hacerlo así.

Aquel año, la Navidad en Palacio está llena de malos presagios. El ambiente revolucionario dinamita la calle. Don Juan lo sabe. No olvida las palabras de su abuela cuando le apretó sus manos de niño de diez años y dijo: «La dictadura arrastrará en su caída a la Monarquía.» Alfonso XIII no puede disimular su preocupación. Don Juan sigue viendo en él antes al Rey que al padre. Siente admiración sin límites por el Monarca. Querría ofrecer su vida al servicio de su Rey. Un día, al asistir al cambio de guardia en Palacio, se fija en un general joven, gentilhombre del Rey. Su padre le ha contado maravillas de aquel militar por su heroísmo y lealtad. Se llama Francisco Franco.

Las vacaciones transcurren en un suspiro de veladas familiares, de nieve dorada sobre la pátina de las piedras envejecidas y de fiestas llenas de muchachas radiantes que le alegran los ojos y el corazón a aquel Infante de España, ágil y delgado, que mide ya por encima del 1,90. Sale de Madrid el 8 de enero de 1931, para reincorporarse a la vida militar en la Academia de San Fernando. No regresaría hasta diciembre de 1963, para asistir fugazmente al bautizo de su nieta la Infanta Elena.

Capítulo VIII

EL 14 DE ABRIL DE 1931

La primera Restauración de la Monarquía se debe sustancialmente a la obra política de Antonio Cánovas del Castillo. Ni Alfonso XII, ni Martínez Campos, ni el Ejército tenían idea clara del alcance de la estrategia restauradora. Como ocurriría cien años después, con la segunda Restauración, no se trataba solo de que el Rey ocupara el Trono, sino de que la Monarquía permaneciera, atendiendo al bien común de los ciudadanos. Cánovas del Castillo, como cien años más tarde Sainz Rodríguez, elaboró un denso tejido de sutilezas políticas. Melchor Fernández-Almagro[24] lo ha explicado minuciosamente en un excelente libro biográfico.

El golpe de Estado de Martínez Campos, el 29 de diciembre de 1874, precipitó la Restauración y estuvo a punto de estropearla. Cánovas no quería que el Rey volviera al Trono sobre las bayonetas, sino sobre el clamor popular. La estrategia canovista, en todo caso, estaba casi consumada y Alfonso XII entró en Madrid rodeado por la simpatía del pueblo que Cánovas había preparado pacientemente durante largos años. La nueva Monarquía se asentó sobre dos grandes partidos en un clima de libertad que, comparativamente, se encontraba entre los más altos de la época. Por eso pudo resistir el oleaje de la guerra carlista y el desastre del 98, con la pérdida de casi todo lo que quedaba del Imperio.

Pero no hubo suerte para la soberbia arquitectura política que edificó Cánovas. Alfonso XII murió en 1885, sin haber cumplido los treinta años. Unos meses después nació Alfonso XIII. El gran político conservador fue asesinado el 8 de agosto de 1897 y el niño-Rey juró la Constitución al alcanzar la mayoría de edad a los dieciséis años, en 1902. Todavía estaba en pie el edificio político de Cánovas. Pero los errores de aquel muchacho inexperto, a pesar de su inteligencia y patriotismo, conducirían a la crisis de la Restauración, tan certeramente estudiada por Carlos Seco Serrano[25] en una pequeña obra maestra.

---

24. Melchor Fernández-Almagro. *Cánovas.* Ambos Mundos, 1951. Cfr. José María García Escudero. *Cánovas, un hombre para nuestro tiempo.* B.A.C., 1989.
25. Carlos Seco Serrano. *Alfonso XIII y la crisis de la Restauración.* Ariel, 1969.

Error de Alfonso XIII con los grandes partidos dinásticos

Alfonso XIII fue incapaz de taponar la hemorragia de los grandes partidos dinásticos escindidos y quebrados, lo que produjo una permanente inestabilidad política, arbitrada por el Monarca con un desgaste personal terrible, desde las «crisis orientales» a la zozobra permanente tras el desastre de Annual. Entre 1902 y 1923, el Rey presidió la jura de 19 presidentes de Gobierno, con repetición de varios nombres. Alfonso XIII era demasiado joven y «se sintió —según escribe Churchill que le conoció en Madrid en la primavera de 1914— el eje fuerte e inconmovible, alrededor del cual giraba la vida española».[26]

Error de Alfonso XIII con los intelectuales

Alfonso XIII no supo atraerse a la inteligencia española. No creía en los intelectuales ni en lo que significaban políticamente en una sociedad que cada día accedía mejor informada a la vida de opinión. Dedicó alguna chanza a Ortega y Gasset, no supo tratar a Unamuno, permitió que se detuviera a Valle Inclán, que se persiguiera a escritores de relieve. Y no solo no dedicó tiempo a los intelectuales, líderes de la opinión y capaces de moldearla, sino que se sumó muchas veces a la mofa que de ellos hacían algunos aristócratas y cortesanos cretinos y desleales que adulaban al Rey en Palacio y le despreciaban luego fuera de él. No pocos Grandes de España hablaban de los intelectuales como si España estuviera anclada en el siglo XVII. A Alfonso XIII le divertía reírse de los escritores en las tertulias con sus aristócratas cortesanos que más tarde le llamaban «Gutiérrez» y difundían chistes soeces sobre el Monarca.

El clima de libertad de la Restauración canovista había generado el siglo de plata de las letras españolas, el nuevo esplendor de la pintura y la escultura, el renacimiento de la investigación científica. Alfonso XIII era demasiado joven y no supo rentabilizar la situación en favor de la Corona. Por el contrario, con una torpeza inaudita, perdió el cerebro de la Nación que, poco a poco, se fue trasplantando a la República y arrastró tras él a la opinión pública. El tábano cojo-

---

26. Winston S. Churchill. *Great Contemporaries*. Collins, Fontanabooks, 1937. Pág. 171. Cfr. Carlos Seco Serrano, que cita a Cortés-Cavanillas, *Alfonso XIII y la crisis de la Restauración*. Pág. 52.

nero de escritores y periodistas se hizo insufrible sobre los mismos hocicos de la Monarquía.

Error de Alfonso XIII con los socialistas

Tampoco supo Alfonso XIII advertir el nuevo juego de la política mundial a través de las Internacionales. La Semana Trágica fue para el Rey un suceso, no la supuración de un mal profundo. Cegado por la prosperidad que supuso para España la neutralidad en la Gran Guerra y por el crédito que su labor humanitaria conquistó en toda Europa, el Rey fue incapaz de advertir la penetración del socialismo en las masas obreras y campesinas que se acercaban día a día a la rebelión revolucionaria. Ortega lo detectó luminosamente. El gran defecto de Cánovas, en cambio, fue no percibir la embestida socialista e incorporarla a su estrategia general. Pero en 1870 era muy difícil advertir la nueva configuración que iban a tener los Estados. Tras la I Guerra Mundial, la cosa estaba clara. Sin embargo Alfonso XIII no tuvo penetración política para entender la nueva situación. Tampoco la comprendió Maura. El asesinato de Dato terminó con el único político conservador que había adquirido conciencia de lo social. Fue aquel crimen una gran desgracia política e histórica. Muchos socialistas, por fortuna, apostaban por la libertad. Fernando de los Ríos se entrevistó con Lenin en Moscú y el dirigente soviético le espetó: «¿Libertad, para qué?» Esa respuesta apartó al Congreso del Partido Socialista de la III Internacional. Alfonso XIII, encerrado en su cripta del Palacio de Oriente, rodeado por los ilustres cadáveres de sus Grandes de España, no se dio cuenta de cómo se desarrollaba el nuevo torso musculado de la política social española. En 1921, el Rey había perdido el cerebro y las manos del cuerpo nacional. La «inteligencia» y el trabajo estaban ya con la República. Las sordas campanas del pueblo doblaban por la Corona inerte.

Error de Alfonso XIII, al legalizar el golpe de Estado

El desgaste de la guerra de África y la inestabilidad política, con las continuas crisis de Gobierno, condujeron a Alfonso XIII al error definitivo que le costaría la Corona: legalizar el golpe de Estado del general Primo de Rivera, el 13 de septiembre de 1923, respaldar la dictadura y ofender a la Constitución que había jurado. Ciertamente, intelectuales como Ortega y Gasset y políticos como Niceto Alcalá Zamora aplaudieron la irrupción de los militares. Pero estaban equivocados.

Primo de Rivera fue el esplendor del incendio. La Monarquía se estaba quemando por los cuatro costados. El Rey, deslumbrado por los éxitos iniciales del dictador, no era capaz de ver la magnitud de la catástrofe que se avecinaba. Seco Serrano le defiende personalmente. No le falta razón en lo que dice. Alfonso XIII hizo solo lo que creyó conveniente para España, poniendo siempre los intereses de la Nación por encima de los suyos propios, por encima de la Institución que encarnaba. Eso le honra y le salva personalmente ante la Historia. Pero no políticamente. Seco Serrano subraya una frase de Alfonso XIII a Gumersindo Azcárate: «Señor Azcárate, es tal mi amor a España, que si mañana se proclamara la República, yo ofrecería a la República mi espada.» Y a los que le adulaban, augurando un pronto regreso del exilio: «Espero que no habré de volver pues ello solamente significaría que el pueblo español no es próspero ni feliz.»

Tras la caída de Primo de Rivera, el error Berenguer y el error Aznar fueron anécdotas menores. La enfermedad cruel de Cambó le privó tal vez de una última oportunidad. Eso lo explica muy bien Jesús Pabón en una biografía magistral. En agosto de 1930, el Pacto de San Sebastián prepara ya la forma de barrer los escombros de la Monarquía. Ortega y Gasset, muy lejos de aquel Rubín de Cendoya de los años primigenios, le devolvió al Rey las chanzas cortesanas con un artículo tan magistral que unas docenas de líneas valían, ellas solas, más que la Corona de Alfonso XIII. *Delenda est Monarchia.*[27] La Monarquía debía ser destruida. La Monarquía iba a ser destruida.

El Rey tuvo que padecer la ignominia antes de nombrar a Aznar, de que Sánchez Guerra acudiera a la cárcel Modelo a ofrecer carteras de ministros a los miembros del Comité Revolucionario republicano detenidos a raíz de los sucesos de Jaca. «Fue tal gesto el golpe de muerte para el Régimen.»[28] El descabello del Rey en el centro del ruedo ibérico.

El 14 de abril de 1931 fue, antes que nada, el producto de los errores de un Rey patriota e inteligente, pero al que la prematura muerte de su padre le obligó a asumir una carga de responsabilidades que su inexperiencia no podía soportar. Tras el *viernes negro* en Estados Unidos, con la consiguiente crisis de la economía mundial,

27. José Ortega y Gasset. *El error Berenguer*. Diario *El Sol*, 15-XI-1930. Cfr. *Obras Completas*. Ediciones de la *Revista de Occidente*, 1969, Tomo XI. Pág. 274s.

28. Miguel Maura. *Así cayó Alfonso XIII*. México, 1962. Pág. 124. Cfr. Seco Serrano. *Alfonso XIII y la crisis de la Restauración*. Pág. 170.

el derrumbamiento de la peseta y la caída del dictador Primo de Rivera, el Rey, a pesar de sus gestiones desesperadas, era ya un náufrago sin esperanzas de salvación. En solo unos años había puesto en su contra a la clase intelectual, a la clase obrera y a la clase política. A los basureros de la Historia no les quedaba ya otra tarea que recoger la hojarasca perdida de la Monarquía milenaria.

Acierto de Alfonso XIII, al ceder el poder el 14 de abril

Pero su inmensa generosidad, su inconmovible patriotismo salvará la Monarquía para el futuro. La Corona ganó las elecciones del 12 de abril de 1931, aunque perdiera en las capitales de provincia (22.150 concejales monárquicos frente a 5.775 republicanos). El Rey pudo resistir y probablemente imponerse con las armas, a costa de un gran derramamiento de sangre. Tuvo la visión histórica de no hacerlo. La República era en 1931 una ilusión colectiva contra la que era imposible luchar. La gran corriente subterránea republicana hubiera aflorado antes o después. Y sobre la eventual sangre derramada en 1931 nunca se hubiera podido restaurar una Monarquía con probabilidades de permanecer, una Monarquía de todos.

Cuando Alfonso XIII firma el 14 de abril de 1931 su manifiesto a la Nación, apartándose del poder para evitar el derramamiento de sangre, no solo está realizando un sacrificio personal que le enaltece. Está poniendo, sin saberlo, la primera piedra de una futura Restauración de la Monarquía. Mucho se ha polemizado sobre si acertó o no al abandonar España. Hay opiniones de relieve que respaldan una y otra posición. La del autor de este libro, como la de Seco Serrano, Luca de Tena o Sainz Rodríguez, está clara. Alfonso XIII, que tantos errores había cometido desde 1902, acertó plenamente el 14 de abril de 1931. «La Guerra Civil que ganamos en 1939 —escribió Juan Ignacio Luca de Tena—,[29] se hubiera producido porque ya estaba latente en 1931. Y entonces la hubiéramos perdido al luchar, no contra la nefasta realidad de la fracasada República, sino contra la ilusión que para la mayoría de los españoles significaba en 1931, la República. Y en política es poco prudente luchar contra una ilusión. Gracias a la abnegada actitud tomada el 14 de abril por el Rey de España, la Monarquía secular seguiría siendo una solución natural e histórica.»

29. Prólogo al libro de Ramón Sierra. *Don Juan de Borbón*. Afrodisio Aguado, 1965.

No es propósito del libro que el lector tiene entre las manos historiar el reinado de Alfonso XIII, ni tampoco la República o la dictadura, sino explicar las claves profundas de la segunda Restauración. Pero he querido juzgar al Rey caído sin velar su reinado entre las piadosas telarañas del olvido. Y si claros están los errores que cometió, claro está también que de no haber firmado el manifiesto de 1931, tal vez hubiera sido imposible articular una estrategia viable para la vuelta de la Monarquía. Alfonso XIII evitó que la Corona se manchase de sangre. La República no supo hacer lo mismo. La dictadura de Franco, tampoco. La única plataforma de concordia y de conciliación entre los españoles a partir de 1939 era solo la Monarquía. El primer documento para explicar la segunda Restauración de la Monarquía es el admirable manifiesto firmado por el Rey, el 14 de abril de 1931. El Monarca no quería abrir más heridas en la encrespada carne española. Las ratas que le rodeaban —los duques, no todos, claro, los marqueses, los condes, los cortesanos, algunos generales— saltaban asustadas del barco que se hundía. El Rey conservó el valor y la lucidez mientras a demasiados «monárquicos» se les bajaba la sangre a los azules zancajos y se les empinaban los testes a la garganta. Y Alfonso XIII se dirigió así «Al país»:

> «Las elecciones celebradas el domingo revelan claramente que no tengo el amor de mi pueblo. Mi conciencia me dice que ese desvío no será definitivo, porque procuré siempre servir a España, puesto el único afán en el interés público hasta en las más críticas coyunturas. Un Rey puede equivocarse, y sin duda, erré yo alguna vez; pero sé muy bien que nuestra Patria se mostró en todo momento generosa ante las culpas sin malicia.
>
> Soy el Rey de todos los españoles, y también un español. Hallaría medios sobrados para mantener mis regias prerrogativas, en eficaz forcejeo con quienes las combaten. Pero resueltamente quiero apartarme de cuanto sea lanzar a un compatriota contra otro en fratricida guerra civil. No renuncio a ninguno de mis derechos, porque más que míos son depósito acumulado por la Historia, de cuya custodia ha de pedirme algún día cuenta rigurosa.
>
> Para conocer la auténtica y adecuada expresión de la conciencia colectiva, encargo a un Gobierno que la consulte, convocando Cortes Constituyentes, y mientras habla la Nación, suspendo deliberadamente el ejercicio del Poder Real, y me aparto de España, reconociéndola así como única señora de sus destinos.
>
> También ahora creo cumplir el deber que me dicta mi amor a la Patria. Pido a Dios que, tan hondo como yo, lo sientan y lo cumplan los demás españoles.
>
> ALFONSO XIII»

Sería ofender a la justicia histórica no reconocer que, a pesar de todos sus errores, el reinado de Alfonso XIII se inscribe entre los mejores de la Historia de España: libertad política en comparación con las demás naciones europeas, prosperidad económica, desarrollo industrial, florecimiento de las artes, las letras y la ciencia, potencia de las Fuerzas Armadas con la cuarta Marina del mundo y el noveno Ejército, respeto internacional, prestigio grande del Monarca en toda Europa.

Capítulo IX

LA REPÚBLICA COMO IDEOLOGÍA

Si la República hubiera sido en España una forma de Estado neutral como en Suiza o Estados Unidos, se habría consolidado de forma definitiva. No fue así. Para el sector más cualificado de la izquierda nacional, la República no era otra cosa que un instrumento para facilitar la Revolución.

El régimen republicano se estableció en España, sin que se derramase una gota de sangre. Tuvo una adhesión popular generalizada. Ilusionó a casi todos. La opinión pública le abrió un crédito sin precedentes en la Historia de España. Pero desde el 15 de abril, la República fue convirtiéndose en una ideología que se desarrollaba de forma imparable hacia la Revolución comunista.

A finales de abril de 1931, Azaña aprueba las primeras medidas para unas reformas militares encaminadas a triturar el Ejército. El 11 de mayo, se produce la quema de los conventos, ante la escandalosa inhibición del Gobierno. La gasolina la proporciona Ramón Franco en el aeródromo de Cuatro Vientos. «Contemplé con alegría —dice el hermano del futuro *caudillo*— aquellas magníficas luminarias como expresión de un pueblo que anhelaba liberarse del oscurantismo clerical.»[30]

Después, se acusa de haber asesinado a un chófer a Juan Ignacio Luca de Tena, que salva la vida de milagro. Se vandaliza el Círculo Monárquico. Se asalta el diario *ABC*, con grave ofensa para la libertad de expresión, y se encarcela a su director. En julio, se suprime la Academia General Militar, mientras las Cortes Constituyentes preparan una Constitución altamente jacobina.

En enero de 1932, se disuelve la Compañía de Jesús y se expulsa a los jesuitas de España. En marzo, se prohíben los periódicos militares. En agosto se recrudecen los vituperios del PSOE contra el Ejército. Fracasado el golpe de Estado de Sanjurjo del «10 de agosto», se suspende la publicación de *ABC* y varias decenas de periódicos.

La reacción de las derechas católicas y monárquicas se canaliza, en 1933, a través de la CEDA, que acata la República. Ángel Herrera y Gil-Robles creen sinceramente que el régimen republicano será

---

30. Paul Preston. *Franco, caudillo de España*. Pág. 108. Cfr. Garriga. *Ramón Franco*. Pág. 232.

una plataforma común de convivencia e igualdad de oportunidades. La lucha de Gil Robles para salvar la paz y la República se hará patética.[31] En junio de ese año, el Papa lanza una seria advertencia en la encíclica *Dilectíssima nobis* contra «el laicismo agresivo» de la República española. Pero el desarrollo revolucionario prosigue y el diario *Pravda* proclama a Largo Caballero como el Lenin español. El Gobierno republicano entra de lleno en el terreno más delicado para la Iglesia: la supresión de la enseñanza religiosa. Es otro peldaño en la escalera hacia la Revolución.

La victoria de las derechas en las elecciones generales de 1933 no solo no arregla la situación sino que viene a demostrar más claramente que la República era apenas un pretexto para facilitar la Revolución comunista, meca de una buena parte de los poetas y escritores destacados, incluidos nombres relevantes de la generación del 27. Las izquierdas no aceptan la victoria de las derechas. No se tolera que los conservadores puedan ser republicanos sinceros. El monopolio del republicanismo corresponde a la izquierda. Ante la amenaza en el horizonte de la dictadura del proletariado, se producen las primeras reacciones abiertas de la clase media. José Antonio Primo de Rivera encauza el descontento de esa clase social y funda la Falange, el 29 de octubre de 1933. La réplica a la dictadura del proletariado (al comunismo) la constituye la dictadura de la clase media (el fascismo). Eso es, en resumen, lo que terminará enfrentándose en la Guerra Civil.

A la incorporación de la CEDA al Gobierno Lerroux, en 1934, socialistas, comunistas y sindicatos responden con la violencia de la huelga revolucionaria. Es intolerable que la derecha gobierne algunos ministerios, a pesar de su victoria en las urnas. Se proclama, además, el *Estat Català*. La Monarquía no fue derribada ni la República proclamada para que gobiernen los conservadores. Los intelectuales que aman la libertad y no quieren el marxismo dan marcha atrás. Pero ni siquiera el prestigio de Ortega y Gasset es capaz de contener el alud revolucionario. El aplastamiento de la rebelión en Cataluña y de la revolución en Asturias, aviva la actividad de quienes quieren convertir la República parlamentaria en una República soviética a imagen y semejanza de la gran fascinación de la época: la URSS. La viva fogata de la conflictividad social está ya encendida; los obreros y los intelectuales, enardecidos. España escucha los crujidos de la Revolución. El propio Luciano Rincón escribe: «La República no ha recordado a tiempo la famosa frase de Saint-Just: "No

---

31. Cfr. su gran libro imprescindible *No fue posible la paz*. Ariel, 1968.

hay libertad para el liberticida." El Parlamento es ya solo una máquina de entorpecer la democracia. La libertad de Prensa es el gran vehículo para una constante excitación.»[32]

Sainz Rodríguez crea, en 1935, el Bloque Nacional para articular la relación con la conspiración militar y, además, para que no sea solo Falange quien canalice y aproveche el instinto de defensa de la clase media contra la dictadura del proletariado en ciernes. La habilidad de los equipos que luchan por la Restauración de la Monarquía, dirigidos por Pedro Sainz Rodríguez, radica en aprovechar en su favor esa reacción, no monárquica, sino social. Los dirigentes de la CEDA no comprenden nada, empeñados en la tarea ilusoria de domar la República. La Falange de José Antonio se reúne en Gredos para impulsar abiertamente la Guerra Civil. La clase media está ya en pie de alarma.

«La razón fundamental de la conspiración —escribe Preston en uno de los párrafos más clarividentes de su gran libro sobre Franco— era el temor de las clases medias y altas ante la amenaza de que una oleada implacable de violencia atea y comunista barriera la sociedad y la Iglesia. Dicho pánico lo nutría reiteradamente la prensa derechista y los muy difundidos discursos insidiosos de Gil-Robles y del beligerante líder monárquico José Calvo Sotelo. Sus denuncias del desorden hallaban una justificación espuria en la violencia callejera provocada por las escuadras terroristas de la Falange. A la vez las actividades de las bandas falangistas eran financiadas por los mismos monárquicos que estaban detrás del golpe militar. El sorprendente auge de la Falange era una medida de la cambiante atmósfera política. Había crecido rápidamente al capitalizar el descontento de la clase media con las tácticas legalistas de la CEDA.»[33]

Calvo Sotelo afirma en un discurso, algo que resume exactamente la realidad de aquella República, que no era una forma de Estado sino una ideología: «... no faltará quien sorprenda en estas palabras una invocación indirecta a la fuerza. Pues bien. Sí, la hay... Una gran parte del pueblo español, desdichadamente, una grandísima parte, piensa en la fuerza para implantar el imperio de la barbarie y de la anarquía. Su fe y su ilusión es la fuerza proletaria, primero, y la dictadura, después. Pues bien: para que la sociedad realice una defensa eficaz, necesita apelar también a la fuerza. ¿A cuál? A la orgánica: a la fuerza militar puesta al servicio del Estado».[34]

32. Luis Ramírez (Luciano Rincón). *Franco, historia de un mesianismo*. Pág. 154
33. Paul Preston. *Franco, caudillo de España*. Pág. 169.
34. Luis Ramírez (Luciano Rincón). *Franco, historia de un mesianismo*. Pág. 189.

En 1936 se consuma lo que socialistas, comunistas y sindicatos tenían planeado y previsto desde 1931: el Frente Popular. Su triunfo en las elecciones de febrero precipita los acontecimientos. Está claro que ya no habrá nuevas elecciones libres. Los comunistas han ganado para siempre. Es cuestión de meses el establecimiento de la dictadura del proletariado. Lo que Lenin llamaba «la alianza histórica de la clase proletaria con la pequeña burguesía»[35] empieza a producirse. Es el prólogo a la marcha triunfal comunista, al alborozado cortejo de los puños en alto y las banderas rojas. Como en la Rusia de 1919, de 1920. Pero la clase media se revuelve. Atiza al Ejército, que es el sector de la propia clase media que dispone de la fuerza. Azuza a la Iglesia, que reacciona ya abiertamente. La conspiración monárquica para dar un golpe de Estado ha desbrozado además el camino. Los falangistas asesinan al guardia de asalto teniente José del Castillo. La represalia fue el mayor error de la extrema izquierda. Pensaron matar a Gil-Robles, al que no encontraron. El asesinato de Calvo Sotelo es la señal de que no se puede esperar más. Las clases medias y la Iglesia aprovechan la conspiración de los monárquicos y los militares. Se produce el Alzamiento del 18 de julio.

Los monárquicos, sin embargo, se quedan, en gran parte, fuera de juego porque el golpe de Estado, tal como lo tenían preparado, fracasa. Es la Guerra Civil. De un lado está la derecha y la extrema derecha; de otro lado la izquierda y la extrema izquierda. Salvador de Madariaga explica luminosamente en el verano de 1936 que el vencedor en la guerra será o la extrema derecha o la extrema izquierda porque la violencia lo radicaliza todo y la moderación quedará derrotada.

Mientras las viejas canciones de guerra y amor se escuchan por los exangües caminos de España, germina en el encendido verano de 1936 una inevitable y larga dictadura. Si gana la España republicana se establecerá la dictadura del proletariado, el comunismo. Si triunfa la España nacional, se establecerá la dictadura de la clase media, el fascismo. A esa triste situación habían sido reducidos los horizontes del pueblo español en aquel año de desgracia de 1936, solo un lustro después de que, para evitar el derramamiento de sangre entre españoles, Alfonso XIII embarcara en Cartagena, con tantas viejas llagas todavía sin cicatrizar, camino de los robles torrenciales, de los sacudidos breñales, del despiadado exilio que le mataría pronto de nostalgia y melancolía por la patria perdida.

---

35. V.I. Lenin. *La maladie infantile du communisme, le gauchisme*. Editions Sociales. París, 1953. Pág. 47.

Capítulo X

LA CONSPIRACIÓN MONÁRQUICA

José Calvo Sotelo, Antonio Goicoechea, Ramiro de Maeztu, Víctor Pradera, José María Pemán, Juan Ignacio Luca de Tena. Son los nombres que históricamente suenan como cabezas de la actividad monárquica durante la República. El estudio sosegado y profundo de la Causa monárquica demuestra que la densa conspiración para derribar el régimen republicano se centra en dos nombres: Eugenio Vegas Latapié y Pedro Sainz Rodríguez.

Eugenio Vegas Latapié no era un exaltado, ni pertenecía a la extrema derecha, como se ha escrito con simpleza. Su posición, mucho más compleja, requiere un estudio sereno. Vegas consideraba que en el relativismo filosófico establecido por la Revolución Francesa se habían originado los males de Occidente. Estaba en contra de todo lo que, a su juicio, produjo el 89. Por eso rechazaba el liberalismo y la democracia, y también el socialismo, el fascismo y el comunismo. Para Vegas, la ley no se deriva de la voluntad general libremente expresada, sino de la ordenación de la razón al bien común. Hay verdades absolutas que no se pueden relativizar, ni dependen de la voluntad del hombre, pues están por encima de los gobernantes y de los gobernados, de la decisión de un dictador y también de la decisión de una mayoría parlamentaria. Vegas se había instalado ideológicamente antes de la Revolución Francesa, pero estaba asimismo contra la Monarquía absoluta. Creía que el Rey debía reinar y gobernar, con limitaciones éticas y legales, y eso le devolvía al siglo XVI, junto a Carlos I y Felipe II. La ideología de Vegas se daba la mano con la de Charles Maurras. Aunque había algo que le diferenciaba del ensayista francés: Vegas era católico y conocía a fondo el pensamiento político pontificio. Le parecía admirable la *Mirari vos* de Gregorio XVI, contra el liberalismo, la *Quod apostolici muneris* de León XIII, contra el socialismo, la *Graves de communi* de ese mismo Papa, y la carta *Notre charge apostholique* de Pío X, contra la democracia-cristiana, y la *Non abbiamo bisogno*, contra el fascismo y la *Divini redemptoris* de Pío XI, contra el comunismo. Brincó de alegría cuando se publicó la *Mit brennender sorge* del mismo Papa contra el nazismo, porque odiaba a Hitler y Mussolini y les consideraba como un producto más del relativismo filosófico de la Revolución Francesa.

A los pocos meses, en fin, de la proclamación de la República, Vegas había puesto en marcha la revista *Acción Española*, en torno a la cual se articularon muchos de los principales esfuerzos para derribar la República. El lema de la publicación —doctrina y acción— no podía ser más claro: *Una manu sua faciebat opus et altera tenebat gladium*. Desde el 15 de abril de 1931, en plena euforia republicana, Vegas empezó a conspirar para derribar el nuevo régimen a la vez con las ideas y, también, con la espada. Esta tremenda frase evangélica era la favorita del animador de *Acción Española*: «Pues según la ley todas las cosas se purifican con sangre y, sin derramamiento de sangre, no se hace remisión.»

A Pedro Sainz Rodríguez las posiciones ideológicas de Vegas Latapié, hombre vehemente y sobrado de intransigencia, le traían al fresco. Se sabía un pragmático con los pies puestos en la realidad. Vegas era inteligente, íntegro y con una gran preparación doctrinal de otro siglo. Pedro Sainz le daba cien vueltas como político. Desde la Restauración, solo Cánovas y Cambó habían tenido, entre los políticos conservadores, tanta capacidad para la estrategia de fondo y a largo plazo. Mientras Vegas resultó útil, Sainz Rodríguez lo aprovechó. Cuando dejó de ser útil, entre 1946 y 1948, lo aplastó, no sin esfuerzo. Sainz Rodríguez no defendía la Monarquía sujeta a rigideces doctrinales y teóricas: lo hacía por razones prácticas, porque consideraba que sin ella el pueblo español se enzarzaría irremediablemente en una lucha intestina inacabable. Entre el Ejército apoyado por ciertos sectores sociales inmovilistas y una sociedad que quería la renovación, solo existía para Pedro Sainz un parachoques que evitara la colisión: la Monarquía, capaz de frenar a los militares y dar satisfacción, a la vez, a los sectores que aspiraban a modernizar España.

En *Testimonio y recuerdos*, Sainz Rodríguez resume así, cínicamente, su posición ante la política. Es un texto esclarecedor de su pragmatismo radical: «Comprendo que se pueden profesar muchos sistemas políticos, aunque soy un gran escéptico sobre todos ellos. Creo que los sistemas políticos son malos o peores. Ninguno es bueno más que en el papel, y la política no es sino el arte de realizar lo que más convenga en cada momento histórico y en cada pueblo. Yo he practicado la política de la rebelión contra la tiranía, sea personal, sea democrática. Hay muchos que creen que la democracia no es tiránica, y de todas las tiranías, la más odiosa es la que ejercen las mayorías cuando saben que tienen una justificación jurídica que da paso libre a su pasión y pisotean y humillan a las minorías, que tienen tanto derecho como ellos a expresar su pensamiento y a ser respetadas en su libertad.» Esta idea de Sainz Rodríguez sobre la política coincide con la de Cánovas del Castillo, al que tanto admiraba: «Decir política equivale a decir ciencia de lo mudable, de lo relativo y contingente; ciencia sujeta en sus conclusiones prácticas al siglo, al pueblo, al momento en que su consiguiente arte se ha de aplicar.»[36]

La estrategia de Eugenio Vegas para derribar la República consistía en preparar doctrinalmente a unas minorías en el pensamiento tradicional español —Mariana, Suárez, Balmes, Donoso Cortés, Vázquez Mella— y en el pujante *maurrasianismo* francés y, después, organizar con los militares un rápido golpe de Estado. Vegas creía en el medio plazo, porque no deseaba restaurar una Monarquía como la alfonsina, liberal y parlamentaria. Había que adoctrinar a unas minorías para que pudieran gobernar de forma cohesionada en una Monarquía tradicionalista. El gran acierto de Ricardo de la Cierva en su libro *Franco Don Juan, los reyes sin corona*, es haber puesto de relieve esta circunstancia. Es verdad que Don Juan creyó siempre en una Monarquía como la británica. Es verdad también —y la objetividad histórica exige reconocerlo, dándole la razón a De la Cierva— que en el fragor de la lucha por el poder contra Franco estuvo dispuesto a aceptar otras fórmulas si le llevaban al Trono. Para Don Juan lo importante era el continente, no el contenido. Repetía con frecuencia una argumentación ingenua que le escuchó a su padre. La Monarquía es el vaso: si el pueblo quiere alimento, se llena de caldo; si tiene sed, de agua; si quiere divertirse, de vino.

A diferencia de Vegas, Pedro Sainz Rodríguez carecía de fe en la formación doctrinal de una minoría capaz de integrar la clase dirigente de una Monarquía utópica, porque era imposible regresar al siglo XVI. Apoyaba a Vegas porque reconocía la inteligencia y la capacidad de organización del joven monárquico. Sainz Rodríguez partía de la base de la inmensa cobardía de la derecha católica y burguesa dispuesta a adherirse a lo que fuera, la Monarquía, la dictadura, la República, el fascismo franquista después, con tal de vivir placenteramente. Por eso, desde el primer momento, Sainz Rodríguez conspiró para derribar la República a través de un fulminante golpe de Estado. Era muy joven, treinta y tres años. Y todavía no había estudiado a fondo la obra de Cánovas del Castillo que más tarde resultó decisiva en su estrategia de fondo. Para el conductor de la primera Restauración fue siempre más importante establecer los

36. Cfr. para la primera cita a Sainz Rodríguez. *Testimonio y recuerdos*. Pág. 195; para la segunda, a Cánovas del Castillo. *La economía política y la democracia económica en España*, volumen III de *Problemas contemporáneos*.

cauces para la ordenada permanencia de la Monarquía de Alfonso XII, que la simple vuelta del Rey.

Sainz Rodríguez y el error del «10 de agosto»

Sainz Rodríguez fue el centro medular de toda la conspiración monárquica contra la República. Como tal vez por su aspecto físico, tal vez por su inteligencia superior, rehuía figurar, protagonizar, lucirse, le aceptaron como mediador en todos los sectores: *Acción Española*, *ABC*, Renovación Española, Comunión Tradicionalista, la UME, el Bloque Nacional, por él fundado, los militares... Cuando Ricardo de la Cierva escribe con lúcida claridad: «Pedro Sainz Rodríguez era desde 1932, enlace general de la subversión contra la República»,[37] demuestra haber estudiado a fondo, lo que no han hecho otros historiadores, la conspiración monárquica que condujo al 18 de julio de 1936.

A finales de 1931, Sainz Rodríguez, mientras Vegas Latapié había publicado el primer número de *Acción Española*, se reúne ya en secreto con Sanjurjo y hurga en la mala conciencia del general por su actitud al frente de la Guardia Civil el 14 de abril. La brillantez dialéctica de Sainz Rodríguez y los errores militares de Azaña convencen a Sanjurjo de la necesidad de hacerse con el Poder a través de un fulminante golpe de Estado. Fracasado éste, Sainz Rodríguez negó toda participación pero se fugó a París, temeroso de que se descubriera la verdad. Durante décadas mantuvo silencio sobre el error que supuso aquella intentona precipitada y mal organizada cuyo responsable principal fue él. En 1978, y ya restaurada la Monarquía, publicó en *Testimonio y recuerdos*,[38] enmascarado en un agudo análisis psicológico de Franco, un primer reconocimiento de su intervención en el «10 de agosto». Pero en parte Sainz Rodríguez no dice la verdad. Anson, en dos largas conversaciones, una de ellas grabada, en las que le fue acorralando con una técnica puramente periodística, le arrancó la confesión del mayor error que cometió en su vida política.[39]

Halagado Sanjurjo y convencido de su deber de organizar el golpe de Estado, Sainz Rodríguez, con su espíritu de conspirador barojiano y su mimetismo por el siglo XIX, le organiza los contactos en una

---

37. *Franco Don Juan, los reyes sin corona*. Pág. 82.
38. Cfr. pág. 324 y ss.
39. Archivo Luis María Anson.

platea del Teatro de la Comedia. Acude allí el general y en el descanso pasa al antepalco para mantener los encuentros con los conspiradores. Tirso Escudero facilita la discreta entrada de los militares por la puerta trasera del teatro en la calle Núñez de Arce. Los conspiradores se alternan en sus visitas con alguna ebúrnea dama, dispuesta a satisfacer los inextinguibles ardores sexuales del general Sanjurjo. Sainz Rodríguez había surtido al antepalco de bombones y golosinas. Explotaba las debilidades de la encendida carne de Sanjurjo con el mismo mimo que se aprovechaba de su ascendiente sobre los militares. Sanjurjo y Sainz habían intimado en una casa de citas de la calle Echegaray, «muy bien puesta y amueblada». El general, que guardaba allí sus uniformes de gala y sus condecoraciones, iba a visitar a «La Caoba» —polvos de estrellas, decía don Pedro—, una venus de atractivas caderas que había sido amante de Primo de Rivera.[40]

Ya en la primavera de 1932, Sainz Rodríguez llega a la conclusión de que el golpe de Estado no triunfaría sin la participación del general Franco. De cada diez militares que visitaban a Sanjurjo, nueve preguntaban: «¿Interviene Franco?» Sainz Rodríguez tiene en alta estima militar y en escasa consideración literaria a Francisco Franco desde que le conoció en Oviedo. Además no se fía de él. Está seguro de que Sanjurjo era maleable y flexionaría para restaurar la Monarquía. A Franco le considera un taimado. Pero se rinde a la evidencia. Sanjurjo tenía la autoridad. Franco el prestigio. Sanjurjo no quería saber nada de Franco. Sentía por él aversión y, probablemente, envidia y celos. Pero Sainz Rodríguez le convence de que, tras el fracaso de una cena en La Coruña, debe verle de nuevo para asegurarse el éxito. No lo cuenta así don Pedro en su libro *Testimonio y recuerdos*. Por el contrario, afirma que Sanjurjo le pide ver a Franco. Pero en las conversaciones con Anson, en 1980, asegura inequívocamente que le «costó un huevo convencer a Sanjurjo para que contase con Franco».

Sainz Rodríguez arrostra el riesgo de que le reciten de nuevo *Oigo, Patria, tu aflicción...* y habla con el joven general al que le produce repeluzno la conversación porque se siente vigilado. Después urden un encuentro cinematográfico. Los dos, Franco y Sainz, eran adictos al cine y veían una película todos los días. Franco va con *Pacón* al restaurante *Baviera* en la calle de Alcalá. De súbito se levanta de la mesa, cruza la calle[41] y entra por una puerta lateral al

---

40. Sainz Rodríguez. *Testimonio y recuerdos*. Pág. 252.
41. Sainz Rodríguez lo cuenta de otra manera en *Testimonio y recuerdos*. Cfr. pág. 325.

Círculo de Bellas Artes. Cruza el vestíbulo, donde se reúne con Sainz Rodríguez y, al abrir la puerta principal, un automóvil con el motor en marcha y conducido por el marqués de Seijas, les espera. A toda velocidad se dirigen al restaurante *Camorra*, en la carretera de La Coruña. Allí está, «impaciente y un poco jodido», el bueno de Sanjurjo. Sainz Rodríguez asiste solo a treinta minutos de una conversación que se prolonga durante tres horas. Tras los aperitivos y antes de que se sirviera el primer plato, les deja solos. Por otra parte, ya ha oído bastante. Franco considera una «locura» el golpe («locura» que ha salido de la insigne cabeza de don Pedro) y afirma de forma rotunda que no participará en él. Se compromete, eso sí, a que si el Gobierno le ordena mandar tropas contra los sublevados, no lo haría. Eso fue todo. Sanjurjo en el penal del Dueso, en Santoña, diría con desprecio: «Franquito es un cuquito que va a lo suyito.» La frase se la dijo a Julio de Rentería y éste se la contó a Vegas, Vigón y Sainz, que coincidieron con él en una visita al general a finales de junio de 1933. Vegas la recoge en sus *Memorias políticas*.[42] Una buena parte de los historiadores de la República o de Franco la han tomado de Vegas, con el impudor de no citar la fuente.

A pesar de la negativa de Franco a no participar, Sainz Rodríguez continúa, en julio de 1932, con su descabellado plan. Era demasiado joven y demasiado optimista. Difunde, eso sí, entre los militares el hecho de la entrevista Sanjurjo-Franco para que todos crean que el joven general participa. «Era una cabronada pero se la merecía Franquito por no colaborar», le reconocería a Anson. Sainz Rodríguez, por otra parte, se siente respaldado. Ha viajado a París para informar a Alfonso XIII y a Calvo Sotelo de lo que prepara y de la perfección con que lo estaba haciendo todo. Según don Pedro, tanto el Rey como el político exiliado están plenamente de acuerdo. Es probable que no fuera así.

Fue Sainz Rodríguez quien decide la fecha, el domingo 7 de agosto. «Toda España estará ese día como un lagarto entre el calor y las vacaciones.» Por razones militares, relacionadas con los permisos, Sanjurjo establece el día 10. El joven catedrático, cuarenta y seis años después justificará así su error:

«Sanjurjo recogió el ambiente de descontento contra la República y, obligado por el propio Ejército, preparó un alzamiento. Creo que todavía no se ha explicado claramente ni se ha dicho por qué este movimiento se proyectó precipitadamente en esta fecha y no en otra posterior. La razón fue que la presión militar exigía que se hi-

---

42. Eugenio Vegas Latapié. *Memorias políticas*. Planeta, 1983. Pág. 184.

ciera antes de octubre, mes en que iba a aprobarse en el Parlamento el Estatuto Catalán. El "10 de agosto" fue concebido contra la aprobación del Estatuto y, por verse obligado a realizarlo en fecha determinada, Sanjurjo se lanzó a ello sin la preparación suficiente.»[43]

Durante el mes de julio, en la guarnición de Madrid se habla del golpe y los oficiales se lo cuentan con pelos y señales a las prostitutas. Azaña tiene información precisa de todo. Pudo ahogar el golpe antes de producirse. Pero inteligentemente prefiere que estalle, para dominarlo y justificarse en la posterior e implacable persecución contra la derecha y los monárquicos. En sus *Memorias* lo explica con detenimiento.

Al conocer el fracaso del golpe, Sainz Rodríguez huye de España y se instala en París junto a Alfonso XIII. Sanjurjo es condenado a muerte e indultado por el presidente de la República, Niceto Alcalá Zamora, antiguo ministro de la Guerra en la Monarquía. *ABC* es suspendido. *Acción Española*, clausurada. Centenares de militares y civiles, detenidos.

Se organiza la gran conspiración contra la República

Sainz Rodríguez, que tardará muchos años en reconocer, y solo a medias, su responsabilidad en el desastre, tiene ocasión en sus largos paseos por las calles de París buscando libros raros de meditar en lo que ha ocurrido. Eugenio Vegas, que no estuvo informado de nada y se enteró en la playa del Sardinero de lo que había ocurrido, se encoleriza. Fue su primer roce de importancia con Sainz Rodríguez. Vegas no quería el golpe de Estado hasta que varios millares de españoles conocieran a fondo la doctrina monárquica de Balmes, Donoso, Vázquez Mella y Maurras. Don Pedro le diría en París: «Mira, Eugenio, a mí tus escritores tradicionalistas me tocan las pelotas. Balmes escribe con el estilo literario de una merluza cocida y lo que de verdad, de verdad, le gustaba eran las estampas pornográficas, y Maurras tiene aún más sorda la inteligencia que el oído.» Treinta años después Vegas, en su casa de la calle Gurtubay, en Madrid, le contaba todavía horrorizado a Anson aquella conversación con Sainz Rodríguez.

Tras el fracaso del «10 de agosto», en *Acción Española* se empieza a montar con seriedad una organización militar subversiva. Es la

43. Sainz Rodríguez. *Testimonio y recuerdos*. Pág. 325.

UME, Unión Militar Española. Juan Vigón, Juan Antonio Ansaldo, el marqués de la Eliseda (luego conde de los Andes) y Eugenio Vegas junto a Antonio Goicoechea participan activamente en la conjura. Valentín Galarza se incorpora a la conspiración. Conoce a fondo el Ejército y desde entonces fue *El Técnico*. Los conspiradores visitan a Alfonso XIII en el hotel *Meurice* y después mantienen con él una larga entrevista dentro de un automóvil en el bosque de Fontaineblau, en el cruce de caminos *La croix du grand veneur*. Alfonso XIII aprueba el plan y, al día siguiente, se lo cuenta a Sainz Rodríguez. Unos meses después recibe a Gil Robles al que borbonea con eficacia. «Si con la República puedes salvar a España —le dice— tienes la obligación de intentarlo. Ni tu tranquilidad ni mi Corona están por encima de los intereses de la Patria. Por el bien de España yo sería el primer republicano.»[44]

Alfonso XIII está metido de lleno en la conspiración monárquica para derribar la República, satisfecho además porque frente a ciertas veleidades de Renovación Española, Charles Maurras le había dicho a Vegas y sus amigos de *Acción Española* que cometerían un error si forzaban la abdicación.

A su regreso de París, ya seguro de que había escampado la tormenta del «10 de agosto», Sainz Rodríguez elabora un plan de golpe de Estado mucho más complejo y sutil. Alfonso XIII lo conoce y aprueba.

El general más seguro para la Restauración es Sanjurjo. Había que trabajar a fondo para que le indultaran. La trama militar era necesario encomendarla a los propios militares, ayudados por la UME de *Acción Española*. Emilio Mola fue *El Director* y Valentín Galarza, *El Técnico*. Era necesario sumar a Franco al Alzamiento.

Sainz Rodríguez ha comprendido en París que la sublevación militar no es suficiente. Hay que preparar un clima nacional para el Alzamiento. A través del diario *ABC*, el más leído e influyente de España en una época en que no había televisión y era escasa la radio, la opinión pública toma conciencia de la gravedad de la situación. Ante la dictadura del proletariado en ciernes, la clase media empieza a realizar los primeros movimientos, que son el preludio del fascismo. A pesar de la resistencia de Vegas que no se habla con José Antonio Primo de Rivera, Sainz Rodríguez fuerza a Goicoechea al pacto con Falange. Canalizados los esfuerzos de los militares y la clase media, Sainz Rodríguez cuenta en su estrategia para el golpe con la incorporación de la Iglesia. Roma, a través del nuncio, monse-

44. José María Gil Robles. *No fue posible la paz*. Pág. 86. Ricardo de la Cierva. *Franco Don Juan, los reyes sin corona*. Pág. 75.

ñor Tedeschini, apoya abiertamente a la República. Era la doctrina del acatamiento al Poder constituido que propició cuarenta años antes el *ralliement* de los católicos a la República francesa auspiciado por León XIII, que fue engañado por la masonería de Francia. Sin los católicos, piensa Sainz, será muy difícil crear el clima necesario para sustentar el Alzamiento nacional. Además están las milicias carlistas. Son católicas a machamartillo. «No se puede pretender que se alcen en armas unos señores con riesgo de morir y encima crean que cometen pecado mortal y se van a ir al infierno dada la actitud de la Iglesia». Había pues que terminar con la situación. Sainz Rodríguez utiliza a Vegas para que publique en capítulos en *Acción Española*, el libro de Castro Albarrán *El derecho de rebeldía contra el poder constituido*. Era la actualización de la doctrina tomista sobre las condiciones que se deben cumplir para que el católico pueda levantarse contra el tirano. Maeztu, Pradera, Vigón, Vázquez Dodero, Pemán, difunden la idea en docenas de artículos desde el influyente *ABC*. Sainz Rodríguez proporciona a todos ellos *De Rege et Regis Institutione*, del P. Juan de Mariana, sobre el derecho de rebelión contra el tirano. Tras el asesinato de Enrique IV de Francia, por François Ravaillac, el 14 de mayo de 1610, por decreto de 8 de junio de ese año, se ordenó que se quemaran todos los ejemplares que existían en Francia. Mariana defiende que si el Rey olvida la Religión, no mantiene el orden público y no cumple con otra serie de condiciones muy precisas que afectan al bien común, hay que deshacerse del tirano, incluso asestándole «una puñalada por la espalda», o «llevarle a una celada y allí acabar con él».[45]

Además, los conspiradores monárquicos saben que es necesario neutralizar al nuncio. A Tedeschini le gusta salir con una dama rubia y agraciada a la que Pedro Sainz identifica como T.M. Uno de los amantes de T.M. la emprende a tiros con Tedeschini en plena Casa de Campo madrileña durante el paseo del nuncio con la bella. El agente de escolta defiende al nuncio, pero no puede detener al celoso pistolero. T.M. era monárquica. Había sido amante de Sanjurjo y sentía un orgullo indescriptible al haber reposado en alguna ocasión en los brazos solícitos de Alfonso XIII. Fue la cima de su brillante carrera de alcurniada meretriz. Pedro Sainz va a visitarla. T.M. le recibe en la bañera, apenas velado el cuerpo por una espuma de sales

45. Ioannes Marianae. *De Rege et Regis Institutione*. Libri III Toleti, Apud Petrum Rodericum, 1599. Ésta es la primera edición. Así es que Anson mortificó a Sainz Rodríguez que, en *Testimonio y recuerdos* (pág. 194), fija la fecha del libro de Mariana en 1549, equivocándose.

que resalta la turgencia de sus senos, la robustez de sus muslos gloriosos, la alta temperatura sexual de sus caderas indomables. Sainz
Rodríguez, sentado al borde de la bañera, despacha con ella como si
estuviera en una oficina. La dama le exhibe el oscuro monte de Venus sin éxito. Sainz le explica el servicio que podía hacer al Rey si le
facilita las cartas encendidas de amor y sexo que el nuncio le escribe. Consigue sus propósitos. La dama, que quería quitarse de encima al pesado de Tedeschini, cada día más roñoso, da facilidades.
Hay problemas para las cartas pero no para que T.M. cuente la historia por escrito. Unido eso a un pasaje antiitaliano descubierto por
Sainz en la vida del nuncio, el gran conspirador se traslada a Italia,
gestiona en el Vaticano el traslado de Tedeschini con abiertas amenazas a contarlo todo y negocia con las autoridades fascistas para
que no se opongan al regreso del nuncio, pues tampoco Mussolini
quería tener a aquel pájaro en su fascista jaula italiana.

En 1935, la gran estrategia de Sainz Rodríguez está granando.
La conspiración militar avanza. La clase media tiene conciencia de
la necesidad de reaccionar. Los carlistas se pueden sublevar sin cometer pecado mortal. La Iglesia empieza a plantar cara al atropello
republicano. Una buena parte de los militantes de la CEDA se han
dado cuenta de que las izquierdas no les dejarán gobernar. El entramado político para respaldar el Alzamiento —el Bloque Nacional y
Falange Española— se articula cada vez con más cohesión.

Sanjurjo, indultado, jefe indiscutible del Alzamiento; Sainz Rodríguez, eje de la conspiración

Sanjurjo había sido indultado en 1934, lo mismo que José Calvo
Sotelo, y se instala en Estoril. Pedro Sainz alquila, a nombre de su
hermano, un chalet al lado de la casa del general. La clave del Alzamiento está en que no se arrugue el militar. Con Sanjurjo, los planes
de Sainz Rodríguez, sin la improvisación y ligereza que tuvieron en
1932, pueden triunfar.

Ricardo de la Cierva es el historiador que más certeramente ha
advertido la densidad del tejido conspiratorio de Sainz Rodríguez,
en torno al general Sanjurjo. «Todas las corrientes de la conspiración
—escribe Ricardo de la Cierva— le acataban como jefe: la Unión Militar Española, la Junta de Generales, los diversos grupos políticos,
los generales más comprometidos como Mola, Goded, Cabanellas,
Queipo, Varela, Franco, Orgaz, Aranda. Pedro Sainz Rodríguez, que
gozaba de libertad de movimientos por su condición de diputado, es-

tableció en Madrid y en nombre de Sanjurjo, una oficina conspiratoria junto a la plaza de las Descalzas que frecuentaban Sangróniz y el general Orgaz. Allí llegaron hasta comprar la colaboración de periódicos de izquierda para que atacasen a Azaña, como hicieron con *La Tierra*. Sainz Rodríguez actuaba como enlace entre Sanjurjo y Valentín Galarza, coordinador de la Unión Militar Española que estaba en contacto permanente con Mola.»[46]

En Estoril, don Pedro supera el último escollo. Tiene el compromiso con Alfonso XIII de la vuelta del Rey. Es una cuestión de elegancia espiritual. El Monarca exige esa satisfacción histórica y no está dispuesto a abdicar. Por fin encuentra la fórmula aceptada por el Rey y por Sanjurjo. Tras el golpe de Estado, el general asumiría el Poder Ejecutivo y convocaría un referéndum Monarquía-República como se había hecho en Grecia. Respaldada la Monarquía por la voluntad popular, se crearía un Consejo-Regencia que en unos días restablecería la Constitución de Cánovas y solicitaría el regreso del Rey. A los seis meses, Alfonso XIII abdicaría en Don Juan. El nuevo Rey convocaría Cortes Constituyentes para elaborar una Constitución concorde con la nueva situación de Europa y del mundo.

Tras infinidad de gestiones, el plan queda cerrado y negociado con todas las partes. Hubo reticencias por parte de Vegas y de Goicoechea. El primero por razones doctrinales. Quería volver al siglo XVI con Felipe II y, naturalmente, Sanjurjo le parecía un liberal deleznable; el segundo, porque siendo el representante de Alfonso XIII no tenía el papel que la Historia debía otorgar a su superior categoría. Tampoco José Antonio Primo de Rivera estaba de acuerdo en la Restauración, pero podía oponerse en el referéndum. Además, Primo de Rivera quería ser en la nueva España, Hitler o Mussolini y el *duce* gobernaba con la Monarquía. ¿Y Franco? Acosado por todos se resistía a sumarse a una sublevación que podía comprometer su carrera. Por fin lo hace. En las últimas semanas, pero lo hace. A través de Sainz Rodríguez, que le sirve de enlace en muchas ocasiones porque es reticente a la relación directa con Mola o Galarza, aunque la tiene, y reiteradamente, si bien cifrada, solicita el puesto al que aspiraba: Alto Comisario en Marruecos. Naturalmente, se le dice que sí.

El asesinato de Calvo Sotelo lo precipita todo. El Alzamiento se adelanta y el 18 de julio de 1936 se produce el golpe de Estado. Sainz Rodríguez, el gran conspirador, está exultante. En la tarde del 20 se instala en una mecedora en el aeródromo de Burgos para esperar a

---

46. Ricardo de la Cierva. *Franco Don Juan, los reyes sin corona*. Pág. 93. Cfr. Sainz Rodríguez. *Testimonio y recuerdos*. Págs. 243-246.

Sanjurjo y mirar al cielo en amable bamboleo sin que se le torciera el cuello. Es un día aciago. En Madrid, en Barcelona, en Valencia, en Bilbao, los militares sublevados han fracasado. A media tarde llega la noticia terrible. Sanjurjo ha muerto calcinado en un accidente. En lugar de volar en el *Dragon Rapide* que estaba preparado, la vanidad de Ansaldo le embarca en una avioneta insuficiente e insegura, una vieja *Puss Moth*. No se trata de un atentado como se dijo. Fue un accidente. Ansaldo se lo explicó con detalle a Víctor Salmador.[47]

A Pedro Sainz se le derrumba el entero edificio que había levantado en cuatro años de actividad e inteligencia. Ha fracasado el golpe militar. Ha muerto Sanjurjo. Se ha frustrado la Restauración de la Monarquía. En 1932, el golpe fracasó por ligereza e improvisación. En 1936, por mala suerte. Pero también la fortuna juega en la Historia.

El 20 de julio de 1936, ya en su cama, Sainz Rodríguez se revuelve sin poder dormir. Está seguro de todo esto: que la Guerra Civil será larga; que Franco se alzará con el mando; que la República resultará derrotada, y que eso era lo único positivo de todo lo que se había preparado; que a Franco nadie le arrancaría del poder, salvo matándole; que se alejaba la vuelta del Rey y que a pesar de eso había que apoyar con todas las energías a los sublevados porque si no se ganaba la Guerra Civil, la España comunista les liquidaría a todos y borraría hasta el último vestigio de lo que durante cinco siglos había sido la patria común de los españoles. Era terrible tener que elegir entre el fascismo y el comunismo. Pero siendo inevitable hacerlo, Sainz Rodríguez prefería el fascismo.

Hay algo que el rigor histórico ha dejado claro. Eso lo resume muy bien Ricardo de la Cierva: el Alzamiento de 1936 lo hicieron los militares y los monárquicos.[48] Es exacto lo que dice el historiador. Para bien o para mal, ahí radica la realidad histórica. Pero a monárquicos y militares no les salieron bien las cosas. Y el golpe de Estado fracasó en gran parte. La Guerra Civil no la hubieran ganado solos los que tejieron la conspiración, los monárquicos y los militares. Si no llega a ser por el desencanto que produjo la República, convertida en una ideología revolucionaria, la opinión pública de la derecha moderada, tras el fracaso a medias del golpe, hubiera salvado el régimen republicano. Pero la clase media se lanzó decididamente a la guerra y se sumó a la conspiración, para evitar que la República desembocara en la dictadura del proletariado.

47. Cfr. Víctor Salmador. *Juan Antonio Ansaldo, caballero de la lealtad*. Edición clandestina en España, 1962.
48. Ricardo de la Cierva. *Franco Don Juan, los reyes sin corona*. Pág. 89s.

Capítulo XI

DON JUAN, PRÍNCIPE DE ASTURIAS

Habíamos dejado a Don Juan, Infante de España, navegando, el 14 de abril de 1931, rumbo a Gibraltar con la turbia herida del Rey caído doliéndole en el alma. Sir Alexander Godley aloja a Don Juan en el Palacio de Gobierno. El joven Infante se compra ropas civiles y se desprende de su uniforme. Don Juan recibe dos telegramas. Por ellos se entera de que su padre, el Rey, por un lado y su madre, la Reina Victoria y sus hermanos, por otro, están a salvo en Francia. Alfonso XIII le ordena que embarque en el *Roma* y se traslade a Italia y de allí a París. Cuando el buque se aleja de la costa española, aquel muchacho de diecisiete años se queda desolado.

—Se me va España —musita.

Don Juan llega el día 24 de abril al hotel *Meurice*, en París. Su familia ya no está allí. Se ha trasladado al *Savoy*, en Fontainebleau. El Rey está en Londres. Don Juan recibe el 28 un telegrama de su padre ordenándole que se reúna con él. Alfonso XIII le ha pedido al Rey Jorge V que su hijo se incorpore a la Escuela Naval de Dartmouth, la más dura y exigente del mundo. Don Juan describe así su nueva situación: «... me hicieron *King's Cadet* no sin antes pasar un examen bastante pesado en el Almirantazgo. Debo decir que nuestra preparación de matemáticas en España era buena, y añadiría que superior a la inglesa para ese tipo de período. Mi fallo era Historia Naval inglesa, pronunciación inglesa, tecnicismo naval a la inglesa: ese tipo de cosas. Pero de lo demás salí bien del paso. Nueva Escuela Naval; nuevo ambiente con las dificultades humanas que eso entraña; extranjero único en un ambiente de 450 cadetes; una cuestión de edad un poco pesada porque en mi promoción tenían casi un año menos que yo casi todos; ambiente más infantil como si dijéramos, por un lado; prohibición de fumar; una horrible costumbre que era la de dar azotes. Yo soporté ciento veinticuatro en nueve meses. Recuerdo también que la primera vez que tuve que aguantar los seis azotes de costumbre, mi honor español se sublevó y al terminar el castigo le di un puñetazo en la cara al que me los había dado. Me hicieron consejo disciplinario, pero todo se arregló gracias a la benevolencia del segundo Comandante, que me dijo que si quería seguir allí tenía que aguantar las costumbres de la Marina y que si no, tenía la puerta abierta.»[49]

49. Don Juan de Borbón. *Mi vida marinera*. Pág. 9.

En el *Enterprise*

En marzo de 1932, embarca en el *Enterprise*, con base en Trincolami, en Ceilán. Visita Birmania, Malasia, Singapur, Indochina, Tailandia, Hong Kong, Irak, Andaman, Mauricio, Seychelles. Domina con entereza un pequeño motín a bordo de una barcaza de desembarco. Recorre el golfo Pérsico y todos sus mínimos emiratos. Luego África oriental. Una experiencia enriquecedora, con España quemándole en la distancia. Tarda un mes en enterarse del fracasado golpe de Estado del «10 de agosto». Es un año de intensa vida marinera, como fogonero, como maquinista, como timonel, como limpiador de cañones, como técnico en táctica naval, formándose el cuerpo y el alma junto a los mejores marinos del mundo, mientras en su Patria los monárquicos ponen las primeras piedras para la gran conspiración que derribará la República. Don Juan conoce de cerca la miseria asiática. Se le quiebra el alma al deambular por las ciudades orientales entre los mendigos que le acosan. Ve de cerca cómo Asia alarga hacia Occidente el ansia de sus dedos secos y comprueba cómo los emperadores libres del dinero escupen en las manos que tiende al pordiosero oriental. Está seguro que algún día aquellas colonias ultrajadas pasarán su factura a la Europa alegre y despiadada.

En Colombo, el Infante enferma de erisipela y le internan en el hospital. En la cama de al lado, le da la tabarra otro enfermo, un marino masón. Le trata de catequizar. «Me largaba unos sermones impresionantes —afirma Don Juan en una de las cintas grabadas por Víctor Salmador en 1976— y citaba personalidades vivas y difuntas que habían sido masones. Aseguró estar convencido de que, si mi padre se hubiese afiliado a la Masonería, no hubiera perdido el Trono. Naturalmente, no me convenció y salí del hospital dejándole defraudado en sus afanes proselitistas. Ésa fue la única vez, la única, en la que alguien, ni siquiera me acuerdo de su nombre, me habló, me propuso que me hiciese masón. Me hubiera negado siempre, por supuesto. Yo nací en el seno de la Iglesia Católica, y con todos los pecados humanos que me quieran poner en la lista y de los que tengo que dar cuenta a Dios, como todos, en el seno de esa Madre Iglesia deseo y espero morir. He sido siempre y soy cristiano. Deseo ser además buen cristiano.»

En febrero, según González-Doria, y en la primavera de 1933, según Don Juan, Alfonso XIII visita la India.[50] El Infante pide per-

---

50. Cfr. Don Juan de Borbón. *Mi vida marinera.* Pág. 10; González-Doria. *Don Juan de España.* Pág. 87.

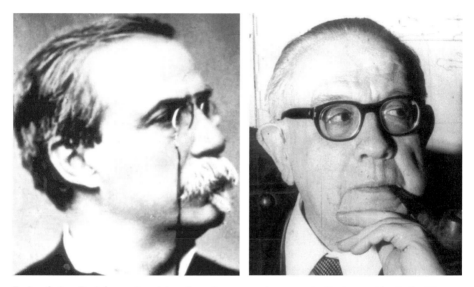

Pedro Sainz Rodríguez fue el hombre clave para la segunda Restauración de la Monarquía, como Antonio Cánovas del Castillo lo fue para la primera Restauración. Ambos tuvieron la misma preocupación en 1874 y en 1975: lo importante no era solo la vuelta del Rey al Trono, sino crear una situación política que permitiera a la Monarquía permanecer.

Alfonso XIII, hombre inteligente y patriota, destruyó la construcción canovista a causa de los numerosos errores que cometió. Quebrantó a los grandes partidos dinásticos. No supo atraerse a los intelectuales y perdió el cerebro del país. No supo entender a los socialistas y perdió las manos de la nación. Y al aceptar el golpe de Estado de Primo de Rivera, violentó la Constitución y se puso enfrente de la clase política. Don Juan oyó decir a la Reina Cristina, madre del Soberano, en septiembre de 1923: «La dictadura arrastrará en su caída a la Monarquía.» La crisis económica del 29 precipitó el fin de Primo de Rivera y del reinado de Alfonso XIII, que el 14 de abril de 1931 tuvo el acierto de retirarse de España para evitar el derramamiento de sangre entre los españoles.

Madrid. 15 - VII - 69

Queridísimo Papá:

Acabo de volver del Pardo a donde he sido llamado por el Generalísimo; y como, por teléfono no se puede hablar, me apresuro a escribirte estas líneas para que te las pueda llevar Nicolás que sale dentro de un rato en el Lunitania.

El momento que tantas veces te había repetido que podía llegar, ha llegado y comprenderás mi enorme impresión al comunicarme su decisión de proponerme a las Cortes como Sucesor a título de Rey.

Me resulta dificilísimo expresarte la preocupación que tengo en estos momentos. Te quiero muchísimo y he recibido de ti las mejores lecciones de Servicio y de Amor a España. Estas lecciones son las que me obligan, como Español y como miembro de la dinastía a hacer el mayor sacrificio de mi vida y, cumpliendo un deber de conciencia y realizando con ello lo que creo y

El miércoles 16 de julio de 1969 el marqués de Mondéjar entregó en mano a Don
Juan, en su despacho de Villa Giralda, a las 9'40 de la mañana, esta carta autógrafa de su hijo el Príncipe Don Juan Carlos, en la que le comunicaba haber
aceptado la propuesta de Franco de nombrarle sucesor en la Jefatura del Estado a
título de Rey. El Conde de Barcelona leyó la carta delante del Jefe de la Casa del Príncipe y la dejó después sobre su mesa. (Fotografía tomada del original de la carta.)

El Jefe del Estado

Generalísimo de los Ejércitos Nacionales

A S A R Don Juan de Borbón

Mi querido Infante:

En los momentos en que en cumplimiento del artículo VI de la Ley de Sucesión tomo la decisión de proponer a las Cortes mi sucesor en la Jefatura del Estado, en favor de vuestro hijo D. Juan Carlos, quiero comunicaroslo y expresaros mis sentimientos por la desilusión que pueda causaros, y mi confianza de que sabréis aceptarlo, con la grandeza de ánimo heredada de vuestro augusto padre D. Alfonso XIII

Me imagino los sentimientos contradictorios que esta noticia va a despertar en vuestro ánimo; pero la grandeza de la Monarquía está precisamente en ir un camino de sacrificio de las personas reales a la Institución, por ello me permito preveniros contra el consejo de aquellos españoles que ven defraudadas sus ambiciones políticas.

Yo desearía emprendieseis, no se trata de una restauración, sino de la instauración de la Monarquía como coronación del proceso político del Régimen, que exige la identificación más completa en el mismo, enraizado en unas leyes fundamentales refrendadas por toda la nación. En este orden la presencia y preparación del Príncipe D. Juan Carlos durante 20 años y sus muchas cualidades le hacen apto para esta designación.

Confío que esta decisión no altere los lazos familiares de nuestro hogar ya que nuestras diferencias constituyen un imperativo de servicio a la Patria por encima de las personas.

Le saludo con todo afecto y consideración

Franco

Madrid - Julio de 1969

El miércoles 16 de julio de 1969, a las 12'30 de la mañana, el embajador Giménez-Arnau entregó a Don Juan, en su despacho de Villa Giralda, esta carta autógrafa de Franco. El Conde de Barcelona no la abrió. La dejó sobre su mesa, despidiendo inmediatamente al embajador, al que recibió de pie. A las 12'34 el autor de este libro abrió el sobre y leyó a Don Juan en voz alta la carta de Franco. (Fotografía tomada del original de la carta.)

6

Franco no quiso sumarse al golpe de Estado de 1932 y colaboró con la República hasta marzo de 1936. Aquí aparece con Azaña y con Gil-Robles.

Pedro Sainz Rodríguez, cuarto por la derecha, ministro de Educación Nacional, durante un Consejo presidido por Franco, en Burgos, el 2-II-1938. Sainz pasó después casi treinta años en el exilio combatiendo al caudillo.

Don Juan en brazos de su madre, la Reina Victoria.

El Rey Alfonso XIII con su hijo, el pequeño Infante Don Juan.

Primera intervención en público de Don Juan. Con diez años lee un discurso (1923) en la entrega de un estandarte al Batallón de Aerostación de Guadalajara.

8

Jura de la bandera de Don Juan ante su padre, el Rey Alfonso XIII, 28-X-1930.

Jura de Don Juan Carlos en Zaragoza, 15-XII-1955.

El Infante Don Alfonso de Orleans y Alfredo Kindelán fueron los representantes de Don Juan en España durante la II Guerra Mundial. Trabajaron con firmeza y tenacidad, pero pudieron hacer poco. Don Juan destituyó de forma un tanto abrupta a Don Alfonso de Orleans. Vigón, Sotomayor, Andes y Fontanar, en distintos planos, tuvieron encargadas también tareas de representación de la Causa monárquica durante aquellos años.

Juan Ignacio Luca de Tena mantuvo ABC, en 1931, al lado de la Monarquía. El periódico, con su inmensa influencia en la clase dirigente española, fue una de las claves para derribar la República.

Don Juan, entonces Príncipe de Asturias, no quería que nadie le tachara de emboscado y cobarde. Anónimamente, con el nombre de Juan López, trató de combatir en la columna Escámez en Somosierra durante la Guerra Civil. Aquí aparece con el mono de voluntario. El general Mola impidió que se incorporara al frente. Después, también como marino anónimo, quiso combatir en el Baleares. Franco dijo que no porque un futuro Rey no debía pertenecer ni al bando de los vencedores ni al de los vencidos. Era una simple argucia dialéctica. Lo que no quería Franco era tener a Don Juan en España convertido en héroe de guerra.

A petición de la familia Primo de Rivera, Alfonso XIII, la Reina Victoria y Don Juan hicieron gestiones para salvar a José Antonio Primo de Rivera. Don Juan preparó un plan con un barco británico para realizar una acción en Alicante y liberar a José Antonio. Los ingleses solo pusieron la condición de que el Gobierno de Burgos lo aprobara. Don Juan recibió un telegrama desde el Cuartel General de Burgos que decía: «No interesa.» Pensó que había otra acción más eficaz en marcha.

Don Juan con el recién nacido Juan Carlos, que vio la luz en esta discreta casa de viale Parioli en Roma, el 5-I-1938.

El Rey de Italia y Don Juan presiden el entierro de Alfonso XIII, en Roma, en marzo de 1941.

El 19-I-1980, con el cáncer enroscado a la garganta y la fiebre de 40 grados quemándole los ojos, Don Juan, tras pedir la venia a su hijo el Rey Juan Carlos I, enterró en el Monasterio de El Escorial a su padre el Rey Alfonso XIII, tal y como le había jurado en su lecho de muerte en Roma en 1941.

[Imagen de carta manuscrita con escudo heráldico y texto manuscrito ilegible, fechada "Madrid - 12 May. 1942"]

Primeras y últimas líneas de la larga carta manuscrita de Franco a Don Juan (12-V-1942) en la que le ofrecía: «...la Jefatura total del Pueblo y sus Ejércitos». Era una trampa. El dictador lo que quería era engañar a Don Juan, ponerle la miel en los labios, y paralizarle en su actividad política, especialmente peligrosa ante el desembarco de los aliados en el Norte de África y el cambio de signo de la Guerra Mundial. Aconsejado por Sainz Rodríguez, Don Juan no contestó a la carta. (Fotografía tomada del original que tiene treinta y dos holandesas autógrafas. El subrayado es de mano del propio Franco.)

Arthur Yencken, jefe del espionaje británico en la Embajada de Hoare, mantuvo los contactos con Sainz Rodríguez, hasta que murió en un extraño accidente de avioneta el 18-V-1944 en la Sierra de Artigós.

Samuel Hoare, embajador británico en Madrid durante la II Guerra Mundial, pactó con Sainz Rodríguez una arriesgada operación: si España entraba en guerra o permitía el paso de las tropas de Hitler en la operación Félix para tomar Gibraltar, la Escuadra británica ocuparía las Islas Canarias para establecer en ellas un Gobierno de «resistencia» con Don Juan como Rey y Sainz Rodríguez como presidente del Ejecutivo. Franco deportó a Sainz Rodríguez pero éste consiguió fugarse a Lisboa (1942), donde, al producirse el desembarco aliado en el Norte de África, tuvo un buque de guerra británico preparado para trasladarle a Canarias si la situación lo requería.

Francisco Franco, el caudillo, estuvo al lado de Adolfo Hitler, el führer, y de Benito Mussolini, el duce, durante la II Guerra Mundial. A la entrevista de Hendaya, 23-X-1940, Franco (en la foto, saludando brazo en alto junto al dictador alemán) acudió decidido a entrar en guerra en favor de los nazis. Pero a Hitler no le interesaba porque tenía sus propios planes imperiales sobre el África francesa y española. Ya en 1945, la muerte de Roosevelt y la voracidad de Stalin, que alarmó a Truman, salvó a Franco de terminar como Hitler y Mussolini. El caudillo ejerció el poder político sin otra idea que la del mando militar. Era un legionario y estuvo siempre dispuesto a morir antes que abandonar la posición conquistada. En eso residió su superioridad sobre los que le rodeaban. Franco, una vez instalado en El Pardo, decidió salir de allí con los pies por delante. En mayo de 1945, cuando todo estaba perdido para él, dijo a su hermano Nicolás, señalando la fotografía sobre estas líneas y que tenía junto a otra de Alfonso XIII en Marsella, el primer día de su exilio: «Yo terminaré como Mussolini, porque resistiré hasta derramar mi última gota de sangre. Yo no me fugaré como hizo Alfonso XIII.»

Allen W. Dulles, director de la Agencia Norteamericana de Contraespionaje en Europa, con sede en Suiza, durante la II Guerra Mundial, director después de la CIA, tuvo especial relieve en la política de Don Juan. Avisó al Conde de Barcelona del desembarco aliado en África en 1942 y de la proyectada invasión aliada de España en 1944. Preparó la expedición que convirtió a Don Juan en miliciano antinazi y convenció a Roosevelt del plan para derribar a Franco: guerra de guerrillas en el Norte de España (el maquis), intervención aliada para pacificar la situación, derrocamiento del caudillo y restauración de la Monarquía en Don Juan, que previamente debía condenar de forma pública a Franco (Manifiesto de 19 de marzo de 1945). Stalin aceptó la fórmula en Yalta (febrero de 1945, en la imagen). Tenía la intención de engañar a los aliados y, tras una victoria electoral del Frente Popular, derribar la Monarquía en España. Muerto Roosevelt, 12-IV-1945, Truman se dio cuenta de los propósitos de Stalin y, apoyado por Churchill, se opuso con firmeza al proyecto en la Conferencia de Potsdam (julio de 1945). Una vez abierta la guerra fría, Estados Unidos prefería una España franquista a una España stalinista. Eso es lo que salvó a Franco.

José María Gil-Robles se sumó a la actividad monárquica durante la Guerra Mundial y fue uno de los cuatro hombres clave, junto a Sainz Rodríguez, Vegas Latapié y López Oliván, en la dirección de la política de Don Juan. Tras laboriosas gestiones, y con la ayuda de Félix Vejarano, consiguió que se firmara en 1948 el pacto de San Juan de Luz, por el cual el PSOE de Indalecio Prieto aceptaba la Monarquía de Don Juan. El Conde de Barcelona no se portó bien con él posteriormente, de forma especial cuando el llamado contubernio de Munich, en 1962.

El conde de Fontanar fue durante muchos años uno de los dirigentes de mayor relieve en la política monárquica. Su moderación y ecuanimidad eran especialmente apreciadas por Don Juan. Dejó testimonios escritos reveladores sobre la política internacional entre 1945 y 1948, en coincidencia con Sainz Rodríguez, vaticinando, tras la Conferencia de Potsdam, que Franco permanecería en el poder.

Eugenio Vegas Latapié, de sólida formación doctrinal, creador de Acción Española, fue el hombre fuerte de la Causa monárquica entre 1942 y 1948. Hasta 1945, en estrecha colaboración con Pedro Sainz Rodríguez. Después, y hasta su liquidación política, en abierta hostilidad.

Julio López Oliván realizó una tarea eficacísima, que deslumbró a Sainz Rodríguez, durante la II Guerra Mundial en favor de Don Juan. Es uno de los hombres decisivos en la historia secreta de la Restauración monárquica.

Casi cincuenta años, desde 1946, lleva Eugenio Hernansanz en la Secretaría Particular de los Condes de Barcelona. Su trabajo ha sido impecable: ni un error ni una indiscreción, a lo largo de un período histórico que, en ocasiones, fue especialmente turbulento.

Primera página de The Observer *con las declaraciones de Don Juan, 13-IV-1947. Sainz Rodríguez se opuso a esta manifestación pública, apoyada por Vegas y Gil-Robles.*

THE OBS

Established

No. 8,133   156th YEAR   LONDON SUNDAY, API

Don Juan Declares His Accession Aims

'I Do Not Seek To Be A Dictator'

Pledge Of Liberty For All Spaniards

By OUR DIPLOMATIC CORRESPONDENT

Crown Already Sure Of Wide Support

By THE OBSERVER Special Correspondent on Spanish Affairs, RAFAEL M. NADAL

Parties Bid For Control In Germany

From Robert Stephens

DUSSELDORF, April 12

Big Four Disagree

From EDWARD CR.

MOSCOW

Denazification Protests

From A Special Correspondent

BERLIN, April 12

Louis Mountbatten, tío y estrecho amigo de Don Juan, le convenció (Navidad de 1947) de que los aliados no harían ya nada para derribar a Franco y que querían normalizar relaciones con el Régimen español.

Fracasadas las operaciones de Restauración monárquica contra la República (1931-1936) y contra Franco (1940-1947), Sainz Rodríguez estableció una compleja estrategia bifronte para engañar al caudillo: Don Juan, en Estoril, mantenía la dignidad de la Monarquía y se atraía a las fuerzas del exilio exterior e interior. Si el dictador moría de una enfermedad, un accidente o un atentado, el Rey de derecho se convertiría en Rey de hecho de España. Si la vida de Franco se prolongaba, entonces entraba en juego el segundo factor de la operación: el Príncipe Don Juan Carlos, anzuelo de la Dinastía, para que en él se aplicase la Ley de Sucesión, evitando otras fórmulas como la Regencia o Alfonso de Borbón Dampierre. Una vez nombrado sucesor Don Juan Carlos y, posteriormente, proclamado Rey, solo podía permanecer estableciendo una Monarquía constitucional como la belga o la inglesa, es decir, la contraria de la que había instaurado Franco.

Primera entrevista Don Juan-Franco: el 25-VIII-1948 en el Azor. El dictador tenía cincuenta y cinco años y el Rey treinta y cinco. Con este encuentro, se iniciaba para Sainz Rodríguez la tercera etapa de la Restauración monárquica: engañar a Franco. El Rey y el dictador se entrevistarían después en Las Cabezas (Cáceres) en 1954 y 1960.

miso militar y se reúne con él. Se da cuenta de que el Rey ha decidido que sea él el Príncipe de Asturias. «No me dijo nada concreto, pero comprendí que ésa era su voluntad y que su decisión estaba tomada. Debo decir que no me lo esperaba.»[51] Don Juan caza un tigre y disfruta de días felices en un ambiente exótico. Vive en el palacio del maharajá, que él pronuncia bien *majarayá*, de Mysore. Más tarde disfruta, en la fastuosa residencia del hombre más rico del mundo, el *nizam* de Hyderabad, el mítico príncipe de Golconda, que en su reino había fundido los principados de Travancore y Cochin. Como pisapapeles en su mesa de despacho, uno de los diamantes más grandes del mundo. En su harén, 360 mujeres. El joven Don Juan quiere recrearse en la contemplación de tanta belleza, de tantos vientres desnudos, tantos torsos cimbreantes, la furia y la seda de los pechos desnudos. Consigue asomarse al harén. «Debo decir que era más bien una residencia de ancianas.» Contaría esta anécdota mil veces. El *nizam* de Hyderabad haría frente con su ejército de elefantes adornados con dolmanes escarlatas a los carros de combate del *pandit* Nehru, en 1950. Casi gana.

Renuncian el Príncipe de Asturias y el Infante Don Jaime

En la primavera de 1933, Don Alfonso Pío, Príncipe de Asturias, se enamora de una delicada cubana, Edelmira Sampedro y Robato. Se hechizan en un hotel de Lausana. Anuncia al Rey que se va a casar con ella. Alfonso XIII, que ya tenía decidido que Don Juan fuera su sucesor, aprovecha la ocasión y ordena al Príncipe de Asturias que renuncie al Trono antes del matrimonio para que la renuncia sea válida desde el punto de vista del derecho civil al no haber perjuicio de terceros. Además, el Rey considera vigente la pragmática de Carlos III, publicada el 27 de marzo de 1776, recogida en la *Novísima Recopilación*,[52] en cuya cláusula 12 se establece nítidamente que «no sucederán los descendientes de este matrimonio desigual en las tales dignidades, honores, vínculos o bienes dimanados de la Corona, los que deberán recaer en las personas a quienes en su defecto corresponda la sucesión; ni podrán tampoco los descendientes de

---

51. Archivo Luis María Anson.
52. *Novísima Recopilación de las Leyes de España*. Madrid, 1805. Título II, Ley IX. Tomo V, Libro X. Cláusulas 11 y 12. Pág. 13. Cita de primera mano, pues el autor consiguió salvar esta rara edición que tiene en su biblioteca. Sainz Rodríguez se la pidió prestada varias veces pero Anson tuvo la prudencia de darle largas.

matrimonios desiguales usar los apellidos y armas de la casa de cuya sucesión quedan privados; pero tomarán precisamente el apellido y las armas del padre o madre que hayan causado la notable desigualdad...»

El 11 de junio de 1933, el Príncipe de Asturias firma su renuncia, en la que al margen del matrimonio morganático, asunto siempre discutible, afirma: «Decidido a seguir los impulsos de mi corazón más fuertes incluso que el deseo que siempre he tenido de conformarme con el parecer de Vuestra Majestad, considero mi deber renunciar *previamente* a los derechos de sucesión a la Corona que eventualmente por la Constitución del 30 de junio de 1876, o por cualquier otro título, nos pudieran asistir...»

Ese «previamente» supone que no se lesionan derechos de terceros porque no había terceros cuando se renuncia. El Príncipe de Asturias no tuvo hijos, pero Alfonso XIII quiso dejar las cosas inequívocamente claras.

El 21 de junio, fecha de la boda de Don Alfonso Pío con Edelmira Sampedro, el Infante Don Jaime, sordomudo, no de nacimiento pero sí desde muy niño, firma en Fontainebleau la renuncia a sus derechos al Trono. Al margen del matrimonio morganático, que más tarde contrajo, su renuncia es válida para el derecho civil porque no hay lesión de derechos de terceros ya que esos terceros no existían. Cuando unos años después, el 4 de enero de 1935, se casa Don Jaime, sus futuros hijos Alfonso y Gonzalo de Borbón-Dampierre, nacerían ya sin derechos. Alfonso XIII, por consiguiente, hace las cosas muy bien pues conoce a fondo la importancia, sobre todo después de las guerras carlistas, de que el titular y el heredero de la Casa Real sean indiscutibles.

Don Juan, Príncipe de Asturias

El Rey envía un cable a Don Juan, comunicándole la renuncia de sus hermanos. Lo recibe en Bombay. «Por renuncia de tus dos hermanos mayores, quedas tú como mi heredero. Cuento contigo para que cumplas con tu deber.»[53] El Infante se queda perplejo. Sabe lo que significa la carga de la Historia. Sabe que abandonará su gran vocación: la Marina. Sabe que no hereda nada, salvo sacrificios, abnegación y tensiones. «Sangre, sudor y lágrimas.» Desde los mares

---

53. El original del telegrama no se encuentra en el archivo de Don Juan de Borbón.

lejanos del Índico todo parece demasiado distante, demasiado irreal. «Momento para mí muy grave... —escribe—. Dudé durante ocho días. Por fin, por sentido del deber y de disciplina familiar, acepté.»[54] Don Juan es ya Príncipe de Asturias. El Rey le entregará la «placa» tradicional de la Familia Real en Malta, en 1934, donde padre e hijo se reunirán en casa de Lord Mountbatten. El joven príncipe admira enseguida al gran marino británico. Navega con él en el destructor que mandaba y mantendría ya una profunda amistad solo truncada cuando el terrorismo segó la vida de Mountbatten, uno de los grandes prestigios de Inglaterra en el mundo.

Tras hacer exámenes en dura competencia con sus compañeros, Don Juan es ascendido a alférez de navío. Tiene derecho a dos meses de vacaciones.

En el hotel *Meurice* recibe, ya como heredero de la Corona, a Pedro Sainz Rodríguez, José Calvo Sotelo, Antonio Goicoechea, Juan Ignacio Luca de Tena y José Yanguas Messía. Vegas aparte, le visita la plana mayor del monarquismo. Oye por primera vez la palabra abdicación y no le gusta. Siente veneración por el Rey. Le informa a Alfonso XIII del asunto y el Monarca se irrita. No quiere ni oír hablar de la cuestión. El Rey está enfurecido. Don Juan cena a solas con Sainz Rodríguez. El catedrático le divierte con su lenguaje rahez y su agudeza crítica. Siente por él una mezcla de cariño y admiración. Se da cuenta de que da cien vueltas a todos los otros ilustres monárquicos. Está contra la abdicación de Alfonso XIII, lo que acentúa la estima del Príncipe.[55] Hablan por primera vez de Cánovas del Castillo. Don Juan acudirá ya hasta su muerte a los inagotables almacenes culturales de Sainz Rodríguez.

La Familia Real decide pasar las vacaciones de verano en Portschach, Austria. Don Juan recibe ya trato de Príncipe de Asturias. Lee todos los días *ABC* y un resumen de la prensa de izquierdas. Pregunta sin descanso a su padre y empieza a impregnarse de la situación política española. Dedica largas horas al estudio y a la lectura.

Muere el Infante Don Gonzalo

El 12 de agosto de 1934, la Infanta Beatriz conduce alegre y feliz su automóvil con su hermano Don Gonzalo al lado, que le habla

---

54. Don Juan de Borbón. *Mi vida marinera*. Pág. 11.
55. Cfr. Sainz Rodríguez. *Testimonio y recuerdos*. Pág. 13.

entusiasmado de sus aciertos en una cacería en Istria. En la carretera de Klagenfurt, cerca de Krumpendorf, el barón Richard Van Neumann pasea en bicicleta y se equivoca metiéndose por el carril contrario. La Infanta da un volantazo y salva la vida del barón. El coche se estrella contra un muro.

El barón atiende a los Infantes. Doña Beatriz está bien. Don Gonzalo se aprieta el vientre dolorido. En Klagenfurt, el médico dice que no tiene nada, solo el susto. Los Infantes marchan a su casa de Portschach. Don Gonzalo, quebrado por el dolor, se acuesta. El Rey llama a Doña Victoria, que pasa unos días en París. Don Juan avisa al médico y se sienta a la cabecera del enfermo.

Alfonso XIII siente un estremecimiento cuando el doctor le anuncia que hay una hemorragia interna a causa del golpe. Al día siguiente el Infante, lacerado por la hemofilia, agoniza en los brazos del Príncipe de Asturias, como una paloma trémula. Una sencilla habitación de una casa de alquiler es el escenario de la patética escena. La Familia Real reza en voz alta las recomendaciones del alma cuando aquel muchacho, descendiente de los Reyes Católicos, de Felipe II y Carlos III, entrega su alma a Dios.

Como ante su abuela muerta, como ante el Rey caído, a Don Juan le quema la angustia y siente otra vez la oscura herida del alma. No es solo su hermano el que está pálido y muerto a su lado, con apenas veinte años; es su gran amigo de confidencias y esperanzas.

Como siempre el mar, allí donde nace la lluvia, acude en socorro de Don Juan. Embarca en el *Iron Duke*, un viejo acorazado, para proseguir sus estudios. Es, otra vez, el yodo y el salitre en la cara, las espumas delicadas del agua, la jubilosa violencia de las olas, la lejana patria presentida, otras playas doradas, tanto amor perdido, tanto amor perdido...

Don Juan se enamora

El 14 de enero de 1935 se celebra la boda de la Infanta Beatriz con el Príncipe de Torlonia. Don Juan consigue unos días de permiso y acude a Roma. Varios millares de españoles le aclaman como Príncipe de Asturias. Don Juan exhibe entonces una simpatía contagiosa y una capacidad de comunicación que mantendrá intactas hasta la muerte.

Dos meses después, el 4 de marzo, se casa en Roma el Infante Don Jaime con Manuela Dampierre y Rúspoli, hija de los duques de San Lorenzo.

Embarca el Príncipe en el destructor *Winchester* y tras un mes de prácticas hace su examen de fin de carrera. Obtiene las máximas calificaciones y el respeto de sus compañeros británicos, de los que tiene que despedirse para asumir sus obligaciones de heredero de la Corona española. El Rey Jorge V le nombra Teniente de Navío honorario.

Alfonso XIII envía a su hijo a Florencia donde estudia Historia, Ciencias Políticas, Derecho, Sociología y Religión.

Entre los oros viejos y las luces tibias de la ciudad italiana, Don Juan tiene puesto su pensamiento en su prima María de las Mercedes. Después de mucho tiempo sin verla, se la había encontrado, con su piel transparente y sus ojos claros, en Villa Saboya, en el baile que los Reyes de Italia ofrecieron antes de la boda de la Infanta Beatriz. Don Juan era el caballero *charmant*, el príncipe azul. Alto, delgado, curtido, atlético, lleno de vida y simpatía, afectuoso, tierno, todos esperaban el encuentro del galante español con el dulce pájaro de juventud, la princesa María, hija de los Reyes de Italia. El Príncipe de Asturias saca a bailar a su prima María de las Mercedes, que está encendida por dentro, que tiene el cuerpo de avena clara, la voz lenta y dulce, los ojos de larga primavera. «Crecen en mi corazón tus raíces de trigo», le susurra tal vez al oído aquella noche de aliento nerudiano.

«Después de la boda de Beatriz, nosotros nos volvimos a París, y allí empezó a escribirme. Tengo guardadas todas las cartas que me ha escrito en su vida, desde la primera a la última, no sé si un día las quemaré para que el día de mañana los nietos no se rían de nosotros —escribe Doña María—. En una carta a lápiz me pidió que fuéramos novios.»[56]

12 de octubre de 1935: se casa el Príncipe de Asturias

La boda se celebra el 12 de octubre de 1935. Millares de españoles se desplazan a Roma. La ebullición política en España acompaña a los viajeros. Las intrigas se suceden. Un grupo de Renovación Española cree que ha llegado el momento de pedir la abdicación. La singular Infanta Eulalia atiza al Rey. Alfonso XIII, que no acepta la evidente fractura generacional, se irrita. Pronuncia unas palabras

---

56. María de las Mercedes de Borbón. *Autobiografía*. Transcripción de Javier González de Vega. Folio 65. (Libro inédito, magnífico, lleno de datos de gran interés, reveladores algunos, de importancia otros muchos.)

feroces contra la deslealtad. Yanguas sufre un desmayo. Don Juan no quiere ni oír hablar de nada que disguste a su padre. Está enfermo además, con una enfermedad tropical pasajera, que le sirve de pretexto para asistir solo a los actos que considera convenientes. El más activo e importante grupo monárquico, aparte el Bloque Nacional, es *Acción Española*. Le preparan una comida para que en ella Don Juan proclame su fe en la doctrina tradicional. Es lo único que importa a Vegas: que el Príncipe de Asturias se adhiera a los principios doctrinales de *Acción Española*. Pero Don Juan borbonea la situación con habilidad. Sabe que un príncipe no puede ejercer el arbitraje y la moderación si se somete a escayolas partidistas.

«Estaba realmente enfermo, con fiebre alta, un mal tropical, que se llama linfangitis y que me curó el doctor Castellani. Pero debo decir que hubiera podido ir a la comida de Vegas. Lo que pasa es que no me dio la gana. Yo sabía la importancia que tenía *Acción Española*. Pero no podía hacerme de unos sí y de otros no. Tenía que estar con todos a la vez. Aparte de que a mí no me parece que en este siglo se pueda pensar en una Monarquía que no sea como la inglesa. Ésa es una idea fija que tengo desde mis años en la Marina británica. Hablé además con el Rey. Estaba de acuerdo. Había que quedar bien con *Acción Española* pero no entregarse al grupo. Asistir a la comida con fotos y tertulia era demasiado peligroso. Así que le propuse a Vegas que se leyera un discurso mío. Prefirieron una carta. Y eso es lo que hice de acuerdo con mi padre.»[57]

La carta de Don Juan a *Acción Española*, redactada por Juan Vigón y corregida por Alfonso XIII y el propio Príncipe de Asturias, es su primer texto político. Demuestra ya una notable habilidad en el manejo de la ambigüedad, para no dar a nadie hospedaje definitivo en su pensamiento y su acción. Don Juan había aprendido ya de su padre que la Historia no se hace en línea recta. En el camino del progreso hay que saber avanzar en zigzag. La carta a *Acción Española* dice así:

57. Archivo Luis María Anson. En él hay cintas con treinta y dos horas de conversaciones grabadas con Don Juan y notas minuciosas de más de un centenar de conversaciones de relieve. En el archivo de Pedro Sainz Rodríguez hay cintas con catorce horas de conversación con Don Juan, y Víctor Salmador posee también cintas con siete horas. Anson se comprometió con Don Juan a que todas aquellas grabaciones quedaran «off the record». En muy largos años de actividad cerca de Don Juan jamás cometió una indiscreción, ni reveló una conversación. En este libro, que le fuere reiteradamente pedido por el propio Don Juan, «diciendo siempre la verdad por muy molesta que sea para mí o para los míos», se recogen algunas confidencias, solo las imprescindibles, para hacer comprensibles las claves profundas de la Restauración. Las demás permanecerán en el secreto.

«Queridos amigos:

Retenido en mis habitaciones —más que por un leve e inoportuno enfriamiento, por la exagerada prescripción a que da pretexto—, no puedo asistir a vuestra reunión. De cuán viva y honda es mi contrariedad no podríais juzgar, ni aún estimándola por la vuestra, y al deciros esto pienso no pueda encarecerla mejor. Porque yo tengo hacia *Acción Española* especiales y personales deudas de gratitud, y era el momento de reconocerlas. Cuando cruzaba los mares del mundo, en las horas que mis deberes militares me dejaban libres, la lectura de vuestra Revista y de vuestros libros me traían el aliento de la Patria lejana, de la España de hoy, dolorida y quebrantada; pero, sobre todo, el aliento y la visión de aquella otra España, que inspira vuestra obra, y surge cada vez con mayor vigor en vuestras páginas. En ellas he hallado siempre un noble estímulo, y hasta he creído hallar un tácito mensaje de afectos: Maeztu, Calvo Sotelo, Pemán, Pradera, Sainz Rodríguez, Javier Reina, Goicoechea, Solana, Ribera, Lozoya, Villada, Giménez Caballero, Montes, y cuantos habéis puesto lo mejor de vuestras actividades bajo el signo de la Cruz de Santiago, y habéis mostrado cómo la sagrada tradición de España se coordina con las más modernas doctrinas; por cuanto habéis contribuido a mi formación intelectual y moral, aceptad mi reconocimiento, llevad mi saludo afectuoso a todos los asociados a nuestra Cruzada, y aseguradles que en el amor a España, en el culto de sus tradiciones, en ideas y en sentimientos, se halla siempre entre vosotros,

JUAN
11-10-35»

Tras la ceremonia de la boda que describe minuciosamente Fernando González-Doria,[58] hubo un acto político de desagravio a Alfonso XIII, con motivo de las escaramuzas de la abdicación. José María Pemán pronunció un gran discurso. El escritor gaditano ha sido uno de los mejores oradores del siglo XX español.

«No crea Vuestra Majestad —dice Pemán— que el pueblo español en una tarde de abril, se cambió radicalmente de sentimientos como se cambia de chaqueta. No; el pueblo español, el verdadero pueblo español sigue siendo el mismo, aquel mismo de las aclamaciones al paso de Vuestra Majestad...»

Y al Rey en su respuesta le puede el patriotismo que tanto admira Seco Serrano: «El número y calidad de los presentes bastaría casi a compensar muchas amarguras, pero aún son más las zozobras que disipan en quienes anteponemos a cualquier otro anhelo el de la salvación de España.»

58. González-Doria. *Don Juan de España.* Prólogo de Luis María Anson. Pág. 125s.

Entre los millares de regalos que recibió el Príncipe de Asturias hubo uno enviado por los gentilhombres de Alfonso XIII. El general Franco contribuyó a él con trescientas pesetas (más de cien mil de 1994). La Reina Victoria Eugenia, distanciada del Rey, no asistió a la boda de Don Juan. Tampoco lo había hecho a las de Don Jaime y Doña Beatriz. Don Juan sintió ese dolor hasta su muerte y se refería siempre a aquella ausencia con infinita tristeza.

En su libro inédito autobiográfico, Doña María de las Mercedes cuenta morosamente los días de trigo y rosas, su viaje de novios que, invitados por el Rey, duró seis meses: las películas que hizo, la visita a Cherburgo, a Nueva York, a Miami, donde les atendieron los condes de Covadonga, él, hermano mayor de Don Juan; a Toronto, donde le roban las alhajas, a las cataratas del Niágara, a California, donde cenan con Myrna Loy, con Gary Cooper, con Clark Gable, con Claudette Colbert, con Laurence Olivier...

Desde California, los nuevos esposos se trasladan a Vancouver y luego, en el *President Hoover*, a Honolulú, a Japón, a China, a Corea, a Manchuria. Doña María no cuenta que allí en Manchuria, Don Juan visitó a Pu-Yi, último emperador de China, al que los japoneses habían hecho emperador del Manchukuo.

—La verdad —diría Don Juan— es que era un hombre con fuerte personalidad. Desempeñaba un triste papel de títere pero daba la impresión de que estaba deseando jugársela a los japoneses. Y desde luego quería recuperar el trono chino.

Después viajan a Saigón, a Singapur, a Camboya, donde visitan asombrados la tempestad de piedra y *apsaras* de los templos de Angkor; a Bangkok, a Malasia, a la India, donde les impresiona el Taj Mahal; a Ceilán, a Java, a Egipto, y vuelta, en fin, no a casa sino a Francia para, tras unas semanas con el Rey en Londres, instalarse en Cannes, en la villa *Saint Blaise*.

En España, el Frente Popular conducía ya aceleradamente a la nación hacia la Revolución comunista. El Príncipe de Asturias no se da cuenta de la gravedad de la situación hasta que mantiene una larga conversación con el Rey. Según Alfonso XIII, no existe otra solución que un golpe de Estado. Si éste fracasa habrá una larga Guerra Civil.

Juan López, voluntario de la columna Escámez

Cuatro o cinco días después del Alzamiento, Don Juan llega por instinto a una conclusión que sería a lo largo de los años muy debatida: debe ir a luchar a la guerra. Su razonamiento era elemental:

mientras la juventud española combatía en los frentes de guerra, él no podía ser un «emboscado». Toda la vida le señalarían como a un cobarde. Y un Rey no puede ser cobarde. Llama a Alfonso XIII. Su padre vacila. Al fin da su consentimiento. Don Juan no puede combatir como Príncipe porque no debe pertenecer a ninguno de los bandos en lucha. Eso lo ve claro Alfonso XIII. Así que se llamará Juan López y será un soldado anónimo.

Un retraso inesperado le permitirá al Príncipe de Asturias conocer a su hija Pilar antes de partir hacia la guerra. La niña nace en las primeras horas del 30 y a las ocho de la mañana del 31, acompañado por un grupo de leales, Don Juan deja a su familia, escuchando de su madre, la Reina Victoria, una frase que repetirá mil veces.

—Así tiene que ser. Las mujeres a rezar y los hombres a luchar.

A las seis de la mañana del 1 de agosto, Don Juan cruza la frontera por Dancharinea. Es otra vez la tierra cálida de la España de todas las nostalgias. Al Príncipe se le humedecen los ojos. Ama aquella tierra más que a nada en el mundo. La lleva cosida en el alma. Más adelante, en el hotel *La Perla*, Don Juan se viste el uniforme de los voluntarios, un mono azul y se coloca una boina roja porque sabe muy bien en qué región de España está. Le servirá de poco. El general Mola no quiere a Don Juan en España. No tiene nada contra él. La decisión no la toma, como se ha escrito, por antimonarquismo. Pero le da miedo que se opongan las milicias carlistas, sin las cuales sería imposible hacer frente al Ejército republicano.

Un capitán de la Guardia Civil reconoce a la comitiva de soldados anónimos y, con evidente pesar, transmite la orden de Mola. Don Juan no puede llegar a la columna Escámez en Somosierra. El Príncipe de Asturias obedece. Abandona con lágrimas en el alma, la patria despiadada, amada oscura.

Gestiones de Don Juan en favor de José Antonio Primo de Rivera

Desde Cannes, Don Juan se traslada primero a Milán y luego a Roma. Hace gestiones certeras, de acuerdo con Alfonso XIII, para salvar a José Antonio Primo de Rivera. La familia del fundador de Falange había apelado a la Reina Victoria. Ofrece un plan minucioso con intervención de un barco británico. Los marinos ingleses liberarán a Primo de Rivera con la sola condición del visto bueno del Gobierno de Franco. Don Juan recibe desde Burgos un telegrama brutal: «No interesa.» No figura en su archivo. Alguien lo destruyó.

Pero Don Juan lo recordaba perfectamente y lo contó repetidas veces.[59] El Príncipe piensa que el Gobierno nacional tendría un plan mejor. Pero el 20 de noviembre, el hijo del dictador es fusilado en Alicante. Preston[60] no hace alusión al proyecto de Don Juan. Sí se refiere a las tentativas de Agustín Aznar, Hans Joachim von Knobloch, Ramón Cañazal, Maximiano García Venero, el conde de Mayalde y Romanones. Franco dio largas o boicoteó claramente todos estos esfuerzos. No quería a José Antonio en Burgos. Una vez fusilado lo mantuvo «vivo» en la propaganda de la zona nacional para evitarse tensiones en la sucesión de Falange, hasta 1937.

El 7 de diciembre de 1936, Don Juan envía una carta a Franco para servir en el crucero Baleares. Sigue preocupado de que nadie pueda llamarle cobarde. Pero Franco no le quiere en España. Franco ha tomado ya una decisión irrevocable: morirse en el poder, en el mando que le han dado sus compañeros el 1 de octubre. Un Don Juan, héroe de guerra, era un inconveniente añadido. Le contesta con una carta hábil, que encabeza protocolariamente llamándole «Alteza» y en la que desliza una frase certera: «... el lugar que ocupáis en el orden dinástico, y las obligaciones que de él se derivan, imponen de todos y exigen de vuestra parte, sacrificar anhelos tan patrióticos, como nobles y sentidos, al propio interés de la Patria».

El Príncipe de Asturias se instala en Roma, en un piso discreto de la vía Bocca di Leone que le alquila su cuñado, mientras la Guerra Civil se desarrolla lentamente afianzando el poder de Franco. No estaban muy cómodos en aquella casa. Un día el Rey llega sin avisar y se encuentra a Don Juan y a Doña María en la cama con impermeable y paraguas para defenderse de las goteras que producían los vecinos de arriba con su bañera desbordada. No había dinero para más, para una instalación mejor. A Petra, la doncella de Doña María, y a Luis Zapata, el criado de Don Juan, les llegarán a deber un año de sueldo.

Don Juan, en *ABC* de Sevilla del 17 de julio de 1937, lee unas declaraciones del dictador en las que afirma lúcidamente: «... si alguna vez en la cumbre del Estado vuelve a haber un Rey, tendrá que venir con el carácter de pacificador, y no debe contarse en el número de los vencedores». Pero es solo una finta para contentar a los monárquicos, a Luca de Tena y a *ABC*. En la cumbre del Estado estaba él, Franco, y no pensaba moverse de allí por nada, ni por nadie. Y cuan-

59. Archivo Luis María Anson. Cfr. Sainz Rodríguez. *Un reinado en la sombra*. Pág. 278.
60. Paul Preston. *Franco, caudillo de España*. Pág. 246s.

do treinta y dos años más tarde decida nombrar un sucesor, lo alineará naturalmente con los vencedores y le someterá a las leyes de los vencedores.

Nace en Roma Don Juan Carlos de Borbón

Los Príncipes de Asturias, que constituyen una familia nómada, sometida a una inhóspita diáspora, se trasladan al *viale* Parioli, 112. Allí nace, el 5 de enero de 1938, el Infante Don Juan Carlos, heredero de Don Juan y por lo tanto, en su día, de la Corona española. «El pobre nació ochomesino —escribe Doña María de las Mercedes— y tenía los ojos saltones... Era horrible. Menos mal que enseguida se arregló.»[61] Le bautiza el cardenal Pacelli, más tarde Pío XII.

Ese mismo año, el 6 de septiembre, muere en accidente Don Alfonso de Borbón y Battenberg, conde de Covadonga, hermano mayor de Don Juan y Príncipe de Asturias hasta 1933. Separado de su primera y discreta mujer, se casó por lo civil con una modelo, Marta Rocafort, e intentó una grotesca contrarrenuncia. El matrimonio fracasó a los cuatro meses. Don Alfonso no dejó hijos.

El 6 de marzo de 1939 nace la Infanta Margarita. Don Juan y Doña María se entristecen al averiguar al poco tiempo que la niña, aunque con un punto de luz en un ojo, es ciega. La educan maravillosamente y la convierten, poco a poco, en una persona excepcional. «Nos dijeron —escribe Doña María— que para no darle complejo había que educarla como a los demás chicos, si acaso vigilándola un poco más, por si acaso... Debo decir que en ningún momento se achicó. Al revés, muchas veces ha sido demasiado atrevida. Yo recuerdo con horror que con sus primos, los hijos de los condes de París, en el castillo de Eu, en Normandía, se subía a los tejados altísimos. La colocaban al borde y luego dos se encargaban de las manos y dos de los pies, y la decían, "Margot, mano derecha, Margot, pie izquierdo"; y así subían a lo más alto con aquella criatura que no veía y que estaba encantada.»[62]

Don Juan felicita a Franco tras la victoria de las tropas nacionales el 1 de abril. La respuesta del general es inequívoca. Ni una alusión a la Restauración de la Monarquía. Ni una esperanza. El militar ascendido por el Rey, protegido por el Rey, el que juró lealtad

---

61. María de las Mercedes de Borbón. *Autobiografía*. Transcripción de Javier González de Vega. Folio 91.
62. Ibídem. Folio 98.

eterna al Rey, no piensa ya en otra cosa que en perpetuarse en el poder. A las impaciencias de las personas reales responderá con la más gigantesca campaña antimonárquica que recuerda la historia europea, donde los silencios, las calumnias y las invectivas se combinarían durante largas décadas para evitar la creación de una alternativa a su poder autárquico.

Capítulo XII
FRANCO, *CAUDILLO* DE ESPAÑA

En su despacho de la Academia General Militar, Francisco Franco se atrinchera preocupado mientras ondea al viento del Moncayo la bandera tricolor. No está dispuesto a imitar al general Kindelán, quien por lealtad a Alfonso XIII se exilia el 17 de abril de 1931. Nada, ni la República proclamada ni el postrado Rey, debe obstaculizar su carrera. Irritado por los ascensos de Queipo de Llano, Ochoa y Cabanellas escribe una carta a *ABC* desmintiendo que fuera a ser Alto Comisario en Marruecos para demostrar que no había tenido contactos anteriores, como sus compañeros, con el movimiento republicano. Azaña le hace descender en el escalafón ese mismo día desde el primer lugar al último entre los generales de brigada. Enorme sorpresa. Franco le guardaría rencor hasta la muerte.

El 29 de junio, Azaña suprime la Academia General Militar. No quiere oficiales educados por Franco. El general pronuncia un discurso de despedida reticente. Azaña finge indignarse. Quiere humillar al general africano y firma una nota desfavorable —la primera— en la hoja de servicios de Franco. Las hostilidades han quedado sordamente declaradas. Franco se despide de *Pacón* en la Academia con los ojos nublados por las lágrimas.

Tras unos meses terribles de humillación y marginación, el general es destinado el 5 de febrero a La Coruña. Su hermano Ramón, al que quiere, le hace sufrir. Dedica su libro *Madrid bajo las bombas* a Galán y García Hernández, «asesinados por la reacción española encarnada en la Monarquía de Alfonso XIII».

Los incidentes de Castilblanco y Arnedo y su destitución como director general de la Guardia Civil, irritan al general Sanjurjo. Sainz Rodríguez le atiza para que se subleve, le insta a que hable con Franco. El 13 de julio, los dos generales cenan en La Coruña. Es un diálogo de sordos. Ambos se desprecian. Sanjurjo estaba seguro de que era imposible contar con Franco. Sainz Rodríguez lo intenta de nuevo a la desesperada. Sin Franco, el golpe fracasaría. El ascendiente de Sainz Rodríguez sobre el joven general es muy grande desde los viejos tiempos de Oviedo. Franco accede a ver a Sanjurjo para complacer a Sainz. Incluso hace la concesión de comprometerse a no mandar tropas contra los sublevados.[63]

63. Pág. 125 de este libro.

Azaña se queda tranquilo al comprobar que Franco permanece inactivo en La Coruña el «10 de agosto». Ni siquiera se da cuenta el presidente del Gobierno, cuando el general le recibe en la ciudad gallega, el 17 de septiembre, del grado de resentimiento que le rezuma al militar a través de la frialdad escrutadora de sus ojos. El hermetismo de Franco engaña a un hombre tan inteligente como Azaña, que le nombra comandante general de Baleares. El 1 de marzo de 1933, el joven general cumplimenta al político masón en el ministerio de la Guerra. Azaña cree haber domado a Franco, el máximo prestigio de los militares africanos, y le defiende ante López Ochoa, que le conoce y, naturalmente, no se fía.

Ese año, Francisco Franco reanuda el contacto con un marino que le idolatra, Luis Carrero Blanco. Se cruzan cartas entre Mallorca y París.

El general Franco, al servicio de la República

La victoria electoral de las derechas iba a cambiar la suerte de Franco. Diego Hidalgo, el nuevo ministro de la Guerra, se queda deslumbrado por la autoridad y prestigio del general. Franco se convierte en el militar mimado por el Gobierno radical. Sainz Rodríguez brama. Mientras los monárquicos y los militares leales a Alfonso XIII preparan el nuevo golpe de Estado, Franco apuntala la República. Alejandro Lerroux, el viejo «emperador» del Paralelo, el de los «jóvenes bárbaros de hoy... alzad el velo de las novicias y elevadlas a la categoría de madres para virilizar la Historia», asciende a Franco a general de División. El futuro *caudillo* se niega a cualquier contacto con los que conspiran. Solo acepta hablar de vez en cuando con Sainz Rodríguez, en la pensión de la Gran Vía, en la que vive el diputado.

A finales de febrero de 1934, Franco, que no hace un gesto para ver a su padre, el cual disfruta de la vida con su sensual amante, está contento porque su madre llega a Madrid, en una peregrinación camino de Roma. Pero el 28 de febrero, a los sesenta y seis años, muere aquella admirable mujer, enferma de neumonía. Franco acude a casa de su hermana Pilar y contempla estremecido el cadáver, de mármol blanco, de la madre a la que ama de forma profunda.

El general entabla una fría relación con José Antonio Primo de Rivera, al que su cuñado, Serrano Súñer, admira rendidamente. A Franco no le gusta José Antonio. Nunca le gustaría.

El Gobierno, en el que han entrado miembros de la CEDA, acude a Franco para apagar la «revolución de octubre», a pesar de la oposición de Alcalá Zamora, que teme al general «africano».

Francisco Franco se adueña materialmente del ministerio de la Guerra y traza la entera estrategia para aplastar la revolución, que él cree inspirada desde Moscú. Y, en contra de lo que piensa Preston, tal vez no le falta razón.

Con *Pacón* a su lado, Franco lo organiza todo. «Libre de consideraciones humanitarias que hacían que algunos oficiales superiores más liberales dudaran de utilizar todo el peso de las fuerzas armadas contra civiles, Franco afrontaba el problema que tenía ante él con gélida crueldad.»[64] Cuando el teniente coronel López Bravo expresa sus dudas sobre si sus soldados dispararían contra los civiles, Franco, le destituye, situando a Juan Yagüe al frente de los cuerpos del Ejército africano. En el general se va a cumplir ya para siempre el pensamiento profundo de Arnold J. Toynbee: «A una espada que ha bebido sangre una vez no puede impedírsele de forma permanente que la deje de beber.» Es el inevitable retorno al poblado del tigre devorador de hombres. El salvador por la espada, por la espada mantendrá su poder.[65]

El general entra a sangre y fuego en Gijón y Oviedo, procede a ejecuciones sumarias de obreros y persigue hasta el fin a los revolucionarios. La prensa cercana a la CEDA habla ya de Franco como el «Salvador de la República».[66] A finales de 1934, el general cree viable y conveniente una República conservadora. Ha decapitado sus ideas políticas y está presto a vivir la hora de los camaleones. A través de Juan Pujol hace llegar a Sainz Rodríguez el mensaje de que no es el «momento adecuado» para un golpe de Estado. Sainz Rodríguez, que ve mucho más largo y sabe en qué va a derivar la ulcerada República, se indigna.

Cae Diego Hidalgo, el 16 de noviembre de 1934, y Lerroux se hace cargo también del ministerio de la Guerra. Concede a Franco la Gran Cruz del Mérito Militar. Le nombra jefe superior de las fuerzas militares de Marruecos. El general reanuda la práctica religiosa habitual, empujado por Carmen, su mujer.

El 17 de mayo de 1935, el nuevo ministro de la Guerra, José María Gil-Robles, le nombra jefe del Estado Mayor Central del Ejército. Franco es ya claramente un militar al servicio de la República. Tra-

64. Paul Preston. *Franco, caudillo de España.* Pág. 138.
65. Arnold J. Toynbee. *Estudio de la Historia.* Tomo V. *La desintegración de las civilizaciones.* Pág. 46s.
66. *El Debate*, 16 octubre 1934.

baja intensamente y con eficacia. Está encantado con su nuevo maquillaje republicano. Sabe que muchos de sus compañeros conspiran. Pero calla. Está a punto de asistir a la boda del Príncipe de Asturias en Roma pero, por prudencia, se limita a contribuir a un regalo. El 11 de diciembre desaconseja de nuevo el pronunciamiento militar. El 14 de ese mes, Gil-Robles deja el ministerio y «un lloroso Franco» le despide con palabras emocionadas. El líder de la CEDA, por cierto, había aceptado conversaciones con los golpistas y no se había opuesto al Alzamiento. Pedía que se aseguraran del éxito.

Franco, que a una consulta de Moscardó considera «disparatado» un proyecto de golpe de José Antonio Primo de Rivera, espera que la derecha gilroblista obtenga más de trescientos diputados en las elecciones de febrero de 1936, es decir mayoría absoluta. Él sería ministro de la Guerra. Asiste en enero a los funerales de Jorge V. Le impresiona Inglaterra. Decide aprender inglés y jugar al golf.

Franco duda, tras la victoria del Frente Popular

Pero el día 16 de febrero de 1936, las urnas le sumen en la mayor de las inquietudes, en la más angustiada incertidumbre. El Frente Popular gana. Franco no será el ministro de la Guerra de una República conservadora. Tenía razón Sainz Rodríguez. El régimen republicano enfila la recta final hacia la Revolución comunista, hacia la dictadura del proletariado. Franco trata de que el jefe del Gobierno, Portela Valladares, ante las irregularidades electorales, declare el estado de guerra. No lo consigue. Se precipitan los acontecimientos. Masquelet es el nuevo ministro de la Guerra. Destituye a Franco de la jefatura del Estado Mayor Central y le destina a la Comandancia General de Canarias. Es casi un destierro. Franco se revuelve con cautela. Habla con Sainz Rodríguez. Asiste el 8 de marzo, en casa de José Delgado, a una reunión conspiratoria de la Junta de Generales. Allí están Mola, Varela, Fanjul, Orgaz y el coronel Galarza. Sabe que ya no puede esperar nada de la República. Pide la Alta Comisaría de Marruecos y seguridad para Carmen y *Nenuca* antes de comprometerse a participar en el Alzamiento. Acepta, lleno de ira interna, a Sanjurjo como jefe de la sublevación.

Nuevos roces con José Antonio Primo de Rivera a causa de la candidatura del general como diputado por Cuenca. Franco le dice a Sainz Rodríguez que está con el Alzamiento. Pero que es necesario asegurarse. No le gusta Sanjurjo y no quiere recibir órdenes de Mola, *El Director*. Habla a veces con Galarza. Telegramas cifrados con los conspiradores. Franco duda. Sanjurjo cree que no puede contar con él. El futuro *caudillo* da clases de inglés con la encantadora Dora Lennard y juega al golf. Piensa que el Alzamiento debe retrasarse. El coronel Yagüe le dice a Serrano Súñer que «le desesperaba la mezquina cautela de Franco y su negativa a correr riesgos».[67] Mola se indigna, prescinde de Franco y ordena que Sanjurjo, aceptado por todos como jefe indiscutible del Alzamiento, sustituya a Franco en África. El asesinato de Calvo Sotelo decide al general. Sainz Rodríguez y Luca de Tena arreglan, con March, la financiación de un avión para Franco. Luis Bolín, el corresponsal de *ABC* en Londres, hace las gestiones. José María Pemán respira tranquilo. Franco era para él «el semáforo de la circulación político-castrense».[68] España está ya en vísperas de la gran catástrofe. «La discordia civil es una víbora que muerde en las entrañas del país», dice el Rey Enrique VI a Gloucester y Winchester en la gran obra de Shakespeare.[69]

Todo el poder para Franco

Juan de la Cierva recomienda un *De Havilland Dragon Rapide*. Bolín lo alquila en Croydon. Hugh Pollard pilota el aparato en el que viajan como turistas su hija Diana y una amiga. Franco, en fin, se levanta en armas. Al frente del Ejército de África cruza por aire primero y luego por mar el Estrecho. Hitler decide ayudar a Franco mientras escucha música de Wagner en Bayreuth presionado por Johannes Bernhardt, que era amigo del general.[70] Los expertos y crueles soldados «africanos» tienen un éxito fulgurante y su avance se hace incontenible. Pueden entrar en Madrid. Era lo que exigía la conveniencia militar. Franco prefiere que liberen Toledo y su Alcázar. Muerto Sanjurjo en accidente, el joven general quiere todo el poder para él. Madrid, significa ganar la guerra. Toledo, el éxito personal de Franco, con un fuerte impacto psicológico. El general no ha

67. Paul Preston. *Franco, caudillo de España*. Pág. 169. Cfr. Serrano Súñer. *Memorias*. Pág. 52.
68. José María Pemán. *Mis encuentros con Franco*. Prólogo de Luis María Anson. Dopesa, 1976. Pág. 72. El gran escritor gaditano añade: «Es pasmosa la siega que la muerte tuvo que consumar para despejarle a Franco su instalación en la primacía.»
69. *The works of Shakespeare*. Virtue & Company, London. Imperial Edition. *Enrique VI*, parte I, acto III, escena I. Cfr. William Shakespeare. *Obras Completas*. Aguilar, 1967. Pág. 594. (Traducción Luis Astrana Marín.)
70. Allan Bullock. *Hitler y Stalin*. Plaza & Janés, 1994. Pág. 893.

leído a Nietzsche pero piensa como él en *Así habló Zarathustra* que una buena guerra justifica cualquier causa. El 21 de septiembre de 1936, en un barracón del aeródromo de Salamanca, sus compañeros le entregan a regañadientes el mando militar. No es suficiente. Tras el éxito nacional e internacional de Toledo, Franco aspira a ser jefe de Estado. Desea todo el poder, el militar y el político. El monárquico Kindelán le hace de electorero frente al republicano Cabanellas y el dudoso Mola. Le propone como jefe de Gobierno del Estado «mientras dure la guerra». Salvo Cabanellas, todos los generales votan sí. Una habilidad, tal vez, de Nicolás Franco en la imprenta le convierte en jefe del Estado. Tiene ya todos los poderes y una guerra larga por delante para deshacerse de sus enemigos internos y aplastar a los externos. «Convertido en jefe del Gobierno del Estado español —escribe Preston— Franco simplemente se refería a sí mismo como jefe del Estado y, como tal, se atribuirá plenos poderes. Monárquicos como Kindelán, Orgaz y Yanguas erraron al depositar en él sus esperanzas. Una vez alcanzada la cima del poder, Franco no tenía intención de cederlo en vida a un rey, aunque ladinamente siempre mantendrá vivas las esperanzas de los monárquicos.»[71]

Cabanellas, como Sainz Rodríguez, lo tenía claro. «Ustedes no saben lo que han hecho porque no lo conocen como yo, que lo tuve a mis órdenes en el Ejército de África como jefe de una de las unidades de la columna a mi mando y, si como quieren, va a dársele en estos momentos España, va a creerse que es suya y no dejará que nadie lo sustituya en la guerra, ni después de ella, hasta su muerte.»[72]

El 6 de octubre, Franco recibe al diplomático de Hitler, Du Moulin-Eckart, y le expresa una total admiración por el *führer* y por la nueva Alemania. El *Ein Volk, ein Reich, ein Führer* lo convertirá en «una patria, un Estado, un *caudillo*». Si Mussolini era el *duce* y Hitler, el *führer*, él sería «el *caudillo*». Giménez Caballero, «bufón de corte» del *caudillo*, escribirá sobre «la fórmula evangélica que comportaba el fascismo ante la Historia: César y Dios».[73] Joaquín Arrarás hablará, con unción religiosa, de la sonrisa de Franco y se referirá a él como *caudillo*: «Franco, cruzado de Occidente, elegido Príncipe de los Ejércitos en esta hora tremenda, para que España cumpla los designios de la raza latina. Y sea España la que aplaste al Anticristo de Moscú, y la que haga prevalecer la cruz sobre la hoz y el martillo...»[74] En una obra de-

71. Paul Preston. *Franco, caudillo de España*. Pág. 234.
72. Cabanellas. *La guerra de los mil días I*. Pág. 652.
73. Luis Ramírez (Luciano Rincón). *Franco, historia de un mesianismo*. Pág. 162.
74. Joaquín Arrarás. *Franco*. (6ª edición). Ediciones Atlas, 1938. Pág. 312.

finitiva, Allan Bullock explica la decisión de Stalin de auxiliar al Gobierno de Madrid y reconoce que «... el apoyo soviético fue decisivo en el otoño de 1936, ya que impidió que los nacionalistas ganasen la guerra en unos pocos meses».[75] Eso no le preocupa demasiado a Franco. El *caudillo* se dispone a hacer sin prisas una guerra que será larga, casi tres años, y que dejará sobre los surcos de Caín varios centenares de miles de muertos. La idea de Jean Paul Sartre, que subraya Nédoncelle, de que «el hombre es el ser que proyecta ser Dios», se hace cruda realidad en los albores de Burgos y Salamanca. Es la divinización del emergente dictador, que se rodea de los dioses serviles, las venus triviales, las hipócritas cenizas, los barrizales de la autarquía para convertir en astillas las ramas de la libertad pisoteada. Unos meses después, Franco firmará el decreto de unificación de todas las fuerzas políticas en FET y de las JONS. Cristaliza así la dictadura política. Sainz Rodríguez brama. Se ha cerrado el último resquicio para la Restauración.

Mientras Alfonso XIII y su hijo el Príncipe de Asturias, Don Juan, sufren en Roma por la sangre derramada en España y confían, como dos párvulos ingenuos, en la lealtad hacia la Monarquía del nuevo generalísimo, Franco ordena, con clamorosa mezquindad, que se suprima en la correspondencia y se tache en los sobres el tratamiento de Majestad al Rey. El dictador está dispuesto a enlodar el generoso reinado liberal de Alfonso XIII. Porque las cosas han cambiado. Franco no puede ser más consecuente con su pensamiento. Desde los quince años solo ha sido ejemplarmente leal a sí mismo. Todo lo demás eran actitudes de oportunismo o conveniencia. Nada le hubieran impactado de haberlas conocido entonces las palabras de un poeta metafísico del siglo XVI, poco leído en España, John Donne: «... la muerte de cualquier hombre me disminuye porque estoy ligado a la humanidad; y, por consiguiente, nunca hagas preguntar por quién doblan las campanas: doblan por ti». Franco estaba otra vez en su propio «duelo de muerte». Y las campanas solo podían tañer por su gloria sobre las cabezas cercenadas de sus enemigos. Es «la embriaguez de la victoria» a la que se refirió Toynbee con palabras profundas y grave acento de verdad.

El Rey caduco y vencido y el peligroso Príncipe Don Juan, joven y comunicativo, deben quedar bien enterados. Franco está disfrutando a bayoneta calada del festín salvaje de la guerra. Ha desempolvado sus ambiciones y es ya, definitivamente, por encima de todo, hasta la muerte, el *caudillo* de España.

---

75. Allan Bullock. *Hitler y Stalin*. Pág. 898.

SEGUNDA ETAPA DE LA RESTAURACIÓN: DERRIBAR A FRANCO

Capítulo XIII

DON JUAN, REY DE DERECHO

En un libro desolador,[1] Eugenio Vegas recoge completa una carta miserable del *caudillo* Franco al Rey Alfonso XIII.[2] En ella el generalísimo elude dar tratamiento de Majestad a quien durante tantos años fue su Rey. Como está informado del enfurecimiento que produce en el Monarca el asunto de la abdicación, lo plantea rudamente para encizañar en el seno de la Familia Real.

«Esto no puede encerrar —escribe Franco en los párrafos finales de su mezquina carta— la menor crítica ni molestia hacia vuestra persona, sería eso cerrar los ojos a las realidades: treinta años de reinado, sobre un pueblo como el español, seguido de la caída de un régimen, entregado sin defensa por los propios monárquicos, son bastante a gastar al más puro de los monarcas; aparte de que la nueva España que hoy forjamos tiene tan poco de común con la liberal y constitucional en que reinasteis que habrá de constituir para los españoles un motivo de preocupación y recelos vuestra formación y las obligadas prácticas de antaño.

Esto es lo que en el campo político ocurre con muchos de los hombres que con vosotros gobernaron o militaron en los viejos partidos; es necesario que políticamente se retiren y dejen paso a la juventud, a estos muchachos llenos de fe y de generosidad que no quieren contaminarse de liberalismos caducos y que ardientemente sienten a la Patria y a ella se entregan y sienten naturales recelos de cuanto pueda representar resurgimiento de un liberalismo derrotado.

Es un pueblo que se pone en pie, que habla otro lenguaje y necesita de otros hombres; aspiran a un Imperio, no se conforman con la España que nos legaron nuestros padres y su fe y constancia harán milagros.

Contra mi falta de ambiciones y voluntad me cupo el Deber y el Honor en estos momentos históricos de ser el *caudillo* de la Cruzada y en ella he de caer o alcanzar para España la gloria que está en la mente de todos y por ello, forzando la inclinación natural a seros grato, os hablo con esta lealtad y esta franqueza, seguro de que vuestro patriotismo hará que me comprendáis y con la seguridad también de vuestra colaboración.

1. Eugenio Vegas Latapié. *Los caminos del desengaño*. Prólogo de Fausto Vicente Gella. Tebas, 1987.
2. Archivo Don Juan de Borbón, de donde la transcribe Vegas. Cfr. *Los caminos del desengaño*. Págs. 515-516, y Ricardo de la Cierva. *Franco Don Juan, los reyes sin corona*. Pág. 120s.

Por todo esto he de rogaros cuidéis de la formación del príncipe Don Juan, llevar a su ánimo el despertar de España, que siga intensamente nuestro movimiento y sienta al unísono con esta juventud, alejando de su lado a cuantos pretendan torcer su excelente natural, pretendiendo precipitar etapas en un camino cuya meta presentimos pero que por lo lejana no vislumbramos todavía. Con la más alta consideración y el más devoto recuerdo.

FRANCISCO FRANCO
Burgos, 4 diciembre 1937»

En el archivo del *caudillo*, según los *Documentos inéditos para la historia del Generalísimo Franco*, editados por la «Fundación Francisco Franco»,[3] existe una carta manuscrita de Don Juan en la que, al hilo de la misiva del dictador a Alfonso XIII, el Príncipe de Asturias hace algunos desmentidos. La carta no figura en el archivo de Don Juan (tal vez es auténtica pero más de una vez se falsificó su papel, o el de su Consejo Privado, así como su letra, en documentos inventados por oficiosos de turno).

Alfonso XIII hace caso omiso de lo que le pide Franco. No piensa abdicar y se da cuenta de que su antiguo general solo pretende malquistar la situación en la Causa monárquica. Celebra como es lógico la victoria militar del *caudillo* y, tras el último parte de la Guerra Civil, el 1 de abril de 1939, le felicita generosamente. Cuatro meses después, en julio, un joven marino, Luis Carrero Blanco, visita en Roma al Príncipe de Asturias. Puede comprobar que padre e hijo, Alfonso XIII y Don Juan, forman en todo momento una piña. Se entienden a la perfección. No hay fisuras ni contradicciones entre ellos. Son dos ingenuos, que se hacen demasiadas ilusiones.

1939. Testamento de Alfonso XIII

Ante el notario H. R. Berger, en Lausana, el Rey otorga testamento el 8 de junio de 1939. Es un documento de relieve, cuya parte sustancial dice así:

«Hago constar que tengo aprobada la renuncia que del derecho a sucederme en la Corona de España hizo mi hijo don Jaime por sí y por

---

3. Azor. Colección de Estudios Contemporáneos. Madrid, 1992. La carta figura en el Tomo I. Pág. 166. Extrañamente va firmada por Juan de Borbón, algo inusual. Es, en todo caso, un documento menor.

sus descendientes y que por virtud de tal renuncia el heredero inmediato de aquélla es mi otro hijo varón don Juan, que por eso ha asumido el título de Príncipe de Asturias. Por tanto, encarezco a mis familiares que reconozcan en don Juan la autoridad que mientras subsistió la Monarquía pertenecía al Rey sobre sus parientes, conforme a las leyes nacionales, y a mi dicho hijo le exhorto, como consecuencia de esa autoridad, se considere, en el alcance de sus medios, investido en el deber de ayudarlos.»

Tienen, el Rey y el Príncipe de Asturias, información suficiente para saber que el conflicto entre Alemania e Inglaterra se hace inevitable. El pájaro negro de la II Guerra Mundial aletea ya sobre el rostro crispado de Europa. Solo seis meses después de la victoria de Franco estalla la conflagración general. Todo vuelve a estar en el alero. El futuro es otra vez un viento huracanado. Crepitan con ira las llamas de la violencia, dispuestas a reducir a escoria y cenizas una época que se hace irremediablemente vieja.

Serrano Súñer, al comenzar el año 1940, visita al Rey en el *Gran Hotel* de Roma. Alfonso XIII teme que le plantee la abdicación, como prólogo a la Restauración. ¡Qué ingenuidad! Naturalmente, no es así. El Rey se queda asombrado de la intensidad del entusiasmo germanófilo del ministro. Sainz, que odia políticamente a Serrano, se lo había advertido tras ser destituido como ministro de Educación de Franco. El Rey le cuenta a su hijo la conversación. Ha advertido a Serrano que el Gobierno español debe ser más prudente: a pesar de las victorias fulgurantes, Alemania no ganará la guerra. La postura anglófila de Alfonso XIII y Don Juan irrita a Franco. Considera que es una posición antipatriótica. En la nueva España solo son patriotas los que piensan como Franco. Y el *caudillo* está con Hitler.

Enero de 1941. Abdicación de Alfonso XIII

El valido de Franco, el inteligente Serrano Súñer, adula al dictador y le atiza contra la Monarquía. Ataca con saña a la Institución, haciendo ver al *caudillo* que la Monarquía no era querida por los españoles y menos por la Falange, recordándole que Mussolini más de una vez le había dicho: «Diga al Generalísimo que no instaure la Monarquía, que el rey será siempre su enemigo; a mí me pesó mucho el no haberme desentendido de la casa de Saboya cuando los camisas negras avanzaron sobre Roma.»[4] La verdad es que Franco no necesi-

4. Franco Salgado-Araujo. *Mis conversaciones privadas con Franco.* Pág. 47.

ta que le caldeen contra la Restauración. No piensa hacerla. Cuando años después Serrano Súñer, caído en desgracia como valido del *caudillo*, se aproxima a la Causa monárquica, Franco dirá fríamente: «Me extraña el actual monarquismo de Ramón Serrano Súñer, pues siempre fue republicano, tal vez por ser pariente de uno de los presidentes de la primera República, que era tío de su padre.»[5]

Tras una consulta con los médicos en octubre de 1940, Alfonso XIII, que al menor esfuerzo se asfixia, sabe que tiene una seria insuficiencia cardíaco-respiratoria y el pulmón derecho dañado. Ese mes le habla a su hijo por primera vez de la abdicación. Don Juan recordará aquella conversación de forma muy precisa. Anima a su padre y le dice que no conviene hacer ningún movimiento político en plena Guerra Mundial. El Rey está a punto de encontrarse con Manuel Azaña en el Museo de Ginebra, donde se inaugura una exposición con los cuadros del Prado. Pero al político republicano le falta generosidad y decide no acudir.[6]

Durante las Navidades, el Rey cree varias noches que se muere. Y toma una decisión, sin consultar a nadie, que presenta a su hijo el Príncipe de Asturias como un hecho consumado. Dirige a los españoles, como hizo el 14 de abril de 1931, un manifiesto excepcional:

«Españoles:

El 14 de abril me dirigí al pueblo español, manifestando mi decisión de apartarme de España, suspendiendo deliberadamente el ejercicio del poder, sin renunciar por ello a ninguno de los derechos sagrados de los que la Historia me había hecho guardián y depositario.

Cumplí en aquella ocasión un deber de patriotismo, y gracias a ello ninguno podrá afirmar hoy que se vertiera sangre española, para defender intereses de un régimen, o de una dinastía, sino que la magnífica epopeya de la liberación de España, el heroísmo de su Ejército, y de la juventud española, viene marcado con el sello inconfundible del sacrificio por la Patria, que abre paso a la solidaridad de todos, para crear su unidad, su libertad y su grandeza.

Asegurada ya la victoria definitiva, sentí con ella el impulso de anticipar esta declaración; contuvo, sin embargo, mi ánimo el deseo de madurarla hasta hoy que, robustecido de consejos leales e informes autorizados, me juzgo en la obligación de dirigirme de nuevo, y por última vez, a los españoles.

Al reorganizarse políticamente el país es preciso que quede expe-

5. Franco Salgado-Araujo. *Mis conversaciones con Franco*. Pág. 68.
6. Cfr. Federico Jiménez Losantos. *La última salida de Manuel Azaña*. Planeta, 1994. Pág. 153s.

dito y franco el camino, para que, en el momento que se juzgue oportuno, pueda reanudarse la tradición histórica, consustancialmente unida a la institución monárquica, que durante siglos ha asegurado la unidad y permanencia de España.

Durante mi reinado procuré siempre servir el interés de mi Patria, y espero que la posteridad hará justicia a la rectitud de mi intención, y al logro de muchos de mis propósitos durante un período que cuenta entre los más prósperos de nuestra Historia. Pero aún, siendo así, sería desconocer la realidad, no advertir que la opinión española, la de los que han sufrido y han luchado y han vencido, anhela la constitución de una España nueva en que se enlace fecundamente el espíritu de las épocas gloriosas del pasado, con el afán de dotar a nuestro pueblo de la capacidad necesaria, para realizar su misión trascendental en lo futuro.

A esa exigencia fundamental de la opinión española debe responder la persona que encarne la institución monárquica, y que pueda ser llamada a asumir la suprema jerarquía del país.

Por una parte ha de esforzarse en que desaparezcan los últimos vestigios de las luchas civiles, que dividieron a los españoles en el siglo XIX; por otra, ha de encarnar la esperanza de los que desean una España nueva, libre de los defectos y vicios del pasado, en la que un sentido eficaz y vivo del patriotismo vaya unido a una más adecuada organización de la sociedad y del Estado, y a una más equitativa participación de todos en la prosperidad general.

No por mi voluntad, sino por ley inexorable de las circunstancias históricas, podría tal vez mi persona ser un obstáculo, y sobre todo entre quienes convivieron conmigo y tomaron después, de buena fe seguramente, rumbos distintos. Ante algunos, podría aparecer como el retorno a una política que no supo o no pudo evitar nuestra tragedia, y las causas que la provocaron; para otros, podría ser motivo de remordimiento o de embarazo. Deber mío es remover esos posibles obstáculos, sacrificando toda consideración personal, para servir la gran causa de España, por la que tan generosamente han ofrendado su sangre millares de españoles.

De manera alguna pesa en mi ánimo la elección de oportunidad o acierto de la mayor o menor resonancia de mis actuales manifestaciones; hubiera rehuido siempre alterar el espíritu público o distraer su atención de otras miras, hacia mí, pues mi propósito y designio consisten en causar un solo efecto: desaparecer en sazón y tiempo para bien de España.

Renuevo especial llamamiento al patriotismo de todos sin distinción, y en particular a los remisos al sacrificio por la unión, a los cuales va muy encarecido con mi ejemplo.

Con este espíritu y este propósito ofrezco a mi Patria la renuncia de mis derechos, para que por ley histórica de sucesión a la Corona, quede automáticamente designado, sin discusión posible en cuanto a la legitimidad, mi hijo el Príncipe Don Juan, que encarnará en su persona la institución monárquica, y que será el día de mañana, cuando España lo juzgue oportuno, el Rey de todos los españoles.

ALFONSO XIII, REY
Roma, 15 de enero de 1941»

El conde de los Andes y Juan Vigón le entregan al dictador en El Pardo una copia del manifiesto de abdicación. A Franco no le gusta. Alfonso XIII es el pasado y no le considera un enemigo que pueda disputarle el poder. Don Juan es un joven que cautiva a todos. Resulta preocupante. Menos mal que es anglófilo. Como Alemania tiene ya ganada la guerra, los anglófilos lo van a pasar muy mal. Don Juan está equivocado y la victoria final de los nazis le dejará debilitado. Aun así, Franco decide que no se publique el texto de la abdicación del que había sido su Rey de hecho durante treinta y nueve años, el mismo que le había convertido en el general más joven de Europa.

El Príncipe de Asturias contesta a su padre, al día siguiente, con una carta de alcance político.

«Señor:

Con el ánimo embargado por la emoción más profunda, me hago cargo de la notificación solemne en que Vuestra Majestad me comunica haber renunciado a la Corona de España.

Cuando la Historia enjuicie el reinado de Alfonso XIII no podrá menos de reconocer, sin faltar a la justicia, la abnegación y el amor a la Patria, que han inspirado todos los actos de Vuestra Majestad, aun aquellos más discutidos por la pasión política.

No obstante haber luchado con la infecundidad de formas estatales impuestas por los tiempos, pero desviadas de nuestra mejor tradición, aparecerá ese período como uno de los más prósperos de nuestra Historia.

En él se renovó la cultura superior de España; se extendieron a grandes zonas de las clases populares los beneficios de la educación; aumentó la población, el bienestar general y el nivel de vida; nació, puede decirse, en nuestra Patria, la gran industria, y adquirió gran impulso la Marina, coexistiendo una legislación social más generosa que la de cualquier país europeo contemporáneo, y gracias a la energía, clarividencia política y decidida actitud personal de Vuestra Majestad, luchando contra un falso estado de opinión, se salvó para España la posesión de nuestros territorios de África, que tantas posibilidades ofrecen para el porvenir, organizándose y templándose en su conquista el espíritu combativo y patriótico de un Ejército que, en definitiva, había de salvar a España en el trance tremendo y doloroso de la última guerra civil.

Los sufrimientos padecidos por nuestro pueblo con ocasión de esta gran Cruzada Nacional y la sangre vertida generosamente por tantos mártires gloriosos de Dios y de la Patria, hacen que se agrave el sentimiento de la responsabilidad con que recibo los derechos a la Corona de España, que recae en mi persona, según la ley histórica imprescriptible, cerrándose por designio providencial el ciclo de las disensiones, sobre la legitimidad de la sucesión, que fueron, en gran parte, causa de las guerras civiles del pasado siglo.

Ruego a Dios me conceda los dones de acierto, firmeza y perseverancia necesarios para cumplir los fines a que me destina. Cuando sus designios me lleven a ceñir la Corona de España, lo haré con el propósito irrevocable de restaurar el sentido político y social de nuestra Monarquía Tradicional, renovando el aliento cordial y generoso que la dio vida, y que sobre nuestra fe católica, y sobre la conciencia de nuestra Unidad de destino, cimentó la Unidad política y la Grandeza de España.

Con este objetivo fundamental, cuando llegue la hora de cumplir mi deber y mi deseo de servir a nuestra Patria, me esforzaré en asegurar su Unidad moral y su continuidad histórica; mitigaré con afecto y autoridad de padre, recientes dolores, y satisfaré, eficazmente, los anhelos de la gran masa de españoles que aspiran a una vida más justa y mejor.

Réstame, como hijo, pedir a Vuestra Majestad su bendición de padre, para que ella me ayude en todos los momentos a cumplir, en bien de España, los trascendentales deberes que la decisión de Vuestra Majestad me impone.

JUAN, PRÍNCIPE DE ASTURIAS»

El 16 de enero de 1941, Don Juan de Borbón es ya el Rey de derecho de España. Bien aconsejado, decide moverse por el mundo con el título de Conde de Barcelona, que es de soberanía, que es lo mismo que decir Rey de España, pero de una forma discreta y no provocadora.

Febrero de 1941. La muerte del Rey

Y Alfonso XIII se muere. Un mes después de la abdicación es ya un enfermo irrecuperable. Con la palabra España en los labios, rodeado de su mujer, la Reina Victoria, y de sus hijos expira en la habitación número 32 del *Gran Hotel* de Roma, el 28 de febrero de 1941. «Es —había dicho la Reina— alegre como un latino, cortés como un Habsburgo, deportista como un inglés, orgulloso como un español y tan egoísta como cualquier otro hombre.»[7] Durante varias semanas, el Rey ha soportado crueles sufrimientos, encendido el costado como si le aplicaran un hierro al rojo candente. El hombre que había nacido siendo ya el Rey de una de las grandes Monarquías del mundo demuestra un temple que emociona a los que le rodean. La Reina Victoria, antes del embalsamamiento, amortaja su cadáver allí mismo. Es el verso terrible de Agustín de Foxá: «En el cuarto de un hotel está muerto el Rey de España.» Don Juan, que ha escuchado de Alfonso XIII sus últimas palabras entrecortadas, «Dios mío, España, Majestad, España sobre todo, Dios mío», jura a su padre en el lecho de muerte que le enterrará en el Panteón de Reyes del Monasterio de El Escorial, cuando pueda hacerlo con dignidad. Treinta y nueve años después cumpliría su promesa. Julián Cortés-Cavanillas ha narrado de forma desgarrada la enfermedad y muerte de Alfonso XIII.[8] Anson recibió una versión detallada y emocionante del P. Ulpiano, que atendió al Rey en el trance. Fue en Paraguay, en la residencia del buen sacerdote, cerca de Asunción. En una extensa carta, Anson informaría a Don Juan de aquella conversación.[9]

Ocho meses después de la muerte del Rey, nace el cuarto hijo de Don Juan. Es el 3 de octubre de 1941. Al niño se le bautiza con el nombre de Alfonso. Será la alegría de la Familia Real hasta su muerte en accidente, en 1956.

Aunque según Serrano Súñer, Franco no quería declarar luto por la muerte del Rey, se ve forzado a ello ante la reacción popular. Madrid aparece salpicado, en una parte considerable, de banderas con crespones negros. El embajador británico da fe de ello: «Cuando muere el Rey Alfonso XIII cubrió a toda España una ola de simpatía monárquica. Y fue significativo que en el republicano Madrid las casas de los barrios más populares se cubrieran espontáneamente de crespones de luto.»[10] El dictador aprovecha la muerte de Alfonso XIII para enviarle, el 6 de marzo de 1941, una carta-sermón a Don Juan. El nuevo Rey contesta a la admonición del dictador con unas letras en las que le expresa claramente: «... la circunstancia de ser yo el representante del Poder Real me hace comprender que he de cumplir

7. Vilallonga. *El Rey*. Pág. 62.

8. Julián Cortés-Cavanillas. *Alfonso XIII, vida, confesiones y muerte*. Prefacio de Winston S. Churchill. Prólogo de Juan Ignacio Luca de Tena. Editorial Juventud, 1966. Pág. 354s.

9. Archivo Luis María Anson. Carta a Don Juan de 14 de agosto de 1982. El P. Ulpiano falleció a causa de un cáncer de colon.

10. Samuel Hoare. *Embajador ante Franco en misión especial*. Sedmay, 1977. Pág. 333.

mi deber con respecto a España...».[11] Franco se da cuenta del alcance de la frase. Alfonso XIII era un vestigio de la Historia. No un competidor. Con Don Juan surge un poder independiente del suyo. Ricardo de la Cierva afirma con indiscutible clarividencia: «Las primeras discrepancias entre Franco y Don Juan surgen a la muerte de don Alfonso XIII. Y se refieren a algo que Franco pretendió monopolizar: el poder.»[12]

Es exacto. Desde el 15 de enero de 1941 al 16 de julio de 1969, entre Don Juan y Franco, entre el Rey de derecho y el *caudillo* de hecho, no habrá otra relación de fondo que la lucha por el poder. Todo lo demás será accesorio y circunstancial, hojarasca de la Historia que ha impedido ver el tronco de la realidad a tantos historiadores.

Franco tiene cuarenta y ocho años. Don Juan, veintisiete. Las espadas están en alto. La Historia de España va a asistir durante tres décadas a la lucha cuerpo a cuerpo entre el Rey y el dictador. Franco no tendrá otra alternativa ni otro enemigo peligroso que aquel joven príncipe, heredero de la Corona de España. Ni los comunistas, ni los socialistas, ni la República fantasmal en el exilio, ni las fugaces conspiraciones internas, le inquietarán nunca. Todo ello lo aplastará con habilidad y escaso esfuerzo. No podrá nunca doblegar, ni someter, ni dominar a aquel muchacho que en el frío invierno de 1941, mientras el fragor de la guerra atruena a Europa, se había convertido en Rey de derecho de España.

---

11. Archivo Don Juan de Borbón.
12. Cfr. Ricardo de la Cierva. *Franco Don Juan, los reyes sin corona.*

Capítulo XIV

LA ESTRATEGIA MONÁRQUICA PARA DERRIBAR AL DICTADOR

«Cautivo y desarmado» el Ejército republicano, la España nacional en aquella primavera riente de 1939 es una explosión de júbilo, euforia, patriotismo, abnegación, austeridad, espíritu de sacrificio; pero también de rencor, resentimientos, venganzas, denuncias, fusilamientos, crueldad, hambruna y miseria.

La vida política gira en torno a una sola cuestión: la sacralización del dictador. Una censura de Prensa regida por fanáticos y exseminaristas, turbia y ensotanada como no se ha conocido en el siglo XX, uniforma los medios de comunicación en torno al *caudillo*. Es bueno lo que favorece a Franco; malo lo que le perjudica.

Los hombres de la conspiración monárquica contra la República quedan desplazados. Alfonso XIII y Don Juan, silenciados. A Eugenio Vegas no se le permite publicar *Acción Española*. La revista *Blanco y Negro* no puede reaparecer. En *ABC*, Franco y Serrano Súñer imponen a un director, José Losada de la Torre, que no se saluda con el propietario del periódico, Juan Ignacio Luca de Tena, el cual al poco tiempo es «desterrado» a la Embajada en Chile. Sainz Rodríguez, según su propia versión, ha dimitido de su cargo de ministro de Educación Nacional porque se puso de acuerdo con Franco, cuando le nombró, en la fecha de su salida: el día de la Victoria. No es así. El dictador le destituye porque no se fía de él. Sainz Rodríguez es demasiado inteligente, demasiado culto, demasiado independiente, demasiado conspirador, demasiado monárquico. Sainz Rodríguez no admira el genio político del dictador, ni el genio militar, ni mucho menos el genio literario, lo que escuece particularmente al que un día se haría nombrar por la Asociación de la Prensa, Primer Periodista de España. «Yo solo admiraba los huevos de Franquito», solía decir con sorna don Pedro muchos años después.

Sainz Rodríguez, además, se enfrenta al dictador en los Consejos de Ministros y provoca la risa sorda de los otros miembros del Gabinete. En una ocasión el *caudillo* interrumpe la disertación de uno de sus ministros y dice: «Eso es un cuento chino.»

Se hace un silencio asustado y don Pedro interviene con cierta cachaza. «Pues mire usted, mi general, le voy a contar un cuento chi-

161

no sobre el que conviene meditar. Un prefecto recién llegado a su cargo ofreció un gran banquete a los notables de la ciudad. En medio de los vinos y el regocijo, un cantor saludó en estos términos al recién llegado: "Al antiguo magistrado uno nuevo le reemplaza; a la estrella de la desgracia una estrella de felicidad le sucede." Al oírse llamar estrella de felicidad, nuestro prefecto, lleno de júbilo, se apresuró a preguntarle al cantor por el autor de los versos. "Son anónimos. Es tradición la de cantar de esta manera después de la destitución de un prefecto y a la llegada del nuevo. A todos les saludamos con esa misma canción", contestó el cantor.»[13]

Sainz Rodríguez escucha con regocijo cómo los aduladores comparan a Franco con Napoleón y cómo el adulado se siente altamente complacido. Don Pedro acoge con jubilosa algazara el endiosamiento del *caudillo* y, además, le burla con chistes crueles. El capitán Ochoa entra un día en el despacho de ministro de Sainz Rodríguez en Burgos. Se quita la gorra y la lanza sobre el retrato oficial de Franco.

—Se la voy a colgar de un cuerno —exclama.

—Protesto, protesto —se levanta el ministro, indignado, en el esplendor de su obesidad, golpeando la mesa con sus manos vegetales—. Eso es injusto... Eso es injusto... Ni siquiera en eso se parece a Napoleón.

Jorge Vigón, que asiste a la escena, se la cuenta a su hermano Juan. Éste hace méritos con Franco y relata el chisme al dictador. El mutismo del vejado generalísimo presagia que escabechará con refinamiento a Sainz Rodríguez en la primera ocasión. Éste no reconocerá nunca que fue destituido de un plumazo y dará hasta su muerte una explicación política que no es cierta. Algún historiador atribuye la destitución a que Doña Carmen averiguó casualmente que don Pedro frecuentaba una casa de lenocinio a la que acudía puntualmente con su coche de ministro. Era verdad. «No iba a ir andando», diría don Pedro.

Los conspiradores monárquicos, media docena de políticos y otra media de militares, se reúnen en la calle Gurtubay 5, antigua sede de *Acción Española* y, en ese momento, de la sociedad *Cultura Española*. Cada uno tiene una idea de cómo derribar a Franco. Pero son solo un grupo de ratoncitos con los que el poderoso gatazo de El Pardo juega a placer.

---

13. Anson recuerda haber leído una historia parecida a ésta, que contó cien veces don Pedro, en el *Sian Shan Ye Lu*, libro de relatos escrito en el siglo X.

1940-41. Don Juan, anglófilo; Franco, germanófilo

Estalla la Guerra Mundial. Franco se alinea al cien por cien con el Eje. Por lo menos hasta avanzado 1942. Su Estado Mayor, sobre todo Juan Vigón, no tiene dudas sobre la victoria alemana. Las leyendas de la posterior propaganda franquista sobre la habilidad del generalísimo para sortear a Hitler y mantener la paz no resisten el rigor histórico. Paul Preston lo ha demostrado de forma incuestionable.[14]

Tras la entrevista de Hendaya entre el *führer* y el *caudillo*, el 23 de octubre de 1940, Sainz Rodríguez ve las cosas claras. Mientras Vegas Latapié, con su habitual simplificación de los hechos, organiza, incansable, movimientos de generales, Sainz Rodríguez considera imposible llevar a cabo un golpe militar contra Franco y comprende que Don Juan tiene que jugar todas sus cartas a ser el Rey aliadófilo frente al Franco germanófilo. Si Alemania gana la guerra, el dictador tendrá todos los caminos despejados. Si los aliados se alzan con la victoria, su candidato para España será Don Juan, que solo se instalará en el Trono si los carros de combate de los vencedores sacan a Franco de El Pardo con los pies por delante. Porque solo la muerte apartará al *caudillo* del poder. Ésa es una premisa certera de la que siempre partió Sainz Rodríguez.

Fallecido Alfonso XIII, don Pedro escribe una carta muy lúcida a Don Juan, con fecha 17 de abril de 1941: «... y, claro, Vuestra Majestad debe pensar en dejar Roma. No puede vivir en el país aliado de Hitler. Le ruego me perdone la rudeza: nadie creerá en sus sentimientos británicos mientras esté al lado de Mussolini. Debe vivir en Suiza, Señor, o en Portugal. No tiene elección. Franquito no le hará Rey nunca, pero si Vuestra Majestad se convierte en el primer anglófilo e Inglaterra gana la guerra, Franquito será como una sardina asturiana, no dejarán de él ni las raspas».[15] Hay tres cartas más en las que Sainz Rodríguez insiste en el traslado urgente del nuevo Rey a un país neutral. También escribe para Don Juan un discurso, retocado por Eugenio Vegas, que el Rey leerá en Roma en el primer aniversario de la muerte de su padre, el 28 de febrero de 1942. Entre otras cosas afirma:

14. Paul Preston. *Franco, caudillo de España*. Págs. 429-631.
15. Archivo Sainz Rodríguez.

«Hoy, como antaño, la Corona, que está por encima de los intereses de partido, de clase, y ajena a todo espíritu de rencor o represalia, puede encarnar serenamente la Justicia necesaria, para restablecer la unidad moral de la Patria española.

Porque no debe su poder a la elección, no necesita la Institución monárquica contemporizar con nadie, ni halagar a ningún sector social determinado, y únicamente se consolida y afirma, poniendo su autoridad al exclusivo servicio del supremo interés de la nación.»[16]

Don Juan no es solamente anglófilo por las naturales simpatías de su madre inglesa. Cree que Gran Bretaña ganará la guerra porque ha servido en la Royal Navy «y me formé una idea desde dentro de la capacidad del espíritu británico».[17]

1942. El plan de Sainz Rodríguez con Inglaterra

Sainz Rodríguez se decide a entrar en contacto con la Embajada británica. Habla primero con el embajador Samuel Hoare y el agregado naval Allan Hillgard. Luego, y de forma secreta y continua, con Arthur Yencken. Su plan es sencillo. Si España entra en guerra en favor de Hitler, la Escuadra inglesa ocuparía las Canarias y se establecería allí un gobierno de resistencia paralelo al de De Gaulle con Don Juan como Rey y Sainz Rodríguez como presidente del Ejecutivo. Según Satrústegui,[18] que conoce la operación, Kindelán, Aranda y García Escámez (capitán general de Canarias) están en la conspiración. Es un planteamiento audaz que, entre densas cautelas diplomáticas, Gran Bretaña considera.

En casa de José María de Areilza, Sainz Rodríguez explica en secreto su proyecto a los comensales: el general García Valiño y Eugenio Vegas. Don Pedro creyó siempre que fue García Valiño quien le denunció porque aspiraba a un puesto de máximo relieve en África. No fue así. Vegas le cuenta en secreto la historia, en la que tiene poca esperanza porque no cree en la acción sin doctrina, a Jorge Vigón. Éste a su hermano. Y Juan Vigón hace de nuevo méritos con

16. Archivo Sainz Rodríguez.
17. Víctor Salmador. *Don Juan de Borbón. Grandeza y servidumbre del deber.* Planeta, 1976. Pág. 238. En este libro se ponen en boca de Don Juan muy extensas opiniones sobre variadas cuestiones. En abril de 1977, Anson le preguntó a Don Juan si respondían a la verdad. «Debo decir —le contestó— que aunque a veces el contexto es dudoso, lo que escribe Salmador es, efectivamente, lo que yo le dije.»
18. Joaquín Satrústegui. *La política de Don Juan III en el exilio. ABC,* 23-XII-90. Pág. 34.

Franco. El dictador se enciende. Que Orgaz, que Tella, que Aranda, que Kindelán, que Vegas conspiren le parece un juego. Que Sainz Rodríguez se ponga en marcha, y con una operación tan sutil, le alarma. Conoce demasiado bien la capacidad para la intriga de aquel profesor de literatura. Es el único monárquico que tiene musculatura política para echarle un pulso al dictador. Franco decide doblárselo, ordena una investigación y comprueba que todo es verdad. Sainz Rodríguez conspira secretamente con la Embajada británica. Alemania va a ganar la guerra, la ha ganado ya según Franco, pero si la evidencia no se confirma, el plan de Sainz Rodríguez terminaría con el poder del *caudillo*. Además, alentar o permitir que los británicos tomen las Canarias significa para el sentido militar de Franco un delito de alta traición a la Patria.

La reacción del dictador es fulminante. Ordena deportar a Sainz Rodríguez a la isla de Fuerteventura para que se entere sobre el terreno de lo que son las islas Canarias. Toma las mismas medidas contra Eugenio Vegas y cambia de destino a varios generales conspiradores.

Sainz Rodríguez burla a Franco. Ha previsto la reacción del dictador si le llegan noticias de la conspiración. Tiene alquilado un piso discreto en Madrid, con alimentos para un mes y con bidones de gasolina, pues en aquella época faltaba carburante en todos los sitios. Cuatro semanas después, el 23 de junio de 1942, Sainz Rodríguez se fuga en coche a través de una finca en la frontera con Portugal. Vegas Latapié, menos cinematográficamente, lo había hecho por los Pirineos, ayudado por Antonio Ochoa, Ansaldo y Areilza, para trasladarse a Suiza, a Lausana, junto a su Rey. A partir de ese momento y hasta 1948, aquel vasco áspero y austero se convertirá en el hombre clave junto a Don Juan. Hasta finales de 1945, de acuerdo sustancialmente con Sainz Rodríguez. Después, en pugna con don Pedro. En 1948 se vio forzado a dimitir. Al llegar a Lausana, pobre de solemnidad, Vegas subsiste dando clases de español. El dinero no le alcanza para vestir y comer. Tiene que elegir. Decide vestir bien, como exige el decoro ante el Rey. Vegas es un viejo hidalgo español y cuando acude a los almuerzos o a las cenas con Don Juan disimula que está hambriento.

«Durante este período —escribe Sainz Rodríguez[19] refiriéndose a 1942— continué desde Portugal mis gestiones con los ingleses para la tarea que ya queda expuesta, que era la formación de una junta monárquica que se situaría en Canarias en el caso de una invasión

---

19. Sainz Rodríguez. *Testimonio y recuerdos*. Pág. 278s.

alemana de la Península,[20] para constituir en las islas un Gobierno defensor de la independencia de España. Queda explicado el plan y los fines con que esa gestión se hizo. Yo continué manteniendo el fuego sagrado de esa idea, el contacto con los que iban a componer la Junta desde Lisboa, y he de decir que Inglaterra tomaba tan en serio esta gestión que, cuando el desembarco americano en África, tuve a mi disposición en el Tajo un barco de guerra inglés que me trasladaría a Canarias...» Sir Samuel Hoare, embajador británico en Madrid, se desplaza en más de una ocasión a Lisboa, según Ricardo de la Cierva, para deliberar con Sainz Rodríguez.[21] Alguna vez es posible. Pero quien acude periódicamente a Lisboa es Yencken, con conocimiento del embajador británico en Portugal, Ronald Campbell. Yencken morirá el 18 de mayo de 1944 en accidente de aviación. La avioneta en que se trasladaba de Madrid a Barcelona, en compañía del comandante Caldwell y el mecánico Gaspar Martínez se estrelló en la sierra de Artigós, en Villalba de los Arcos, partido judicial de Gandesa (Tarragona). Los tres tripulantes perecieron carbonizados. ¿Accidente, atentado? Un misterio más para la Historia. El jefe del espionaje británico, el conspirador con Sainz Rodríguez para la ocupación de las Canarias y la formación de un Gobierno de «resistencia» pagaba, en todo caso, su actividad contra Franco.

Terminada la Guerra Mundial el director de un banco angloportugués invitó a almorzar a Sainz Rodríguez. Era una cautela de Hoare para ver a don Pedro, vigilado por la policía de Salazar. «Sir Samuel —escribe Sainz Rodríguez— se creyó obligado, cuando ya no teníamos nada que hablar una vez terminada la guerra, a venir a verme para recordar todo lo que trabajamos juntos y para comunicarme sus ideas sobre el futuro español...»[22] Al informarle que estaba escribiendo un libro sobre su misión ante Franco, don Pedro pidió a Hoare que no citase a los que habían conspirado para evitar las represalias del dictador. El embajador solo le atendió a medias.

Por su hermano Nicolás, embajador en Lisboa, el dictador se entera de la fuga de Sainz Rodríguez y de que prosiguen sus gestiones secretas con la diplomacia británica. Así como Napoleón se dio cuenta de que Godoy era el único hombre de talla que podía hacerle frente en 1808, Franco, que no es Napoleón, se da cuenta de que Sainz Rodríguez, que no es Godoy, se ha convertido en su único rival de en-

---

20. Era la célebre «operación Félix» de Hitler para tomar Gibraltar por un lado y Suez por otro y cerrar el Mediterráneo.
21. Ricardo de la Cierva. *Franco Don Juan, los reyes sin corona.* Pág. 209.
22. Sainz Rodríguez. *Testimonio y recuerdos.* Pág. 281.

vergadura. Aquel profesor de literatura, que no acababa de aplaudir en Oviedo sus artículos magistrales en *Revista de las Tropas Coloniales*, resulta que tenía un barco de guerra británico a su disposición y proyectaba un Gobierno con los aliados para derribarle. Así es que decide inutilizarlo convirtiéndole en masón. Ordena a Joaquín Arrarás que investigue en todos los archivos de la masonería española, pues en su época de coronel alguien le había dicho que Sainz Rodríguez era el «Hermano Tertuliano». Arrarás es un fanático de Franco. Y un energúmeno. Maeztu solía decir en *Acción Española*: «Necesitamos energúmenos. No tenemos energúmenos. Solo tenemos a Arrarás.» Pero el historiador de Franco es, a la vez, un hombre honrado e informa a su *caudillo* de que no ha encontrado nada. Da igual. El dictador siembra la especie de la masonería de don Pedro en los más varios círculos. Habla de él como del «Hermano Tertuliano». «Será porque me gustan mucho las tertulias», comentará con regocijo el profesor.

«La proposición para establecer un Gobierno en Canarias —le confirma Don Juan a Víctor Salmador— aparecía rodeada de todas las lógicas, fuerzas y apoyos que son necesarios para viabilizar cualquier conspiración. Yo no actué en ningún intento como promotor, como inspirador de la conspiración, no intervine directamente en ella. La conocí, sí, y el Gobierno británico exploró mi actitud ante tal hipótesis».[23] Arnold J. Toynbee cifra, citando a Churchill, en 20.000 hombres la fuerza británica preparada para embarcar e invadir las islas Canarias.[24]

Mayo de 1942. Franco ofrece a Don Juan «la Jefatura total del Pueblo y sus Ejércitos»

Preocupado por las maniobras de Sainz Rodríguez, el dictador, antes de ordenar la deportación del catedrático, había tratado de neutralizar a Don Juan, enviándole una carta en la que llega a decir: «*Es mi ilusión que no tarde en coronarla para poder ofreceros en ese día con la Jefatura total del Pueblo y sus Ejércitos...*» No se puede pedir más. Es la entrega completa. Pero Don Juan no traga. En una larga conversación telefónica, probablemente registrada por los servicios de inteligencia de Franco, Sainz Rodríguez le explica que la carta solo demuestra debilidad. Es una patraña. Franco quiere un

---

23. Víctor Salmador. *Don Juan de Borbón*. Pág. 252.
24. Arnold J. Toynbee. *La guerra y los neutrales*. Pág. 353.

Don Juan silencioso a su lado y no un Don Juan independiente junto a los aliados. Con la carta trata de halagarle y engañarle. El Rey no debe hacerle ni caso, según don Pedro. Solo será Rey si los aliados ganan la guerra y derriban por la fuerza al *caudillo*. En eso consiste sustancialmente la estrategia para la Restauración de la Monarquía: en derribar a Franco. No hay que modificar en un milímetro esa posición. Vegas está de acuerdo. López Oliván también. Gil-Robles, que se ha incorporado ya a la actividad de la Causa monárquica y habla frecuentemente por teléfono con Sainz Rodríguez, al que no verá personalmente hasta el 23 de julio de ese año 1942, en Lisboa, ya exiliado don Pedro, coincide punto por punto con el diagnóstico. Aún más: cree que Don Juan debe hacer una declaración distanciándose de Franco.

La carta con que el dictador trata de engañar al Rey refleja el juego político de la época. No es un disparate como se puede deducir de su texto, leído hoy. Es una finta de habilidad política. El *caudillo*, para engañar al peligrosísimo Don Juan de 1942, escribe de su puño y letra, en treinta y dos holandesas, un texto que cinco décadas después vale la pena leer íntegramente.

«A S.A.R. el Príncipe don Juan de Borbón.

Alteza:

Hace muchos días que deseo escribiros para agradeceros la sinceridad de vuestra carta y haceros presente mi pensamiento sobre algunos de los puntos que la misma encierra con aquella lealtad y claridad que fue normal en mis relaciones con vuestro padre y que por otra parte me impone la responsabilidad que sobre mí pesa.

Destaca en ella vuestra fe en la institución monárquica que si es indispensable al Rey para mantenerse en el trono, sin embargo no lo es todo; tienen que conjugarse las instituciones y las personas y mucho más en las épocas fundacionales.

Las personas son las que crean; las instituciones lo más que logran es conservar o afianzar lo creado. Monarquía existía en España antes y después de los venturosos años de Isabel la Católica, de Carlos I y de Felipe II, y, sin embargo, sus antecesores tardaron ocho siglos en reconquistar lo que los árabes les arrebataron en contados días; y el Imperio que ellos forjaron vivió trescientos años en los que sus sucesores lo fueron liquidando.

La verticalidad estaba pues en aquellos monarcas. Si nos adentramos en el examen de la Historia y de los acontecimientos contemporáneos, encontramos que los males de España no venían de los años inmediatos al 14 de abril, su proceso de descomposición tenía raíces mucho más hondas.

La institución monárquica había venido perdiendo con su poder, su arraigo popular y las personas que la representaban no se formaban ya en la escuela de sus gloriosos antecesores. Por eso en nuestro juicio no podemos igualar a las personas que forjaron el Imperio con las que lo perdieron, pese a las buenas cualidades que hayan podido tener, y cuando hablamos de Monarquía la entroncamos con la de los Reyes Católicos, con la de Carlos I y Cisneros o con la del segundo de los Felipes; pero no con los que firmaron las paces que mutilaron nuestro Imperio, suscribieron la separación de Portugal o nos infamaron en Utrecht.

Estos tres siglos de constantes desmembraciones no pueden contar para nosotros y sé que tampoco para Vuestra Alteza.

No son las instituciones, parece, las que han de hacer a España capaz de cumplir su histórica misión; sino los jefes que dirijan su revolución nacional, sus nuevas juventudes que con tanto heroísmo como desinterés se sacrifican. La Monarquía de los Reyes Católicos, tan admirada como poco comprendida, fue una Monarquía revolucionaria, totalitaria en el más puro sentido de esta palabra; lo demuestra cuando ante los inveterados excesos de los grandes señores crea y opone la Santa Hermandad que asegura a los viajeros y al comercio contra los expoliadores, echando los cimientos de la moderna fuerza de orden público; al recabar y asumir el supremo poder de las órdenes militares, nervio de los ejércitos de aquellos tiempos, antes retenido en diversas manos; al limitar jurisdicciones y reforzar poderes, recabando una mayor y más eficaz intervención en los nombramientos de la Iglesia; al imponer la fe en Cristo a todos los españoles, expulsando de nuestra tierra a judíos y moriscos, y unir a todos en la gloria y en los sacrificios.

Su Corte se componía entonces de guerreros y de santos y la grandeza que hacia el exterior proyecta, es en el interior para toda justicia amparo.

Los tiempos posteriores son, en cambio, los de la mala escuela, de la Monarquía decadente y sin pulso, que ya no proyecta hacia el exterior el genio de España, sino que recibe, acoge y ensalza lo que la antiespaña concibe allende las fronteras y que culmina en la invasión enciclopédica y masónica que patrocinan Floridablanca y el conde de Aranda que fatalmente tenía que terminar ennobleciendo a banqueros y especuladores, los mismos que los últimos años sonsacaban el socorro rojo internacional y ayudaban a los periódicos marxistas.

Bajo aquel sistema fallaban los más firmes propósitos. ¿Cuánto fue el patriotismo y buena voluntad de vuestro amado padre, para mí querido Rey, en el servicio de la Nación y cómo sus buenos propósitos naufragaron en medio de la desasistencia, el egoísmo o los torpes intereses de grupo y de partidos irresponsables, más fuertes y poderosos que la propia Monarquía? ¿Cuántos de los que hoy se llaman monárquicos viven llenos de prejuicios liberales, de bastardas ambiciones o de turbios propósitos y añoran aquellos pasados y desdichados tiempos? Los sucesos de la Historia están encadenados y no se producen casualmente, sino como resultado de un proceso que, sin embargo, muchas veces no acertamos a descubrir.

La pérdida del arraigo de la Monarquía, la proclamación de la República, los avances del marxismo y comunismo, y la consiguiente rebelión de las masas, son consecuencia directa de otros hechos que no podemos desconocer.

Al dejar de ser la Monarquía para los españoles su amparo y defensa, perdidas con sus ideales sus virtudes guerreras y verla presidir el nacimiento, la expansión y el dominio del capitalismo, a quien llega a honrar y ennoblecer, el pueblo por éste esclavizado, la encasilló entre sus opresores y ésta fue la verdadera causa de que en la primera coyuntura, sin pena ni gloria, el más ligero viento la haya derrumbado.

El poder de captación del marxismo y comunismo fue un fenómeno racional. El papel que al Rey en el orden temporal y a la Iglesia en el espiritual, correspondían en la defensa de nuestro pueblo contra la nueva esclavitud del capitalismo, que les hubiera creado el calor y entusiasmo de las masas, no lo supieron ver, y el marxismo y comunismo, haciendo de esa defensa bandera, logran esa fuerza proselitista que aún hoy se intenta desconocer.

Las masas españolas llevan varios siglos de miserias. Quienes os digan otra cosa os engañan. El 33 por ciento de las viviendas españolas son chamizos o cuevas insalubres; las camas en los sanatorios antituberculosos del Estado no llegaban a la vigésima parte del número de los que al año fallecían, y nunca podían ser alcanzadas por los humildes.

La vida de nuestras clases modestas y medias es muy inferior a la de los demás países europeos. Los monocultivos y las grandes propiedades crean un paro estacional en las dos terceras partes del año. La educación profesional, tan abandonada, que faltando obreros especialistas sobraban centenares de miles de peones. El retiro obrero estaba constituido por una peseta diaria después de cincuenta años de continuo trabajo. Los seguros sociales, atrasados cuando no burlados.

Cuando se tienen cinco o menos pesetas de jornal y varios de familia, y existen la falta de seguridad en el salario y de pan en la vejez, no se puede amar ni siquiera sentir al régimen que lo preside.

Al mirar, en cambio, el sector privilegiado veían multiplicarse los bienes y las riquezas y cómo éstas se acumulaban en unos pocos, plenos de derechos y desconociendo las más de las veces los deberes.

¿Creéis que en una España así se puede sentir la solidaridad de españoles? Yo no sé cómo sienten siquiera a nuestra Patria, don divino tiene que ser cuando perdura a pesar de tantas injusticias. Ésta es la razón de nuestra Revolución que yo con la Falange patrocino. Muchos son los enemigos que intentan impedir su realización y desprestigiar el movimiento, tachándonos de demagogos; pero no importa, amé siempre las dificultades y si cayese en el empeño no podría alcanzar honor más alto.

La realización de esta revolución, sin la cual España volvería a su situación preagónica, es incompatible, hoy por hoy, con la proclamación de instituciones que si posibles en pueblos como Hungría, que por carecer de dinastía no la colocan en situación de interinidad, en España tened la seguridad de que serviría para que nuestros enemigos, unidos a ambiciosos y arribistas, polarizasen alrededor del Príncipe, con descrédito para su persona y grave daño para la Patria.

Yo siento tener que deciros que ese sentimiento monárquico que os quieren hacer ver existente en nuestro pueblo es falso; una gran parte de los que hablan de Monarquía añoran la decadente y sin pulso; otros la identifican con la explotación impune de los humildes y el restablecimiento del régimen liberal con unos grupos en lucha, para muchos es la impunidad para los crímenes, el resurgimiento del separatismo o la vuelta de los expatriados. Esto es el triunfo a plazo fijo de nuestros enemigos.

La Monarquía que a España conviene, como nosotros la sentimos, la única posible, ésa es la que no quieren.

No ignoro que existen insensatos que, ciegos a todo raciocinio, intentan aprovechar la coyuntura que les ofrece la mala situación de abastecimientos y el apoyo del conglomerado anglo-comunista, tan favorable al torpe espíritu de los vencidos ansiosos de revancha; pero estamos alerta, pasaron los tiempos en que una maniobra política o un pronunciamiento afortunado en un pueblo sin alma, podía derrocar un régimen. Nuestra cruzada es prueba elocuente de tal quimera. Al juzgar la situación de España no se puede olvidar que el comunismo y la masonería no perdonan, no se darán por vencidos; el extranjero les ayuda a alentar la disidencia dondequiera que la hallen, pues al interés secular de arruinar y mediatizar a España, se une hoy el de la guerra a vida o muerte que el mundo mantiene y en la cual España tiene una parte clara y españolísima.

Nuestros órganos de policía constatan a diario actividades intensas en este orden que con mano firme se reprimen. Para salvar a España el único camino es el de reforzar su unidad realizando la Revolución Nacional que haga a todos solidarios en su servicio y esta unidad y solidaridad no se realizarán más que sobre el partido único y la educación total de las juventudes en un credo político que se apoye en verdades eternas, como son la ley de Dios, el servicio a la Patria y el bien general de los españoles.

Así lo siente ya la juventud en pleno, sin que desfiguren esta plenitud la disidencia artificialmente mantenida de unos pequeños grupos, sujetos inconscientes de manejos extranjeros.

Cuando os hablen de lo que piensan los distintos grupos políticos, tened presente que los que se llamaron partidos fueron solo las máscaras que encubrían bastardos intereses. Ni el destino católico de nuestro pueblo, ni el bien de la Patria ni el general de los españoles, lo tuvieron jamás; estaban en este o en el otro grupo porque les convenía a sus ambiciones de todo orden; así os explicaréis sus cambios frecuentes de casaca y que lo mismo les diese la República que la Monarquía.

Analizad la conducta de las personas que os solicitan, medid sus servicios a la Patria, examinad sus ideas sobre los problemas sociales y descubriréis sus ambiciones, unas veces políticas, otras de privilegios, las más de intereses materiales y muchas también de vanidad; sin contar los aspirantes a condes y marqueses.

El que el régimen liberal encerrase tantos explotadores y vividores políticos no quiere decir que no exista una política noble y que los pueblos puedan vivir sin política. Todos los seres racionales tienen en su pensamiento dos huecos: el religioso y el político; la predisposición a creer en lo sobrenatural y el juicio de lo que conviene a la sociedad de la que forman parte, y cuando este hueco no se llena con la verdad, otros lo llenarán con sus errores.

La grandeza y la propia existencia de la Patria descansan, pues, en la labor que se haga con sus juventudes, en construir sobre ellas y no sobre los residuos de lo corrompido, y esto, para lo que yo tengo tantas prisas, es incompatible con la precipitación de etapas que intentan inspiraros. La vida de España está tan intensamente ligada a esta gran obra que tened la seguridad que sin ella, tarde o temprano, todo de nuevo se derrumbaría.

Es mi ilusión que no tarde en coronarla para poder ofreceros en ese día *con la Jefatura total del Pueblo y sus Ejércitos* (el subrayado es de Franco, *n. del a.*) el entronque con aquella Monarquía totalitaria que solo por serlo vio dilatarse sus tierras y sus mares.

Yo me permito rogaros meditéis estas palabras y os identifiquéis con la Falange Española Tradicionalista y de las JONS y prohibáis a cuantos se titulan vuestros amigos el estorbar o retrasar este propósito. Convencido de que así serviréis al interés supremo de nuestra Patria y a la continuidad histórica de vuestra dinastía.

Con la máxima sinceridad y el más sentido afecto.

FRANCISCO FRANCO
Madrid, 12 de mayo de 1942»[25]

Octubre-noviembre de 1942. Don Juan no cae en la trampa

Sainz Rodríguez consigue su propósito de que Don Juan, aunque inicialmente se sienta halagado y tentado, no caiga en la trampa que le tiende el dictador. Conviene que siga actuando como si no hubiera recibido ninguna carta, como si Franco no le hubiera ofrecido la

25. Archivo Don Juan de Borbón.

«jefatura total del Pueblo y sus Ejércitos». Hay que mantener la estrategia trazada para la Restauración. Ante Londres y Washington, Don Juan debe ser el hombre seguro, el anglófilo indiscutible; Franco, el admirador de Hitler, el germanófilo taimado. Don Juan ha obedecido ya a Sainz Rodríguez. En marzo de 1942 se ha trasladado a Lausana, donde reside su madre la Reina Victoria Eugenia, que dejó Italia tras un incidente desagradable en la que fue acusada de espionaje en favor de Gran Bretaña. En la calle Roseneck alquila un pequeño chalet, *Les Rocailles*, cerca de *Vieille Fontaine*.

A través de su pariente lord Mountbatten, Don Juan se entera del proyecto de desembarco aliado en África. Allen Dulles, director de la Agencia de Contraespionaje norteamericana, con sede en Berna, también le refiere la operación con mucho detalle. Espera tal vez de Don Juan que, si hace falta, intervenga ante Franco para que se esté quieto. A mediados de octubre, por razones de patriotismo, el Rey envía a Ramón Padilla a España para que se lo comunique a Juan Vigón. Considera un deber que el Gobierno español se dé cuenta del error que comete al jugar todas sus cartas a la victoria alemana. Sainz Rodríguez no hubiera aprobado la confidencia del Conde de Barcelona. Pero Don Juan es un muchacho muy joven y muy patriota, con dos hombres contradictorios a su lado, Vegas y López Oliván, y un secretario discreto que calla, Ramón Padilla.

La respuesta de Juan Vigón es terrible y demuestra el ambiente oficial de la época en España. «Espero —contesta al secretario del Rey— que sea verdad la noticia porque así los echarán al mar los alemanes y no volverán por aquí en muchísimos años.»[26]

Sainz Rodríguez, tras el desembarco aliado en África, da la razón al deseo de Gil-Robles y decide que Don Juan no solo se comprometa a cien por cien con Londres y Washington sino que haga frente públicamente a Franco. Las cartas entre el Rey y el dictador son un permanente juego de hipocresía. No están destinadas a que se publiquen y cada uno de los rivales amaga, engaña, miente, amenaza, hace regates y distorsiona la situación. Sainz Rodríguez publicó esa correspondencia casi íntegra en 1981, aunque con algunas trampas que detectó Ricardo de la Cierva. Anson, que las tenía en su archivo, se lo reprochó con alguna dureza. En un libro, en líneas generales espléndido, De la Cierva se equivoca a veces, al tomar como testimonio unas cartas privadas que en su mayoría no eran otra cosa que un ejercicio de simulación. Desde el punto de vista del rigor histórico, lo único válido son las declaraciones públicas. Las de Don

26. Archivo Sainz Rodríguez.

Juan, inequívocamente, contra Franco. Las de Franco, inequívocamente, contra el Rey. La actitud del dictador, con la censura impidiendo la más mínima alusión a Don Juan salvo las peyorativas, no podía estar más clara. Las mieles de muchas de las cartas eran hieles en los medios de comunicación controlados por el *caudillo*.

Sainz Rodríguez escribe el manifiesto de Don Juan que, en forma de declaración, se publica en *Journal de Genève*, el 11 de noviembre de 1942. El Rey y don Pedro se comunican todas las semanas, por teléfono. Desde las nueve de la mañana a las dos de la tarde, Sainz Rodríguez espera los martes y viernes en casa de los familiares de Vicenta, su sirvienta, a que llame Don Juan. Se intercambian también semanalmente cartas y documentos, siempre anónimos, identificados por un lacre con un leoncito. Los telegramas se dirigen a Vicenta Tiedra y los firma Angelita González. Vicenta es don Pedro y Angelita, el Rey.

«No soy el jefe de ninguna conspiración —declara Don Juan al *Journal de Genève*—. Soy el depositario de un tesoro político secular: la Monarquía Española.

Estoy seguro de que la Monarquía será restaurada. Lo será, cuando lo exija el interés de España; no antes, pero tampoco ni una hora después del momento oportuno. Cuando el pueblo español estime llegado el momento, no vacilaré un instante en ponerme a su servicio.

No entra en mis intenciones imponer a los españoles, por mi propia autoridad, las formas, las instituciones doctrinales a regular la vida nacional. Mi suprema ambición es la de ser Rey de España en la cual todos los españoles, definitivamente reconciliados, podrán vivir en común. Si durante mi reinado logro reducir al mínimo, o incluso suprimir los motivos de disensión; si consigo en la armonía y en la paz, con la ayuda de todos, mejorar las condiciones espirituales y materiales de la vida en mi Patria, la Monarquía habrá realizado, como antaño, su misión histórica.

Hombre de mi tiempo a quien la desgracia ha permitido observar directamente las desigualdades sociales, engendradas por el sistema económico del siglo XIX, no descuidaré el acordar todas las medidas que puedan contribuir a una más justa distribución de la riqueza.

En cuanto a las relaciones internacionales, una amistad estrecha, mejor dicho, la fraternidad con Portugal, y la América de nuestra raza, y de nuestra lengua, será el fundamento inquebrantable de nuestra política.

En lo que concierne a las otras naciones del mundo, estoy plenamente convencido de que no existe ninguna reivindicación, entre las que estaría justificado que España formulara, que no sea susceptible de una solución pacífica y satisfactoria, para las partes interesadas.

En el actual conflicto, España, que convalece todavía de su guerra civil, tiene derecho a reclamar el mayor respeto de todos los beligerantes.

Para la Monarquía restaurada no es concebible ninguna actitud que no sea la de una absoluta neutralidad, completada con la firmísima resolución de defenderla, no importa a qué precio, hasta con las armas en la mano, si un país, cualquiera que fuese, pretendiera violarla.

Si la integridad territorial de España no fuera, por desgracia, respetada, seguro estoy de que el pueblo español sería lo que ha sido siempre, duro y bravo contra el invasor.

Si Dios nos reservara esta prueba, mi espada de soldado español estaría al servicio de mi Patria.

11 de noviembre de 1942»[27]

Eugenio Vegas suprime algunos párrafos del texto redactado por Sainz Rodríguez, enviado con el lacre del leoncito. Don Juan, que está estudiando catalán con el canónigo Carlos Cardó —era el Conde de Barcelona y quería conocer la bellísima lengua catalana— acepta las correcciones de Vegas. La censura, naturalmente, prohíbe que salga en España una sola línea de la declaración de Don Juan. El Rey ha querido subrayar en esta declaración la vocación iberoamericana que debe presidir la política profunda de la futura Monarquía española. Cree en lo que un día escribiría Toynbee: «Estos pioneros ibéricos prestaron un servicio sin paralelo a la Cristiandad Occidental. Ampliaron el horizonte, y con esto potencialmente el dominio de la sociedad que representaban, hasta que llegó a abrazar todas las tierras habitables y todos los mares navegables del globo. Debido en primer término a esta energía ibérica, la Cristiandad Occidental se ha desarrollado, como el grano de semilla de mostaza de la parábola, hasta llegar a ser la "Gran Sociedad": un árbol bajo cuyas ramas todas las naciones de la Tierra han venido a cobijarse.»[28] Don Juan creía en la grandeza histórica de España y admiraba nuestro siglo XVI, a Carlos I y, sobre todo, a Felipe II.

Sainz Rodríguez escribe a Kindelán y éste visita a Franco. El dictador hace como si no tuviera la menor importancia la actitud del Rey, al que unos meses antes había ofrecido la «jefatura total del Pueblo y los Ejércitos» y le espeta al general «que los monárquicos éramos cuatro gatos y que la Falange había echado raíces sólidas».[29]

27. *Journal de Genève*, 11-XI-1942.
28. Arnold J. Toynbee. Compendio I. Pág. 139s. Cfr. Tomo II. *La génesis de las civilizaciones*.
29. Alfredo Kindelán. *La verdad de mis relaciones con Franco*. Pág. 34.

En la Universidad Central falangistas y monárquicos con la insignia J-III, según cuenta Satrústegui, se pegan a diario en un clima de violencia y enfrentamiento.

Todavía en 1942, Franco cree que Alemania será la vencedora de la contienda que despedaza al mundo. Desde el año anterior mantiene a la División Azul luchando en favor del Eje. Es claramente un beligerante amigo de los dictadores europeos. Hitler el *führer*, Mussolini el *duce*, Franco el *caudillo*, siguen siendo para la España oficial la imagen de la nueva Europa. Salvo alguna resistencia por parte de *ABC*, la Prensa en España es un clamor en favor del Eje, un balido unánime de los corderos pastoreados por Serrano Súñer. Tras el desembarco aliado en África, Franco empieza a tener alguna duda fugaz sobre el resultado de la guerra. Había aprovechado, con anterioridad, los incidentes de Begoña, que dejaron un centenar de heridos y, bien aconsejado por Luis Carrero Blanco, había eliminado a Ramón Serrano Súñer, símbolo de la germanofilia. Le sustituye por el conde de Jordana. La rendición de los Ejércitos alemanes en Stalingrado, el 6 de febrero de 1943, estremece al dictador español. De un manotazo había destituido al general Aranda unos días antes para desbaratar una conspiración militar contra él. Pero su preocupación está puesta en la actividad exterior de Don Juan. Sabe que es su único contendiente, su única alternativa. Intensifica la persecución contra los monárquicos. No son los comunistas, los socialistas, los republicanos, los enemigos peligrosos. Son los juanistas. Eso lo ha advertido certeramente José María Toquero en dos libros,[30] cuyo interés radica de forma sustancial en ese punto. Un historiador joven, en medio de las montañas de paja del anticomunismo de Franco, advierte que la gran persecución de la dictadura se dirige contra la oposición monárquica, contra el juanismo.

Marzo-mayo de 1943. Los aliados exigen mayor actividad de Don Juan contra Franco

Sainz Rodríguez redacta una carta para que el Rey se la envíe al dictador. Franco no había tenido respuesta a la que dirigió el 12 de mayo de 1942 a Don Juan, en la que le ofrecía todo para engañarle y paralizarle. Casi un año después, el 8 de marzo de 1943, el Rey fir-

---

30. José María Toquero. *Franco y Don Juan.* Plaza & Janés, 1989, y *Don Juan de Borbón, el Rey padre.* Plaza & Janés, 1992.

ma una carta,[31] en la que, con cierta torpeza, descubre su posición: «De modo —escribe— que establecer tal criterio para determinar el momento de la transformación del régimen, se viene a resolver en suma en un aplazamiento *sine die*. Semejante actitud de V.E. —si no la he interpretado mal o ha sido rectificada desde que de ella tuve conocimiento— se halla en flagrante contradicción con el arraigado convencimiento mío, según el cual por el argumento personal arriba expresado y por otros fines que más adelante apuntaré, apremia adelantar lo más posible la fecha de la Restauración...» Y más adelante: «Apelo pues solemnemente a la conciencia española de V.E. —y de esta mi resolución doy cuenta a todos aquellos cuyo ánimo embargan mis inquietudes— señalando a su atención la grave responsabilidad en la que, como árbitro supremo de los destinos de nuestra patria en esta coyuntura, habría de concurrir ante la Historia si no pusiera su voluntad, con tanta fortaleza revelada, en el logro de la rápida evolución que imperiosamente exigen los riesgos señalados en la primera parte de esta carta, y sobre todo el agobiante trance del fin de la contienda mundial.»

Es la carta de un Rey a un general patriota. Una torpeza de Sainz Rodríguez porque nadie mejor que él sabía que Franco se consideraba el salvador de la Patria, el elegido por Dios, el invicto *caudillo*, el príncipe de los Ejércitos, el genio del arte militar, el maestro de la política. Era inútil apelar al bien de España para que dejara el poder. El bien de España era solo Franco, Franco, Franco.

La carta de Don Juan se produce por la actitud de los aliados que exigen más actividad de los monárquicos contra la actitud desdeñosa y engallada del *caudillo*. Sainz Rodríguez sabe que en el interior de España, la Causa monárquica es un batiburrillo de contradicciones, en medio de las cuales la inmensa mayoría de los que se dicen monárquicos se sienten a gusto con Franco y se van adaptando a la situación. El dictador reparte inteligentemente prebendas y castigos.

López Oliván visita a lo largo de 1943 las cancillerías de los países en guerra. El gran diplomático, instruido por Sainz Rodríguez, ayudado por el duque de Alba, realiza una ingente labor no reconocida y, en medio de la gigantesca conflagración en la que España es una anécdota menor, consigue alinear a los políticos con más capacidad de decisión en favor de Don Juan como sucesor del régimen que inevitablemente debía ser sustituido tras la guerra. Allen Dulles, director de la Agencia de Contraespionaje, con sede en Suiza, se convierte en el más eficaz aliado de la causa de Don Juan. Admira el

---

31. Archivo Don Juan de Borbón.

temple y la grandeza de espíritu del hijo de Alfonso XIII. Churchill, por su parte, ordena que la diplomacia y la inteligencia británicas mantengan a Don Juan informado.

La estrategia, pues, para derribar a Franco prosigue implacable. En el interior de España no hay nada que hacer. Los brotes conspiratorios son solo pintorescos. En el exterior, las cosas no pueden ir mejor. Según avanza el año 1943, el signo de la guerra cambia en favor cada vez más claramente de los aliados.

Para los bien informados, Don Juan será el Rey de España al término de la guerra. Las izquierdas inician una clara aproximación a la Monarquía. José María Gil-Robles, el líder indiscutible de la derecha moderada y republicana que desde el principio ha combatido a la extrema derecha del fascismo franquista, se suma a la Causa monárquica en 1942. En mayo de 1943 declara a *La Prensa* de Buenos Aires:

«La hondísima y justificada preocupación ante las repercusiones de la situación mundial en la vida de España, lleva a mucha gente a reducir todas las soluciones posibles del problema político español a esta disyuntiva trágicamente simplista: o totalitarismo o comunismo.

Creo llegada la hora de oponer a ese criterio catastrófico una negativa rotunda. Ni lo uno ni lo otro; ni comunismo ni totalitarismo sino una solución nacional nutrida de espíritu tradicional y alimentada por la savia de los siglos: la Monarquía. Una Monarquía que sea encarnación de una autoridad robusta pero que no caiga en los excesos de la arbitrariedad; que impida los abusos de un individualismo disolvente, pero que respete los derechos inviolables de la persona humana; que huya de cobardes concesiones demagógicas, pero que incorpore de veras el pueblo a la vida pública, con un sano sentido representativo y orgánico; que corte con mano firme todos los brotes desintegrantes de la nación; que no caiga en las utopías de un igualitarismo contrario a la razón y a la naturaleza, pero que no consienta privilegios injustos de casta o de clase; que frene los desvaríos del libertinaje, pero que defina y garantice aquella libertad sagrada del hombre que es condición básica de su propio perfeccionamiento; que no claudique ante los elementos radicalmente incompatibles con un hondo y vigoroso sentido nacional, pero que procure, con el máximo empeño, extinguir los rescoldos del odio y realizar una obra de amplia y generosa conciliación de todos los españoles.

Es ésta una política que la Monarquía y solo la Monarquía puede realizar en España. Es ésta la tarea que la inmensa mayoría de la nación espera del Rey, hacia el que vuelve los ojos como suprema esperanza. Es ésta la obra trascendental que ha de realizar —lo que espero confiadamente— Don Juan de Borbón.

Entiendo que es un deber sagrado de quienes tuvieron o tienen una influencia mayor o menor en la sana opinión pública de España prestar la adhesión a esa causa y ofrecerle un apoyo decidido sin miras partidistas, sin cálculos ambiciosos, sin personalismos mezquinos. Entiendo, también, que es urgente esa labor y que cada día que tarda en acometerse la empresa de concordia que solo la Monarquía está en disposición de realizar, aumentan los peligros gravísimos que amenazan a la Patria en esta hora trágica del mundo.»[32]

El dictador está al tanto de las gestiones dirigidas por Sainz Rodríguez y Vegas Latapié en las cancillerías aliadas y tiene conciencia clara de la peligrosidad que supone Don Juan. Contesta enseguida a la carta del Rey de 8 de marzo de 1943. El 21 firma una nueva y extensísima homilía de su sable y letra.[33] La marcha victoriosa de los aliados acentúa el peligro Don Juan. El dictador, que el 16 de julio de 1969 comunicará en unas líneas canallas al Conde de Barcelona su liquidación política y el nombramiento de su hijo como sucesor a título de Rey, dedica varias horas a rebatir los argumentos de la carta redactada por Sainz Rodríguez. Asegura, cuando encarna un Régimen apestado en todo el mundo, que «el honor y el prestigio de España brillan a una altura como hacía más de dos siglos España no lograba». Le da lecciones de cómo debe ser una auténtica Monarquía. Le alecciona sobre lo que es la Falange, «un movimiento con una ideología en la que se funden los ideales de nuestra revolución». No quiere que el Rey sea árbitro de la lucha política, pues solo «bajo el régimen liberal», que denosta, puede concebirse a un Monarca así. Ataca con perversidad a Alfonso XIII por abandonar el poder el 14 de abril de 1931. Elogia a Primo de Rivera y su dictadura. Demuestra, en fin, que todo sigue igual. Él no se mueve un ápice. Para sustituirle hay que matarle. Tal vez cree en los argumentos que desarrolla. Pero escribiría los contrarios si eso le favoreciera. No existe correspondencia real entre Franco y Don Juan. Cada carta es solo un apéndice de la lucha por el poder.

Junio-agosto de 1943. Franco dispuesto a morir, antes que ceder el poder

Don Juan sustituye, en junio de 1943, a Kindelán por Alfonso de Orleans como representante suyo en España. Pero la dirección de la Causa monárquica la siguen llevando Eugenio Vegas desde

---

32. *La Nación*. Buenos Aires, 18 mayo 1943.
33. Archivo Don Juan de Borbón.

Lausana y Pedro Sainz desde Lisboa. Alfonso de Orleans se entrevista con Franco. No debió hacerlo. Pero lo hace. Y oye lo que era lógico que oyese. El dictador critica que el Rey «hiciese caso de un maladaptado como Gil-Robles, un masoncete como Sainz Rodríguez, un inquieto como Valdecasas y un paranoico como Vegas Latapié».[34]

Ante el cariz de la guerra, los corderos se sienten inquietos en el barco que puede naufragar. Una treintena de procuradores en Cortes se deciden a escribir a Franco exigiéndole la Restauración. El *caudillo* los persigue a todos y destituye a Yanguas, Halcón, Valdecasas, Gamero, Fanjul y Joaniquet. El 10 de julio de 1943, los aliados desembarcan en Italia. El general Orgaz intriga para sublevarse. Franco denuncia una conspiración masónica ante los capitanes generales. Es un maestro para paralizar la acción de sus compañeros de armas.

El 25 de julio de 1943, el Rey Víctor Manuel destituye a Mussolini y nombra a Badoglio. Churchill exige de Franco, en un almuerzo con el duque de Alba, la repatriación completa de la División Azul. El duque habla todos los días con Don Juan y con Julio López Oliván, que había servido diplomáticamente en Londres durante la República. Ambos prosiguen con una labor llena de habilidad y matices que asombra a Pedro Sainz Rodríguez para consolidar la posición de Don Juan con los aliados victoriosos.

El enlace de la embajada inglesa en Lisboa, con Gil-Robles, el hábil diplomático McLaurin, es concluyente. Inglaterra espera más de Don Juan. Alemania se desmorona. Hay que conminar a Franco. Nueva torpeza, en este caso al alimón, de Sainz Rodríguez y Gil-Robles. Redactan un telegrama agresivo. A Eugenio Vegas le parece bien. Julio López Oliván lo apoya. Era, una vez más, un texto inútil. Franco está inquieto por el desarrollo de la guerra. Sabe que todo puede terminar para él. Pero esperará la muerte luchando en El Pardo. Muñoz Grandes y Yagüe le dicen a Satrústegui: «Se ha aferrado al poder y no lo abandonará nunca por las buenas.»[35] En eso consiste su superioridad sobre los que le rodean. El telegrama del Rey se estrella contra el muro del dictador. Dice así:

---

34. Gil-Robles. *La Monarquía por la que yo luché*. Pág. 42. El autor de este libro no preguntó nunca a Sainz Rodríguez si llamaba «cabroncete» a Franco porque el *caudillo* le calificaba de «masoncete» o si el generalísimo empleaba «masoncete» porque Sainz Rodríguez se refería a él como «cabroncete».

35. Joaquín Satrústegui. *La política de Don Juan en el exilio*. ABC, 23-XII-90. Pág. 33.

«Los últimos acontecimientos de la guerra están precipitando el rumbo de los destinos de Europa con celeridad impresionante, en el sentido previsto en la carta que dirigí a V.E. con fecha 8 de marzo. Ello me impulsa a dirigirme a V.E. telegráficamente. No hay tiempo que perder si V.E. ratificando la opinión expresada en sus escritos, en las conversaciones con el infante don Alfonso y en manifestaciones públicas, se resuelve a contribuir a la evitación de gravísimos males para nuestra querida Patria, facilitando la incondicional restauración de la Monarquía. Es evidente que tan solo un régimen sin tacha de partidismos durante la conflagración mundial podría hallarse en condiciones, cuando la paz llegue, de defender con eficacia los intereses legítimos de la Nación. En cuanto al problema interno, V.E. mucho mejor que yo, por estar en inmediato contacto con las realidades españolas, puede imaginar lo que habría de ser un movimiento subversivo triunfante. Renuncio por innecesario a aludir a los horrores que provocaría la venganza. Solo una manera hay de conjurar todos los peligros: la inmediata Restauración de la Monarquía que, por no haber intervenido en los asuntos de España durante este trágico período, se halla capacitada de manera providencial para ejercer una acción conciliadora y constructiva dentro y fuera de las fronteras nacionales.

Los acontecimientos de Italia pueden serviros de aviso. Pensando en ellos, las Cortes instituidas por V.E. acaso pudieran ser utilizadas como instrumento en el proceso de urgente transición del régimen falangista a la restauración monárquica que V.E., tanto en público como en privado, ha proclamado repetidamente como natural desenlace de la presente situación política.

Es ésta la suprema llamada para conjurar el inminente peligro de mi conciencia de español a la suya. Si nuevamente resulta en vano, cada uno de nosotros habrá de asumir, sin equívocos, su responsabilidad ante la Historia. Nuestras posiciones consignadas están en la correspondencia cruzada. Vuecencia como Jefe de Estado dispone de ilimitados recursos para justificar ante el mundo su actitud; yo, obligado a asumir en esta hora una responsabilidad histórica tan grave como la suya, carezco por el contrario de elementos oficiales para hacer valer la que juzgo como imperiosamente dictada por mi deber histórico en beneficio de los altos intereses de la Nación.

Así pues, si V.E. persiste en mantener inalterables las para mí inadmisibles condiciones que subordinan el advenimiento de la Monarquía, provocando en consecuencia una ruptura definitiva, la necesidad de deslindar claramente las responsabilidades respectivas me obligaría a recurrir al único medio que las circunstancias me dejan: informar a la opinión pública con la plena exposición de los hechos.

Con el alma limpia de impaciencias personales y la mirada fija únicamente en el mejor porvenir de España, saludo afectuosamente a V.E. haciendo fervientes votos por que su decisión —que aguardo con la misma inquietud inspiradora de estas líneas y le ruego sea urgente— ponga fin a la presente situación cuyos peligros se agravan de día en día.

Lausana, 3 de agosto de 1943»

Cinco días después, el dictador responde al Rey. Se llama a sí mismo *caudillo* y minusvalora lo sucedido en Italia con Mussolini. Él, en definitiva, ha tenido la prudencia de no aceptar un Rey por encima que pudiera destituirle. Y, naturalmente, no piensa irse, privando a España de su providencial magistratura.

Gil-Robles, sin embargo, cree que todo está ganado y que Don Juan debe trasladarse a Lisboa para dar el salto a Madrid en cualquier momento. Franco intriga con Salazar para impedirlo.

El embajador Hoare visita a Franco en el Pazo de Meirás el 19 de agosto de 1943. Churchill y Roosevelt se han reunido en Quebec. Exigen la retirada total de la División Azul y que el dictador español no siga enviando volframio a Alemania. Han decidido además que sea Don Juan el sustituto de Franco. Churchill se lo dice a Alba. El duque telefonea con emoción a Don Juan. El Rey ya lo sabe. Su tío Louis Mountbatten se ha adelantado.

Vegas y López Oliván están eufóricos; Sainz Rodríguez y Gil-Robles, radiantes. Don Juan trata de viajar a Portugal, entrando en Italia para desde allí viajar en avión. Franco le advierte, y tenía razón, que encontraría la frontera suiza minada. El Rey se ve obligado a desistir.

Septiembre-diciembre de 1943. La verdadera historia de una carta

Ricardo de la Cierva ha reconstruido minuciosamente el episodio —menor para Sainz Rodríguez— de la carta que varios generales destacados dirigen a Franco pidiéndole que dé paso a la Monarquía. La firman, según De la Cierva, Orgaz, Dávila, Varela, Solchaga, Kindelán, Saliquet, Monasterio y Ponte.[36] Era un gesto inútil de valor moral. Franco no se altera lo más mínimo. Para desmontarle, para restaurar a Don Juan, tienen que ir a El Pardo y matarle. La carta la conoce el dictador anticipadamente gracias a una interven-

---

36. Ricardo de la Cierva. *Franco Don Juan, los reyes sin corona.* Pág. 253. En el archivo de Sainz Rodríguez está el original del documento. No figura en él Monasterio. Sí los otros siete.

ción casi increíble de Rafael Calvo Serer. Sí es cierto que el emergente Opus Dei se daba cuenta de que además de con Franco había que contar, por si acaso, con Don Juan. Rafael Calvo Serer se desplaza a Suiza donde trata de conquistar al hombre fuerte del juanismo: Eugenio Vegas Latapié. Nunca conseguiría Calvo Serer, en contra de lo que tantos historiadores han escrito, la confianza de Don Juan. Se le miró primero en Lausana y luego en Estoril, con indisimulado recelo, sobre todo a raíz de un incidente con el conde de Fontanar.

El 12 de septiembre de 1943, Otto Skorzeny libera a Mussolini de su prisión del Gran Sasso y Hitler le nombra presidente de la República de Saló. El 28 de octubre de 1943, el dictador español se pliega a las exigencias británicas y americanas y ordena la retirada escalonada de la División Azul.

Franco teme que los aliados invadan en cualquier momento la Península. Para Estados Unidos e Inglaterra lo más fácil era atacar a España y desde la frontera hispanofrancesa entrar en Francia. A Stalin no le parece bien. Don Juan, informado por Allen Dulles —hombre clave en la información y la actividad de la Causa monárquica española—, guarda secreto absoluto. Stalin ya se había opuesto al proyecto en la conferencia de Teherán (26-XI/3-XII de 1943) ante un Churchill impaciente y un Roosevelt debilitado.

Pero las noticias que llegan a España son tan inciertas y contradictorias que el dictador vive en una perpetua zozobra. Franco tiembla de ira cuando lee una carta dirigida por el Rey a uno de sus hombres de máxima confianza. Comete Don Juan el error de entregársela, tras sellarla y lacrarla, a Rafael Calvo Serer, para que sea su portador. El oscuro escritor hace méritos con el Régimen y se la facilita a Blas Pérez González, ya ministro de la Gobernación. Por su amistad íntima con el conde de Fontanar, Pérez González tiene la decencia de informarle de la gravedad de la carta, que entrega a Franco. Fontanar se encoleriza e informa al Rey. Consternación en Lausana. Eugenio Vegas emplea palabras muy duras en una conversación telefónica con Calvo Serer. Llega al insulto. «Solo un hijo de la gran puta puede hacer una cosa así.» Y cuelga, tras añadirle en el mejor estilo veguiano: «Has cometido un pecado mortal.» Don Juan, muchos años después, apuntaría vagamente a Sainz Rodríguez y también a Anson su sospecha de que Calvo entregó la carta al P. Escrivá de Balaguer. No era así. Fontanar conoce desde el primer momento lo que ha ocurrido por Blas Pérez González. Calvo Serer le llama y pide verle. Fontanar accede. Le recibe en su piso de la calle de Almagro. Mejor dicho, le abre la puerta y le deja en el rellano de la escalera.

—No tengo la menor culpa. La carta me la robaron entre Irún y San Sebastián. Si hubiera querido engañar al Rey la hubiera copiado y nadie se hubiera enterado de nada —afirma el escritor demudado. Fontanar no le cree. Piensa que, aparte de la dificultad de los lacres, no hizo la copia para dar credibilidad a la maniobra. Le dice adiós secamente y le cierra la puerta sin dejarle entrar en la casa. Llueve sobre mojado. En el archivo de Fontanar hay una carta dirigida al Rey en la que el conde hace referencia a otra suya de respuesta a Don Juan. Y escribe Fontanar: «Llegó a manos del Generalísimo copia de mi carta de agosto a V.M., poco después de entregársela yo a Calvo en Bilbao.»

En la misiva interceptada por Franco, gracias a Calvo Serer, escrita el día de los Inocentes del 43, Don Juan informaba a Fontanar de una conversación con Mountbatten. Todo estaba decidido. Inglaterra quería verle en el Trono y desplazar a Franco. En la conferencia de Teherán, unos días antes, Roosevelt, bien trabajado por Allen Dulles, se había mostrado conforme. Exigían que el Rey se moviera contra Franco y contrajera el compromiso de convocar elecciones democráticas. «Si Don Juan no actúa, acabará como el conde de Chambord, en el olvido», le había dicho el impaciente embajador Hoare al general Beigbeder. Éste había sido recibido por Roosevelt, que le había acuciado para que Don Juan emprendiera acciones contra Franco. El general Aranda recibe la información de Beigbeder y se dirige a Gil-Robles, el cual apunta en su diario: «Recibo una carta del general Aranda en que me asegura que son absolutamente ciertos los siguientes hechos: Primero. En Bolivia los rojos españoles han formado un Gobierno legal de España presidido por Martínez Barrio. Segundo. En la conferencia de Teherán, Stalin pidió el reconocimiento de ese Gobierno. Ante la *oposición irreductible* de Churchill, se acordó que el problema quedara en estudio de la comisión europea. Tercero. El embajador de Estados Unidos en Madrid ha visitado a Franco para pedirle que entable relaciones diplomáticas con Rusia. Cuarto. Los aliados están absolutamente decididos a acabar con Franco.»[37]

La actitud de los tres grandes en Teherán se reproducirá en Yalta en febrero de 1945. Pero Stalin defenderá ya débilmente la solución del Gobierno legal de la República y aceptará la Monarquía en España, pensando, no sin razón, que engañaba así a los anglosajones y que comunistas y socialistas derribarían al Rey en las primeras elecciones libres.

---

37. Gil-Robles. *La Monarquía por la que yo luché*. Pág. 74.

Los alemanes, en fin, ocupan Italia en 1943 y asumen su defensa contra los aliados. Don Juan decide probar su valor y se convierte en miliciano antinazi.

1944. Don Juan, miliciano antinazi

Entre las historias que Don Juan contaba una y otra vez a sus invitados en las largas tertulias en *Villa Giralda*, después del almuerzo cordial o la cena íntima, era frecuente escucharle su participación en la Guerra Mundial como miliciano antinazi. En su hoja de servicios, en la que no pudo figurar el «valor comprobado» porque se le impidió participar en la Guerra Civil como soldado anónimo, tendría, de haber sido posible, mención destacada la forma cómo se jugó la vida en un comando de abastecimiento de los milicianos italianos, al que se sumó discretamente.

Don Juan, a instancias de Dulles, le pide a su cuñado Marone, que manda un servicio clave de la resistencia italiana, participar en una operación. Con cuarenta kilos de material sobre los hombros, Don Juan deja en la retaguardia a Padilla y Vegas, y sigue a expertos montañeros en una expedición arriesgada y fatigosa.

—Organizamos la expedición con todo el material proporcionado por Allen Dulles —le contará Don Juan a Sainz Rodríguez, en una frase reveladora de la profundidad de sus relaciones con el jefe del contraespionaje norteamericano.[38]

Los milicianos escalan una montaña dando un gran rodeo. De pronto escuchan ruidos. Es una patrulla alemana. Los montañeros esconden a Don Juan y los milicianos detrás de unas rocas y los cubren de nieve. A más de dos mil metros de altura, el frío es espantoso. Sienten a los perros de la patrulla alemana. Ladran pero no huelen a los expedicionarios. Don Juan tiembla detrás de las rocas y la nieve. De frío. Pasa el peligro. Los milicianos continúan su ruta. Los nazis se han alejado. Don Juan y sus compañeros entregan la carga. La vuelta sin el peso que les abruma resulta más cómoda. Cuando Don Juan vuelve a hablar con Marone, su cuñado le abraza emocionado.

—Te has jugado la vida —le dice.

—Tenía que hacer una cosa así —responde Don Juan—. Desde nuestra Guerra Civil había algo que me exigía probarme como soldado.

38. Sainz Rodríguez. *Un reinado en la sombra*. Pág. 297.

Enero de 1944: Don Juan y Franco saben que los aliados han decidido invadir España

Estamos en 1944. Allen Dulles telefonea a Don Juan y le informa que los aliados derribarán inmediatamente a Franco, que se estudia la invasión de España y que puede ser inminente.[39] Es el plan que algunos llaman *Imoff*, proyectado por el propio Eisenhower. Franco sabe que todas las cartas internacionales juegan a favor de Don Juan. El dictador está perdido, pero ha decidido convertir El Pardo en una trinchera y que le saquen de allí con las botas puestas. Con un cinismo elevado al cubo, trata de frenar la actividad de Don Juan escribiéndole una carta, el 6 de enero de 1944, de respuesta a la que el doble espía Calvo Serer le había facilitado. Califica el dictador a López Oliván, Gil-Robles y Sainz Rodríguez de «cartas viejas, jugadas desacreditadas y perdidas» (Pedro Sainz, que recibe copia de la misiva de Franco con el leoncito de lacre, se la lleva a un conocido burdel del *chiado* lisboeta y se flagela cristianamente con la literatura del *caudillo* mientras espera turno). «Su ejecutoria republicana o masónica —continúa Franco— debiera haberlos desacreditado en vuestro camino. Tuvieron su hora que no supieron servir ni aprovechar, y hoy, despechados, empujados unos por su pasión y otros por sus compromisos de Logia, intentan servir, a costa vuestra, a la tercera España.» Las carnes prietas de María Agostinha, la meretriz preferida por el ilustre académico, ex-ministro y catedrático de literatura mística, aparecen cimbreantes en el salón. Su cuerpo es un incendio. Sainz Rodríguez interrumpe, sin demasiado pesar, la lectura del primor literario de Franco. Tras la holganza, proseguirá un poco fatigado recreándose en la escritura del dictador.

Franco hace a continuación un merecido canto a su obra, a su gloriosa historia y a su poder personal. Después le pone de nuevo la miel en los labios al Rey:

> «Yo puedo aseguraros que los monárquicos verdaderos están consternados con esta situación que hoy os rodea; por sentir a su Patria y conocer sus realidades, no tienen otra impaciencia que la de que no os gastéis ni malogréis su porvenir; aspiran a ver asegurado el Régimen y la sucesión futura en vuestra persona, ya que saben que fuera de él volvería a reinar el caos. Precisamente lo contrario de los que tratan de estorbar esa feliz contingencia, por no interesarles nuestra España ni la Monarquía, sino su República, la tercera España.

---

39. Archivo Sainz Rodríguez. No se especifica la fecha de la conversación. Debió ser después de Reyes.

Mi deber leal es el preveniros para que no podáis decir jamás que no os lo he anunciado en la forma más clara. En estos momentos tan poco apetecibles en que yo tengo sobre mí responsabilidades tan grandes, Vuestra Alteza, por providencial designio, está carente de ellas. ¿Por qué pues hipotecar vuestro crédito ante los españoles y gastaros?»

Sainz Rodríguez envía un informe al Rey con el leoncito de lacre: «Lo que quiere Franquito es que Vuestra Majestad se calle. Así que lo que tiene que hacer es hablar enseguida. Lo tenemos bien jodido.» Y al no recibir respuesta, fuerza una conversación telefónica. Gil-Robles le respalda. Vegas y López Oliván también. Se toma la decisión de contestar a Franco y hacer declaraciones públicas. El 25 de enero de 1944, el Rey firma una carta escrita por López Oliván y aprobada telefónicamente por Sainz. En ella dice lo que piensa, cosa excepcional en la correspondencia delirante entre Franco y Don Juan en la que se mienten uno a otro, sin otro objetivo que el de mejorar sus posiciones en la lucha por el poder. Pero en ese mes, Don Juan juega con las cartas marcadas y sabe que Franco está perdido, que puede durar a lo sumo unas semanas. Los aliados van a entrar en la Península para, desde suelo español, invadir Francia. Con esta información secreta se comprende la carta que el Rey escribe al dictador:[40]

«Mi respetado General:
Honda inquietud y preocupación me ha producido su carta del 6 del corriente que me escribe como consecuencia de haber leído una particular mía dirigida a mi secretario, interceptada, según V.E. me informa, por agentes extranjeros que al parecer han tenido la posibilidad de intervenir el servicio postal entre Irún y San Sebastián.
La meditada lectura de su carta produce la impresión de que V.E. cuenta con una información deficiente y tal vez inexacta, que le lleva a sostener erróneas opiniones sobre la situación interior y exterior de España. Y esa equivocada información alcanza también a lo que sobre mi modo de pensar y las supuestas presiones de que soy objeto se refiere. Afirma V.E. que hay gentes que intentan ir grabando en mi ánimo tres falsedades: primera, la supuesta ilegitimidad de los poderes de V.E.; segunda, una calumniosa situación de España y tercera, un pobre concepto de los españoles. Pues bien, sinceramente he de afirmarle que ese temor carece de toda base. Nadie se ha propuesto persuadirme de la ilegitimidad de los poderes que de hecho V.E. ejerce, y nunca hubiera tolerado la más mínima insinuación calumniosa sobre España ni sobre el elevadísimo concepto que tengo del pueblo español.

40. Archivo Don Juan de Borbón.

Pronto se cumplirán trece años de mi vida en el destierro, durante los cuales he podido conocer la situación de España y la manera de pensar de los españoles, con una claridad e independencia que difícilmente hubiera logrado de continuar en Palacio, donde tanto me hubiera costado conocer la realidad a través de la atmósfera de adulación que en todo tiempo envuelve a los poderosos. Desde hace muchos años vengo estudiando la situación de España y contrastando detenidamente los informes verbales de la casi totalidad de las personalidades políticas, diplomáticas, industriales, intelectuales, etc., que al salir de España vienen a visitarme; afirmo a V.E. que con unanimidad casi absoluta todas ellas, incluso las más ligadas personalmente a V.E. y al Régimen nacional-sindicalista, coinciden en sentirse gravemente angustiadas respecto al futuro de nuestra Patria, cuya situación estiman sumamente intranquilizadora. Ignoro si esas personalidades, que tan oscuro ven el panorama nacional, se expresan ante V.E. con la misma franqueza que ante mí. Bien es posible que la experiencia de la desfavorable acogida que V.E. reservó a los clarividentes y patriotas escritos de los procuradores en Cortes y más tarde los tenientes generales, haya contribuido a velar sus juicios.

La información que sobre la situación interior de España he obtenido en copiosas y auténticas fuentes nacionales acrecienta la divergencia de nuestras respectivas visiones sobre la situación internacional y sobre la repercusión que los acontecimientos mundiales puedan tener en nuestra política interior. V.E. es uno de los contados españoles que cree en la estabilidad del Régimen nacional-sindicalista; en la identificación del pueblo con tal Régimen, en que nuestra nación, todavía no reconciliada, tendrá fuerzas sobradas para resistir los embates de los extremistas al término de la Guerra Mundial y que V.E. logrará, por medio de rectificaciones y concesiones, el respeto de aquellas naciones que pudieran haber visto con disgusto la política seguida con ellas.

Este modo de enjuiciar el presente y el futuro es totalmente opuesto al mío y, por tanto, nuestras actitudes no pueden ser concordantes. Estoy convencido de que V.E. y el Régimen que encarna no podrán subsistir al término de la guerra y que de no restaurarse antes la Monarquía, serán derribados por los vencidos en la guerra civil, favorecidos por el ambiente internacional que cada día se pronuncia más fuertemente en contra del régimen totalitario que V.E. forjó e implantó. Para impedir tan trágico futuro es preciso ofrecer a los españoles algo que no sea el totalitarismo de V.E. ni la vuelta de la República democrática, antesala del extremismo anarquista; y esa tercera solución la constituye solamente la Monarquía Católica Tradicional, de cuyos ideales fundamentales estaba más próxima la mayoría de los héroes y mártires que hicieron posible el Alzamiento de julio de 1936, que de las exóticas instituciones que se han pretendido estérilmente hacer arraigar en nuestra Patria con desprecio de la mística inspiradora de la Cruzada.

Siempre me he negado a acceder a los requerimientos escritos por V.E. para identificarme con el Estado falangista, por estimar que ello era incompatible con la esencia misma de la Monarquía, que ha de ser genuina y absolutamente nacional y para todos los españoles. Pero he llegado al firme convencimiento de que esta actitud que he venido observando no basta para salvaguardar en el futuro los intereses de la Patria, ya que son muchos los que en España y en el extranjero interpretan mi silencio como una identificación con el Régimen presente. Ello me obliga a dar a conocer a España y al mundo la total insolidaridad de la Monarquía con él. No levanto bandera de rebeldía ni incito a nadie a la rebelión. Me limito exclusivamente a hacer pública la fundamental divergencia que siempre nos separó, impidiendo así que la caída del Régimen nacional-sindicalista imposibilite la restauración de la Monarquía y prive a la Patria, en tan críticos momentos, de las seculares Instituciones, únicas que pueden oponerse al extremismo revolucionario.

Nadie podrá, con fundamento, tachar de egoísta mi actitud que constituye, por el contrario, un muy duro pero sagrado deber. Solo un equivocado concepto de lo que es la Realeza puede llevar a afirmar que en este momento estoy «carente de responsabilidades». Las de carácter histórico que sobre mí pesan pueden concretarse por acción o por omisión, para hacer frente a ellas me veo impelido por convicción íntima y personal, a adoptar la actitud que anuncio a V.E.

No estimo oportuno en esta ocasión refutar la afirmación de V.E. relativa a que el Régimen camina generosa y noblemente hacia la restauración de la Monarquía. Hasta hoy solo he tenido noticia de la prohibición de toda propaganda monárquica, de los ataques en discursos y publicaciones oficiales a la Monarquía, y de los documentos conteniendo graves acusaciones para mi persona que obligatoriamente ha insertado toda la prensa de España.

Esperando no vea V.E. en esta carta nada ofensivo, ni siquiera molesto para su persona, por la que conservo una alta estima y aprecio, le saluda afectuosamente

JUAN, CONDE DE BARCELONA
25 de enero de 1944»

Enero-mayo de 1944. Declaraciones de Don Juan a *La Prensa* de Buenos Aires

Sainz Rodríguez —y no López Oliván—,[41] redacta las declaraciones que el diario *La Prensa*, de Buenos Aires, publica el 28 de enero de 1944. Lo que hace López Oliván es convencer a Vegas Latapié de

---

41. Cfr. Ricardo de la Cierva. *Franco Don Juan, los reyes sin corona*. Pág. 275.

que no se introduzcan en el texto los conceptos más queridos para Vegas y que instalaban a la Monarquía en el siglo XVI. Con estas declaraciones, Don Juan pretende complacer los deseos de los aliados de que mantenga actividad abierta contra Franco.

«Muchas veces, en visitas protocolarias o en fortuitos encuentros con el Príncipe Don Juan, futuro Rey de España, quisimos escuchar de sus labios su opinión sobre la marcha de la política española y sobre las perspectivas de la restauración monárquica que tantos españoles anhelamos.

Me he propuesto —nos decía— desde que asumí la herencia de mi augusto padre, ser muy parco en manifestaciones verbales. No quiero dar pretexto a que se me acuse de entorpecer, por impaciencias personales, el desarrollo de la vida política de España. Solo romperé mi silencio cuando estime que con ello puedo prestar un servicio eficaz a nuestra Patria.

Sin duda creyó Don Juan que ese momento había llegado hoy, ya que al pedir su venia para hacerle varias preguntas no se mostró opuesto a contestarme.

—¿Qué relaciones existen entre el Gobierno de España y Vuestra Alteza?

—A pesar de cuanto separa a la Monarquía del régimen actual, siempre quise que el cambio imprescindible y anhelado por la inmensa mayoría de los españoles se efectuara sin violencia, evitando los dolores de una nueva conmoción. Pero hasta ahora ni yo ni eminentes personalidades civiles y militares que, en los términos más respetuosos, dieron a conocer su sentir, insistiendo en la urgencia de reintegrar la vida nacional a sus cauces tradicionales, hemos logrado otra cosa que una vaga promesa de Restauración, sometida, además, a condiciones inadmisibles para el ideal monárquico, y a un aplazamiento indefinido. Por muy buena que sea mi voluntad, yo no puedo identificarme como fui invitado a hacerlo, con los postulados totalitarios de la Falange, ni tampoco prestarme a que la Monarquía restaurada aparezca como coronación o remate de la estructura creada por el régimen actual.

—¿No cree V.A. que las rectificaciones que de algún tiempo a esta parte lleva a cabo el Régimen podrían allanar el camino para un acuerdo?

—No —replica con viveza el Príncipe—. Algunas de estas rectificaciones, beneficiosas para muchos españoles, lo que íntimamente me complace, fueron anunciadas ya como urgentes en mis declaraciones de noviembre de 1942 y solo tienen el valor de un momentáneo paliativo. Con ellas no se puede suprimir el peligro cierto que para el pacífico futuro de España representa la perduración de un régimen cuya esencia misma no puede ser cambiada. Solo la Monarquía está capacitada para alcanzar la ansiada concordia de todos los españoles; solo ella puede llevar a cabo, con garantías de continuidad, las grandes

rectificaciones que lo mismo en política interior que exterior son necesarias. El régimen republicano y el actual no han conseguido ni conseguirán armonizar el orden con la libertad en el interior ni tampoco podrían ser factores positivos en el orden internacional.
—¿Podría V.A. decirme algo sobre las características y organización de la Monarquía futura?
—Comprenderá —me respondió S.A.— que reserve tan importante cuestión para cuando me dirija directamente a los españoles. Pero sí puedo anticiparle que soy contrario a cualquier forma de poder absoluto. La Monarquía será un Estado de derecho en el que gobernantes y gobernados deberán estar sometidos a las Leyes, dictadas por la concorde voluntad del Rey y de los organismos legislativos, constituidos por una auténtica representación nacional.
—La certera visión que V.A. tiene de la situación despertará seguramente en España y en el mundo una justificada esperanza, pero ¿no la defraudarán los que ostentan hoy la suprema responsabilidad, persistiendo en condicionar y aplazar el cambio de régimen?
—No lo sé. Hago votos porque no sea así. Aceptando las condiciones que se me ofrecieron, tal vez hubiera logrado anticipar mi acceso al Trono; pero estoy persuadido de que entonces la Institución Monárquica habría revivido en condiciones bien precarias para subsistir y que hubieran podido provocar nuevas convulsiones. Antes que nada y nadie, España. Cada día son más los que comprenden mi decidido empeño en conservar puro, sin contaminación con gérmenes de discordia, el ideal que represento para el momento en que el pueblo español, sin distingos partidistas, se resuelva a abrazarse a él como ancla de salvación.»

La censura del dictador, quien cada dos meses ofrece el Trono a Don Juan, prohíbe que las declaraciones del Rey se publiquen en España. Solo una diminuta minoría se entera. Franco afirmará permanentemente: «No hay monárquicos en España.» No era verdad, pero podía terminar siendo verdad. La Monarquía no existirá para los medios de comunicación de la dictadura durante treinta años, salvo para denigrarla.

—La juventud no es monárquica —le afirmó un día Franco a Pemán.

—Desde luego, mi general —le contestó el gran escritor—, tampoco es budista, ni kantiana, ni apache. El milagro sería que fuera una cosa que ni conoce, ni ha vivido nunca.[42]

Unos días después de su declaración a *La Prensa* de Buenos Aires, en conversación telefónica con Sainz Rodríguez, Don Juan le in-

---

42. José María Pemán. *Mis encuentros con Franco*. Prólogo de Luis María Anson. Pág. 206. Alfonso XII, solía recordar Pemán, solo tuvo dos votos de 344 diputados cuando las Cortes votaron en favor de don Amadeo.

forma de las reservas de Dulles sobre la invasión de la Península. Las cosas han cambiado. Ingleses y americanos saben ya que Stalin se opone al plan *Imoff*, al proyecto de Eisenhower. En su estrategia a largo plazo, el dictador soviético quiere derribar a Franco, pero no que España quede controlada indefinidamente por los aliados. Don Juan trata de ganarle por la mano al *caudillo*, antes de que se entere del cambio de la situación y le envía, el 3 de febrero, un telegrama enormemente ingenuo: «Apelo con toda mi alma —le dice el Rey al dictador— a su bien probado patriotismo para que, olvidando las divergencias de opinión, lleguemos a un acuerdo que permita la Restauración de la Monarquía en plazo breve.»[43]

Franco se ríe a carcajadas y se da cuenta de que algo ha cambiado. Don Juan no está tan seguro como unas semanas antes. El 7 de febrero de 1944, el *caudillo* sabe ya que el plan de Churchill y Eisenhower para invadir España ha quedado cancelado. Y, ese día, entonces, contesta a Don Juan con dureza: «La Falange —escribe— no es lo que creéis, ni es partido, ni exótica, ni totalitaria más que en el noble sentido tradicional que lo fueron nuestros gloriosos monarcas en los siglos de oro de nuestra historia, precisamente ha adoptado sus emblemas y ha renovado y valorado su doctrina con la aportación de un justo y hondo sentido social».[44] El 3 de marzo de 1944, el Rey le escribe una animosa carta a Fontanar.[45] «Adelante, pues, y sin titubeos», le dice, y añade: «Es preciso una gran unidad de acción y por tanto no debéis escatimar ningún medio...»

El 7 de marzo de 1944, el dictador le sintetiza en un telegrama al Rey: «España (es decir, Franco, *n. del a.*) no está dispuesta a consentir que con motivo de la general contienda puedan desvirtuarse los frutos de la victoriosa Cruzada y defenderá por todos los medios, sin contar los días ni los años, nuestra soberanía hasta el último hombre y el último católico.»[46]

Sainz Rodríguez proyecta, entonces, revolver la Universidad contra el *caudillo*. Numerosos catedráticos firman un escrito de repulsa contra Franco y de apoyo a Don Juan. El *caudillo* confina a Julio Palacios, a Jesús Pabón, a Alfonso García Valdecasas, a Juan José López Ibor... Como nada molesta a Franco más que la sombra del que fue su ministro, José María Gil-Robles, jefe indiscutido de la derecha moderada, Sainz Rodríguez le pide al Rey que le otorgue

---

43. Archivo Don Juan de Borbón.
44. Ibídem.
45. Archivo conde de Fontanar.
46. Archivo Don Juan de Borbón.

plenos poderes para la gestión política.[47] «Contra Gil-Robles —escribe Luciano Rincón— Franco no tiene nada más que agradecimiento. Mejor dicho, sí tiene algo contra él, agradecimiento, porque ha sido su jefe y esto Franco no lo perdona.»[48] Don Juan obedece a su consejero y le escribe a Gil-Robles:

> «Mi querido amigo:
> En relación con las gestiones políticas que le tengo encomendadas, puede presentarse oportunidad en que le sea a usted necesario justificar ante terceras personas que actúa Ud. debidamente autorizado. Para esta eventualidad y para todas aquellas que usted estime oportuno, le confío por la presente mi autorización plena para llevar a cabo las gestiones políticas que sean convenientes.
> Si las circunstancias lo requieren puede confiar encargos o misiones a don Pedro Sainz Rodríguez, en quien podría usted en su caso delegar la autorización que por la presente le confío.
>
> Le saluda con todo afecto
> Juan, Conde de Barcelona»[49]

Franco solicita de Salazar la deportación de Sainz Rodríguez. Éste escribe al dictador portugués una carta que es una delicia y detiene, al menos en gran parte, el golpe.[50]

Churchill, preocupado porque, al cancelar su plan de invadir España, Franco pueda revolverse y comprometer el desembarco en Francia, le hace un brindis el 24 de mayo en la Cámara de los Comunes y asegura, en clara alusión al problema sucesorio, que no intervendrá en los asuntos internos de España, lo que, naturalmente, no era cierto como se vería unos meses después en la conferencia de Yalta. El 29 de mayo Don Juan escribe a Fontanar: «No puedo ocultarte que estoy aún bajo los efectos que me ha producido el último discurso de Churchill. La política es así y no hay que descorazonarse pero indudablemente nos han sacudido un palo que nos servirá para recordarnos del oportunismo de Gran Bretaña.»[51]

Los aliados quieren asegurarse todos los flancos para la acción decisiva y final de la Guerra Mundial en Europa. El 5 de junio, la más colosal Escuadra que recuerda la Historia recibe orden de desembarcar en Normandía.

47. Archivo Sainz Rodríguez.
48. Luis Ramírez (Luciano Rincón). *Franco, historia de un mesianismo*. Pág. 174.
49. Gil-Robles. *La Monarquía por la que yo luché*. Pág. 378.
50. Archivo Sainz Rodríguez. La copia es el borrador manuscrito de Sainz.
51. Archivo conde de Fontanar.

Capítulo XV

FRANCO, EL HITLERIANO

Johann Huizinga, Oswald Spengler y Arnold J. Toynbee[52] coinciden en afirmar que, con la Historia en la mano, se puede demostrar un aserto y el contrario. La condición del hombre es contradictoria. No hay buenos absolutos ni malos sin fisuras. Entre los negros y los blancos se extiende siempre una copiosa gama de grises. Para Luis Suárez y Ricardo de la Cierva, que aportan abundante documentación, Franco, en líneas generales, trató siempre de sortear a Hitler, no quiso entrar en guerra y su actitud benefició a los aliados. Para Paul Preston y Samuel Hoare, es decir, para un gran historiador británico que ha escrito desapasionadamente un libro capital casi veinte años después de la muerte del dictador y para el que fue embajador de Su Graciosa Majestad en Madrid durante la Guerra Mundial, Franco fue un germanófilo entusiasta, quiso desde el principio participar en la guerra, creyó hasta muy avanzada la contienda que el Eje sería vencedor y se tropezó con que, en sus planes, el *führer* prefería entenderse con Pétain que con el *caudillo*.

Pero hay algo que está claro en este debate histórico. La brutal censura que desde 1939 se ejerció sobre la Prensa española, que no solo tachaba lo que Franco no quería que se publicara sino que ordenaba que se publicara lo que el *caudillo* deseaba, es reveladora. La Prensa en España, con alguna tímida resistencia de *ABC* y de su corresponsal en Londres, Luis Calvo, fue, entre 1939 y 1943, abiertamente, entusiastamente, totalmente germanófila. Las hemerotecas están abiertas para quien quiera comprobarlo. Lazar, el agregado de Prensa de la Embajada de Hitler, condicionaba la Censura española. Sus subordinados tenían sus despachos en el ministerio de la Gobernación de Franco. «Los ciudadanos españoles —afirma Hoare— no disponían de acceso a ninguna información que no hubiera sido sometida a la siniestra aprobación de Lazar.»[53] «La Prensa —añade el embajador británico— estaba en manos de Serrano Súñer y Serrano Súñer en manos del Eje.» Dentro de las veladuras de un alma taimada como la que tenía Franco y de su espíritu receloso e inhóspito,

---

52. Cfr. Johann Huizinga. *El otoño de la Edad Media*. Alianza, 1944. Pág. 452s. Oswald Spengler. *Decadencia de Occidente*. Espasa Calpe, 1958. Tomo I. Pág. 456. Arnold J. Toynbee. Emece Editores, 1963. Volumen XI. Pág. 51.

53. Samuel Hoare. *Embajador ante Franco*. Pág. 55 y 56.

los testimonios de Preston y Hoare se aproximan en opinión del autor de este libro a lo que fue la realidad. Los dos británicos dicen toda la verdad sobre las mentiras. Hoare aporta en su libro *Embajador ante Franco en misión especial* un apéndice extenso con cartas e informes secretos, sobre todo de 1940 y 1941, que resultan incuestionables. «Un estudio detallado de los documentos que hemos presentado —concluye el embajador— muestra claramente que Franco, durante todo el período de mi misión, estaba decidido a entrar en guerra al lado del Eje.»[54]

A mediados de septiembre de 1939, Franco se demora en recibir a los embajadores francés y británico, mariscal Pétain y Maurice Peterson, pero se entrevista con el alemán Von Stohrer y le subraya su admiración por Hitler y la máquina militar germana. Está satisfecho de que Hitler haya abierto de par en par en Polonia las puertas del templo de Jano. Es la Guerra Mundial. *(A lo largo de este capítulo se volverá cronológicamente sobre los acontecimientos analizados en el anterior, pero vistos ahora desde el interior de España.)*

El 26 de septiembre de 1939, en su discurso en Burgos, el dictador afirma que está dispuesto a tomar «decisiones heroicas si lo requieren las circunstancias». Refiriéndose a una conversación del duque de Alba con el general Beigbeder, Paul Preston subraya la convicción del *caudillo* de que «Gran Bretaña pronto suplicaría la paz e incluso recurriría a él para que actuara como mediador ante Hitler». Y añade que «en una atmósfera tan exaltada las simpatías de Franco por el Eje se manifestaban cada vez con más fervor».[55]

El *caudillo* recibe un Mercedes de seis ruedas que le regala Hitler y que es idéntico al del *führer*. A Franco le llueve literalmente la baba boba por las comisuras de los labios ante la delicada atención del *führer*. El 23 de abril de 1940, Franco le informa al embajador portugués que la Luftwaffe iba a aplastar a la Royal Navy. Se lo asegura como el genio de la guerra que todos reconocen en el *caudillo* invicto. En esas fechas, Franco envía tropas de refuerzo a los Pirineos, Gibraltar y Marruecos. En la Prensa se habla cada vez más de la consigna del *caudillo*: «Por el Imperio, hacia Dios.» Con la entrada de España en la guerra que Hitler iba a ganar fulgurantemente, Franco piensa reconstruir un gran imperio, concorde con su genio militar. Dominará todo el Sahara, Marruecos, Argelia y Túnez y naciones como la República Dominicana que volverían a España. Hace planes, además, para someter a Portugal. Preston aporta documen-

---

54. Samuel Hoare. *Embajador ante Franco*. Pág. 341s.
55. Paul Preston. *Franco, caudillo de España*. Págs. 430 y 433.

tación reveladora sobre esta última aspiración de los sueños imperiales del dictador.

Franco se compara ya a Felipe II, al que pretende emular, y decide construir un monumento gigantesco cerca de El Escorial, que perpetúe sus gloriosas proezas. Es el Valle de los Caídos.

Marzo-junio de 1940. Franco cree en la victoria fulminante de Alemania

Cuando la Wehrmacht aplasta al Ejército francés, al que Franco admiraba, el *caudillo* no tiene la menor duda. La guerra será un relámpago y él quiere estar sentado en la mesa de los vencedores cuando se reparta el botín.

La diplomacia norteamericana conoce los planes militares de Franco y trata de frenarle, ayudándole en los agobiantes problemas económicos de España, consecuencia a cincuenta por ciento de la Guerra Civil y de una disparatada política autárquica.

«Junto con el Jefe del Estado Mayor, el general Juan Vigón y la mayoría de sus generales, el *caudillo* tenía una fe inquebrantable en la Wehrmacht. Ansiaban aprovechar la oportunidad que les brindaban los triunfos alemanes para apoderarse de Gibraltar y del Marruecos francés.»[56]

Vigón lleva una carta del *caudillo* al *führer*: «Querido Führer: —escribe reverencial Franco— En el momento en que los ejércitos alemanes bajo su dirección están conduciendo la mayor batalla de la historia a un final victorioso, me gustaría expresarle mi admiración y entusiasmo y el de mi pueblo, que observa con profunda emoción el glorioso curso de una lucha que ellos consideran propia.»[57]

El 9 de junio de 1940, Mussolini escribe a Franco para anunciarle que Italia entra en guerra. El *duce* ante la rápida victoria alemana quiere asentar sus generosas posaderas en la mesa de negociación para la paz.

Franco facilita los aeropuertos españoles con el fin de que reposten los aviones italianos. Entrega los puertos nacionales, incluidos los canarios, para que los nazis se refugien y descansen, mientras se reparan con comodidad los barcos de Hitler.

El 12 de junio de 1940, el *caudillo* decide que España deje de ser neutral para convertirse en «no beligerante». Es la misma fórmula

---

56. Paul Preston. *Franco, caudillo de España*. Pág. 444.
57. Luis Suárez. *Francisco Franco y su tiempo*. Tomo III. Pág. 121.

que empleó Italia antes de entrar en guerra. Los aliados creen con fundamento que Franco se prepara para incorporarse militarmente al servicio de Hitler. En la mesa del despacho del *caudillo* figuran agresivas las fotos dedicadas del *führer* y el *duce*.

«Desde 1945 en adelante —escribe con agudeza Preston— los propagandistas de Franco trabajaron con tesón para presentar a Serrano Súñer como el arquitecto exclusivo de la política progermánica. Ello es un sin sentido. Resulta inconcebible que Franco permitiera pasivamente a su cuñado diseñar la política exterior. Serrano Súñer comparte el entusiasmo de Franco por los triunfos alemanes...»[58]

Los submarinos de Hitler se abastecen y reparan en los puertos españoles y las tripulaciones de relevo se incorporan a los buques viajando a través de España. En La Coruña, Franco pone a disposición del *führer* una estación de radio que utiliza la Luftwaffe. Los destructores alemanes repostan en la costa cantábrica española. Los aviones alemanes operan desde aeropuertos españoles contra los navíos aliados.

«Los apologistas del *caudillo* —añade Preston, demoledor— han afirmado con insistencia que, con la poderosa Wehrmacht en sus fronteras, Franco tuvo que tratar al Tercer Reich con cautela e incluso con complaciente neutralidad. Ese es un argumento totalmente mendaz. No hay una sola razón que apoye la idea de una acción hostil alemana contra España. En cualquier caso, en el verano de 1940, cuando ya estaba en estudio la ofensiva contra Rusia, la Wehrmacht no podía disponer de fuerzas para atacar España. Además, dada la magnitud de la valiosa cooperación prestada por Franco, Hitler no tenía necesidad de semejante ataque».

Junio-agosto de 1940. Franco, por el Imperio hacia Dios, ambiciona el Marruecos francés, Argelia, Túnez, Sahara, la Cataluña francesa, el golfo de Guinea... ¡y Portugal!

El *caudillo* ocupa Tánger y devuelve el consulado alemán a Hitler que lo transforma en un nido de espionaje. Vigón visita al *führer* en el Château Acuz, en Bélgica, y regresa fascinado. Todo son inciensos y timbales en una Prensa prisionera tras las rejas de la Censura.

El 29 de junio de 1940, el *caudillo* revela al *duce* sus ambiciones imperiales: el Marruecos francés, Argelia, el Sahara, la Cataluña

---

58. Paul Preston. *Franco, caudillo de España*. Pág. 448.

francesa, el control de Portugal y la expansión en torno a Guinea. A continuación Franco presenta formalmente a Hitler su disposición a entrar en guerra a cambio de que satisfaga sus sueños de caminar por el imperio hacia Dios, con estas aspiraciones coloniales. «Convencido de la caída inminente de Gran Bretaña —escribe Preston— Hitler estaba poco interesado en la participación española según las condiciones de Franco. Algunas de las aspiraciones de Franco estaban en conflicto con los planes del propio Führer para crear un imperio alemán en África.» Hoare lo confirma de forma rotunda: «Estaba claro que (Hitler) había decidido reservar para sí solo el espléndido botín de una victoria africana.»[59] Hitler no necesita a Franco para ganar la guerra. Prefiere además entenderse con Pétain y el mariscal no aceptará nunca concesiones territoriales francesas a Franco. «Hitler no está dispuesto a perjudicar las negociaciones para el armisticio con Pétain a fin de satisfacer gratuitamente a Franco», afirma Preston que coincide con Hoare, el cual subraya la política del *führer* «tendente a colocar en su órbita al Gobierno de Vichy».[60]

España, pues, no se salva de entrar en la Guerra Mundial, al lado de los que la perderían, por la habilidad de Franco. El *caudillo* hizo, en 1940, todo lo posible para participar en la guerra. Lo que le salva a España es, por un lado, las aspiraciones de Hitler a su propio imperio africano y, por otro, la actitud de Pétain que muy bien informado por su embajador en Madrid, plantea al *führer* la imposibilidad de seguir con Vichy, si el Reich acepta las condiciones de Franco.

El general Beigbeder, que podía introducir un punto de sentido común en los sueños imperiales de Franco, estaba con la razón al lado de Inglaterra, pero el soberbio calibre de los muslos de la baronesa Von Stohrer, esposa del embajador alemán, le había enloquecido. El adulterio con la carne suntuosa de la alta dama le resulta muy útil al Reich. Apenas queda algún anglófilo al lado de Franco. Beigbeder tiene un picadero discreto y aromático en la calle Fuentidueña. Franco sigue con asombro las peripecias románticas de su ministro, que es un auténtico atleta sexual, que escala a la vez desde los encantos de su sobrina Dolores Velarde hasta las enhiestas cumbres de Gertrudis Wittek, agente de una red norteamericana de espionaje, y mujer de hermosa boca emputecida.

59. Samuel Hoare. *Embajador ante Franco.* Pág. 100.
60. Ibídem. Pág. 101.

1940. Franco proyecta apoderarse de Portugal, al servicio del Eje

Hitler sigue mostrándose desdeñoso con el *caudillo* y ambiciona una de las islas Canarias. Sin desanimarse porque el *führer* no tome en cuenta sus ofertas, «Franco estaba impaciente por negociar la entrada de España en guerra», afirma Preston.[61] Con copiosa documentación demuestra que el *caudillo* se preparaba «a emplear tropas españolas para forzar a Portugal a depender de España» y que «las tropas españolas bastarían para una acción en Portugal...» Hoare lo dice más claro: «... que Serrano Súñer publicara una serie de artículos en la Prensa contra Portugal, como aliado de Inglaterra, y como parte integrante de la Península que podía ser reabsorbido dentro del Imperio Español».[62] En carta a Don Juan de 12-V-1942, Franco reprocha a los reyes que «firmaron las paces que mutilaron nuestro Imperio, *suscribieron la separación de Portugal* o nos infamaron en Utrecht».[63]

El futuro amigo de Salazar, el del «Bloque Ibérico» y la hermandad entrañable de las naciones peninsulares, estuvo dispuesto en su megalomanía imperial a la puñalada traidora y a anexionarse Portugal en 1940.

«Alemania tiene ganada la guerra», reitera Franco. Cuando Sainz Rodríguez le expone, en su despacho, un plan alternativo por si Hitler pierde la contienda, el *caudillo* le interrumpe con desdén y le repite: «No hay sí que valga, no hay condicionantes, Alemania ha ganado ya la guerra. Se lo dice un militar.»[64]

Franco recibe la más alta condecoración del Tercer Reich: la Gran Cruz de Oro de la Orden del Águila. «Irónicamente —escribe Preston— este hito en su relación con el Führer encubre el hecho de que Franco no había percibido la importancia a largo plazo del armisticio de Hitler con Francia. No comprende que ello había cerrado las puertas a sus esperanzas de heredar partes sustanciales de los territorios franceses del norte de África.» Franco es un pigmeo entre los grandes de la política europea. No entiende nada de lo que se juega sobre el tablero estratégico de la gran contienda.

Tampoco advierte que la poderosa Alemania está perdiendo la batalla de Inglaterra. Y que los aviadores británicos dibujan en el aire con su heroísmo y su acierto el principio de la victoria final.

61. *Franco, caudillo de España*. Pág. 457.
62. Samuel Hoare. *Embajador ante Franco*. Pág. 60.
63. Archivo Don Juan de Borbón.
64. Archivo Sainz Rodríguez.

El *caudillo* no se da cuenta del desdén con que le trata el *führer*. Continúa «impaciente por negociar la entrada de España en la guerra». Al embajador portugués Pereira le dice: «Alemania tiene ganada la guerra. Lo máximo que Inglaterra puede hacer era durar un poco más con la esperanza de obtener mejores condiciones de paz que Francia.» Habla el genio militar del *caudillo*. «Pereira temía que Franco utilizara su relación con el Tercer Reich para afirmar su dominio sobre Portugal, del mismo modo que pensaba conseguir las colonias francesas sin apenas contrapartidas. Durante la primera semana de julio se habían desplegado tropas españolas cerca de la frontera portuguesa. Desde la Guerra Civil había habido llamamientos de los falangistas de la línea dura a la inmediata anexión de Portugal y ahora volvían a oírse.»[65]

La «fantástica victoria» del Eje, que Franco celebra con entusiasmo, no era una lucha como sus apologistas enmascararon posteriormente contra el comunismo, porque en esas fechas estaba vigente el pacto germano-soviético. Sus discursos «muestran su simpatía ideológica con los otros dos dictadores».[66]

Hitler proyecta un Imperio nazi del Norte de África: posesiones francesas, Marruecos y Sahara español y francés, y una isla canaria

En septiembre de 1940, el *caudillo* cree que es cuestión de días que cristalice el triunfo alemán. El *führer* humilla a Franco y refuerza el ejército colonial francés en Marruecos. El dictador español baja la cabeza, coloca sus manos victoriosas sobre la abundosa tripa y calla.

Franco no se entera de que la *Seeloewe*, la operación *León Marino*, se pospone porque Hitler no puede con Inglaterra y su Royal Air Force. Pero se inquieta al conocer que el dictador nazi piensa en una isla canaria como base alemana.

El 11 de septiembre de 1940, el *caudillo* escribe al *führer* para expresar su fe en una victoria «inminente y definitiva». Hitler se ríe. Sabe lo que Franco espera de él. Pero en sus planes de dominio proyecta también un gran imperio alemán en África del Norte con bases en Canarias y en el Marruecos español. España sería solo dentro de la Alemania imperial «un satélite agrario menor».

Franco escribe a Serrano para subrayarle que «cree ciegamente

65. Paul Preston. *Franco, caudillo de España*. Pág. 456.
66. Samuel Hoare. *Embajador ante Franco*. Pág. 72.

en la victoria del Eje y que estaba completamente decidido a entrar en guerra». Ante ciertos signos de desinterés nazi, Franco insiste, según Preston y Hoare, en que «su actitud hacia Alemania no era un oportunismo pasajero sino una realidad eterna».

La entrevista de Hendaya se va a celebrar con un Franco anhelante de entrar en guerra y un Hitler reticente que, a finales de septiembre, le confiesa a Ciano que la intervención española «costaría más de lo que vale».[67] El *führer* no quería que Pétain, informado de las aspiraciones de Franco, perdiera el control de Vichy y le abandonaran las fuerzas coloniales francesas. Hitler deseaba mantener el control de Francia a través de Pétain y, tras la victoria, engañar al mariscal y construir el imperio africano de la Gran Alemania a costa, sobre todo, de las posesiones francesas y españolas: Argelia, Túnez, el Marruecos francés y español, el Sahara francés y español, y una isla canaria.

Franco cede a las presiones de Berlín, destituye al anglófilo Beigbeder y nombra ministro de Asuntos Exteriores a Ramón Serrano Súñer. Es el 16 de octubre de 1940. Beigbeder reacciona acercándose al embajador británico Samuel Hoare. Le facilita los primeros encuentros con Pedro Sainz Rodríguez y varios generales. Para no tener problemas con las autoridades españolas, el embajador exige secreto absoluto y encarga a un australiano que sirve en la misión británica el contacto con los conspiradores. Se llama Arthur Yencken y se entiende a la perfección, desde el primer momento, con Sainz Rodríguez. También se entablan relaciones con el general Torr y Allan Hillgard, hombres de confianza de Hoare.

Octubre-diciembre de 1940. Hendaya: Franco acude emocionado a ver a Hitler para entrar en guerra

El 23 de octubre de 1940, Franco tiembla de emoción al tender su mano al dueño de Europa. Se disculpa de que su tren haya llegado con ocho minutos de retraso. Es mentira que ese retraso lo promoviera el *caudillo* para poner nervioso al *führer*. Franco iba dispuesto a entregarse a Hitler y a obtener compromisos que colmaran sus delirios imperiales. No sabía que los consejeros militares de Hitler no querían la incorporación de España al Eje porque «carece de valor práctico». No sabía que Pétain, que se entrevistaba al día siguiente, 24, con el *führer* en Montoire, conocía las exigencias del dic-

---

67. Ciano. *Diario*. Pág. 294.

tador español y no estaba dispuesto a ceder. Hitler quería una Francia tranquila y sometida. Le importaba eso mucho más que la aportación del *caudillo*, aparte el objetivo final del *führer* de disponer de su propio imperio en África. «Franco no es un héroe sino un pequeño mequetrefe», había advertido el almirante Canaris a Hitler. Y ésa es la impresión que sacó el *führer* de la entrevista de Hendaya. El tono de la reunión, según Preston, hace que «carezca de sentido la pretensión posterior de Franco y Serrano Súñer de que estaban hábilmente conteniendo a Hitler. Su determinación no era la de mantenerse en la neutralidad, sino lograr la base de un imperio colonial». El protocolo firmado constituía, en todo caso, un compromiso formal por parte de España para entrar en guerra al lado del Eje. Según Satrústegui, la máxima concesión que pensaba hacer Hitler si un día, en cumplimiento del acuerdo firmado, exigía la participación española en la guerra, se reducía a Gibraltar.[68]

Luis Carrero Blanco, capitán de navío, hace un informe a Franco en el que subraya el poderío de la Royal Navy y las consecuencias de la entrada de España en guerra.[69] Serrano Súñer, sin embargo, estaba convencido, como Franco, de que «el cadáver del Imperio británico yacía preparado para la disección».[70] El *caudillo* ha caído de lleno en lo que Arnold J. Toynbee llama «la tentación suicida del militarismo».[71] Será salvado en última instancia por la ambición de Hitler.

El dictador español estudia la operación *Félix*. El plan de Hitler consistía en entrar en España el 10 de enero de 1941 y tomar Gibraltar. Franco necesita ayuda económica, trigo, cereales, petróleo, suministros de Estados Unidos y Gran Bretaña, que Alemania no puede darle. Churchill alienta sagazmente a Estados Unidos a jugar la carta económica para dominar el entusiasmo de Franco de entrar en guerra.

A pesar de eso, el 28 de noviembre de 1940, Stohrer informa a Berlín que Franco ha empezado los preparativos para la guerra. No era así. El *caudillo* piensa entrar en guerra, pero da largas a la operación *Félix* que no sabe cómo justificar ante la Falange. Tiene la suerte de que Hitler ordene aplazar la operación *Félix*. Los hechos históricos son un poco distintos a como los cuenta Satrústegui, que acepta la versión de Serrano Súñer en su libro *Entre Hendaya y Gi-*

68. Joaquín Satrústegui. *La política de Don Juan III en el exilio. ABC*, 23-XII-90. Pág. 33.
69. Tusell. *Carrero*. Pág. 87.
70. Samuel Hoare. *Embajador ante Franco*. Pág. 187.
71. Arnold J. Toynbee. *Estado de la Historia*. Tomo IV. *El colapso de las civilizaciones*. Pág. 487s.

braltar y elogia las gestiones del ministro español, enviado por Franco a Berlín.[72] Sainz Rodríguez no se entera y comienza su arriesgada y sutil conspiración con la Embajada británica que, a causa de una indiscreción, concluiría con su exilio en Portugal.[73] Si las tropas alemanas entraban en España para tomar Gibraltar, arrastrando al país a la guerra, los británicos tomarían las Canarias para establecer allí un Gobierno de resistencia con Don Juan y Sainz Rodríguez.[74]

En el archivo de Sainz Rodríguez existe un documento de 1941, en cuyo margen está escrito de puño y letra del catedrático «utilizable como está», en el que Franco transmite un recado a su antiguo ministro para que hable con el jefe del Alto Estado Mayor, general Vigón, y estudie con él su plan de crear una línea aliadófila en el Régimen. La respuesta de Vigón es concreta: «No merece la pena acometer esa empresa. Falla la premisa mayor. No se puede hablar de si Alemania pierde la guerra. Es imposible que Alemania pierda la guerra. Militarmente la tiene ganada ya.»

El año 1941 avanza y el *caudillo* sigue afirmando con seguridad absoluta que Alemania ha triunfado. «Nunca se le ocurrió pensar que los alemanes podrían ser derrotados, y su única duda estribaba en cuándo la ganarían y cuál sería el momento oportuno para unirse a ellos en la marcha triunfal del fin de la guerra.»[75] Franco caza, pesca, escribe el guión de *Raza*, llora al ver la película, se organiza el botafumeiro personal a través de una censura obsesiva. España es solo Franco, Franco, Franco.

Febrero-marzo de 1941. Bordighera, Mussolini y, otra vez, la ocupación de Portugal

El 10 de febrero de 1941, en Bordighera, el *caudillo* le dice al *duce*: «España desea entrar en la guerra; su temor es entrar demasiado tarde.» Al día siguiente en Montpellier, Franco se entrevista con el mariscal Pétain, saluda no militarmente, sino brazo en alto, a estilo fascista y el gran militar francés se envaina, si es que algún día la pronunció, la frase de la «espada más limpia de Europa» y afir-

72. Joaquín Satrústegui. *La política de Don Juan III en el exilio. ABC*, 23-XII-90. Pág. 33.
73. Véase pág. 165 de este libro.
74. Véase pág. 167 de este libro.
75. Samuel Hoare. *Embajador ante Franco*. Pág. 99.

ma que «sigue siendo el mismo, tan orondo, tan pretencioso». De esta frase sí hay documentación.[76] Alemania elabora la operación *Isabella* para ocupar España, con Franco o contra Franco. Eso acentúa la conspiración monárquica de Sainz Rodríguez, informado y apoyado por Inglaterra.

Paul Preston escribe con cuantiosa documentación incontrovertible, algo que ya se ha expuesto en este capítulo. «Serrano Súñer —escribe el historiador británico en *Franco, caudillo de España*—[77] le dijo a Stohrer que deseaba retrasar la entrevista de Franco con Salazar para que éste no le disuadiera de entrar en guerra. Los portugueses eran conscientes de la propaganda falangista dirigida contra ellos, pero tal vez no lo fueron de la magnitud de los designios que Serrano Súñer, Franco y otros militares españoles abrigaban sobre Portugal. La Embajada alemana en Madrid informó que oficiales españoles hablaban de la mejoría de la suerte del Eje que se podría esperar "cuando nuestra frontera occidental llegue hasta el Atlántico" o "cuando los escuadrones alemanes puedan volar desde las bases portuguesas que estarán en manos españolas". En mayo de 1941, uno de los ayudantes de campo del generalísimo, el comandante Navarro, le dijo al agregado aéreo alemán, coronel Kramer, que una guerra contra Portugal sería una distracción útil para las tensiones políticas internas. El general Aranda también aseguró a Kramer y a Stohrer que tenía órdenes de trazar los planes preliminares de un ataque a Portugal».

Abril-mayo de 1941. Inglaterra: trece millones de dólares para sobornar a militares españoles

«...la corrupción alemana había envenenado —según Hoare— la vida oficial española. Había demasiados funcionarios españoles a sueldo del Reich. España, si no políticamente, al menos moralmente era un país ocupado. Igual que en Francia, la máquina gubernamental estaba dirigida por los alemanes».[78]

Los servicios de inteligencia británicos reaccionan y, a través del anglófilo y monárquico general Aranda, distribuyen trece millones de dólares, cantidad de considerable calibre para aquella época, en-

---

76. Bardick. *Military Strategy*. Pág. 103. Cfr. Preston. *Franco, caudillo de España*. Pág. 527.
77. Pág. 535.
78. Samuel Hoare. *Embajador ante Franco*. Pág. 232.

tre militares españoles de alta graduación. Es un claro soborno para frenar al *caudillo* y que temple su entusiasmo por el Eje. El 5 de mayo de 1941, Franco nombra a Valentín Galarza ministro de la Gobernación, desplazando la influencia de Serrano Súñer en esa área. Y lo más importante: Luis Carrero Blanco se convierte en subsecretario de la Presidencia. Será ya a partir de entonces y hasta su asesinato el 20 de noviembre de 1973, la eminencia gris, el hombre clave cerca del *caudillo*. Serrano Súñer le durará a Carrero poco más de un año.

Junio-diciembre de 1941. Franco envía la División Azul a luchar en favor de los nazis

Franco decide que la «no beligerancia» se convierta en «beligerancia moral» y envía la División Azul a luchar en favor de los nazis solo en el frente ruso, para complacer al Eje y a la vez mantener los suministros norteamericanos y británicos de trigo y petróleo. Se había producido en España «un estallido de simpatía y admiración irrefrenables hacia el gran pueblo alemán, hacia su invencible Ejército y hacia su glorioso Führer».

«Los alemanes han ganado la guerra», afirma la sabiduría militar de Franco, el 17 de julio de 1941, en su discurso ante el Consejo Nacional de la Falange. El *caudillo* no puede equivocarse. Hoare comunica a Londres para que el pobre Churchill se entere que el «"príncipe de los Ejércitos" terminó su discurso declarando pontificialmente que los aliados habían perdido completa y definitivamente la guerra».[79]

En septiembre de 1941, Hitler vuelve a considerar la operación *Félix*, para después de la victoria sobre Rusia. Los conspiradores monárquicos intensifican su acción. Don Juan se manifiesta cada día más anglófilo, siguiendo las instrucciones de Sainz Rodríguez. El dinero británico sigue corriendo entre los generales españoles a espaldas de Franco. Aranda y Beigbeder, apoyados por Orgaz, Kindelán, Saliquet, Solchaga, Varela y Ponte, quieren terminar con el germanófilo Serrano Súñer. Franco está decepcionado con su cuñado. Pero teme que su destitución fortalezca a los monárquicos. El *caudillo* tiene la certeza que muchos de sus generales no creen ya en la victoria del Eje. Pero sabe que están equivocados. Él tiene razón. Él es el genio militar, la espada más sabia de Europa. Alemania vencerá de forma ineluctable.

79. Samuel Hoare. *Embajador ante Franco*. Pág. 124.

Pero tras Pearl Harbor y la declaración de guerra de Gran Bretaña y Estados Unidos al Japón, el 8 de diciembre de 1941, comienza el nuevo año con otro panorama. Los aliados preparan minuciosamente la operación *Torch*: el desembarco en África. A principios de 1942, Churchill teme todavía que Franco, fascinado por la grandeza del *führer*, se le entregue sin reservas como un amante encoñado al que estimula el desdén. Preston recoge una carta del gran político británico dirigida a Roosevelt, el 5 de enero de 1942: «Por favor, ¿tendría la amabilidad de pensar en ofrecer algunas zanahorias racionadas a los españoles para evitar problemas en Gibraltar? Cada día que podemos utilizar el puerto es un logro, sobre todo considerando algunas otras ideas que ya hemos tratado.»

La censura del *caudillo* impone a la Prensa en España un desmesurado entusiasmo por Japón, que rivaliza con los elogios a Hitler y Mussolini. Franco mantiene las entregas de volframio a Alemania, vital para el acero de la industria de guerra.

Febrero-abril de 1942. Franco defenderá Berlín con un millón de españoles

El 13 de febrero de 1942, eleva su cinismo al cubo y, olvidando sus planes anteriores de ocupar Portugal, se entrevista en Sevilla con el dictador portugués Salazar, firme en su amistad británica. Como militar afirma al sobrio economista lusitano que es «absolutamente imposible» una victoria aliada. Le asegura, además, con esa profunda visión de la Historia que siempre caracterizó al *caudillo,* que «si los comunistas acosaran a Alemania él, Franco, la defendería con un millón de soldados españoles».[80]

El *caudillo* estaba encariñado con esta idea que dejó estupefacto al discreto Salazar. La repitió en público en una ocasión solemne. La frase ha sido citada por una buena parte de los historiadores en versiones distintas. El autor de este libro la ha encontrado en *ABC*, en un discurso tomado taquigráficamente que el gran diario, primera cabecera de la Historia del periodismo español, publicó el 15 de febrero de 1942.[81] El día anterior el clarividente dictador pronuncia, en el Alcázar de Sevilla, ante todos los Cuerpos y Armas de la guarnición, la frase histórica, escrita para la inmortalidad de su genio

---

80. García Lahiguera. *Serrano Súñer*. Pág. 205.
81. *ABC*, 15-II-1942. Pág. 12.

imperecedero: «... *si hubiera un momento de peligro, si el camino de Berlín fuese abierto no sería una División de voluntarios españoles, lo que allí fuese, si no que sería un millón de españoles los que se ofrecerían...*» «Una clamorosa salva de aplausos, según *ABC*, interrumpe las palabras de Su Excelencia». Tom Burns, el excelente jefe de Prensa de la Embajada británica, informa a Londres de la bravata del *caudillo*. Lo hace con sarcasmo y humor.

Don Juan, en Lausana, lee la soflama de Franco y no da crédito a sus ojos. Vegas, López Oliván y, sobre todo, Ramón Padilla harán de la frase de Franco una perpetua referencia en las sobremesas para regocijo general.

Unos días después, el 24 de febrero de 1942, el padre del dictador, tras una dilatada hemorragia cerebral, muere en brazos de su amante Agustina Aldana. Nicolás viaja desde Lisboa para ver al padre. El *caudillo* no. Su progenitor le consideraba un «inepto» y, en más de una ocasión, le habían encarcelado por calificar al hijo de «cabrón y chulo». Franco arranca a la amante del lecho del padre muerto y la impide asistir al funeral en el que se rinden a Nicolás Franco Salgado-Araujo, honores militares. De Agustina Aldana, el padre de Franco no tiene descendencia. Tal vez sí tuvo un hijo de una muchacha filipina de catorce años, Concepción Puey, durante un viaje a Manila. Según la revista *Opinión* (28-II-1977) este hijo ilegítimo, Eugenio Franco Puey, se relacionó en 1950 con el generalísimo.

El *caudillo* se deja querer por ciertos bufones que le proponen que encabece él una dinastía monárquica, porque tiene mejores derechos que «los adquiridos en los dormitorios imperiales». Franco ofende a los Reyes Católicos y elogia, para halagar a su idolatrado *führer,* la «política totalitaria y racista» de Isabel y Fernando que expulsaron a los judíos de España.

Kim Philby, el gran cerebro del espionaje, pone en evidencia ante Franco la ayuda secreta que su régimen otorga a Hitler. Serrano Súñer, en Italia, le habla al rey Víctor Manuel de Franco como «de un criado ignorante». Hitler prepara la sustitución del *caudillo* por el general Muñoz Grandes, que trabaja con seriedad al frente de la División Azul.

El *caudillo* en la España oficialmente católica prohíbe la difusión del *Osservatore Romano*. La censura continúa su actuación implacable. Es la página más sórdida de la dictadura y se prolongará, sin desmayos, hasta abril de 1966.

Septiembre-diciembre de 1942. Operación *Torch*: los aliados desembarcan en África

El embajador norteamericano en Madrid entrega a Franco una carta-trampa para que el *caudillo* se esté quieto ante el desembarco aliado en África. El dictador lee la carta con suficiencia porque cree que los alemanes echarán al mar a ingleses y americanos. Conoce, además, el desembarco por la confidencia de Don Juan a Vigón y piensa lo mismo que el general sobre el «descabellado» propósito aliado.[82] La carta del presidente de los Estados Unidos dice así:

«Querido generalísimo Franco:

Porque su nación y la mía son amigas en el mejor sentido de la palabra y porque usted y yo estamos sinceramente deseosos de que esta amistad continúe para nuestro mutuo bien, quiero explicarle, muy sencillamente, las imperiosas razones que me han obligado a enviar poderosos efectivos militares para la ayuda de las posesiones francesas en el norte de África.

Disponemos de una precisa información en el sentido de que Alemania e Italia tenían la intención de ocupar por la fuerza, en fecha muy próxima, el África del Norte francesa.

Por su amplia experiencia militar, usted comprenderá claramente que, para los intereses conjuntos de Norteamérica y América del Sur, es esencial que nosotros tomemos las debidas medidas, encarando una acción que tiende a prevenir una ocupación militar del África francesa por el Eje.

A fin de atender la defensa del continente americano he enviado un poderoso ejército a las posesiones y protectorados franceses en África del Norte y espero que así podremos evitar los sufrimientos de la guerra que se hubieran derivado de la ocupación de estas zonas por las fuerzas del Eje.

Espero que usted acepte mis más formales seguridades de que estas maniobras no van dirigidas bajo ningún aspecto contra el gobierno y el pueblo de España, o de Marruecos español, Río de Oro, o las posesiones insulares de España. Estoy convencido de que tanto el gobierno como el pueblo español desean verdaderamente preservar su neutralidad y permanecer ajenos al conflicto. España no tiene nada que temer de las Naciones Unidas.

Queda de usted, querido General, su sincero amigo,

FRANKLIN D. ROOSEVELT»

---

82. Véase pág. 173 de este libro.

El 8 de noviembre de 1942, el éxito de la operación *Torch*, el desembarco aliado en África, hace pensar al *caudillo*, con asombro, que puede estar equivocado en cuanto a la suerte de la guerra pero desecha enseguida tan descabellada idea. En todo caso, Franco, tras el incidente de Begoña, el 16 de agosto de 1942, en que unos falangistas hacen explotar dos granadas hiriendo a más de un centenar de personas en un acto monárquico, destituye, como queda explicado en el capítulo anterior, a Serrano Súñer y lo reemplaza por el conde de Jordana, servicial para con el dictador, pero más proclive a Churchill que a Hitler. El diario *Arriba* recoge, el 4 de septiembre de 1942, una frase de Franco al general Asensio: «Yo sé que algún día saldré de aquí, pero con los pies por delante.» Esa frase constituye el centro neurálgico de la política del *caudillo*: morir en el poder. Si Dios dispone de su vida, saldrá de El Pardo con los pies por delante de muerte natural; en todo caso, saldrá siempre con los pies por delante, porque para arrancarle de su poltrona de El Pardo, había que matarle antes. No hay opciones intermedias.

El 30 de septiembre de 1942, subraya Preston, «la admiración de Franco por Hitler era inquebrantable». El historiador británico aporta testimonios incuestionables sobre lo que afirma. Franco era hitleriano hasta la médula. La censura dirigida personalmente por el *caudillo* sigue haciendo de la Prensa española «un instrumento de la guerra política del Eje».

Kindelán visita a Franco tras el desembarco aliado en África, le echa valor a la entrevista y le dice al endiosado generalísimo que tenía que ser sustituido como Jefe del Estado y que proclamase la Monarquía. A Franco le entra la risa floja, sorprendido de lo mal que le conocen los mismos que le encumbraron al mando absoluto.

Diciembre de 1942-junio de 1943. Franco: «Creo en España porque creo en la Falange»

La respuesta a Kindelán y a los monárquicos la dará Franco con otra frase histórica: «A vuestra fe y a vuestro fanatismo —dice a los falangistas— correspondo con el mío. Creo en España porque creo en la Falange.» Sainz Rodríguez rodea esta frase con tres círculos y se la envía con el leoncito de lacre a Don Juan. «Para que Vuestra Majestad conserve el sentido del humor con las ocurrencias literarias de Franquito», escribe al margen, con lápiz.

El generalísimo, que establece el «Bloque Ibérico» con Salazar el 20 de diciembre de 1942, juega con sus generales: con los que aspiran a sustituirle y con los que conspiran para restaurar la Monarquía. Les conoce demasiado bien y les maneja a su antojo. Sainz Rodríguez le insiste a Gil-Robles en Lisboa y así se lo escribe a Don Juan: nada se puede esperar desde dentro de España. Las cartas hay que jugarlas fuera, hay que apostar «cien por cien, mil por mil», a la victoria aliada, intensificando las gestiones de Alba y López Oliván y la sugestión que el joven Rey ejerce sobre Allen Dulles.

Moltke, que ha sustituido a Stohrer, el cual abandona España del brazo de su turgente esposa, firma el 19 de febrero de 1943 un protocolo secreto Alemania-España. Hitler, según Franco, era su amigo. Gran Bretaña, Estados Unidos y los rojos, sus enemigos. Así de sencillo y de simple. Como corresponde a un bizarro militar de ideas claras, que llama al pan, pan, vino al vino y faisán al faisán. El discurso de Año Nuevo del dictador, aquel año de 1943, es más prohitleriano que nunca. El «Nodo», noticiario cinematográfico español, se convierte en una permanente apología del *führer*. El general Martínez Campos regresa de un viaje a Alemania, convencido de que es imposible derrotar a los Ejércitos del Tercer Reich. El general Vigón, dominado por el almirante Canaris, piensa lo mismo.

El 15 de junio de 1943, veintisiete procuradores en Cortes, entre ellos los generales Galarza y Ponte, escriben al dictador y le piden la restauración de la Monarquía. Franco destituye a los que eran consejeros del Movimiento, convencido de que los aliados han inspirado el escrito en favor de Don Juan.

Julio de 1943. Cae Mussolini

El 25 de julio de 1943, el Rey de Italia destituye a Mussolini tras una moción de censura del Gran Consejo Fascista. El *caudillo* se estremece. Por primera vez, desde septiembre de 1939, piensa que el Eje, con el que se ha comprometido hasta la médula, puede resultar derrotado en la guerra y que él, el salvador de España y de la Cristiandad, sería tratado como un perdedor. Así que decide repatriar, aunque con trampas, a la División Azul, símbolo vivo, y ciertamente heroico, de su participación en la guerra a favor de los nazis. A pesar de eso, el embajador Hoare escribe que «las obvias simpatías de Franco por el Eje y la impasible autocomplacencia con la que se ha comportado hacia los aliados se hace cada día más difícil de tolerar». Franco se justifica ante Hitler diciendo que retira la División Azul porque necesita los alimentos que le proporciona Estados Unidos, cosa que no puede hacer Alemania, y añade: «Mi propia supervivencia depende de la victoria del Eje y un triunfo de los aliados "significaría mi eliminación."» «Era tan obstinado [Franco] en su propia suficiencia que solo quería ver en el acontecimiento [la caída del *duce*] una nueva prueba de su omnisciente prudencia política...»[83] El embajador calificará al glorioso *caudillo*, de «pequeño e insulso gallego» y «graso y presumido generalísimo». Franco, indiferente a la suerte de Mussolini, es el buen pastor que apacienta a su mansísimo rebaño de falangistas valerosos.

Enero-febrero de 1944. Los aliados deciden invadir España

El *caudillo* inicia su subida al monte calvario en el invierno de 1944. Quiere creer que la guerra será larga y que no se podrá derrotar a la máquina militar alemana. «Este idiota está cavando su propia tumba», afirma el embajador americano Hayes. Sabe Franco, aunque esta vez no por Don Juan sino, tal vez, por Salazar, que Churchill y Roosevelt proyectan invadir España para desde territorio español entrar en la Francia ocupada por los nazis. Es el plan *Imoff*, ya explicado en el capítulo anterior. Las carnes del dictador se estremecen a diario. El *caudillo* no tiene un cerebro sutil, pero sí un corazón de acero templado. Se propone resistir hasta la muerte. Stalin acude en su socorro. En sus planes sobre Europa, el tirano soviético piensa en la subversión de España tras el fin de la Guerra Mundial. Si los aliados dominan la Península se acabó el sueño dorado de Lenin: atenazar a Europa entre la Península Ibérica y Rusia. Desde Moscú se salva a Franco. Stalin se opone a la invasión de España.[84]

Las trapisondas del *caudillo* provocan el 27 de enero de 1944 una visita del embajador Hoare, que plantea una ruptura total de relaciones con Gran Bretaña. Franco entiende que es el preludio de la invasión de España y la inmediata entronización de la persona a la que distingue ya con un odio africano: Don Juan de Borbón. Pero resiste con una impavidez que causa asombro.

El 14 de febrero, la clarividencia del *caudillo* brilla de nuevo en medio de la oscuridad en que se debaten los torpes líderes europeos. Asegura al informadísimo duque de Alba, su embajador en Londres, y, sin embargo, al servicio de Don Juan, que la guerra durará otros seis años y terminará con el agotamiento de ambos bandos que le pedirán a él, a Franco, al *caudillo* de España, la mediación para la paz.

83. Samuel Hoare. *Embajador ante Franco*. Pág. 345.
84. Véase pág. 192s. de este libro.

Tras esta lección magistral de filosofía de la Historia al duque de Alba, Franco le da el mismo día una clase de economía al ministro portugués del ramo, João Pinto da Costa. En el archivo de Sainz Rodríguez se guarda recorte de un artículo que, tal vez, pertenece a estas fechas en el que, bajo el título *The bell has tolled,* el prestigioso Walter Lippman se muestra rotundo: «No hay duda de que Franco de España no ha sido neutral... No hay duda de que ha prestado ayuda y cobijo a nuestros enemigos: él mantiene actualmente tropas bajo mando alemán contra el Ejército soviético, y en la guerra el enemigo de uno de nuestros aliados es nuestro enemigo.»

Abril-septiembre de 1944. El dictador español capitula ante los aliados pero aún confía en las nuevas armas de Hitler

El *caudillo* capitula a la chita callando y reduce el envío de volframio a Alemania a cambio de las migajas de suministros y petróleo con que los aliados dominan la situación en España. Franco al mirarse en el espejo se ve como un Quijote alto, erguido, caballeroso, idealista y magnífico. Es un pobre Sancho Panza, pegado a la realidad, mediocre en defensa de su supervivencia. Los sueños imperiales reposan ya en los trasteros de la Historia.

El 24 de mayo de 1944, Winston Churchill pronuncia un discurso en la Cámara de los Comunes en el que dedica elogios fugaces al dictador español. Quiere tenerle neutralizado ante el desembarco que los aliados preparan en Francia. Luego, cuando los alemanes se hayan replegado y escondido en su guarida germánica, habrá llegado el momento de ajustarle las cuentas al hombrecito de El Pardo. Churchill apuesta claramente en favor de Don Juan.

Aunque guarda silencio exterior, Franco confía aún en la reacción alemana. Celebra las bombas volantes y cree que el desembarco de Normandía ha sido una habilidad de Hitler para aplastar a los aliados con las nuevas armas. Le dice al duque de Alba que con el «rayo cósmico», Hitler iba a modificar el curso de la guerra y que, al desembarcar en Normandía, Churchill y Eisenhower «habían caído en la trampa alemana». «Conozco los efectivos del Eje, le asegura al aristócrata, porque sigo de cerca las operaciones. Me faltan alrededor de 80 divisiones que creo veremos aparecer por algún sitio en cualquier momento.»[85]

En lugar de divisiones alemanas, lo que se produce es la libera-

85. Cfr. Serrano Súñer. *Memorias.* Pág. 358.

ción de París. El 24 de agosto, los exiliados republicanos españoles juegan un papel de relieve y entran en la capital francesa con las columnas francesas de vanguardia en carros de combate, bautizados con los nombres *Guadalajara, Teruel...*

Franco escribe entonces a Churchill una carta absurda en la que trata de encaramarse al carro del vencedor para evitar que los británicos apoyen a Don Juan y causen a España la gran desgracia histórica de derribar al *caudillo*. Churchill no muerde el anzuelo. Su carta de respuesta es solo publicada fragmentariamente en España. Pero su contenido íntegro resulta inequívoco. Dice así:

> I. Su Embajador me ha transmitido una copia de la carta que usted envió al Duque de Alba, en la cual usted expresa el deseo de clarificar las relaciones existentes entre los pueblos de España y de Gran Bretaña y de volverlas más íntimas y más estrechas en el futuro.
>
> He estudiado sus proposiciones con gran interés, que han compartido mis colegas del Gabinete de la Guerra. Es también deseo nuestro que las relaciones entre los pueblos español y británico sean sinceras y amistosas, y observo con alguna sorpresa que Su Excelencia atribuye las dificultades reinantes en este momento entre nuestros dos países a la actitud del Gobierno de Su Majestad, a la opinión pública inglesa, a las actividades de la propaganda y a los agentes británicos en España. Puedo asegurarle que sus afirmaciones en relación con las actividades de los agentes británicos en España están desprovistas de fundamento, y todo me lleva a suponer que su Gobierno ha sido inducido al error por las opiniones de aquellos cuyo interés es perturbar las relaciones entre nuestros dos países.
>
> II. Debo, en primer lugar, recordar a Su Excelencia la política que el Gobierno español ha seguido hasta el presente, en el curso de la actual guerra mundial, cosa que el Gobierno de Su Majestad y la opinión pública, representada por el Gobierno, han tenido ocasión de constatar. No he olvidado que España no realizó actos de hostilidad en relación con nosotros en dos momentos críticos del conflicto: en 1940, cuando el hundimiento de Francia, y en 1942, durante el desembargo anglo-norteamericano en África del Norte. Pero recuerdo, también, que a lo largo de la guerra la influencia germánica en España ha tenido libertad para perturbar el esfuerzo bélico de Gran Bretaña y sus aliados; y es un hecho evidente que una división española ha sido enviada para ayudar a nuestros enemigos, los alemanes, contra nuestros aliados, los rusos. Durante este período el Gobierno español ha seguido públicamente una política no de neutralidad, sino de no-beligerancia.
>
> III. El Gobierno de Su Majestad se ha visto igualmente en la obligación de formular numerosas reclamaciones contra algunas actividades que se adecuaban muy mal a la política oficial de neutralidad

de España. No necesito entrar aquí en los detalles de ese asunto, puesto que esas actividades han sido el tema de reiteradas protestas ante su Gobierno por el Embajador de Su Majestad en Madrid. Estimo, sin embargo, que debo mencionar la arbitraria supresión en 1940 del régimen internacional de Tánger, violando dos tratados que España había firmado, y los numerosos discursos en los cuales Su Excelencia se refirió desdeñosamente respecto a nuestro país y a otros miembros de las Naciones Unidas, y hablaba de su derrota como segura y deseable.

IV. Ahora que la guerra está llegando a su fin y se elaboran planes para el porvenir de Europa y del mundo, el Gobierno de Su Majestad no puede pasar por alto los actos del Gobierno español, ni la actividad constantemente hostil del partido falangista, oficialmente reconocido como la base de la estructura política actual de España, ni el hecho de que la misma Falange ha mantenido estrechas relaciones con el partido dictatorial nazi de Alemania y con el partido fascista italiano. Sin embargo, estoy menos interesado por el pasado que por el presente y el porvenir, y deseo ver suprimidos todos los obstáculos que se cruzan en el camino de las cordiales relaciones anglo-españolas. Estoy sinceramente satisfecho ante los cambios observados en la política española hacia mi país cuando el General Jordana tomó su cargo, y ya hice mención de ello públicamente en un discurso que pronuncié en la Cámara de los Comunes el 24 de mayo.

Desgraciadamente, como usted reconoce en su carta al Duque de Alba, esto no fue suficiente para eliminar todas las barreras existentes aún entre nuestros dos países. Mientras ellas permanezcan, el desarrollo de relaciones más íntimas de amistad y de cooperación con España —deseadas por el Gobierno de Su Majestad— encontrará dificultades; y es indiscutible para el Gobierno de Su Majestad apoyar las aspiraciones españolas a participar en las reuniones que tendrán lugar posteriormente para el establecimiento de la paz. Pienso que no existe la menor probabilidad de que España sea invitada a formar parte de la futura organización mundial.

V. Su carta al Duque de Alba contiene diversas referencias a Rusia; yo no puedo, en vista de nuestras relaciones amistosas y de nuestra alianza con este país, dejarlas pasar sin comentarios. Induciría a un grave error a Su Excelencia si no alejase de su mente la idea de que el Gobierno de Su Majestad estaría dispuesto a considerar la formación de un bloque de poder basado en la hostilidad contra nuestros aliados rusos, o contra cualquier supuesta necesidad de defensa contra sus actividades. La política del Gobierno de Su Majestad está firmemente establecida sobre las bases del tratado anglo-soviético de 1942, y considera la colaboración permanente anglo-rusa, dentro del sistema de la organización mundial, como imprescindible para sus propios intereses y esencial para la paz futura y la prosperidad de Europa en su conjunto.

VI. Pido, finalmente, a Su Excelencia que comprenda que si me he permitido tal franqueza es en respuesta a los sinceros deseos expresados por Su Excelencia de esclarecer las relaciones anglo-españolas y también por mi convicción de que la amistad y la cooperación entre nuestros dos países son deseables y que pueden desarrollarse y mantenerse solo dentro del conjunto de principios que presento a la consideración de Su Excelencia.

WINSTON CHURCHILL»[86]

Diciembre de 1944. Los exiliados españoles en los Pirineos dispuestos a entrar por la fuerza en España

Socialistas, comunistas, republicanos españoles, se dirigen a los Pirineos. Existe una estrategia que el *caudillo* desconoce y que Don Juan no sabrá hasta la Conferencia de Yalta. Transcurre todavía 1944. La suerte de la guerra está echada. La de Franco, el germanófilo, el hitleriano entusiasta, también. El dictador lo sabe. Con el valor temerario, con la impavidez que le acompañó siempre desde los diecisiete años en África hasta el último Consejo de Ministros que presidió, enfermo de muerte, en octubre de 1975, Francisco Franco aguarda ya a que la muerte llame a las puertas de su cubil en el Palacio de El Pardo, donde ha sustituido en su mesa de trabajo las fotografías de Hitler y Mussolini por las del Papa y el presidente portugués Carmona.

---

86. Cfr. Hoare. *Embajador ante Franco*. Pág. 345s.

Capítulo XVI

YALTA: DON JUAN SERÁ EL REY DE ESPAÑA

El 4 de febrero de 1945, en plena euforia victoriosa, Churchill, Roosevelt y Stalin se reúnen en Crimea. Es la Conferencia de Yalta. Los tres grandes van a decidir la suerte del mundo, la división de Alemania, la creación de la ONU, las nuevas fronteras y el reparto de influencias. Son siete días claves para la Historia Universal en los que un Stalin pletórico se impone a un Roosevelt debilitado y enfermo, mientras Churchill, receloso y lúcido, poco puede hacer. El presidente norteamericano, que cree en el espíritu democrático del dictador ruso, le entrega tantas bazas decisivas que la política internacional quedará condicionada durante más de cuarenta años, hasta la caída del muro de Berlín.

España es en Yalta una anécdota menor. Churchill, bien trabajado el Gobierno británico por el duque de Alba y López Oliván; y Roosevelt, firme por los consejos de Allen Dulles, defienden como Stalin la liquidación de Franco. Pero los aliados consideran solución razonable que se restaure la Monarquía en la persona de Don Juan. Stalin, a diferencia de su posición en Teherán, hace solo una débil referencia al Gobierno legal de la República de Martínez Barrio y Giral. Churchill se muestra receloso, Roosevelt entregado al dictador soviético. Los estrategas del Kremlin han trazado ya un plan para España. Se puede aceptar el primer paso de la Restauración de la Monarquía en Don Juan. A los seis años de concluida la Guerra Civil, derrocada la dictadura, abiertas todavía las llagas de la contienda, unas elecciones libres significarán en poco tiempo la victoria del Frente Popular, la liquidación del joven monarca y la implantación de un sistema comunista en la Península Ibérica que era uno de los sueños dorados de Lenin para el dominio de Europa. Lo que unos meses más tarde ocurrió en Rumanía y Bulgaria, era lo que pretendía el Kremlin para España.

Al concluir Yalta, por consiguiente, Don Juan es prácticamente el Rey de España. Así lo han decidido los vencedores de la Guerra Mundial. Apenas faltan tres meses para la capitulación alemana. Allen Dulles mantiene una conversación con Don Juan cuando todavía no ha concluido la reunión de los «grandes», que vuelven a sus residencias el 11 de febrero de 1945.

217

Febrero de 1945. El plan de Allen Dulles en favor de Don Juan

A sus cincuenta y dos años, Allen Welsh Dulles es hombre inteligente y cálido, de mente despejada y corazón abierto. Graduado en Princeton, era ya, en 1916, un diplomático de porvenir esperanzador. Prefirió ganar dinero y organizó un bufete de abogados. Al estallar la Guerra Mundial, se puso a disposición de su Gobierno. Le nombraron director de la Agencia de Contraespionaje, una oficina estratégica radicada en Berna, que jugó un papel decisivo a lo largo de toda la guerra. Acompañado, a veces por su esposa Clover, y siempre por una pipa desmayada entre los labios, el pelo encanecido y la sonrisa franca, imperturbable y jovial, se entendió desde el principio a las mil maravillas con Don Juan, al que mantuvo perfectamente informado del desarrollo de la guerra. Muerto Roosevelt, Dulles, «Ll» en la correspondencia monárquica, se sintió frustrado sin duda de que no se cumplieran los compromisos contraídos con Don Juan. Más tarde, con Eisenhower presidente, fue nombrado director de la CIA y tuvo en sus manos y su cerebro todos los secretos del mundo. Se equivocó en la maniobra para desmontar a Castro en Bahía de Cochinos, no muy diferente, por cierto, a la que planeó para España, en 1945. El tropiezo cubano le costó el cargo. Solo un historiador ha vislumbrado el papel de Allen Dulles —«top secret»— cerca de Don Juan: Ricardo de la Cierva.[87]

Ramón Padilla, de su puño y letra, envía a Sainz Rodríguez, autentificado con el leoncito de lacre, un sobre con un informe de las conversaciones entre el espía norteamericano y el Rey español.[88]

Dulles empieza felicitando a Don Juan. Todo ha quedado resuelto. Stalin no se ha opuesto a la solución monárquica y la propuesta norteamericana sobre España, a pesar de los recelos de Churchill, tiene vía libre. «El Rey permaneció sereno e inalterable —según Padilla— aunque la procesión iría por dentro.» Don Juan le pregunta a Dulles cómo se hará la operación militar pues considera que Franco no se doblegará a la presión diplomática. Dulles le informa que los aliados no piensan en declarar la guerra a España, a pesar de que el *caudillo* se lo tiene bien merecido por su germanofilia, por su apoyo estratégico de todo tipo a Hitler y por la División Azul. Le habla con indignación del volframio. Y le expone su proyecto. «El plan a mí me parece de riesgo pero Ll. no ve dificultad», escribe Padilla. Los mili-

---

87. Ricardo de la Cierva. *Franco Don Juan, los reyes sin corona*. Pág. 259.
88. Archivo Sainz Rodríguez.

cianos exiliados, con la autorización del Gobierno francés, exigida por Estados Unidos, hostigarán el norte de España. Habrá lucha. Ante el peligro de que se extiendan los choques armados, los aliados, para no comprometer la paz europea, intervendrán de forma fulgurante en España, derrocarán a Franco, llamarán a Don Juan y convocarán elecciones libres.

Hay, sin embargo, una exigencia para el Rey. Don Juan debe hacer pública una declaración condenando «el régimen totalitarista (*sic*) de Franco». Padilla tiene la impresión de que Dulles «no estaba dando consejos, sino instrucciones», pero el Rey quiere conocer la opinión de Sainz Rodríguez. Se le exige máximo secreto. No hay fecha en el escrito. La conversación entre Dulles y Don Juan se celebró antes de que finalizara Yalta, por lo tanto, entre el 8 y el 10 de febrero. El informe de Padilla debió ser inmediato. La respuesta de Sainz Rodríguez, telefónica, favorable al Manifiesto. El catedrático se frota las manos. La pesadilla de Franco está a punto de terminar. El duque de Alba llama a Don Juan el día 18 para felicitarle. También le habla su madre, la Reina Victoria, que ha hecho más de una gestión, desde 1941, discreta y eficaz, con la Familia Real inglesa. López Oliván empieza a trabajar en el Manifiesto en contacto con Allen Dulles. Don Juan habla con Vegas y le hace comprender que va a ser un texto político y no doctrinal y que es necesario eludir citas a lo *Acción Española* para que se pueda contentar al mayor número posible de españoles. Aún así, Vegas termina metiendo la pluma. Dos semanas después, el 25 de febrero, el contacto de Gil-Robles en la embajada británica en Lisboa, McLaurin, le informa veladamente de lo acordado en Yalta y le comunica que «en ciertos sectores influyentes de la opinión inglesa hay en estos momentos un ambiente favorable a la Monarquía en España; únicamente se teme a ciertas derechas cerriles, que aún no se han dado cuenta de la marcha de los tiempos. Se espera una declaración del Rey, hecha con elevación y amplitud de miras, y, en ese sentido, tienen gran interés en mi acción sobre Don Juan».[89]

(La primera vez que Don Juan le habló a Anson, muerto ya Franco, de los contactos con Allen Dulles, el autor de este libro le dijo: «Señor, nunca había oído hablar a nadie de este asunto, ni a Vegas, ni a Pemán, ni a don Pedro, ni a Padilla...» Don Juan le explicó: «Fue un asunto "top secret", como te puedes imaginar. Padilla y Oliván sí lo sabían, y también Pedro, a quien le informó a medias palabras Ramón. A Eugenio no me atreví a decírselo porque el plan era

89. Cfr. Gil-Robles. *La Monarquía por la que yo luché*. Pág. 116.

demasiado fuerte para quien había perdido a un hermano en la Guerra Civil. Quiero que te quede completamente claro que yo no acepté el plan y, claro, mucho menos lo estimulé. No tuve en él la menor parte. Debo decir que no me opuse. Escuché lo que me decían y sanseacabó. Pero nadie podía hablar de este asunto. Al principio, claro, porque se habría estropeado. Después porque nadie hubiera entendido que yo estuviera de acuerdo en que los milicianos entraran en España para que fueran el pretexto de los aliados para derribar a Franco. Insisto en que yo ni estaba de acuerdo ni estaba en desacuerdo. No tenía nada que ver en el asunto. Por razones de patriotismo, porque lo mejor que le podía pasar a España en ese momento era la desaparición de Franco a cualquier precio, no me opuse con declaraciones públicas a la operación. Pero ni participé en ella, ni la autoricé. Me la plantearon como un hecho consumado. Hay que situarse en el clima de 1945 para entender las cosas.» «¿Puedo escribir sobre todo esto?» «Naturalmente que no... —contestó Don Juan—. Algún día, tal vez, dentro de muchos años.»)

¿Llamó Winston Churchill a Don Juan? El 14 de noviembre de 1970, tras un almuerzo en *A Choupana*, Estoril, en compañía de José Salas y Guirior, el Rey, al recordar con cariño a Ramón Padilla, aseguró a Anson: «Debo decir que era un poco despistado. Un día que llamó Churchill, imaginaros, Churchill, en plena Guerra Mundial, tras la conferencia de Yalta, Ramón creyó que era un funcionario del Foreing Office. Menos mal que se dio cuenta a tiempo.»

—¿Y que quería Churchill? —preguntó Anson.

—Me dio congratulaciones (*sic*) por lo que se había decidido en Yalta y me pidió secreto absoluto sobre su llamada —respondió textualmente Don Juan.[90]

Anson no puede dar más que este testimonio. Nunca oyó la menor referencia sobre esa llamada ni a Padilla, ni a Pedro Sainz, ni a Pemán. Tampoco Don Juan volvió a aludir a ella en ninguna de las cintas grabadas.

Gil-Robles le comunica a Sainz Rodríguez las buenas nuevas. Don Pedro se da por sorprendido. La han pedido secreto absoluto y lo guarda. Gil-Robles no va a intervenir en el Manifiesto, a pesar de los deseos británicos, porque Don Juan lo negocia con Dulles. Los nuevos tiempos han traído también otro Imperio. Hay que contentar, sobre todo, a Estados Unidos. Sainz Rodríguez tiene ya una idea clara sobre «el día después». Si todo sale bien —ya que el plan Dulles, los milicianos rojos en el norte de España y la acción pacifica-

90. Archivo Luis María Anson.

dora de los aliados, tiene muchos riesgos— hay que atraerse desde el primer momento a la izquierda. Sainz Rodríguez le pide a Gil-Robles que abra negociaciones con el PSOE de Indalecio Prieto. Solicita un sacrificio del jefe de la derecha nacional: que si es necesario llegue a ofrecerle la presidencia del Gobierno provisional para que acepte la Monarquía. Luego vendrán las elecciones. «Fui muy generoso en mi oferta —reconoció don Pedro a Anson muchos años después—. La verdad es que Prieto, hay que joderse, se hubiera conformado solo con la convocatoria de elecciones libres».

Gil-Robles acoge muy bien el mensaje de Sainz Rodríguez con el que se entiende a la perfección y comienza a negociar con los socialistas. Por otra parte, Don Juan siente admiración personal por algunos republicanos ilustres, como el general Emilio Herrera, que había colaborado en *Acción Española* y que era uno de los grandes prestigios de la aeronáutica española. Herrera juega ya, en 1945, un papel de relieve en la República en el exilio.[91]

Febrero de 1945. Carta del Rey a Kindelán

Confinado por el dictador Don Alfonso de Orleans, representante oficial de Don Juan en España, el Rey escribe, el 10 de febrero de 1945, una carta a su lugarteniente, el general Kindelán, de la que es fácil deducir mucho de lo hablado con Dulles y que no está expuesto en el texto manuscrito de Padilla.

«Los intereses del Imperio británico y de los Estados Unidos —escribe Don Juan a Kindelán—[92] están en pugna con el establecimiento en la Península Ibérica de un régimen extremista obediente a las consignas de Moscú. Esta hostilidad anglosajona no es capaz, sin embargo, de salvar el régimen de Franco por estar decididos los ambientes populares (que a la larga se impondrán en los parlamentos) a que desaparezca el régimen fascista que Franco creó a imagen y semejanza de los regímenes italiano y alemán en esta guerra. El dictador español que se entrevistaba con Hitler en Hendaya y con Mussolini en Bordighera, que enviaba una división a combatir contra Rusia, que ofrecía a Alemania en discurso público un millón de hombres si los rusos amenazasen Berlín, que por medio de su prensa estatal insultaba

---

91. Cfr. Thomas F. Glick. *The memoirs of a Spanish Aeronaut Emilio Herrera*. University of New Mexico Press, USA, 1984.
92. Archivo Don Juan de Borbón. Cfr. Kindelán. *La verdad de mis relaciones con Franco*. Pág. 75.

durante cuatro años a los ingleses, norteamericanos y a sus regímenes políticos, así como a los franceses de la "Résistance" que hoy son dueños del mando en la gran República vecina; ese dictador, ese régimen, querámoslo o no, está inexorablemente abocado —de cegarse en su voluntad de persistir a todo trance— a ser derribado entre convulsiones gravísimas en beneficio de los elementos de desorden.»

«Para que la Monarquía —continúa Don Juan— pueda merecer ese respeto de las potencias vencedoras, no puede presentarse como continuación del régimen actual sino, por el contrario, lo más desligada e incluso enemiga. Afortunadamente, desde hace un año se ha hecho constar la insolidaridad entre la Monarquía y el régimen nacional-sindicalista. Ello no obstante y admitiendo en gratuita hipótesis que la Monarquía y el General estuvieran en íntima y estrecha compenetración debería el General Franco —de ser un verdadero estadista— haber pedido y exigido una posición pública de la mayor tirantez y enemiga para, de este modo, poder contar, si su caída fuese inevitable, con una solución viable.»

Esta frase del Rey a Kindelán tiene un interés especial porque explica un pasaje desconocido: Don Juan, por no se sabe qué razones últimas de patriotismo, y al margen de Sainz Rodríguez y Dulles, hizo llegar a Franco el texto del Manifiesto de Lausana un día antes de su difusión, como veremos más adelante.

«Por lo expuesto —concluye el Rey— urge tomar posición ante el mundo por la publicación de un documento o Manifiesto en el que a la vez que se señalen las características fundamentales de lo que será la Monarquía, se solicite de Franco que abandone el poder en manos de los que a él se lo confirieron, para que del Ejército unánime lo reciba el Rey.

Un ejemplar del Manifiesto se lo remitiré por conducto de la Legación en Berna al General Franco, acompañado de una carta personal redactada en términos del mayor afecto en la que haré constar que doy tal paso en servicio de España sin animadversión alguna contra él ni sus colaboradores. Añadiré que al examinar fríamente la situación el mismo General Franco tendrá que reconocer mi benéfica previsión, negándose a confundir su causa con la de la Monarquía y que en su fuero interno e incluso como político previsor y patriota, tiene que comprender que yo propague a los cuatro vientos la insolidaridad en la que en todo momento hemos estado.

De la necesidad absoluta de que la Monarquía tome posición pública por medio de un documento solemne mío antes de que se resuelva definitivamente en los conciliábulos internacionales el problema español, se deduce que ninguna gestión que se esté haciendo o se proyecte hacer en España en favor de la restauración, puede estar perjudicada por la publicación del Manifiesto y que tan solo daña el aplazamiento. La hipótesis de la Monarquía como continuadora y sucesora del régimen franquista es políticamente absurda.

El Manifiesto me propongo lanzarlo yo aquí y no supeditar su salida a oportunismos o razones ocasionales apreciadas por algunos amigos de Madrid, deficientemente informados de las realidades internacionales, que postulan que tal posición se hubiera adoptado hace tiempo.

Dentro de las 24 horas de leída y meditada esta carta pon un telegrama a Padilla al Hotel Royal firmado por José Hermida. Si no tienes objeción grave que oponer a mi plan pon "Espero concesión visado, abrazos". En caso que estimes necesario aplace mi acción, telegrafía "Visado denegado".»

La carta a Kindelán está escrita con la seguridad que se deriva de la conversación con Dulles. Don Juan ha contraído un compromiso formal y tiene decidido lanzar el Manifiesto. Pero quiere contar con la aprobación, que obtiene, de Sainz Rodríguez y Kindelán.

El Manifiesto que exigen los aliados de Don Juan para llevar a cabo su estrategia de derribar a Franco y restaurar la Monarquía lo concluye López Oliván en consulta permanente con Allen Dulles. Sainz Rodríguez, en contra de lo que piensa Ricardo de la Cierva, no interviene en su redacción.[93] Ni en una línea. Gil-Robles, tampoco. José María de Areilza hace una visita a Lausana con el propósito de que se aplace la declaración, pero no tiene éxito.

Franco está al tanto de todo lo que se ha decidido en Yalta y de los movimientos de Don Juan. Desconoce solo el procedimiento ideado para derribarle: el pretexto de la «guerrilla» de los milicianos exiliados. Sabe también que a Hitler y Mussolini les quedan semanas y que los tres dictadores gloriosos del año 40, el *führer*, el *duce* y el *caudillo* pueden terminar sus días al mismo tiempo. Porque Franco, impasible en El Pardo, legionario hasta los tuétanos, novio de la muerte, con la frialdad de sus mejores tiempos de comandante en África, está dispuesto a resistir hasta el final.

Marzo de 1945. Don Juan hace llegar su Manifiesto a Franco

El día 18 de marzo de 1945, domingo, al anochecer, un joven oficial visita al dictador en El Pardo. Es Beltrán Osorio. Con el tiempo se convertirá en impecable Jefe de la Casa del Conde de Barcelona.

---

93. Cfr. Ricardo de la Cierva. *Franco Don Juan, los reyes sin corona*. Pág. 311. Sainz Rodríguez recibió el texto del Manifiesto por telegrama el 16 de marzo de 1945. Contestó con otro telegrama: «Conforme. Pedro.» Cfr. Archivo Sainz Rodríguez.

Trae desde Suiza un mensaje urgente de Don Juan. Beltrán Osorio explica concisamente a Franco que los aliados han decidido en Yalta terminar con el Régimen español. Para evitar que vuelva la República exigen de Don Juan un Manifiesto público condenando a Franco. Por razones de patriotismo, el Conde de Barcelona hará público al día siguiente el Manifiesto que le anticipa.[94]

En honor de Franco, habrá que reconocer que muchos años después, y como consecuencia de la visita y la explicación de Osorio (a partir de 1954, duque de Alburquerque), afirmó que el Manifiesto de Lausana era «patrióticamente explicable». Muy difícil precisar la fecha de esa afirmación porque José María Pemán escribía siempre de memoria, siempre diciendo la verdad, siempre sin rigor de cifras y lugares. Lo cierto es que, en una de sus entrevistas con Franco, posterior desde luego a 1960, se refirió el *caudillo* al Manifiesto de Lausana y le dijo textualmente: «En cualquier caso, Pemán, esos textos del Conde de Barcelona son patrióticamente explicables.» Y no solo se lo dijo[95] sino que se lo permitió publicar en un artículo periodístico, cuando la censura de Prensa estaba en su plenitud.

Marzo de 1945. Manifiesto de Lausana

El lunes 19 de marzo de 1945, Don Juan de Borbón, Rey de derecho de España, cumple las condiciones establecidas en Yalta y difunde un Manifiesto que es una de las piezas clave para entender su vida política:

«Españoles:
Conozco vuestra dolorosa desilusión y comparto vuestros temores. Acaso lo siento más en carne viva que vosotros, ya que, en el libre ambiente de esta atalaya centroeuropea, donde la voluntad de Dios me ha situado, no pesan sobre mi espíritu ni vendas ni mordazas. A diario puedo escuchar y meditar lo que se dice sobre España.
Desde abril de 1931 en que el Rey, mi Padre, suspendió sus regias prerrogativas, ha pasado España por uno de los períodos más trágicos de su historia. Durante los cinco años de República, el estado de inseguridad y anarquía, creado por innumerables atentados, huelgas y de-

---

94. Archivo Luis María Anson. El duque de Alburquerque contó detalladamente a Anson la visita a Franco. Tomó notas de ella e hizo un informe. En la Navidad de 1993, a instancias de Anson, lo estaba buscando en su archivo. Murió el 8 de febrero de 1994 sin habérselo facilitado al autor de este libro.
95. José María Pemán. *Mis encuentros con Franco*. Pág. 206.

sórdenes de toda especie, desembocó en la guerra civil que, por tres años, asoló y ensangrentó la Patria. El generoso sacrificio del Rey de abandonar el territorio nacional para evitar el derramamiento de sangre española, resultó inútil.

Hoy, pasados seis años desde que finalizó la guerra civil, el régimen implantado por el General Franco, inspirado desde el principio en los sistemas totalitarios de las potencias del Eje, tan contrario al carácter y a la tradición de nuestro pueblo, es fundamentalmente incompatible con las circunstancias que la guerra presente está creando en el mundo. La política exterior seguida por el Régimen compromete también el porvenir de la Nación.

Corre España el riesgo de verse arrastrada a una nueva lucha fratricida y de encontrarse totalmente aislada del mundo. El régimen actual, por muchos que sean sus esfuerzos para adaptarse a la nueva situación, provoca este doble peligro; y una nueva República, por moderada que fuera en sus comienzos e intenciones, no tardaría en desplazarse hacia uno de los extremos, reforzando así al otro, para terminar en una nueva guerra civil.

Solo la Monarquía Tradicional puede ser instrumento de paz y de concordia para reconciliar a los españoles; solo ella puede obtener respeto en el exterior, mediante un efectivo estado de derecho, y realizar una armoniosa síntesis del orden y de la libertad en que se basa la concepción cristiana del Estado. Millones de españoles de las más variadas ideologías, convencidos de esta verdad, ven en la Monarquía la única Institución salvadora.

Desde que por renuncia y subsiguiente muerte del Rey Don Alfonso XIII en 1941, asumí los deberes y derechos a la Corona de España, mostré mi disconformidad con la política interior y exterior seguida por el General Franco. En cartas dirigidas a él y a mi Representante hice constar mi insolidaridad con el régimen que representaba, y por dos veces, en declaraciones a la Prensa, manifesté cuán contraria era mi posición en muy fundamentales cuestiones.

Por estas razones, me resuelvo, para descargar mi conciencia del agobio cada día más apremiante de la responsabilidad que me incumbe, a levantar mi voz y requerir solemnemente al General Franco para que, reconociendo el fracaso de su concepción totalitaria del Estado, abandone el Poder, y dé libre paso a la restauración del régimen tradicional de España, único capaz de garantizar la Religión, el Orden y la Libertad.

Bajo la Monarquía —reconciliadora, justiciera y tolerante— caben cuantas reformas demande el interés de la Nación. Primordiales tareas serán: aprobación inmediata, por votación popular, de una Constitución política; reconocimiento de todos los derechos inherentes a la persona humana, y garantía de las libertades políticas correspondientes; establecimiento de una Asamblea legislativa elegida por la Nación; reconocimiento de la diversidad regional; amplia amnistía política; una más justa distribución de la riqueza y la supresión de injustos contrastes sociales contra los cuales no solo claman los preceptos del Cristianismo, sino que están en flagrante y peligrosísima contradicción con los signos político-económicos de nuestro tiempo.

No levanto bandera de rebeldía, ni incito a nadie a la sedición, pero quiero recordar a quienes apoyan al actual régimen la inmensa responsabilidad en que incurren, contribuyendo a prolongar una situación que está en trance de llevar al país a una irreparable catástrofe.

Fuerte en mi confianza en Dios y en mis derechos y deberes imprescriptibles, espero el momento en que pueda realizar mi mayor anhelo: la Paz y la Concordia de todos los españoles.

¡Viva España!

JUAN

Lausanne, 19 de marzo de 1945»

Es casi imposible que las nuevas generaciones se den cuenta de lo que significaba decir en la España de 1945 todo lo que Don Juan afirma en este Manifiesto, tan honrado, tan anticipador, tan clarividente.

El dictador prohíbe con graves amenazas la publicación de la declaración del Rey. La Censura actúa de forma implacable. Ni siquiera *ABC* puede hacer la menor alusión a un texto que recogen los periódicos de todo el mundo y al que se refieren sin cesar las emisoras de radio internacionales.

Les Rocailles, la residencia de los Condes de Barcelona en Lausana, se colma de telegramas. Llegan felicitaciones de todo el mundo. Los observadores internacionales, los columnistas más acerados de los grandes periódicos occidentales dan por hecha la Restauración de la Monarquía en España en la persona de Don Juan de Borbón. Gil-Robles califica el Manifiesto de «políticamente perfecto».[96] La izquierda interior y exterior lo acoge con complacencia. Se intensifican, estimuladas, las negociaciones entre Gil-Robles y Prieto. La clase política de la dictadura está acollonada. Son muchos los que se dan cuenta de lo que se les viene encima. Son pocos los que tienen el valor de Franco para afrontar la victoria aliada.

Los falangistas acuden muchos días al Paseo de la Castellana para pegarse con los jóvenes monárquicos de Satrústegui que llevan en la solapa la insignia «J-III». Entre los juanistas, se encuentra Leopoldo Calvo Sotelo que en 1981-82 realizaría una eficaz gestión, no suficientemente reconocida, como presidente del Gobierno de Su Majestad.

---

96. Gil-Robles. *La Monarquía por la que yo luché.* Pág. 118.

Abril de 1945. Muere Mussolini, se suicida Hitler

El 25 de abril de 1945, Mussolini es capturado por un veterano de la guerra de España, Walter Audisio. El *duce* es vejado y ejecutado cerca de Dongo. Su cadáver junto al de su amante, Clara Petacci, queda miserablemente colgado por los pies en la plaza *Loreto* de Milán. Algunos italianos se acercan a la escena macabra para escupir al *duce* sobre el rostro deformado.

Adolfo Hitler, según afirma Allen W. Dulles en un libro clave, *Germany's underground*,[97] ordena a Albert Speer, «el zar de la economía alemana», que destruya los trenes y puentes, las fábricas y los servicios públicos, en una acción de tierra quemada. Speer reacciona ante semejante enormidad y ruega al *führer* que considere lo que eso significa para las futuras generaciones alemanas. Según el testimonio de Speer en el juicio de Nürenberg, —continúa Allen Dulles— Hitler se volvió hacia él y le dijo: «Si la guerra se pierde, la nación perece. Es inevitable. No hay necesidad de considerar lo que el pueblo requerirá para una existencia primitiva. Al contrario, es deseable que nosotros mismos lo destruyamos todo. Esta nación ha demostrado ser más débil y el futuro pertenece solamente a las naciones más fuertes del Este. Además, aquellos que pervivan después de la batalla son los inferiores. Los buenos han caído.»

El 30 de abril, en la cancillería-búnker del Berlín acosado por los soviéticos, el monstruo que ha pronunciado estas palabras y ordenado una política final de tierra quemada en Alemania, le pega un tiro a su amante Eva Braun. Después se suicida. Es imposible recrear el viento huracanado que sopla sobre la España falangista y los terrores que sacuden de un costado a otro de la geografía nacional a todos los que, solo unos meses atrás, cantaban las glorias de Hitler y Mussolini.

El *führer* está muerto. El *duce* cuelga boca abajo en una plaza milanesa. Es el turno del *caudillo*. Nadie lo duda. Ni dentro ni fuera de España. El dictador español le enseña dos fotografías a su hermano Nicolás: una con los cadáveres de Mussolini y Clara Petacci; la otra con Alfonso XIII en Marsella, al empezar su exilio: «Mira, Nicolás —le dice fríamente— si las cosas andan mal, yo terminaré como Mussolini, porque resistiré hasta derramar mi última gota de sangre. Yo no me fugaré como hizo Alfonso XIII.»[98]

97. Allen Welsh Dulles. *Germany's underground*. The MacMillan Company, New York, 1947. Pág. 195.

98. Paul Preston. *Franco, caudillo de España*. Pág. 667. Cfr. Garriga. *Nicolás Franco*. Pág. 266.

Capítulo XVII

POTSDAM: FRANCO PERMANECERÁ EN EL PODER

En abril de 1945, el dictador español sabe que todo lo tiene perdido. Las grandes potencias han garantizado elecciones libres a las naciones ligadas al Eje. Franco se envaina sus arrogancias anteriores. Ya no es infalible. Encierra a Don Quijote en los desvanes de El Pardo y acepta su nueva realidad, mucho más modesta, de Sancho Panza, en la ínsula Barataria. Decide, porque le da la gana, que su Gobierno es democrático y ordena que se promulguen como Leyes Fundamentales el «Fuero de los Españoles» y la «Ley de Referéndum», para maquillar groseramente al Régimen que en el «Fuero del Trabajo» establecía que España era un país totalitario. A la vez, ordena sustituir el rostro fascista de la Falange por dirigentes católicos con capacidad para el diálogo internacional. Llama a su alfombrado despacho de El Pardo a Alberto Martín Artajo y a Joaquín Ruiz Giménez, olvida la bofetada del Manifiesto de Lausana, pone cristianamente la otra mejilla y envía a ambos personajes a que visiten a Don Juan, a ver si le engañan y le neutralizan o se dan largas a las impaciencias monárquicas.

Martín Artajo regresa el 1 de mayo y mantiene con el dictador una larga conversación. Para evitar traumas y sangre, el dirigente democristiano ofrece al generalísimo los potentes medios de comunicación católicos en el extranjero, capaces de restaurar la deteriorada imagen del Régimen, a cambio de que la Falange quede relegada y se den los pasos necesarios para la Restauración de la Monarquía. No se negocia que Franco se quede. Se negocia que Franco no termine como Hitler o Mussolini. Pero el *caudillo* tiene decidido cómo quiere acabar. Martín Artajo piensa entonces que la vuelta del Rey es cuestión de semanas. Don Juan, aunque calla, prefiere en el fondo la fórmula del dirigente católico de convencer a Franco para que se retire, le preocupa la estratagema que los aliados habían decidido secretamente poner en práctica: la intervención militar para garantizar la paz en España ante la confrontación entre los milicianos socialistas y comunistas y las Fuerzas Armadas de Franco. El Rey no se opuso a la guerra de guerrillas pero le gustaba tan poco la fórmula que incluso, como hemos visto en el capítulo anterior, se la ocultó a Vegas. El *caudillo* sabe que el *maquis*, las milicias que están penetrando en España, y que él combate desde el primer momento con una política de tierra calcinada y silencio en la Prensa, no solo tienen el visto bueno de Francia. El Gobierno francés es demasiado débil y actúa al dictado de los aliados vencedores: Gran Bretaña y, sobre todo, Estados Unidos. El *caudillo* posee demasiado instinto para no darse cuenta de que la «guerrilla» miliciana es el pretexto de los aliados para intervenir y derribarle.

Franco, en todo caso, con una serenidad que aún hoy produce escalofríos, no se altera, no se compromete a nada, anuncia a Artajo las nuevas leyes «democráticas» y le incorpora finalmente al Gobierno en la más inteligente crisis de toda la historia de la dictadura.

La entrevista de Ruiz Giménez con el Rey, en las mismas fechas de 1945, es un prodigio de la capacidad que para el borboneo tiene Don Juan. Ricardo de la Cierva la sitúa en su fecha exacta, corrigiendo el error de Kindelán.[99] Pero acepta la versión de Ruiz Giménez como si ése fuese el pensamiento de Don Juan. Un mes después del Manifiesto de Lausana, el Rey no tiene otra posición que la que públicamente en ese texto, negociado con Allen Dulles, había quedado reflejada. La conversación con Ruiz Giménez que éste traslada pormenorizadamente a Franco es una charla privada e informal en la que Don Juan, como hizo siempre en su despacho a lo largo de toda su vida, incluso seguramente con el propio De la Cierva, le dice a su interlocutor lo que a éste le agrada oír para que al salir elogie la inteligencia y la sensatez del Rey exiliado. No se le puede dar otro valor a esa entrevista con Ruiz Giménez, como, aunque con otros matices, no lo tienen las cartas y las mentiras de Don Juan a Franco, o del dictador al Rey.

El 25 de abril de 1945, en los días terribles para Franco de la muerte de Mussolini y el suicidio de Hitler, empieza en San Francisco la conferencia fundacional de la Organización de las Naciones Unidas. Los exiliados españoles preparan a través de México la más sonora bofetada internacional que recibirá en la mejilla el *caudillo* infalible, a lo largo de toda su turbia dictadura. Por aclamación, se aprueba la condena y exclusión de cualquier país cuyo régimen se hubiera formado con la ayuda de los ejércitos de Hitler o Mussolini. Franco queda apestado y fuera de la Comunidad internacional. El mundo intelectual de mayor prestigio escribe contra Franco: Pablo Neruda le dedica un poema terrible; Saint-Exupéry, *Tierra de hombres*; Koltsov, *Diario español*; Orwell, *Homenaje a Cataluña*; Hemingway, *Por quién doblan las campanas*; Koestler, *Testamento español*; Malraux, *La esperanza*; Bernanos, *Los grandes cementerios bajo la luna*.

---

99. Kindelán. *La verdad de unas relaciones con Franco.* Pág. 68s.

Abril de 1945. El acontecimiento que salvará a Franco: la muerte de Roosevelt

Pero en medio de tantos espectaculares acontecimientos hostiles al dictador español se ha producido uno que va a salvar a Franco, que Don Juan no puede prever, que escapa al sentido estratégico de Sainz Rodríguez. El 12 de abril de 1945, dos meses después de la conferencia de Yalta, fallece el presidente Roosevelt, tan profundamente influido en su debilidad política final por su esposa, que alterna con exiliados españoles, dedicando a alguno de ellos sus mejores coqueterías, mientras deja que la amante de Franklin le atienda en sus últimas horas.

A Roosevelt le sucede su vicepresidente, un hombre joven, resuelto y perspicaz: Harry S. Truman. Javier Tusell, en un párrafo magistral de su gran libro sobre Carrero,[100] expone de forma penetrante la nueva realidad: «... una mayor confianza en el futuro nació del posible cambio de la posición norteamericana provocado por la muerte de Roosevelt. Carrero supo de esta posibilidad de forma inmediata gracias a ese observador situado en la capital portuguesa, Martínez de Bedoya, en cuyos informes el subsecretario de Presidencia anotó repetidamente "muy interesante". Para aquél, frente al izquierdismo de Roosevelt, Truman representaba "la limpia mentalidad de un norteamericano de tipo medio", indignado por la política de cesiones seguida hasta entonces ante Stalin».

Truman desprecia a Franco tanto o más que Roosevelt. Pero es un hombre en la plenitud de la inteligencia. Tiene conciencia clara de los errores cometidos por su antecesor, enfermo de muerte, ante la voracidad de Stalin. Sabe que no puede hacérsele una concesión más al dictador soviético y que con las ya realizadas se han puesto las bases de un conflicto entre las grandes potencias para muchos años. España no es una cuestión menor para Truman. Se da cuenta de la maniobra de Stalin: conflicto armado entre milicianos y Fuerzas Armadas, intervención aliada y Restauración de la Monarquía. Hasta ahí todo al gusto de los aliados. Pero el engaño está claro: después, subversión en España, elecciones traumáticas, Frente Popular y dictadura comunista. Truman decide congelar las decisiones de Yalta. No quiere una Monarquía débil en España que pueda ser presa de Stalin y que dejaría a Centroeuropa en medio de una tenaza comunista, según la vieja aspiración de Lenin.

---

100. Tusell. *Carrero*. Pág. 110s.

Franco no tiene información sobre todo esto. Carrero lo intuye y lo explica pero el *caudillo* solo lo acepta a medias. Sin embargo, cuando la ONU condena al Régimen franquista y se desata la euforia de los monárquicos y los exiliados, la realidad es que la dictadura española está ya a salvo. El presidente de los Estados Unidos de América ha decidido taparse las narices y mantener al *caudillo*, al amigo del *führer* y del *duce*. Para Truman es mejor una España franquista que una España roja.

Churchill, paralelamente, tiene los mismos temores que Truman. El 4 de mayo de 1945 le escribe en una carta, un año antes de decirlo en Fulton: «Un telón de acero se abate sobre Europa.»[101] Es una referencia imprescindible, desvelada por Ricardo de la Cierva, para entender cabalmente lo que está sucediendo.

Seguramente Allen Dulles tiene idea clara del golpe de timón de la Casa Blanca, pero no le dice nada a Don Juan. Al menos no hay constancia de nuevas conversaciones ni en su archivo ni en el de Sainz Rodríguez. El Rey en el exilio, que conoce las incursiones de milicianos en el norte de España, está a la espera de que los aliados cumplan las promesas que motivaron su Manifiesto del 19 de marzo. López Oliván y Vegas Latapié trabajan activamente, en medio de una inenarrable euforia, para el traslado de Don Juan a Portugal y su entrada triunfal y pacificadora en España. Gil-Robles, en Lisboa, está exultante. Sainz Rodríguez celebra todos los días con la coima de turno en su regazo abacial el inminente regreso del Rey a Madrid, tras la magistral operación que para derribar a Franco proyectó el rollizo profesor de literatura, en 1941.

Julio de 1945. Potsdam: Truman hace frente a Stalin en la cuestión española

El 17 de julio de 1945, Churchill, Truman y Stalin se reúnen en Potsdam, en Cecillenhof, cerca de Berlín, junto a los lagos que forma el Havel, entre los jardines diseñados por Knobelsdorff, el intendente de Federico II el Grande, rey de Prusia. Doce días después, Churchill sufre las consecuencias del perfecto funcionamiento de la democracia británica y, vencedor de la Guerra Mundial, tiene que ceder el puesto al nuevo primer ministro de Su Graciosa Majestad, el laborista Clement Attlee. Los británicos no quieren divinizar a ningún «salvador de la patria». Faltan solo unos días para que las

---

101. Ricardo de la Cierva. *Franco*. Planeta, 1982. Tomo V. Pág. 198s.

bombas atómicas abran sus hongos de muerte sobre Hirosima y Nagasaki, decidan la guerra japonesa y el gran emperador Hiro Hito rasgue la cortina de crisantemos, haga frente a los militares y pida al pueblo la rendición. Truman se siente fuerte y se enfrenta a Stalin, ayudado al principio por Churchill y después más discretamente por Attlee.

En un libro revelador,[102] Harry S. Truman explica así el debate de Churchill y suyo con Stalin. No tiene desperdicio:

«Sugerí que pasáramos a la cuestión de España. Churchill dijo que su gobierno sentía una profunda aversión por el general Franco y su gobierno. Pero, dijo, la política española era algo más que las groseras caricaturas sobre Franco. Reveló que Franco le había escrito una carta proponiéndole que se reunieran para organizar a los Estados occidentales frente a ese «terrible país que es Rusia». Con la aprobación del gabinete británico, Churchill dijo que había enviado a Franco una fría respuesta y que una copia de su respuesta había sido enviada a Molotov.

Stalin dijo que había recibido una copia de la respuesta británica a Franco.

Churchill dijo a continuación que veía alguna dificultad en la propuesta de Stalin, particularmente con respecto a la ruptura total de relaciones con la España franquista. Dijo que no era partidario de interferir en los asuntos de un país que no había molestado a los aliados y creía que era un principio peligroso interrumpir las relaciones por la conducta interna de España. Deploraría, dijo, cualquier cosa que pudiera conducir de nuevo a España a la guerra civil. Señaló que la Carta de las Naciones Unidas contenía una provisión contra interferencias en los asuntos internos de cualquier nación, y que sería inconsistente, mientras se disponían a ratificar la Carta, recurrir a cualquier acción prohibida por ella.

Dejé claro que no estimaba a Franco y también que no deseaba jugar papel alguno en el estallido de otra guerra civil en España. Ya había habido suficientes guerras en Europa. Dije que me sentiría feliz de reconocer otro gobierno en España, pero que creía que la propia España debía resolver esa cuestión.

Stalin dijo que no se trataba de un asunto interno, puesto que el régimen de Franco había sido impuesto al pueblo español por Hitler y Mussolini. Dijo que creía que sus colegas no sentían afecto hacia Franco y que no pretendía tampoco reabrir la guerra civil en España. Si romper relaciones era una demostración muy grave, preguntó si no habría otros medios más flexibles mediante los cuales los Tres Gran-

102. Harry S. Truman. *Year of decisions*. Doubleday & Company, New York, 1955. Pág. 357s.

des pudieran hacer saber al pueblo español que los tres gobiernos simpatizaban con el pueblo de España y no con Franco. Dijo que se daba por supuesto que los Tres Grandes podían resolver tales cuestiones y que no deberíamos tolerar este cáncer en Europa. Si permanecíamos en silencio, advirtió, podría interpretarse como un respaldo a Franco.

Churchill reiteró su oposición a la ruptura de relaciones. Se refirió a las valiosas relaciones comerciales que Gran Bretaña mantenía con España. Salvo que estuviéramos convencidos, dijo, de que la ruptura de relaciones podría conducir al resultado apetecido, no deseaba que este antiguo y sólido comercio con España se interrumpiese. Comprendía plenamente los sentimientos del mariscal Stalin, dijo, pues Franco había tenido la audacia de enviar una División Azul española a Rusia. Rusia se hallaba en una posición diferente, admitió, porque había sido ofendida. Señaló que los españoles se habían abstenido de cualquier acción contra los británicos en unos momentos en que tal intervención hubiera sido desastrosa. Durante la operación *Torch*, dijo, el simple bombardeo de los buques en la zona de Gibraltar hubiera producido un grave daño a los británicos. Pero los españoles hubieran sido sentenciados si se hubieran atrevido a adoptar tales medidas contra los Aliados.

Stalin sugirió que los secretarios de Exteriores trataran de encontrar algún procedimiento para dejar claro que los jefes de los tres Gobiernos no estaban a favor del régimen de Franco.

Me mostré de acuerdo con esta sugerencia, pero Churchill deseaba que el asunto quedara resuelto por los jefes de Gobierno.

Stalin señaló que debería ser resuelto por nosotros tres. Los ministros de Exteriores aportarían tan solo un estudio preliminar.

Churchill dijo que no creía que esto fuera aconsejable.

La discusión prosiguió con altibajos, mientras uno y otros defendían sus previos argumentos. Vi que no había posibilidad de acuerdo en este asunto de momento, y sugerí que pasáramos a otro sobre el que pudiéramos adoptar una decisión, y que volviéramos a la cuestión española en una sesión posterior.

Stalin de nuevo sugirió que se remitiera a la consideración de los ministros de Exteriores. Churchill volvió a plantarse en este punto e insistió en que los jefes de Estado dejaran simplemente la cuestión sin decidir. Yo señalé que podíamos volver a ella en cualquier otro momento.»

En la revista *Historia y Vida*,[103] Ricardo de la Cierva tuvo el acierto de transcribir la versión completa de la intervención de

103. Ricardo de la Cierva. *Stalin contra Franco*. *Historia y Vida*. Número 90, septiembre 1975. Pág. 19.

Churchill en Potsdam. Era la primera vez que se publicaba en español. Su lectura deja claro que, muerto Roosevelt, ni Truman, ni Churchill, estaban dispuestos a dejarse engañar por Stalin. El dictador soviético pretendía volver a lo decidido en Yalta: «Dar apoyo a las fuerzas democráticas de España y permitir al pueblo español establecer un Régimen que responda a su voluntad.» Churchill, en frase no recogida por Truman, manifiesta que «personalmente [...] se alegraría mucho de que en España se produjera un cambio que creara una monarquía constitucional según los principios democráticos y de que se concediera una amnistía a los presos políticos».[104]

Ricardo de la Cierva subraya certeramente que Churchill «habría de ser el pragmático partidario de una política de no intervención en los asuntos españoles, en contra de los deseos de Stalin, favorable a una intervención armada en España por parte de las grandes potencias». La intervención armada que Stalin había acordado con Roosevelt en Yalta según el plan de Allen Dulles es el centro neurálgico de la cuestión. La intervención armada de las grandes potencias significaría el fin de Franco. La no intervención armada supone que continuará en el poder. Truman, que es quien manda en el campo aliado, bien apoyado por Churchill, tenía tomada ya la decisión, antes de llegar a Potsdam, de incumplir el acuerdo de Roosevelt y que no hubiera intervención armada en España. Franco, por consiguiente, seguiría en el poder y Don Juan quedaba frustrado.

Las decisiones que van a configurar el mundo durante muchos años se toman en medio de un tira y afloja a veces sonrojante. Stalin se da cuenta de que la trampa que preparaba, y en la que había caído Roosevelt (o con la que algún malicioso pensará que estaba de acuerdo Roosevelt), ha sido advertida por Truman. Exige todavía, una vez más, al final de la conferencia, ya sin Churchill, sustituido por Attlee, que se cumplan los acuerdos de Yalta, los públicos y los secretos: «Romper inmediatamente las relaciones con Franco y apoyar a las fuerzas democráticas para restablecer la libertad en España.» Truman se suma con entusiasmo a todas las condenas verbales, a todas las bofetadas humillantes, a todos los denuestos y vejaciones. Pero se mantiene firme: que los españoles resuelvan sus problemas internos, lo que significa que Franco va a permanecer. La dictadura del *caudillo* es más segura para los intereses norteamericanos que el riesgo de la Restauración de una Monarquía débil que terminará cayendo como las que ya se tambalean en Rumanía o Bulgaria. La lucidez de Truman y

---

104. *Historia y Vida. Documento de Potsdam* X/J 7571, vol. 3, 943. Número 90, septiembre 1975. Pág. 18s.

la firmeza de Churchill evitan en Potsdam una situación en España, como la que se produciría en Yugoslavia y Grecia. Unas semanas después, el 20 de agosto de 1945, Ernest Bevin diría en la Cámara de los Comunes: «La cuestión del régimen de España es algo que corresponde al pueblo español.» A Inglaterra le gustaría el cambio de régimen «pero el Gobierno de Su Majestad no está dispuesto a dar paso alguno que promoviera o alentara una guerra civil en dicho país». El plan Dulles-Roosevelt estaba liquidado. Stalin perdía su opción a la Península Ibérica. Don Juan, su corona. Aunque creía lo contrario.

Julio de 1945. Se prepara el primer Gobierno de la nueva Monarquía

Franco maquilla su régimen con un renovado Gobierno el 20 de julio de 1945. Resuelve la crisis con perspicaz habilidad política. Ha puesto en marcha dos nuevas Leyes Fundamentales, de apariencia democrática. Habla ya abiertamente en sus discursos de democracia orgánica y se suma a la *Benignitas et humanitas* de Pío XII. Le causa zozobra la conferencia de Potsdam y se irrita cuando conoce las primeras resoluciones. Sigue pensando que todo está perdido, a pesar de la actitud de Carrero. Pero continúa con su legendaria impavidez africana. «Legionarios a luchar, legionarios a morir.» De la posición tomada no le sacará nadie. Los monárquicos exultantes preparan el regreso del Rey. Sainz Rodríguez da el visto bueno al nuevo Gobierno Kindelán. Franco no va a pasar del verano y Don Juan acepta la lista del que será su primer Gobierno provisional, encargado de convocar elecciones libres a Cortes Constituyentes:

Presidente de Gobierno: Alfredo Kindelán
Ministro de Asuntos Exteriores: Salvador de Madariaga
Ministro del Interior: José María Gil-Robles
Ministro de Hacienda: Pablo Garnica
Ministro de Justicia: José Yanguas Messía
Ministro de Educación: Pedro Sainz Rodríguez
    (que se tacha y apunta el nombre de García Valdecasas)
Ministro de Defensa: Antonio Aranda
Ministro de Comercio e Industria: Juan Ventosa
Ministro de Obras Públicas: Joaquín Satrústegui
Ministro de Beneficencia y Sanidad: Juan José López Ibor
Ministro de Trabajo: Gregorio Marañón
Ministro de Comunicación: Eugenio Vegas Latapié

Ministro de Agricultura: Conde de Rodezno
Ministro de Abastos: Conde de Montseny
Ministro del Ejército: Juan Bautista Sánchez
Ministro de Marina: Almirante Bastarreche
Ministro del Aire: José Enrique Varela

Se les comunica a todos sus futuros nombramientos y se les pide que estén preparados. El fin de la Guerra Mundial en Japón y la difusión de los acuerdos de Potsdam hacen pensar a la clase política nacional e internacional que todo está resuelto y que, en septiembre, se producirá el cambio en España. Luis Suárez refleja puntualmente la situación [105] y la inminencia de la Restauración según el entorno de Don Juan.

Serrano Súñer, en un intento desesperado de que no se pierda todo, escribe a Franco y le propone la desactivación de la Falange y un Gobierno con Ortega y Gasset, Gregorio Marañón y Francesc Cambó. El dictador escribió «je, je, je» al lado de los nombres.[106] Le dice al general Martínez Campos: «Yo no haré la tontería que hizo Primo de Rivera. Yo no dimito: de aquí al cementerio.»[107] Era verdad. Es la misma posición que mantiene desde el 1 de octubre de 1936. Los que, como Martín Artajo, creen que el *caudillo* se puede ablandar y retirarse, yerran. Franco es un legionario. No abandonará en ningún caso la posición conquistada.

Septiembre de 1945. Sainz Rodríguez se da cuenta de que la operación para derribar a Franco ha fracasado

A primeros de septiembre de 1945, Sainz Rodríguez lee una versión extensa de los acuerdos de Potsdam. En ese momento, su inteligencia tan pragmática, tan aguzada, le indica que todo ha cambiado y que los aliados han vendido a Don Juan de Borbón por la seguridad que les ofrece la permanencia de Franco. La verborrea de las condenas y los bloqueos no confunde al sagaz catedrático. Sainz Rodríguez comprende que Truman ha rectificado la posición de Roosevelt. Se indigna. La faena de comprometer a Don Juan con el Manifiesto de Lausana y luego dejarle tirado resulta inenarrable. Con

105. Luis Suárez. *Francisco Franco y su tiempo.* Tomo IV. Pág. 55s.
106. Ibídem. Pág. 58s.
107. Kindelán. *La verdad de mis relaciones con Franco.* Pág. 287. Cfr. Tusell. *Carrero.* Pág. 127.

el tiempo reconocerá que Truman tenía razón. Veinte años después, don Pedro creía también que si la Monarquía se hubiera restaurado en 1945, el Frente Popular se la hubiera llevado por delante en las primeras elecciones y Stalin se hubiera adueñado de España. Pero en ese momento, septiembre de 1945, su actitud es un bramido permanente, de toro engañado en el centro del ruedo.

Sin fecha, pero no más tarde del 15 de septiembre, envía un breve informe que le llega autentificado a Don Juan con el leoncito de lacre: «Asegúrese bien V.M., pero este cabrón de Truman le ha dejado a V.M. con su regio culo al aire. A Franquito no le sacan del cuartel todas las condenas verbales del mundo, solo los tanques. Y los americanos no van a hacer nada. Prefieren que siga Franquito, eso está más claro que el agua clara. V.M. debe leer despacio los documentos de Potsdam. Hable enseguida con Ll.»[108] Sigue una disquisición teórica sobre la situación, de menor interés. Pero las frases iniciales del informe no pueden resultar más reveladoras. Don Juan no hace caso. Allen Dulles se encuentra en América. Vegas y López Oliván creen que no es necesario molestarle. El duque de Alba piensa lo mismo. Gil-Robles es más rotundo. Franco está liquidado. Es un cadáver político, de cuerpo presente, al que solo falta enterrar.

En su informe de noviembre de 1945, el conde de Fontanar, tras un viaje a Nueva York y Washington, escribe a Don Juan, en plena coincidencia, sin saberlo, con Sainz Rodríguez: «Estados Unidos no se quiere lanzar a una política contra el actual Régimen español de forma decidida y plena *porque recela cada día más visiblemente de la amenaza rusa* y porque considera a la Península Ibérica como perteneciendo destacadamente a la zona europea que interesa a su seguridad estratégica.»[109]

No son Sainz Rodríguez y Fontanar los únicos que advierten el cambio producido desde Yalta a Potsdam. También Carrero Blanco se da cuenta de los nuevos vientos que soplan desde Washington. Con un razonado informe despierta la esperanza de Franco. Truman y su Gobierno no solo no cederán ante Stalin, «sino que se opondrán a todo lo que pudiera determinar una situación de hegemonía soviética en la Península Ibérica».[110] Carrero vaticina con extraordinaria clarividencia la división entre los vencedores de la Guerra Mundial y la guerra fría que salvará a Franco. La «eminencia gris» del dictador decide convencer al hombre más próximo a sus ideas cerca de

108. Archivo Sainz Rodríguez.
109. Archivo conde de Fontanar.
110. Tusell. *Carrero*. Pág. 129.

Don Juan para que los monárquicos cesen en su acoso. Llama a Eugenio Vegas para desmontar el andamiaje que soporta a Don Juan. El Rey permite a su secretario político que viaje a Madrid a mediados de septiembre. Está tres días. Dialoga repetidamente con Carrero, que le proporciona un documento clarificador: *Consideraciones sobre el momento actual de España.*[111] Pero se equivoca la «eminencia gris» con Vegas. El creador de *Acción Española* tiene una posición doctrinal próxima a la de Carrero pero desprecia a Franco más que López Oliván, más todavía que Gil-Robles, incluso más que Sainz Rodríguez. Le considera un oportunista deleznable y está convencido de que le quedan semanas en el poder. Cuando regresa a Lausana, el entorno de Don Juan y el propio Rey se reafirman en sus posiciones. Los informes de Sainz Rodríguez y Fontanar son hojas perdidas de otoño, que se las lleva el viento.

Octubre de 1945. Franco ofrece residencia oficial en España a Don Juan y tratamiento de Príncipe de España

A pesar del informe Carrero, Franco no ve las cosas claras y comete un error táctico, incomprensible en un hombre tan frío y cauteloso. A través de algunos enlaces de lealtad indiscutida a Don Juan como Sangróniz, Luca de Tena y Miguel Mateu, le ofrece a Don Juan todo: residencia oficial en Madrid, Casa Civil, Casa Militar, tratamiento de Príncipe de España, presupuesto, honores y propaganda para preparar su ascensión al Trono en el futuro. De nuevo «le tarda la impaciencia» por colocar bajo el Rey «la Jefatura total del Pueblo y sus Ejércitos». Si Don Juan mordía el anzuelo, el *caudillo* estaba a salvo de las maniobras aliadas. Pero el Rey no se traga la suculenta zanahoria y contesta que «primero saliera Franco y luego entraría él». Y a Mateu le dice: «Soy el Rey y he de entrar en España solo por la puerta grande.»[112] En ese momento, Don Juan estaba seguro de que los aliados mantendrían sus compromisos y que la Restauración era inmediata. La advertencia de Sainz Rodríguez había caído en el saco roto de las chanzas de Vegas y López Oliván. Don Juan era muy joven. Tenía treinta y dos años. Y, políticamente, estaba ciego. Creía saberlo todo y era un novato. Ignoraba en qué pecientos fogones se estaban cociendo las grandes decisiones de la política internacional. El 19 de noviembre de 1945, escribe una carta a

---

111. Tusell. *Carrero.* Pág. 146s.
112. López Rodó. *La larga marcha hacia la Monarquía.* Pág. 62s.

Fontanar en la que afirma: «Ya sabes que se dice mucho que soy un intransigente y que soy yo el que le pone pegas al Generalísimo.»[113]

Como respuesta a las presiones de Carrero sobre Vegas y a la oferta de Franco de que se instalase en España, el Rey, para despejar cualquier duda, aconsejado por Gil-Robles, hace una declaración inequívoca a Nerin E. Gun, el 14 de diciembre de 1945, en la *Gazette de Lausanne*. Dice así:

—¿Su Alteza Real fundamenta la concepción del régimen monárquico únicamente en el derecho hereditario o también en la voluntad libremente expresada del pueblo español?

—Deseo que mis conciudadanos puedan expresar libremente su voluntad. Si, como lo espero, se pronuncian en favor de la Monarquía, haré valer mis derechos incontestables a la corona de España sobre la base del derecho hereditario.

—¿Cómo podría expresarse esta voluntad?

—No puedo decidirlo yo personalmente...

—¿Aceptaría usted un plebiscito organizado bajo la influencia franquista?

—No. El general Franco ha instaurado un régimen inspirado en las potencias totalitarias del Eje, sistema absolutamente contrario al carácter y a las tradiciones de un pueblo como el nuestro y, fundamentalmente, incompatible con las circunstancias que la guerra ha creado en el mundo.

—¿La Carta del Atlántico vería bien una solución como ésta?

—No parece que los principios de la Carta del Atlántico se apliquen en la política interna de los Estados en particular, pero estoy completamente de acuerdo con las directrices generales de esta Carta.

—¿Sería posible conciliar la Monarquía con un régimen interno democrático como el de Inglaterra?

—Mis colaboradores y yo mismo no dejaremos de hacer, con toda la sinceridad posible, todo lo posible para que se establezca en España un régimen democrático, régimen que recordará a los de Gran Bretaña, Estados Unidos, Holanda, países escandinavos.

—¿La Monarquía es compatible con las profundas reformas sociales provocadas en buena medida por la guerra?

—Absolutamente compatible. Bajo la Monarquía conciliadora, justiciera y tolerante, será posible emprender todas las reformas para el interés del país. Las primeras tareas que se emprenderán son: adopción inmediata por el sufragio popular de una Constitución; reconocimiento de los derechos de la persona humana y de las libertades políticas correspondientes; establecimiento de una Asamblea legislativa elegida por la nación; larga amnistía política y reconoci-

113. Archivo conde de Fontanar.

miento de las particularidades regionales; reparto más equitativo de la riqueza y supresión de las diferencias sociales que están en contradicción flagrante y peligrosa con las condiciones políticas de nuestra época.

—¿Y cuál sería su actitud si un plebiscito fuera contrario a su persona o si el régimen democrático provisional relegara para más adelante la cuestión de la Monarquía?

—En el primer caso, mi actitud sería puramente personal. En el segundo, si se tratase de la decisión de un Gobierno, estudiaría la actitud que tendría que adoptar. Pero, si se tratase de la decisión de la nación, la aceptaría inmediatamente.

—¿Piensa que España debería adoptar una nueva orientación política en cuanto al terreno internacional?

—¡Ciertamente! España debe reconquistar su posición en el concierto de las Naciones Unidas y colaborar activamente en la reconstrucción moral, económica y política del mundo, algo totalmente imposible de hacer bajo el régimen que actualmente tiene mi país.

—¿Se puede reparar el mal que Franco ha producido en España?

—Repararlo es precisamente una de las necesidades que militan en favor de la restauración de la Monarquía.

—¿Cómo juzgaría usted la actitud del *caudillo* que toleró y favoreció la deportación y el asesinato de miles de españoles en los campos alemanes, y que, todavía hoy, rechaza una ayuda eficaz para los que escaparon?

—No dispongo de datos suficientes para pronunciarme acerca de este asunto.

Para completar esta entrevista, se puede añadir que el Conde de Barcelona y su entorno son muy optimistas en cuanto al acceso al poder del movimiento monárquico. El pretendiente está en contacto con el duque de Alba que se encuentra en Londres y con Gil-Robles que, en Portugal, es el intermediario entre Don Juan y las masas populares. Son muchas las personalidades que hacen el viaje de Lausana: el ex ministro Ventosa, el conde de Rodezno, el doctor Marañón, antiguo republicano convencido y actualmente partidario de la monarquía, y el filósofo Ortega y Gasset. El Príncipe, que acaba de cumplir treinta y dos años, vive en una bonita villa en Ouchy (*Les Rocailles*); se le puede ver en el bar del *Royal-Savoy* en el que los militares americanos de permiso le asaltan pidiéndole autógrafos y con los que muchas veces habla en español. El Conde pasa la mayoría del tiempo estudiando historia y derecho internacional. En ocasiones, visita fábricas suizas con la intención de contactar con el mundo obrero. Estos últimos años, solo ha viajado al extranjero en una ocasión, en 1942, a Roma, para el aniversario de la muerte de su padre. Después de establecer un acuerdo con los monárquicos ortodoxos y los carlistas intransigentes, Don Juan ve surgir en el horizonte a un nuevo rival: el Príncipe Xavier de Bourbon-Parme, mi antiguo camarada en el campo de concentración de Dachau, que será el elegido de los disidentes carlistas. Sin embargo, parece que el Príncipe Xavier no manifiesta un gran entusiasmo cuando piensa en la misión que podría tener entre manos...

Febrero de 1946. Don Juan en Portugal

El *caudillo* trata de evitar el viaje de Don Juan a Portugal. El Rey, atendiendo una vieja solicitud de Gil-Robles, que mantiene conversaciones avanzadas con Indalecio Prieto, ha decidido instalarse en Estoril para hacer su entrada en España desde Portugal. Después de salvar mil obstáculos y de mantener una larga entrevista personal con el Rey de Inglaterra, el 2 de febrero de 1946, acompañado por Vegas Latapié y Ramón Padilla, los vizcondes de Rocamora y Doña María, Don Juan de Borbón llega en avión al aeropuerto de Portela. Son las ocho y cuarto de la tarde. Le espera el embajador de España, Nicolás Franco, hermano del dictador. Don Juan ordena que se metan las maletas de todos en su pequeño automóvil, un *Mercury*. El embajador le muestra un suntuoso *Packard*.

—Aquí está el coche de Vuestra Majestad —le dice.

—Pero ése es tu coche, ¿no es así, embajador?

—No, es el coche que el Gobierno español pone a disposición de Vuestra Majestad.

Don Juan se vuelve a Ramón Padilla.

—Ramón —le dice—. Pídeme un taxi, por favor.

1946-1948: LUCHA POR EL PODER EN LA CAUSA MONÁRQUICA

Capítulo XVIII
DON JUAN CONTRA SAINZ RODRÍGUEZ

En compañía de Vegas y Padilla, seguido por Doña María y los Rocamora, así como por su coche particular, abarrotado de maletas, Don Juan se traslada en taxi a *Villa Papoila*, «amapola» en portugués, el chalecito que los marqueses de Pelayo le ceden en Estoril hasta que los Condes de Barcelona encuentren nueva residencia. Empiezan para el Rey unos días de actividad frenética. Varias docenas de personalidades le visitan cada jornada.

José María Gil-Robles se queda asombrado ante la personalidad de Don Juan cuando conversa con él, el 4 de febrero de 1946. Ni Cortés-Cavanillas se hubiera atrevido a escribir algo tan elogioso del Rey como lo que afirma el líder de la CEDA en su diario: «A la inversa de lo que el Poema del Mío Cid dice del gran Rodrigo de Vivar —"¡Dios qué buen vasallo, si oviese buen señor!"— podemos decir de Don Juan de Borbón: ¡Qué excelente Rey sería si tuviese un buen pueblo!»[1] El hombre que apuntaló la República está, pues, deslumbrado ante el hijo de Alfonso XIII. Unos días después, tal vez el 8 de febrero, el presidente del Gobierno portugués, Oliveira Salazar, tiene el gesto elegante de visitar a Don Juan en *Villa Papoila*.

Y llega el 11 de febrero. Don Juan invita a cenar a Sainz Rodríguez, Eugenio Vegas y José María Gil-Robles. Con López Oliván, que está ausente, forman la plana mayor de la dirección monárquica en el exterior. Vegas es, tal vez por su dedicación y esfuerzo, por la solidez de sus ideas, el hombre fuerte. Acompaña al Rey su secretario, Ramón Padilla. Euforia, cordialidad, buena ginebra, excelente whisky, soberbio vino tinto, rotundas carcajadas borbónicas y risas alborozadas. Tras el café, Eugenio Vegas detalla los pormenores del viaje del Rey a Madrid, cuando, en unas semanas, la presión internacional obligue a Franco a renunciar a sus poderes en la Junta de Generales que le nombró en Salamanca. Explica cómo Nicolás Franco, dos días antes, se ha querido llevar en su coche al Rey, a El Pardo, para que se entrevistase con el dictador y dejar la situación resuelta. Don Juan asiente y expone las razones de su negativa al requerimiento del embajador. Gil-Robles aplaude la decisión y opina que el Rey debe preparar una declaración de principios, una «especie de carta magna que contente a los de dentro y a los de fue-

---

1. Gil-Robles. *La Monarquía por la que yo luché*. Pág. 159.

ra».[2] Prieto está propicio y también la ANED (Alianza Nacional de Fuerzas Democráticas), aunque a este sector se han incorporado los comunistas, lo que dificulta la negociación. Cree Gil-Robles que todos aceptarán el Gobierno provisional presidido por Kindelán, pero él está de acuerdo con la sugerencia de Sainz Rodríguez, de que sea Indalecio Prieto quien, en poco tiempo, se convierta en presidente del Gobierno y convoque las elecciones para que tengan plena credibilidad.

«Hemos fracasado en derribar a Franquito»

Sainz Rodríguez, que observa con disgusto al Rey eufórico, toma la palabra y, desde la desdeñosa sombra de sus ojos miopes, dice:

—Si no supiera que estoy hablando con personas inteligentes a las que conozco desde hace mucho tiempo, pensaría que se me han reducido los huevos y que vuelvo a ser un niño en un jardín de infancia. Hace seis meses, todo lo que estoy oyendo sería más o menos viable, más o menos coherente, pero hoy se ha quedado más viejo y arrugado que una puta del coro de la *Chelito*. Le escribí al Rey, en septiembre, explicándole que Truman, el muy cabrón, nos había vendido. Nada de lo acordado con Roosevelt se va a cumplir. A Attlee le traen al fresco los compromisos de Churchill y aquí nadie tiene las pelotas lo suficientemente bien puestas como para explicar a Vuestra Majestad las cosas como son.

Le tiembla a don Pedro la taza de café en la mano —«no de nerviosismo, sino de ira»— y mirando primero a Vegas y luego a Don Juan:

—Hemos fracasado en derribar a Franquito —asegura—. Está todo perdido. A Franquito no se le despega de la butaca ni con agua caliente. Tiene la idea firme, y nada desacertada, de que dos culos no caben a la vez en la misma silla. Si no coge la tisis o alguien le pega un tiro, este cabroncete nos entierra a todos. La política de la Causa, que tan inteligentemente ha encabezado Vuestra Majestad durante toda la guerra, está liquidada. Pueden hacer ustedes cartas magnas, alianzas, trapisondas y leches con todo bicho viviente; pueden hacerse una paja leyendo a Balmes o a Vázquez Mella, lo que tiene su mérito, pero nada de todo eso va a remover a Franquito del poder. Hay que pensar en organizar otra política. No sé cuál. Pero otra. Seguir dándole patadas a Franco en los huevos es tan memo como pegárselas al caballo de Felipe III en la Plaza Mayor. Se las guardará todas a Vuestra Majestad y se las devolverá, una a una, en cuanto

2. Archivo Sainz Rodríguez.

pueda. Hay que saber cómo es Franquito. Yo no he conocido a nadie con más capacidad de rencor. Así es que no cuenten conmigo para nada de lo que están diciendo, porque yo dejé el jardín de infancia hace muchos años.

Vegas, enjuto y sobrio como el caballero de la mano en el pecho del Greco, salta a la yugular de Sainz Rodríguez.

—Conviene que sepas, admirado Pedro —se recrea en la ironía—, que Vázquez Mella era muy distinto de cintura para arriba que de cintura para abajo y que puestos a hacerse gallardas, sobre todo mentales, te consideramos todos un especialista, un venerado maestro. Todo lo que has dicho es una masturbación cerebral que puede confundir al Rey. En España la gente se muere de hambre, hay guerra abierta en el norte, el pueblo grita «¡Franco nos prometiste pan blanco, y ahora que eres *caudillo* nos lo largas amarillo!» Esas bolas amarillentas y puré de almortas es todo lo que se puede comer. Las derechas están que braman. Las izquierdas son un alarido. La ONU tiene apestado al Régimen. Los embajadores están a punto de irse y no volverán. Es imposible que Franco resista unas semanas más. Está dando las últimas boqueadas. Es un milagro que superara el verano pasado. Pero ahora, con el Rey a las puertas de España, los generales decididos a todo y los aliados, por muy cabrón que sea Truman, con el Frente Popular en Francia y los laboristas en Inglaterra, dispuestos a terminar con Franco, lo que hay que hacer es prepararse, porque entre todos van a llevar al Rey en volandas a Madrid.

Gil-Robles asiente con la cabeza, toma la palabra y da a todos una lección, con su técnica depurada de mítin parlamentario, para lucirse ante el Rey. «La cadaverización del régimen, dice, es un hecho que no admite discusión.»

Sainz Rodríguez espera la reacción de aquel muchacho a quien tanto estima. Le mira a los ojos y el Rey le sostiene la mirada.

—Debo decir —afirma Don Juan— que, después de hablar con el Rey de Inglaterra en Londres hace unos días, no tengo dudas. A pesar de que tus argumentos están muy bien explicados, querido Pedro, siento infinito, créeme, no poderte dar la razón. Eugenio y don José María son los que tienen los pies en la realidad. Hay que prepararse para nuestra entrada en España y mantenerse firmes porque nada peor que cambiar o mostrar debilidad. Todos esperan que la Corona siga haciendo frente a Franco como hasta ahora.[3]

3. Archivo Luis María Anson. La versión de la cena no es de Sainz Rodríguez, sino de Vegas Latapié, que se la repitió a Anson al menos tres veces en años distintos y siempre con las mismas palabras, de forma casi exacta.

«El Saluda»: «Toda España con el Rey», según Vegas

Vegas Latapié saca entonces la carta final, con la que piensa apabullar a Sainz Rodríguez: «El Saluda.»
—Quinientos personajes —dice—,[4] entre ellos los que estamos aquí, y me excluyo porque yo no soy personaje ni nada, han firmado este «Saluda» que se hará público el miércoles. Está toda España, todos los banqueros, sin excepción, los principales generales, los escritores, los empresarios... No falta nadie. No hay quien resista un documento así.

«El Saluda» es un breve y expresivo texto que dice:

> Señor:
> Queremos que al llegar a nuestra Península reciba V.M. nuestro respetuoso saludo y el testimonio de nuestra firme adhesión. No pretendemos con ello exteriorizar simplemente un sentimiento, sino expresar nuestra convicción profunda de que solo la Monarquía encarnada en V.M. por feliz conjunción sucesoria de las dos ramas dinásticas, puede ser base sólida de un régimen estable y definido conforme con la tradición histórica española, adecuado a las necesidades del momento presente, apto para colaborar con las demás naciones.
> Quiera Dios que la proximidad de V.M. a tierra española sea la anticipación y el anuncio de la realización de nuestro anhelo, que habrá de representar, no el predominio de un partido o de una clase, sino el medio de asegurar, dentro del orden, del mantenimiento de las esencias de nuestra vida moral y religiosa y del respeto efectivo a la libertad y a los derechos de la persona humana, la íntima y cordial convivencia entre todos los españoles.
> Señor: a los RR.PP. de V.M.
> 13 de febrero de 1946

La lista de firmantes es, efectivamente, sobrecogedora. La clase dirigente de España está ahí. Javier Tusell lo subraya en un libro documentado, objetivo y excelente.[5] Veinte ex-ministros, veintidós catedráticos, quince académicos, los presidentes de los cinco grandes Bancos, centenares de abogados, ingenieros, arquitectos, médicos, escritores, firman «El Saluda».

---

4. 458, para ser exactos.
5. Javier Tusell. *La oposición democrática al franquismo*. Planeta, 1977. Pág. 114s. En el apéndice de *Un reinado en la sombra*, de Sainz Rodríguez, está publicada la relación completa de los nombres. Pág. 417s.

Franco reacciona como supone Sainz Rodríguez. Retira pasaportes, envía inspectores de Hacienda, destituye de cargos y prebendas y responsabiliza a quien, confinado Alfonso de Orleans, representa al Rey en España: el general Kindelán. Ordena su destierro a Canarias.

Bevin y Bidault discuten en aquellos días una proposición según la cual el pueblo español debería derrocar a Franco para que España fuera aceptada dentro de la comunidad internacional. Vegas se la muestra enseguida a Don Juan. Es cuestión de días, de horas, la vuelta del Rey al Palacio de Oriente. Pero, como escribe Preston,[6] «en Washington se estaba extendiendo la idea de que la Unión Soviética quería fomentar una guerra civil en España para asegurar la victoria del comunismo, con el objetivo de cubrir su flanco suroccidental respecto a Italia y Francia, y de lograr una cabeza de puente hacia Latinoamérica». El propio Salvador de Madariaga, enemigo frontal de Franco, coincide con Sainz Rodríguez y recomienda prudencia. Se manifiesta más antifranquista que nadie —escribiría un libro titulado *General, márchese usted*— y quiere derribar al *caudillo* pero no en beneficio de Stalin. Así se lo recordaría a Anson muchos años después, en su casa de St. Andrew's Road, en un barrio apacible al costado de Oxford, mientras *Mimí* les rodeaba de té y de ternura. Es la posición clarividente adoptada por Truman desde la muerte de Roosevelt, en abril de 1945.

Las Bases de Estoril

José María Gil-Robles, cumpliendo las instrucciones del Rey, redacta la «Carta Magna» que Don Juan ofrece al pueblo español en contra de Franco y que con el tiempo inspiraría, en parte, al dictador para algunas de sus Leyes Fundamentales. Es un documento muy equilibrado, redactado por un político prudente en la cumbre de su madurez. Su texto constituye el mínimo común denominador para los vencedores y los vencidos de la Guerra Civil. En una sesión maratoniana, a la que asisten Rodezno, Oriol, Arellano, Iturmendi, Ortigosa, Sainz Rodríguez, Vegas, Fontanar, Satrústegui y el propio Gil-Robles, se aprueba el texto definitivo que firma Don Juan y se hace público en Estoril, el jueves 28 de febrero de 1946. El documento, un proyecto de Constitución, se titula «Bases institucionales de la Monarquía Española» y se le conoció siempre como las Bases de Estoril.

6. Paul Preston. *Franco, caudillo de España*. Pág. 687.

«Base primera

Por exigencias de la Historia, la pervivencia y la paz, de la Patria, la vida política española descansará en los siguientes postulados esenciales que no podrán ser objeto de discusión ni revisión:

1. La Religión católica.
2. La unidad sagrada de la Patria.
3. La Monarquía representativa.

Base segunda

La Religión Católica, Apostólica y Romana, profesada por la mayoría de los españoles será también la Religión del Estado.

Las relaciones entre la Iglesia y el Estado en materia mixta se regularán por medio de un Concordato.

Nadie será molestado por sus creencias ni constituirán éstas disminución en las prerrogativas de la ciudadanía.

Base tercera

Se reconocerá la personalidad propia de las entidades infrasoberanas que integran el organismo nacional, así como la esfera de la legítima autarquía que de esa personalidad se deduce, pero sin que en caso alguno tal reconocimiento pueda suponer directa o indirectamente mengua de la unidad intangible de la Patria o de la soberanía irrenunciable del Estado.

Base cuarta

Los derechos y libertades de la persona humana serán objeto de reconocimiento y garantía eficaz.

Leyes especiales regularán el ejercicio de tales derechos que deberán siempre armonizarse con los supremos principios que rigen la existencia e impulsan el perfeccionamiento de la colectividad nacional.

Base quinta

Se considera función primordial del Estado proteger y estimular el trabajo en todas sus manifestaciones, impulsar una más justa distribución de los bienes, elevar el nivel de las clases más necesitadas, suplir las deficiencias de la acción privada en orden a asistencia y previsión, conseguir que el ejercicio de los derechos y deberes inherentes a la personalidad humana no se vea mermado por falta de capacidad o independencia económica y crear o favorecer la creación de las instituciones que organicen las distintas profesiones sobre la base de la cooperación de los varios elementos que las forman.

Base sexta

La Monarquía española será representativa, moderada por limitaciones éticas y legales, y hereditaria.

Los deberes y derechos de la Monarquía española están vinculados en la persona de don Juan de Borbón y Battenberg.

Base séptima

El Rey ejerce sus prerrogativas asistido por un Consejo del Reino, cuyo parecer podrá solicitar siempre que quiera y cuyo dictamen deberá necesariamente pedir cuando se trate de la disolución extraordinaria de las Cortes; del nombramiento y separación del Jefe del Gobierno; de la declaración de guerra y conclusión de la paz; de la negativa de sanción a las leyes votadas por las Cortes; de la promulgación de Decretos con fuerza de ley exigidos por circunstancias excepcionales y en general de cuantos asuntos graves afecten a la interpretación de las leyes fundamentales de la Monarquía, las directrices de la política exterior, las normas básicas de la economía nacional, el mantenimiento del orden público y la defensa de la Nación.

El Consejo del Reino, cuyo funcionamiento será regulado por la Ley Orgánica correspondiente, estará integrado, por terceras partes por miembros por derecho propio, de nombramiento de la Corona y electivos.

Base octava

La función de hacer las leyes corresponde al Rey, con la necesaria colaboración de las Cortes.

Las Cortes estarán constituidas por un solo Cuerpo legislativo. Un tercio de sus miembros será elegido por sufragio popular directo; otro tercio por los municipios o provincias integrantes de la Nación y el tercero por las entidades culturales y profesionales.

Una ley especial regulará el procedimiento electoral.

Las Cortes serán renovadas parcialmente, cesando en cada renovación la tercera parte de cada una de las tres categorías de diputados.

En circunstancias excepcionales el Rey podrá proceder a una renovación total del cuerpo legislativo.

En casos de indudable urgencia y necesidad el Rey podrá promulgar Decretos con fuerza de ley, con la obligación estricta de someterlos a la ratificación de las Cortes en la primera reunión de éstas. Corresponderá en todo caso a las Cortes la votación de los presupuestos y leyes tributarias.

Base novena

El Rey ejerce la función ejecutiva con la obligación de asistencia de los ministros responsables, que refrendarán todos los actos del Monarca.

Sin perjuicio de la responsabilidad del Estado, los ministros serán individualmente responsables por sus actos propios, y colectivamente mientras ejerzan el cargo, por las resoluciones del Consejo de Ministros.

Base décima

La función judicial se ejercerá en nombre del Rey por los Jueces y Magistrados. La Ley garantizará la efectiva inamovilidad e independencia de los encargados de administrar la Justicia.

Base undécima

Para amparo de los intereses de la persona y garantía de los intereses de la Nación se instituirá un amplísimo sistema de recursos judiciales contra las posibles extralimitaciones del poder público y en especial los recursos de inconstitucionalidad, contencioso-administrativo, por abuso y desviación de poder, y de responsabilidad civil de funcionarios.

Base duodécima

Las presentes bases serán sometidas a la voluntad de la Nación libremente expresada, sin perjuicio de que entren desde el primer momento en vigor aquellas prerrogativas que son inherentes al principio de legitimidad que encarna la persona del Rey.

Estoril, 28 de febrero de 1946»[7]

Gil-Robles y Sainz Rodríguez han conseguido introducir contra Rodezno y Vegas un punto que constituye la clave política de todo el texto programático: «Un tercio de sus miembros (de las Cortes) será elegido por sufragio popular directo.»

«Ese tercio, decía Gil-Robles, será el único aceptado como verdaderamente representativo y se comerá a los demás.»[8] A partir de él, Gil-Robles piensa que se hará la reforma política hasta redactar la Constitución de una auténtica Monarquía Parlamentaria como la británica, que es lo que quiere Don Juan. Indalecio Prieto no piensa lo mismo y, con no poca grosería, escribe en *La Prensa*[9] de Buenos Aires: «Nos habían martilleado los oídos con la cantinela de que Juanete era fervoroso demócrata y de que reinaría conforme a las prácticas monárquicas de Inglaterra y Suecia, donde el rey reina pero no gobierna y donde, por eso, los socialistas participan sin escrúpulo en el Gobierno, ya que la corona es un símbolo respetable y no un aborrecible chirimbolo. Mas ahora nos encontramos con que o Juanete no sabe lo que firma o que le sugestiona el despotismo. Ni lo uno ni lo otro me sorprendería. Lo cierto es que leyendo las doce bases me

7. Archivo Luis María Anson.
8. Archivo Sainz Rodríguez.
9. *La Prensa*. Buenos Aires, 4-V-1946.

ha entrado fuerte golpe de risa y después, alucinado, he visto a mi alrededor guerreros con el cuerpo encerrado en brillantes lorigas y herejes encapuchados caminando hacia la hoguera. Mi erudición, limitada al género chico del teatro español, me ha hecho recordar *Quo Vadis?*, bufonada de Sinesio Delgado, en la que la acción, devorando siglos, retrocede desde la época actual hasta la neroriana, pasando por el Cid y por la Santa Inquisición.»

Churchill: un telón de acero se ha abatido sobre Europa

A Pedro Sainz Rodríguez le parece todo eso —las Bases, la actitud del Rey, los «Saludas», las conspiraciones y los doctrinarismos de Vegas— «música celestial». A Don Juan solo le presentan los recortes de Prensa que abonan su rápido regreso a España. La declaración tripartita de 4 de marzo de 1946 de Estados Unidos, Francia e Inglaterra es brutal contra Franco. Don Juan, instigado por Vegas, casi se la restriega por el rostro a don Pedro. Pero Sainz Rodríguez le subraya al Rey una frase de la declaración. Como Don Juan solo quiere leer lo que le conviene, reacciona molesto: «No tenemos intención alguna de intervenir en los asuntos internos de España. El mismo pueblo español es quien, a la larga, debe forjar su propio destino.» Lo que significa lo contrario de la posición Roosevelt-Dulles en Yalta del año anterior, que suponía un plan arriesgado, pero eficaz, para derribar a Franco.

Un día después de la declaración tripartita, el 5 de marzo de 1946, el jefe de la oposición británica, Winston Churchill, en presencia del presidente Truman, pronuncia un discurso en el que da la razón a la postura de Sainz Rodríguez, aunque Don Juan tampoco quiere aceptar la evidencia. En el Westminster College de Fulton, en Missouri, afirma: «Desde Stettin, en el Báltico, a Trieste, en el Atlántico, un telón de acero se ha abatido sobre Europa.»

Sainz Rodríguez solicita a la Embajada británica en Lisboa el texto completo del discurso y se lo envía a Don Juan, acompañado de frases hirientes [10] que no debió escribir. La posición de Churchill está clara. La «guerra fría» ha comenzado y en ella, Franco, en lugar de un apestado al que hay que derrocar, es un aliado firme y seguro. Para ironía de la Historia, el *caudillo* está combatiendo en beneficio de los aliados y en contra de Stalin, contra la guerra de guerrillas que, permitida en 1945 por Francia y exigida en su día por Wash-

10. Archivo Sainz Rodríguez.

ington, se libra sordamente en el norte de España. Al menos cinco años tardaría el *caudillo* en extirpar al *maquis*.

El discurso inequívoco de Churchill no penetra en el ánimo de Don Juan. Mucho menos en su inteligencia, esquiva a la comprensión de cualquier cosa que no le agrade. Vegas y Gil-Robles desbaratan todo lo que afirma Sainz Rodríguez e insinúan que lo hace porque fue ministro de Franco, lo que mortifica al profesor extraordinariamente.

La actitud aliada significaba, según Preston,[11] «el abandono de la causa de los demócratas antifranquistas y hacer la vista gorda ante la supervivencia política del *caudillo* mediante el bloqueo de los llamamientos a la acción contra el Régimen».

Sainz Rodríguez redacta por encargo de Don Juan una extensa «Nota para Truman», que se envía al presidente acompañada por una carta del Conde de Barcelona. Es un documento muy interesante. «Por una parte —se lee en la Nota— se afirma la necesidad de que Franco se retire y se desencadena una terrible campaña verbalista de Prensa y radio. Al lado de esto se declara que los Gobiernos aliados no quieren interferir en la política interior de España, pero a continuación se enumera el programa de lo que se desearía.» Y más adelante: «Comprendemos que esta actitud vacilante de los Gobiernos aliados nace de las dos caras que el problema presenta desde el punto de vista internacional: se necesita echar a Franco porque en países regidos por la opinión pública, ésta no puede soportar la idea de que, después de haber vencido en la guerra, continúe en el poder el único gobernante descaradamente germanófilo e instrumento del Eje que ha sobrevivido a su derrota. Su presencia y su historia es un reto a la opinión americana y un argumento vivo en todas las decisiones con Rusia. Por otra parte, interviniendo en España, se teme crear un gravísimo problema internacional, un avispero semejante al griego, una zona de inquietud revolucionaria y de violencia en donde Rusia podría implantar cómodamente su influencia.»[12] La Nota, muy extensa, concluye solicitando de Truman, como «única solución», la alianza de la izquierda y derecha bajo la Monarquía y la exigencia entonces por parte de los aliados de la retirada de Franco. Sainz Rodríguez piensa que la Nota no servirá para nada y así se lo comunica al Rey.

11. Preston. *Franco, caudillo de España*. Pág. 689.
12. Archivo Sainz Rodríguez. La Nota figura manuscrita por Sainz y acompañada de unas extensas instrucciones a López Olicán, también autógrafos, reveladoras de la situación.

Fontanar coincide con Sainz Rodríguez

Con fecha 24 de junio de 1946, y tras felicitar a Don Juan en el día de su santo, el conde de Fontanar se convierte en aliado insospechado de Sainz Rodríguez, con un informe que resulta aleccionador: «...y cada vez está quedando más claro que ni Estados Unidos, ni Inglaterra harán ya nada y que nuestra política [la monárquica] es estéril y hay que cambiarla. Quieren que siga Franco porque bastantes problemas tienen con Stalin en el resto de Europa».[13] Arnold J. Toynbee se referiría a «la alarma que cundió [entre los aliados] ante lo que los comunistas estaban haciendo en otras partes de Europa».[14] Jaime Carvajal Urquijo, hijo de Fontanar, en una reveladora conferencia pronunciada el 3 de agosto de 1993, en la Universidad veraniega de El Escorial, reflejaría exactamente la realidad profunda de lo que se debatía en Estoril en aquella época.

Don Juan, admirador siempre de la ponderación y buen sentido de Fontanar, medita por primera vez sobre si Sainz Rodríguez tendrá razón. Pero el zarandeo contra Franco en las Naciones Unidas es de tal magnitud que el Rey sigue confiando en el pronto batacazo del dictador. El acosado *caudillo* se organiza una manifestación grandiosa en la Plaza de Oriente para que el mundo entero vea que el pueblo está con el «salvador de la Patria», con el «Príncipe de los Ejércitos», con el genio de la Cruzada, con la espada de Roma y martillo de la Unión Soviética. El 9 de diciembre de 1946, cerca de doscientas mil personas —más de un millón según la Prensa enrejada del franquismo— se concentra en la Plaza de Oriente. El *caudillo* no cabe en el uniforme de satisfacción y vanidad. El pérfido extranjero ha podido comprobar que el pueblo español está con él. Pero de nada le sirve. Tres días después, la Asamblea General de la ONU excluye a la España de Franco de todos sus organismos y apela al Consejo de Seguridad para que intervenga si, en un plazo razonable, España continúa con un Gobierno que carece del consentimiento popular. La ONU considera inadmisible la dictadura franquista, hermanecida hasta el tuétano con los derrotados nazis y los detestados fascistas. Vegas se lo subraya al Rey. En la resolución se pide, además, a todas las naciones que retiren sus embajadores de España. El bloqueo se hace prácticamente total. El dictador se queda solo. Bueno, solo, pero con sus monedas de níquel en las que, como subraya Luciano

13. Archivo conde de Fontanar.
14. Arnold J. Toynbee. *La guerra y los neutrales*. Pág. 370.

Rincón, consagra el mesianismo, se nimba de gloria e inscribe en el entorno de su cabeza laureada: «Francisco Franco, *caudillo* de España por la gracia de Dios.»

Don Juan respira tranquilo al leer las resoluciones de la ONU. Vegas y Gil-Robles tienen razón. Sainz Rodríguez y Fontanar se equivocan. Franco es, efectivamente, un cadáver político y apesta en el mundo entero. Solo falta el trámite de enterrarlo.

No había leído el Rey, pero sí Sainz Rodríguez que admiraba profundamente a Churchill, el discurso que el ex-primer ministro había pronunciado en la Cámara de los Comunes, seis meses antes de las resoluciones de la ONU. «A ninguno de nosotros nos gusta el régimen de Franco y, personalmente, me gusta tan poco como la presente Administración británica, pero entre que a uno no le guste un Gobierno y el intentar encender una guerra civil en un país, hay una gran distancia.» Clara alusión al plan Roosevelt-Dulles en Yalta. Y el líder conservador británico, un fulgor de perspicacia en la alta política, añadió algo que constituía la esencia del pensamiento de Sainz Rodríguez sobre la situación: «... difícilmente podía imaginarse algo tan estúpido como el decirles a los españoles que deberían derrocar a Franco, mientras, al mismo tiempo, se les aseguraba que no habría intervención militar alguna por parte de los aliados». Clara alusión a las resoluciones de Potsdam.

Solo la fuerza militar de los vencedores de la Guerra Mundial podía descabalgar a Franco. Ni condenas, ni bloqueos, ni retiradas de embajadores servían para nada. Sainz Rodríguez sabía que él tenía razón. Que Churchill tenía razón. Que Vegas y Gil-Robles se equivocaban. Que era necesario modificar cuanto antes una política que no se basaba en la realidad. Pero el Rey, aquel joven Rey, ciego y petulante, le daba la razón a los que no la tenían y se equivocaba, día a día, en su posición abierta y frontal, en ocasiones vejatoria, contra Pedro Sainz Rodríguez.

A su tío el Infante Don Alfonso de Orleans le destituye Don Juan como representante suyo en España, con una carta terrible, el 11 de noviembre de 1946: «Pero, por desgracia, no ha sucedido así: mi Representante se ha convertido en público impugnador de mis actuaciones; has dado conocimiento a terceras personas de las misiones delicadas y secretas que te confiaba... Te has dedicado a combatir, ante enviados míos, una política que gratuitamente me atribuyes...»[15]

---

15. Archivo Don Juan de Borbón.

Capítulo XIX

EL MANIFIESTO DEL 47, LAS DECLARACIONES A *THE OBSERVER*, LA ENTREVISTA DEL *AZOR*, LA CAÍDA DE VEGAS

En plena euforia monárquica por la condena de la dictadura franquista en la ONU, con un Vegas Latapié ufano y jubiloso, regodeándose con los «errores de don Pedro», dominando a placer la voluntad del Rey, el general Aranda pide asilo en la legación norteamericana en Madrid para formar un Gobierno provisional. Sainz Rodríguez reacciona airado «ante tamaña payasada». A Vegas le parece un acto noble y lógico. Don Juan vacila. Sainz Rodríguez visita a Gil-Robles. El veterano político le da, en este caso, la razón al catedrático. Preparan una nota oficial que el Rey acepta. Vegas se indigna. Cree que es una afrenta a Aranda. El general escribe extensas cartas a Don Juan y a Sainz Rodríguez. Las firma «Doctor» y no son infrecuentes posdatas como la del 8 de enero de 1946: «Escrito lo precedente recibo orden de marchar a Mallorca a cumplir dos meses de arresto en un castillo, ¡Viva España, viva el Rey!»[16] Franco aprovecha de nuevo la ocasión, le detiene en los primeros días de enero de 1947 y le deporta a Baleares.

Al concluir ese mes de enero, el Rey invita a cenar al conde de Fontanar, a Gil-Robles, a Vegas y a Sainz Rodríguez. Don Pedro estaba decidido a no acudir a ningún encuentro más con Vegas, estando el Rey delante, desde que tres meses atrás, el 25 de octubre de 1946, en presencia de González-Hontoria y del antiguo líder de la CEDA, el creador de *Acción Española* recordó agriamente a Sainz Rodríguez que había sido ministro de Franco y que por eso su política era tibia y no tenía la dureza que requería la ocasión.

—La dureza —gritó don Pedro ante Don Juan— solo es imprescindible en una ocasión, cuando te dispones a joder. Y puedes estar seguro, Eugenio, que entonces no fallo una: se me pone la polla como un jade. Pero darle cada día una patada en los huevos a Franquito con la bota del Rey es una torpeza histórica. El pájaro no va a caer y me juego contigo mi *Quijote* de Ibarra, que vale un huevo y la yema del otro, a que te vas a tomar el turrón tú aquí en Estoril, mientras Franquito se lo zampa en El Pardo. Y a ver si dejas de joderme con

16. Archivo Sainz Rodríguez.

257

lo del ministerio que yo sé muy bien por qué lo hice y algún día lo explicaré.[17]

Ante la mirada incierta de González-Hontoria, que daba la razón a don Pedro aunque reprobaba la crudeza del caudaloso vocabulario rahez del profesor, Sainz Rodríguez se levantó, inclinó la cabeza ante el Rey, cerró la puerta con ira y se fue «con viento fresco», dejando a todos plantados.[18]

A pesar de que se prometió no volver a ser insultado ante el Rey, Sainz Rodríguez acude a la cena del 29 de enero de 1947. Quiere escuchar la opinión de Fontanar. El cauto conde, que conoce el ambiente que se respira en *Villa Giralda*, hace consideraciones muy duras sobre la situación en España, pero termina coincidiendo con Sainz Rodríguez: «Los aliados no van a intervenir a pesar de las resoluciones de la ONU.» Vegas calla y el Rey también.

Don Juan constituye, conforme a la estrategia de Vegas y el exjefe de la CEDA, su primer Consejo Privado. El Rey encarga a Fontanar, al que nombra «enlace suyo», que organice un Secretariado que haga funcionar el Consejo. En carta de 28-V-1946,[19] el conde le da cuenta al Rey de que todo está en marcha y de que José Luis Vázquez Dodero será el secretario del nuevo organismo. Diez meses después, el 10 de marzo de 1947, se reúne, por fin, el Consejo Privado en Estoril, en *Villa Bellver*, la nueva residencia de los Condes de Barcelona, en la que vivían desde mayo de 1946. Era propiedad del portugués vizconde de Feijó. Gil-Robles, Sainz Rodríguez, Andes, Wais, Pemartín, González-Hontoria, López Oliván, Rodezno, Ventura, Kindelán, Alfonso de Orleans, el duque de Alba... son los primeros nombres de aquel Consejo. Franco le niega el pasaporte al duque de Alba. En las ruinas del Palacio de Liria, el duque reúne a los periodistas extranjeros. «Es la primera vez en quinientos años que un duque de Alba no puede acudir a la llamada de su Rey», les dice.

La Ley de Sucesión

Pero el dictador juega ya con todas las cartas en la mano. Está perseguido internacionalmente, sufre un implacable bloqueo económico y diplomático, es la mofa de todos los medios de comunicación occidentales. Sin embargo, sabe —estamos en marzo de 1947— que

17. Archivo Luis María Anson.
18. Ibídem.
19. Archivo conde de Fontanar.

Carrero Blanco tiene razón y que ni Estados Unidos ni Gran Bretaña van a hacer nada para derribarle. Aún más, en ningún caso permitirán su caída en beneficio de la Unión Soviética. Franco establece entonces, de acuerdo con Carrero, una política simple y elemental. En primer lugar, acentúa su anticomunismo hasta el paroxismo. Ni una concesión. Washington y Londres deben saber que es el hombre más seguro de Occidente en la estrategia de la guerra fría. En segundo lugar, quiere complacer a las dos potencias que en 1945 habían decidido sustituirle por Don Juan. ¿Qué querían, que se proclamara la Monarquía y se democratizara España? Bueno, el *caudillo* ya se ha envainado toda la ideología imperial totalitaria, ha proclamado la democracia orgánica y promulgado dos Leyes Fundamentales: el Fuero de los Españoles, con todos los derechos inherentes a la persona humana, y la Ley de Referéndum, con sufragio universal directo y secreto. Era todo una farsa. Pero España estaba constituida oficialmente en democracia. Una democracia orgánica, a estilo español, a medida del dictador. En realidad, no se trataba de engañar a nadie con aquella máscara tan burda y topinada. Solo de presentar una faz más agradable para que Washington y Londres pudieran salvar las apariencias, al defender a Franco.

Y ahora le llega el turno a la Monarquía. El *caudillo* se dispone a satisfacer también los deseos de los aliados y se decide a instaurar formalmente la Monarquía en España. Es la Ley de Sucesión.

¿En qué consiste el proyecto del dictador? Es bien fácil de resumir. Conforme a una ley que debería refrendar la nación, la magistratura del *caudillo* se convierte en vitalicia. Es decir, el pueblo español aprueba que Franco siga en El Pardo hasta que se muera. Tras esta premisa esencial, objetivo primero del *caudillo* desde el 1 de octubre de 1936, se declara que España se convierte en Reino y que el futuro Rey será el Príncipe de mejor derecho (luego se modifica el proyecto para que pueda ser cualquier Príncipe, según el antojo del dictador), sin otras condiciones que las de ser español, católico, mayor de treinta años y que jure las Leyes Fundamentales del Estado. Naturalmente, al sucesor le propone Franco. Los aliados ya pueden estar satisfechos. La Monarquía ha sido instaurada en España. Como el Príncipe de Asturias, Don Juan Carlos, tiene nueve años, quedan más de dos décadas para que pueda convertirse en Rey. La conducta de Don Juan le ha hecho «inservible», aparte de que será viejo para suceder, puesto que Franco pertenece a una familia de longevos. En todo caso, como en la redacción inicial de la Ley de Sucesión figura el «Príncipe de mejor derecho», si llega el momento se le exige la abdicación a Don Juan y todo arreglado. Pero, ¿y

259

si Don Juan Carlos se pone díscolo? Ah, es mejor modificar la redacción inicial y que él, el *caudillo*, pueda proponer como sucesor a cualquier otro Príncipe. Por consiguiente, se suprime el «mejor derecho». Para quedar bien, aunque a medias, con los carlistas, Franco establece en la ley que no pueden reinar mujeres pero sí transmitir derechos. Es un hallazgo de la genialidad histórica del *caudillo* que toda su corte de bufones aplaude con entusiasmo. (Con la Ley de Sucesión de Franco en la mano, Isabel II no hubiera podido reinar por ser mujer, Alfonso XII tampoco porque no llegó a cumplir los treinta años y Alfonso XIII hubiera comenzado su reinado en 1916. Es decir, entre 1833 y 1916, la Corona hubiera estado vacante. Una aberración histórica insostenible.) [20]

Alberto Martín Artajo y Carrero Blanco son los grandes valedores del engendro del dictador. Creen que es el comienzo de la institucionalización del régimen y advierten, además, todas las ventajas políticas que puede suponer ante Washington y Londres. El *caudillo*, para paralizar la acción de Don Juan, al que teme como a un nublado, decide enviar a Carrero para que le informe de la nueva Ley de Sucesión. Un día antes, como hizo el Conde de Barcelona con el Manifiesto de Lausana.

El Rey recibe en *Villa Bellver* (no en *Villa Giralda* como aseguran la mayor parte de los historiadores) al subsecretario de la Presidencia, Luis Carrero Blanco. El vizconde de Rocamora acoge al recadero de Franco y le introduce en un pequeño salón. A los pocos segundos aparece Don Juan, recibe cordialmente el saludo del marino español, le ofrece un cigarrillo y le invita a sentarse.

De forma concisa y clara, Carrero explica que es monárquico, que admira a Alfonso XIII, que lloró el 14 de abril, que está a las órdenes de Franco y que, de marino a marino, quiere expresarse sin dobleces.

Le explica al Rey que el generalísimo desea que Don Juan conozca antes que nadie el proyecto de Ley de Sucesión que convierte oficialmente a España en Reino. Don Juan piensa, en ese momento, que ha llegado la hora de la Restauración, que finalmente Vegas y Gil-Robles tienen razón, que Sainz Rodríguez se ha equivocado, y que el hombre de confianza de Franco le va a proponer fechas y *modus operandi* para su ascensión al Trono y la retirada del *caudillo*. Aunque Truman, tras la muerte de Roosevelt, se echara atrás de una intervención militar en España, la presión internacional le ha

---

20. Cfr. Artículo de Anson en *ABC*, 9-IV-1971. *Consideraciones sobre la Ley de Sucesión.*

podido a Franco que, agobiado, ya no puede resistir más y «tira la esponja». El generalísimo le envía a un marino de confianza para rendirse con decoro.[21]

Carrero le explica al Rey el acierto del *caudillo* al no permitirle embarcar en el *Baleares* durante la Guerra Civil, porque ahora Don Juan estaría muerto. Luego le entrega un paquete con las fichas de varios de los miembros de su Consejo Privado, el proyecto de Ley de Sucesión y el resto de las Leyes Fundamentales: Fuero del Trabajo, Ley de Cortes, Fuero de los Españoles y Ley de Referéndum.

Don Juan deja todos los papeles en una mesa auxiliar, toma el texto de la Ley de Sucesión y lo lee por encima. De repente, se da cuenta de que le están tendiendo una trampa, que Carrero no está allí para proponerle la Restauración sino para ganar su complicidad en favor de Franco. Y se enfurece.

—Pero esto es una Monarquía electiva —grita sin poderse dominar.

Carrero baja los ojos y balbucea una explicación. El Rey es mucho más inteligente de lo que a él le habían informado. En un instante lo ha entendido todo.

—Mañana le llamaré a usted por teléfono a la Embajada, dándole hora para volver. Entonces le expondré mis impresiones sobre la Ley —remata secamente Don Juan.

Se levanta y se despide con frialdad.[22]

Ya en el automóvil, Carrero se da cuenta de que ¿ha olvidado, no se ha atrevido a decirlo cara a cara? algo sustancial. Regresa a *Villa Bellver* y le comunica al vizconde de Rocamora que el *caudillo* leería esa misma noche por Radio Nacional el texto de la Ley de Sucesión.

Durante el almuerzo, Rocamora informa al Rey, que empalidece irritado y convoca a Vegas, Gil-Robles y Sainz Rodríguez. Vegas redacta una nota que se hace pública inmediatamente, advirtiendo que en el caso de que el Jefe del Estado, en su intervención, esbozara una «actitud unilateral», el Rey se consideraría en libertad

---

21. Archivo Luis María Anson. Don Juan le explicó detenidamente al autor de este libro sus pensamientos iniciales según Carrero iba expresando sus primeras ideas.

22. La mejor versión de la entrevista Don Juan-Carrero la proporciona Tusell (*Carrero*. Pág. 167s.), que ha tenido en sus manos el informe redactado por Carrero Blanco y que figura en su archivo: *Entrevistas con S.A.R. el Serenísimo Señor Don Juan de Borbón los días 31 de marzo y 2 de abril*. López Rodó reproduce fragmentariamente el informe en *La larga marcha hacia la Monarquía*. Págs. 76-88. Y Fernando González-Doria en *Don Juan de España*, pág. 191s., ofrece una interesante versión que recibe de boca del propio Carrero. Anson mantuvo, al menos, seis largas conversaciones con Don Juan sobre la entrevista, que figuran en su Archivo.

261

para definir su opinión. Franco discursea pero se limita a leer la
Ley y retira los comentarios. Tiene la esperanza de neutralizar a
Don Juan.

Después de casi dos años de discrepancias, Vegas y Sainz Rodríguez están de acuerdo en que se trata de un texto inadmisible. Gil-
Robles es el más duro.

José María Oriol, que ha llegado a Estoril, le propone a Don
Juan que coja el coche, cruce la frontera y se presente en El Pardo
para rechazar la Ley y ponerse de acuerdo con Franco. Don Juan era
tan joven e inexperto que considera la propuesta. Por fortuna Gil-
Robles le disuade. Sainz Rodríguez, socarronamente, calla. La Ley
de Sucesión confirma, punto por punto, el informe que don Pedro le
envió al Rey en septiembre de 1945, tras leer los acuerdos de Potsdam. La nueva Ley es, sencillamente, la institucionalización del poder de Franco como vitalicio. La permanencia indefinida del *caudillo* en el poder. A las once de la mañana del 2 de abril de 1947, el Rey
recibe glacialmente a Carrero en *Villa Bellver*. Sin preámbulos, le
devuelve las fichas de sus consejeros.

—Dígale al generalísimo, Carrero, que no es necesario que encargue las fichas de mis colaboradores en un estercolero.

El informe sobre Sainz Rodríguez era especialmente ácido. Le
trataba de masón, traidor a la Patria y corrompido. Se refería a su
vida sexual, citaba el nombre de algunas prostitutas de Lisboa a las
que frecuentaba y las casas de lenocinio a las que acudía.

—¿Y qué hizo Vuestra Majestad? —le preguntó un día Anson.

—¿Qué podía hacer? Imagínate, un hombre tan gordo como Pedro, sin éxito con las mujeres, qué iba a hacer... pues cepillarse a fu-
lanas, no se iba a pasar todo el día dale que te pego, cascándosela.
Eso sí, llamé enseguida a Padilla y le dije que hablara discretamente con Pedro y que le dijera que no se puede ahorrar dinero en este
tipo de cosas, mis compañeros en la Marina británica eran muy serios para esto... Las casas de putas que se citaban en las fichas eran
de las peores de Lisboa. Le ordené a Padilla que le diera direcciones
a Pedro de otras de más calidad.[23]

Carrero guarda las fichas devueltas y se da cuenta de que la cordialidad de la primera conversación se ha desvanecido. Don Juan le
proporciona una nota «agria y seca» redactada por Vegas. Carrero
«suplica»[24] entonces al Rey que no haga ninguna declaración conde-
natoria de la Ley, «porque eso perjudicaría a la dinastía».

23. Archivo Luis María Anson.
24. Tusell. *Carrero*. Pág. 173.

La segunda entrevista, el mano a mano entre Don Juan y Carrero, se ha tornado en galerna contenida.

Y el Rey comete aquella tarde, en un cóctel en casa de unos amigos portugueses al que asistían miembros de la Embajada española, un error que convertiría a Carrero para siempre en su peor enemigo, más frontal e intransigente que el propio Franco.

—Este cabrón de Carrero ha estado aquí para ver si me callo...
—dice como una frase hecha, sin mala intención.

Pero, en ese momento, lo de cabrón era un rumor extendido. Así se aseguraba en Madrid. Y cuando le trasladan la frase a Carrero, éste la toma en toda la significación del término. La habilidad de López Rodó,[25] a la que Preston hace una referencia, evitó, según muy diversas opiniones, la ruptura de aquel matrimonio. Y fue el comienzo de la fulgurante carrera política del hombre que más hizo desde el interior del franquismo para que Franco nombrara sucesor a Don Juan Carlos. Cuando veinte años después, en febrero de 1968, durante el bautizo del Infante Don Felipe en el Palacio de la Zarzuela, Don Juan se acercó a Carrero para ofrecerle un abrazo y olvidarlo todo, el almirante le volvió la espalda y se apartó del Rey sin saludarle.

El Manifiesto de Estoril

La decisión de los Consejeros de Don Juan es, en el caso de la Ley de Sucesión, unánime: el Rey debe hacer público un manifiesto a los españoles. Gil-Robles queda encargado de su redacción. Vegas lo retoca a fondo e introduce una cita de Balmes para mortificar a Sainz Rodríguez. Las sugerencias de moderación de éste no son aceptadas. En la Causa monárquica manda Vegas Latapié, bien flanqueado por Gil-Robles. Hay esfuerzos desesperados por parte del entorno de Franco, de la Embajada española, de algunos monárquicos franquistas, para que el Rey no difunda la declaración.

El 7 de abril de 1947, las agencias, periódicos y emisoras de radio reciben el Manifiesto en español, inglés y francés. El eco es gigantesco. En este caso, también en España. Franco, que se siente ya seguro en el poder, a diferencia de lo que ocurrió en marzo de 1945 cuando el Manifiesto de Lausana, ordena que se publiquen juntos los dos manifiestos en toda la Prensa, con comentarios hostiles y groseros contra el Conde de Barcelona. Los medios de comunicación es-

25. Paul Preston. *Franco, caudillo de España*. Pág. 765.

pañoles atizan a partir de ese momento la más miserable campaña contra la Monarquía, contra los Borbones y, sobre todo, contra Don Juan, que pueda imaginarse.

El Manifiesto de Estoril dice así:

«Españoles:

El General Franco ha anunciado públicamente su propósito de presentar a las llamadas Cortes un proyecto de Ley de Sucesión a la Jefatura del Estado, por el cual España queda constituida en Reino, y se prevé un sistema por completo opuesto al de las Leyes que históricamente han regulado la sucesión a la Corona.

En momentos tan críticos para la estabilidad política de la Patria, no puedo dejar de dirigirme a vosotros, como legítimo Representante que soy de vuestra Monarquía, para fijar mi actitud ante tan grave intento.

Los principios que rigen la sucesión de la Corona, y que son uno de los elementos básicos de la legalidad en que la Monarquía Tradicional se asienta, no pueden ser modificados sin la actuación conjunta del Rey y de la Nación legítimamente representada en Cortes. Lo que ahora se quiere hacer carece de ambos concursos esenciales, pues ni el titular de la Corona interviene ni puede decirse que encarne la voluntad de la Nación el organismo que, con el nombre de Cortes, no pasa de ser una mera creación gubernativa. La Ley de Sucesión que naciera en condiciones tales adolecería de un vicio sustancial de nulidad.

Tanto o más grave es la cuestión de fondo que el citado proyecto plantea. Sin tener en cuenta la necesidad apremiante que España siente de contar con instituciones estables, sin querer advertir que lo que el país desea es salir cuanto antes de una interinidad cada día más peligrosa, sin comprender que la hostilidad de que la Patria se ve rodeada en el mundo nace en máxima parte de la presencia del General Franco en la Jefatura del Estado, lo que ahora se pretende es pura y simplemente convertir en vitalicia esa dictadura personal, convalidar unos títulos, según parece hasta ahora precarios, y disfrazar con el manto glorioso de la Monarquía un régimen de puro arbitrio gubernamental, la necesidad del cual hace ya mucho tiempo que no existe.

Mañana la Historia, hoy los españoles, no me perdonarían si permaneciese silencioso ante el ataque que se pretende perpetrar contra la esencia misma de la Institución monárquica hereditaria, que es, en frase de nuestro Balmes, una de las conquistas más grandes y más felices de la ciencia política.

La Monarquía hereditaria es, por su propia naturaleza, un elemento básico de estabilidad, merced a la permanencia institucional que triunfa de la caducidad de las personas, y gracias a la fijeza y claridad de los principios sucesorios, que eliminan los motivos de discordia, y hacen imposible el choque de los apetitos y las banderías.

Todas esas supremas ventajas desaparecen en el proyecto sucesorio, que cambia la fijeza en imprecisión, que abre la puerta a todas las contiendas intestinas, y que prescinde de la continuidad hereditaria, para volver, con lamentable espíritu de regresión, a una de esas imperfectas fórmulas de caudillaje electivo, en que se debatieron trágicamente los pueblos en los albores de su vida política.

Los momentos son demasiado graves para que España vaya a añadir una nueva ficción constitucional a las que hoy integran el conjunto de disposiciones que se quieren hacer pasar por leyes orgánicas de la Nación, y que, además, nunca han tenido efectividad práctica.

Frente a ese intento, yo tengo el deber inexcusable de hacer una pública y solemne afirmación del supremo principio de legitimidad que encarno, de los imprescriptibles derechos de soberanía que la Providencia de Dios ha querido que vinieran a confluir en mi persona, y que no puedo en conciencia abandonar porque nacen de muchos siglos de Historia, y están directamente ligados con el presente y el porvenir de nuestra España.

Por lo mismo que he puesto mi suprema ilusión en ser el Rey de todos los españoles que quieran de buena fe acatar un Estado de Derecho inspirado en los principios esenciales de la vida de la Nación y que obligue por igual a gobernantes y gobernados, he estado y estoy dispuesto a facilitar todo lo que permita asegurar la normal e incondicional transmisión de poderes. Lo que no se me puede pedir es que dé mi asentimiento a actos que supongan el incumplimiento del sagrado deber de custodia de derechos que no son solo de la Corona, sino que forman parte del acervo espiritual de la Patria.

Con fe ciega en los grandes destinos de nuestra España querida, sabéis que podéis contar siempre con vuestro Rey, Juan.

Estoril, 7 de abril de 1947»

Las declaraciones a *The Observer*

Ante la reacción del dictador y su Prensa cautiva y engrilletada, Eugenio Vegas responde a la brava y, en colaboración con Gil-Robles, perfila unas declaraciones, redactadas meses atrás con destino a *The Observer* que las ha solicitado y que se prepararon a través de Rafael Martínez Nadal. Este periodista, intelectual por otra parte de gran prestigio y hondos saberes literarios, había gestionado una entrevista con anterioridad según un dictamen, especialmente penetrante y hostil, que Pedro Sainz envía al Rey, con fecha 11 de septiembre de 1946.[26] Martínez Nadal, que utiliza el seudónimo de An-

26. Archivo Sainz Rodríguez.

tonio Torres tras abandonar la *BBC* como protesta por el discurso de Churchill de 1944, tiene preparadas las declaraciones en el periódico para su publicación. Recibe un telegrama de la secretaría de Don Juan para que proceda.

Sainz Rodríguez se opone frontalmente al nuevo texto. Le grita a Vegas delante del Rey. Está brillante, procaz y contundente. Pero aquel caballero del siglo XVI que es Vegas Latapié resiste todos los embates, tras su armadura doctrinal y su altiva celada de hierro forjado. Consigue el apoyo de Gil-Robles y convence a un joven Don Juan, cada vez más desconcertado por los acontecimientos, cada vez más irritado por el retraso de la Restauración, cada vez más vejado por los periodistas de Franco.

Sainz Rodríguez, cortésmente, inclina la cabeza, acata la decisión del Rey y lleva a Vegas al aeropuerto, que parte con las correcciones de las declaraciones a Martínez Nadal para entregarlas personalmente en Londres, como explica de forma divertida Torcuato Luca de Tena,[27] corresponsal de *ABC* en la capital británica.

—Estoy seguro —le contará diez años después, en su casa de Gurtubay, Vegas a Anson— que Pedro, nada más ver cómo despegaba el avión, volvió a *Villa Bellver* a convencer a Don Juan de que se echara para atrás, cosa que consiguió. Porque el Rey se había quedado en actitud vacilante. Dudaba de la oportunidad de la entrevista. Le faltó siempre aguante. Creyó, en el verano de 1945, que la Restauración era inminente y no fue capaz de mantener el pulso. Hubiera terminado ganándolo. Total que, cuando hablé con el director de *The Observer*, me dijo: «Todo eso que me explica está muy bien, pero ha llamado el Conde de Barcelona personalmente para decir que se aplacen las declaraciones.»

La ira le enrojece la cara y los ojos a Vegas. Se precipita al teléfono. Le habla a su Rey con inusitada violencia. Y Don Juan vuelve a cambiar de criterio. Está entre dos fuerzas de la naturaleza que le zarandean: Sainz Rodríguez y Vegas, el gordo y el flaco, el sabio y el asceta, los dos hombres que más hicieron para derribar la República. Las declaraciones, para escándalo de la Prensa española y de muchos monárquicos acomodados ya en los generosos pesebres de Franco, aparecen el domingo 13 de abril, abriendo a tres columnas

27. Torcuato Luca de Tena. *Franco, sí, pero...* Planeta, 1993. Pág. 277s. Pablo Beltrán de Heredia, uno de los hombres que mejor ha conocido a Vegas, en una conferencia titulada *Singularidades de un preceptor*, 1993, y en artículos en *El Diario Montañés*, abril 1993, discrepa de la versión de Luca de Tena. Lo que ocurrió en esos días con precisión solo se sabrá cuando Martínez Nadal se decida a dar su versión directa, aunque tal vez no conociera el viaje relámpago de Vegas.

la primera página del número 8.133 de *The Observer*. Esto es lo que pudieron leer los lectores, asombrados por la audacia del Rey en un contexto de cerrazón política en España, inimaginable hoy para las nuevas generaciones:

«—En el manifiesto de 1945 Su Alteza expresaba desacuerdo con el Régimen actual de España. Los recientes acontecimientos, ¿han creado la posibilidad de algún acuerdo entre Su Alteza y el General Franco?

—No tengo nada que rectificar de mi Manifiesto de 19 de marzo de 1945. Ahora como siempre, estoy dispuesto a llegar a un acuerdo con el General Franco, siempre que este acuerdo se limite, única y exclusivamente, a facilitar una pacífica, pero incondicional transmisión de poderes.

—Los monárquicos españoles recibieron aquella actitud de Vuestra Alteza con aparente apatía. ¿Hay algún indicio de que se pueda esperar por parte de las fuerzas tradicionalmente leales a la Corona una reacción más enérgica en un futuro cercano?

—Por chocar con los temas de la propaganda oficial, el Manifiesto de 19 de marzo de 1945 causó al principio entre los elementos monárquicos una desorientación que pudo ser interpretada como apatía. Ya una consideración más reposada del documento, y la confirmación que los hechos vinieron a dar a sus previsiones, determinaron, tanto en los monárquicos como en la gran masa del país, un cambio cada día más acentuado. La reacción de la opinión ante el proyecto de Ley de Sucesión a la Jefatura del Estado me da la plena seguridad de que, llegado el caso, contará la Institución monárquica —puede decirse que cuenta ya— con los núcleos tan extensos como coherentes que precisa para la realización de su política nacional.

—¿Cree Su Alteza que la Restauración de la Monarquía debe efectuarse previa consulta a la voluntad nacional, o bastaría una ratificación popular tras un período de interinidad?

—Encarno una Institución que tiene sus raíces en la Historia y en la misma contextura de la sociedad española. Por consecuencia, el principio de legitimidad que esa Institución significa, no puede depender, en mi sentir, de la voluntad de una mayoría transitoria. Sin embargo, sé muy bien que la consolidación de un régimen y las mismas posibilidades de realizar su alta misión rectora, dependen en grandísima parte de la existencia de una adhesión de la voluntad nacional, expresada de un modo inequívoco. Por eso seré el primero en desear y pedir esa confirmación de la voluntad de España tan pronto como las circunstancias lo permitan.

—¿Cómo podrían ayudar las Democracias a facilitar un cambio de Régimen en España? ¿Cree Su Alteza que nuevas medidas de las Naciones Unidas en contra de Franco facilitarían o dificultarían la solución del problema español?

—Como español antes que todo, no puedo admitir una interferencia en los asuntos internos de España. O llego a reinar de acuerdo con la voluntad de los españoles o moriré en el destierro.

Sin embargo, sería imposible negar que la continuidad del Régimen actual de España presenta un problema que excede de los límites nacionales. En el estudio del mismo, echo de menos, por parte de las Potencias occidentales, una comprensión clara de la importancia que su solución tiene para toda la política de Occidente. Falta también una visión diáfana de los medios que hay que poner en práctica para evitar que se prolongue el actual aislamiento de España.

Con toda sinceridad debo decir que la conducta seguida por las potencias en el caso español no ha sido acertada. Una política de agresiones verbales solo puede producir un efecto contrario al que unas naciones se proponen, y otras fingen proponerse.

—Un cambio de Régimen no parece posible sin la colaboración del Ejército, la Iglesia, los elementos industriales y bancarios, cuya ayuda, según creencia general, mantiene el actual régimen. Por tanto, ¿no perpetuaría la Monarquía la actual influencia de esas fuerzas impidiendo las reformas políticas y económicas que Su Alteza anunciaba en el Manifiesto?

—Es lógico que el Régimen actual de España cuente con el apoyo o aquiescencia de gran parte de las fuerzas a que se refiere la pregunta. Es evidente, también, que cualquier cambio pacífico habrá de hacerse contando, en mayor o menor medida, con la colaboración de esos mismos núcleos. Pero de eso a que la Monarquía haya de vivir supeditada a los intereses de determinados sectores media un abismo.

La Monarquía, que para ser nacional ha de estar siempre por encima de partidos políticos y clases sociales, puede ofrecer a unos, garantías de orden y la seguridad de que sus legítimos intereses no van a sufrir daño alguno con un cambio de régimen. A otros, injustamente alejados de la vida pública, la oportunidad de reintegrarse a sus ocupaciones y servir en igualdad de derechos a la Patria.

—El partido socialista y sindicales obreras, tales como U.G.T. y la C.N.T., ¿gozarían bajo la Monarquía de las mismas libertades y derechos que cualquier otro partido político o sindical obrera? ¿Serían estos derechos comparables a los que las organizaciones obreras disfrutan en la Gran Bretaña?

—Todos los individuos y entidades que se muevan y actúen dentro de la legalidad gozarán de idénticas libertades. La Monarquía habrá de reconocer los derechos políticos y sociales de todos los españoles sin distinción de clases, y la efectividad de los mismos podrá mantener un parangón airoso con los de los países más progresivos.

—¿Ha tenido Su Alteza alguna intervención en las negociaciones que, según se dice, mantienen los monárquicos y representantes de fuerzas de izquierda?

—Yo no negocio, ni puedo negociar pactos con los partidos políticos, pues automáticamente aparecería como afiliado o defensor de aquel en cuyo nombre tratase. Pero sí deseo que las diversas fuerzas políticas lleguen a acuerdos que permitan una evolución pacífica y fecunda de la política española y estoy dispuesto a oír y a acoger a todos, pues todos presentan ante mí el mismo título de españoles.

—¿Se perpetuarían en la Monarquía los privilegios obtenidos por la Iglesia Católica bajo el General Franco? Los españoles de otras confesiones religiosas, los agnósticos y los muchos católicos no practicantes, ¿gozarían bajo la Monarquía de los mismos derechos que los católicos militantes y tendrían las mismas oportunidades para ocupar cargos públicos?

—La Monarquía española, como Institución, ha sido, es y será siempre católica. Pero en beneficio de los verdaderos fines e intereses espirituales de la Iglesia, yo desearía que los Gobiernos de la Monarquía pudieran concordar con la Santa Sede la mayor separación administrativa entre el Estado y la Iglesia a fin de que, incluso para su propia seguridad, quede ésta apartada de toda contienda política. En todo caso, los españoles que profesen otras creencias religiosas, e incluso los que carezcan de ellas, no verán menoscabado por este hecho el ejercicio de sus derechos de ciudadanía.

—Cuando Su Alteza se refería a la amnistía política, ¿significa ello que los exiliados españoles que no hayan cometido delitos comunes, y los que dentro de España están perseguidos por su oposición al Régimen, podrían incorporarse rápidamente a los puestos que ocupaban antes de la Guerra Civil, sin previas investigaciones sobre sus opiniones políticas?

—Al hablar de la amnistía política he tenido muy en cuenta que ésta significa la desaparición del delito y de todos sus efectos. Claro es que la liquidación de determinadas situaciones personales exigirá, por parte de los Gobiernos, la adopción de medidas administrativas, cuyo alcance y ritmo dependerá de lo que las circunstancias del momento les aconsejen.

—Las aspiraciones de Cataluña y, más recientemente, las del País Vasco, han sido problemas capitales para todos los Gobiernos españoles. ¿Cómo se propone la Monarquía resolver las aspiraciones de estas y otras regiones dentro de la Unidad Nacional?

—Es un hecho que existen en España particularidades regionales, personalidades infraestatales claramente definidas en el transcurso de los siglos. Todas las manifestaciones culturales de esas personalidades regionales deben, en mi opinión, merecer el mayor respeto del poder público, y de todos los españoles, porque forman parte integrante de la cultura nacional.

Dejando siempre a salvo la Soberanía y la Unidad de la Patria, me parece de máxima conveniencia una política de descentralización que traslade no solo a las Regiones a que se refiere la pregunta, sino a todas las Regiones de España una parte de las actividades de gestión con que hoy aparece sobrecargado el Estado.

No olvido, sin embargo, que el separatismo en que ciertos exaltados convirtieron las aspiraciones regionales fue una de las causas que lanzaron a España a la Guerra Civil. Estoy convencido que la gran masa de la Nación se levantaría nuevamente contra cualquier intento semejante.

—Constantemente se acusa a Su Alteza de haber ofrecido dos veces sus servicios al General Franco al comienzo de la Guerra Civil. ¿Considera Su Alteza que es esto un obstáculo para que la Monarquía consiga la reconciliación de todos los españoles?

—En 1936, el 99 por 100 de los españoles tomó parte en la Guerra Civil. Estallada esa guerra, en la cual no cabe responsabilidad alguna a la Monarquía, por dos veces me ofrecí —como usted me lo recuerda— a tomar parte en la misma. La Providencia no permitió que, ni aun en el anonimato más hermético, el entonces Príncipe de Asturias compartiera los riesgos y la suerte que en defensa de sus ideales corrían todos los españoles de su edad. El General Franco declaró a este respecto al *ABC*, de Sevilla, en 1937: «Si alguna vez en la cumbre del Estado vuelve a haber un Rey, tendría que venir con el carácter de Pacificador, y no debe contarse entre el número de los vencedores.»

Mi actitud de hace diez años, ¿constituye hoy un grave obstáculo para cumplir mi anhelo de servir a mi Patria, laborando por la reconciliación de todos los españoles? Sinceramente creo que no, pero estoy dispuesto a examinar las objeciones de cuantos se sientan menos responsables que yo en la provocación, estallido y violencias de la Guerra Civil. Aguardo con curiosidad a ver qué español es el que, como en el pasaje evangélico, se decide a tirarme la primera piedra.

Hace mucho tiempo que la hora de la Paz debió sonar para España. Sin embargo, la paz verdadera no ha llegado, ni podrá llegar, hasta que no se brinde a todos los españoles la oportunidad de olvidar odios, rencores y venganzas.

Ésta es para mí la primera obligación y finalidad de la Monarquía, porque solo con el esfuerzo conjunto de todos sus hijos podrá España resolver los grandes problemas que tiene planteados y rehacer su posición en el Mundo.»

Sainz Rodríguez, el gran perdedor de la contienda sobre las declaraciones a *The Observer*, tiene conciencia clara del error cometido. No porque piense que el Rey debe entenderse con Franco. Cree que eso es imposible. Pero está seguro que nada ni nadie van a derribar al *caudillo* y que es necesario establecer una nueva política, más sutil y velada, para engañar a Franco.

Es exacto lo que, todavía dolorido, escribió Sainz Rodríguez treinta años después: «... la gente ignora que cuantas veces se le propuso a Don Juan romper violentamente con Franco prodigando los manifiestos y declaraciones de guerra, yo le aconsejé que guardase la máxima moderación, que fijase su posición política y que el tiempo haría lo demás. Esto es interesante decirlo ahora porque quizá contraste algo con el espíritu que anima el libro de José María Gil-Robles, *La Monarquía por la que yo luché*. Creo que Gil-Robles pensó que se podía hacer una Restauración en Don Juan con una ruptura violenta con Franco, aliándose Don Juan a todas las manifestaciones de discrepancia y de sedición que aparecieron contra el Régimen. Yo tenía la convicción de que esa actitud no arrastraba la fuerza suficiente para derribar a Franco».[28]

El *caudillo*, la Prensa, la clase política, los monárquicos franquistas o antifranquistas hacen, en todo caso, principal responsable del Manifiesto y de las declaraciones a *The Observer* a Pedro Sainz Rodríguez. A Franco, aquel «masoncete» que no se rindió de admiración literaria, en los años veinte, ante sus artículos magistrales en *Revista de las tropas coloniales*, llega a obsesionarle. Cuando la dictadura gana la farsa del referéndum sobre la Ley de Sucesión, unos meses después, el 6 de julio de 1947, con el modesto resultado del 93 por ciento de los votos, los ataques de la Prensa franquista llegan al paroxismo contra Don Juan y contra Pedro Sainz.

Tras el Manifiesto, los meses transcurren en medio de un anecdotario menor del que solo vale la pena resaltar, aparte la dimisión de Vegas, las gestiones de Gil-Robles con Prieto, que avanzan hacia un pacto de la Monarquía con los socialistas; y las de López Oliván en las cancillerías británica y francesa, que aspiran a que izquierda y derecha se pongan de acuerdo y los Gobiernos aliados presionen luego al Ejército para que retire su apoyo a Franco.

Sainz Rodríguez no cree ya en nada de todo eso. Habla mucho con el Rey a solas. Don Juan le escucha cada vez con más atención. No oye lo que le gustaría oír, pero se da cuenta de que pasa el tiempo y no ocurre nada de lo que Vegas y Gil-Robles le presentaban como inmediato. Sainz Rodríguez disimula ante Vegas y, sobre todo, ante Gil-Robles.

En octubre de ese año 1947 y, tras dimitir Vegas de la secretaría política, Gil-Robles se entrevista con Bevin. En noviembre, lo hace Don Juan. El Rey de Inglaterra organiza el encuentro en su propio despacho. Todo son buenas palabras pero no se avanza nada.

Vegas sigue intransigente, aunque está decidido a dejar la política, Sainz Rodríguez cauteloso, Franco reafirmado en el poder y ya exultante.

28. Sainz Rodríguez. *Testimonio y recuerdos*. Pág. 281.

Ricardo de la Cierva[29] ha tenido el gran acierto de desvelar el informe de George F. Kennan sobre la situación española. Es un texto clave, que revela la posición real de Estados Unidos y el acierto de la interpretación de Sainz Rodríguez. El 17 de noviembre de 1947, Washington realiza ya una intervención favorable a España en la ONU. Vota en beneficio de Franco.

El 16 de diciembre, el conde de Fontanar dirige una carta a Ramón Padilla, que impresiona al Rey: «He tenido ocasión de ver [en Nueva York] a Manolo Aznar que en larga conversación me ha dado a conocer su punto de vista sobre la actual posición de los Estados Unidos con relación a nuestro país; según él ha habido un cambio radical de actitud en estos últimos meses.» Y añade Fontanar con perspicacia: «En este sentido se ha cometido el mismo error que el que hemos achacado siempre al general Vigón, a quien acusamos de haber montado toda su política sobre el hecho indiscutible de la victoria alemana. Nosotros también hemos apoyado en exceso el supuesto de la repulsa exterior y la necesaria caída de lo actual, como consecuencia de la misma. *Hora es ya de que nos hagamos a la idea de lo contrario.*»[30] Tiene razón Fontanar. Sainz Rodríguez subraya con lápiz rojo esta frase para destacarla ante el Rey.

Mountbatten convence a Don Juan

Unos días después, el 23 de diciembre de 1947, Louis Mountbatten telefonea a Don Juan para agradecerle su felicitación de Navidad. El Rey recordará siempre la claridad de sus palabras.

—Hay que aceptar la realidad, Juan, es terrible, pero hay que aceptarla. Nuestro Gobierno y el norteamericano están de acuerdo en que siga Franco y en que las relaciones con España vuelvan a la normalidad. La situación europea es cada vez más inquietante. Miguel de Rumanía está en el exilio. De la Monarquía búlgara no queda nada. Stalin es el dueño absoluto del centro de Europa y fíjate lo que ha ocurrido en Yugoslavia con los milicianos de Tito y lo que está ocurriendo en Grecia. Por mucho que condenen la dictadura, nuestros Gobiernos prefieren a Franco porque, cierto, es jugar una fea carta, pero sin riesgo.[31]

29. Ricardo de la Cierva. *Franco Don Juan, los reyes sin corona.* Pág. 415s. El informe de Kennan *The sources of soviet conduct* está incluido en un libro imprescindible de Norman A. Graebner. *The cold war.* Heath, New York, 1963.
30. Archivo conde de Fontanar.
31. Archivo Sainz Rodríguez.

Don Juan reflexiona y acepta. Por fin se impone el sentido común en el ánimo del joven Rey. Se ha equivocado. Y, a regañadientes, lo reconoce. Sainz Rodríguez tiene razón. El día 29, tal vez el 30 de diciembre de 1947, le llama y «le abre el corazón».[32] Sainz Rodríguez regresa a su casa de Lisboa con una satisfacción inmensa. En la agria lucha por el poder en la Causa monárquica está a punto de ganar la partida, al borde de recuperar el timón. La tarea para enrumbar la nave de la Restauración, con tantos errores como se han cometido, va a ser larga, muy larga, compleja y dificilísima.

El joven Rey, arriada su arrogancia, le pregunta a Pedro Sainz, unos días después: «Bueno, y ahora ¿qué hago?» El gran político —estamos en enero de 1948— le responde con asombrosa clarividencia:

—Señor, Franquito está tan consolidado como el Monasterio de El Escorial. No hay quien lo mueva. A la vez, está jodido y bien jodido porque se le han ido los embajadores, la ONU no le acepta y las restricciones económicas internacionales, salvo esa pantomima de Perón, le están escoñando todo. Por eso se ha inventado el Fuero de los Españoles y, sobre todo, la Ley de Sucesión. Para romper el cerco que le asfixia, para que le dejen de tratar como a un maricón con purgaciones, Vuestra Majestad tiene una baza en las manos, vital para Franco: Don Juanito. Juéguela a fondo. A Vuestra Majestad y a la Institución les conviene que el Príncipe estudie en España. Un Príncipe que se educa fuera de su país lo tiene muy difícil para reinar en él. Para Franquito, que el Príncipe estudie en España significa decir a los aliados: ¿No queríais Monarquía? Pues ahí la tenéis. España es ya un Reino y el hijo del pretendiente está aquí a mi lado estudiando y preparándose para ser Rey. Como la Ley exige tener treinta años, al generalísimo le quedan veinte por delante. Franquito necesita tanto al Príncipe que con él, en cuestión tal vez de meses, se romperá el bloqueo y se normalizará la situación española. Ya verá cómo no me equivoco: le lamerá el culo a Vuestra Majestad cuantas veces haga falta para tener a Don Juanito en España.

—Entonces, ¿debo dar por perdida la Restauración que teníamos pensada?

—No, Señor, claro que no. Franco puede morirse de una enfermedad. Hay, además, accidentes, atentados... Lo que debe hacer Vuestra Majestad es cultivar a los militares. Le recomiendo que tenga la escalilla de los Ejércitos siempre al alcance de la mano y extreme la amabilidad con los capitanes generales, sobre todo los de Madrid y Barcelona. Si Franco muere y el ministro del Ejército y los

---

32. Archivo Sainz Rodríguez.

capitanes generales de Madrid y Barcelona son favorables a la Monarquía, Vuestra Majestad volverá al Palacio Real. Eso se lo ha explicado muy bien Juan Ignacio Luca de Tena. Si no hay accidente, ni atentado, ni enfermedad súbita, entonces el que estará jodido y bien jodido será Vuestra Majestad. Pero como hay mucho tiempo por delante, no crucemos el puente antes de llegar a él.[33]

El Rey queda convencido. Sin prisas, liquidará a Vegas y a Gil-Robles, los dos perdedores. Sin prisas, jugará con Franco la carta del Príncipe. Le repatea, porque hay algo visceral en su interior que se revuelve contra el generalísimo, pero lo hará.

Stalin robustece aún más a Franco cuando los comunistas se encaraman al poder en Checoslovaquia, en febrero de 1948. Cuatro meses después, el dictador soviético ordena el bloqueo de Berlín. Londres y Washington coinciden de lleno en la importancia creciente de España en la guerra fría. El aliado del *führer* y del *duce* se ha ganado definitivamente su permanencia en el poder. Apesta, pero hay que taparse las narices y contar con él.

Entre los personajillos que bullen en torno al Rey hay uno que Sainz Rodríguez considera útil para la relación con Franco: Julio Danvila.[34] Para don Pedro, Danvila es un zascandil que trata de darse importancia y de que alguien le haga caso y le considere importante. Ha escrito varias cartas al Rey exponiendo su idea de que el Príncipe de Asturias debe estudiar en España. Danvila odia a Sainz Rodríguez porque supone que es el gran culpable del Manifiesto de Estoril y de las declaraciones a *The Observer* que han ofendido a su *caudillo* Franco. Sainz Rodríguez aborrece a Danvila pero decide utilizarlo. Dicta una carta para él, que Don Juan firma y envía, ese mismo mes de enero de 1948, dándole el visto bueno para que haga gestiones sobre los posibles estudios de Don Juan Carlos en España.

La negociación con la izquierda marcha bien. «El Congreso socialista de Toulouse —escribe Gil-Robles el 30 de marzo de 1948— aprueba una moción, dando un voto de confianza a Prieto para formar un Gobierno y llegar a un acuerdo con los monárquicos.»[35] Gil-Robles no sabe que el Rey ha perdido la esperanza de que los aliados cumplan su compromiso con él, Don Juan el anglófilo, y derriben a

33. Archivo Sainz Rodríguez. Cfr. Archivo Luis María Anson. Don Juan recordaba con sorprendente exactitud aquella conversación en la que Sainz Rodríguez solo le desveló una parte de su estrategia.

34. Julio Danvila, pariente cercano de la mujer de Anson, tenía la edad de Franco. Era un hombre honrado, bullidor e inconsistente. Leal a la Monarquía durante la República, trasvasó esa lealtad a Franco después de la Guerra Civil.

35. Gil-Robles. *La Monarquía por la que yo luché*. Pág. 257.

Franco, el hitleriano. Al margen de Vegas y Gil-Robles, el Rey y Sainz Rodríguez trabajan ya en otra dirección. El acuerdo con los socialistas, sin embargo, irá adelante y se firmará, por Indalecio Prieto y el conde de los Andes, el «Pacto de San Juan de Luz» entre el PSOE y la Confederación de Fuerzas Monárquicas (antiguos partidos monárquicos, Renovación Española, la CEDA, la Lliga Regionalista Catalana, Acción Española, grupos independientes) en octubre de 1948, fecha en la que se hizo pública una interesante declaración.[36] Éxito inútil de López Oliván y Gil-Robles, y sobre todo de las gestiones de Félix Vejarano, porque se ha celebrado ya la entrevista del *Azor* en aguas donostiarras y todo aquel esfuerzo de entendimiento con la izquierda exiliada, propiciado a iniciativa de Sainz Rodríguez, en 1945, tras la conferencia de Yalta, no había sido otra cosa que hacer rayas en el agua.

25 de agosto de 1948. Entrevista Don Juan-Franco en el *Azor*

La preparación de la entrevista del *Azor*, desde el ángulo franquista, se conoce a través de la investigación realizada por Juan Antonio Pérez Mateos.[37] Anson, que es prologuista de uno de los libros de Pérez Mateos, sabe del rigor con que trabaja este escritor. Su testimonio se puede dar por válido aunque recoge solo la versión del entorno de Julio Danvila y refleja lo que más gustaba a este personaje: darse importancia. En todo caso, la versión que aportan la mayor parte de los historiadores, es la de Pérez Mateos, al que algunos ni siquiera se molestan en citar.

Después de muchas semanas de gestiones y contragestiones, todas ellas menores y anecdóticas, Franco fija el 25 de agosto de 1948 para la entrevista con Don Juan. Al Rey le parece bien, pero antes del sí definitivo hace dos llamadas[38] que desconoce Danvila y no recoge Pérez Mateos: a su madre la Reina Victoria, que duda, pero termina diciéndole que sí; y a Sainz Rodríguez que no duda, que está al tanto de todo y que le contesta: «Adelante, Señor, adelante y que tenga suerte V.M.»[39]

---

36. Víctor Salmador. *Don Juan de Borbón*. Pág. 283s.
37. Juan Antonio Pérez Mateos. *El Rey que vino del exilio*. Planeta, 1981. Pág. 17s. En el archivo de Anson figuran hasta cuatro versiones de la entrevista, más o menos completas, referidas por Don Juan.
38. Archivo Luis María Anson.
39. Archivo Sainz Rodríguez.

Franco ordena que una falúa del cazaminas *Tambre* recoja a Don Juan de *El Saltillo* y le traslade al *Azor*. El joven Conde de Barcelona sube la escalerilla con paso atlético. Ya están frente a frente el Rey y el *caudillo*. Franco se cuadra militarmente y, con lágrimas en los ojos, saluda a Don Juan. Éste le tiende la mano afectuoso. El generalísimo, de 55 años, es un hombre bajito, rechoncho y vulgar, aunque con una gran dignidad en la mirada; Don Juan, de 35 años, muy alto, todavía delgado, jovial y sonriente. El contraste es notable. El Rey se equivoca con las primeras palabras.

—No lo veía, mi general, desde la Navidad de 1930, en un cambio de guardia en Palacio.

La versión de la conversación entre Don Juan y Franco la han copiado los historiadores, citando unos la fuente y otros no, de la versión que el Rey dio a Gil-Robles.[40] Anson tiene grabadas o recogidas en notas cuatro versiones de Don Juan, en épocas muy diferentes, sobre la entrevista, aparte de la que Sainz Rodríguez registró.

En la cámara del *Azor,* y a solas, el Rey y el dictador hablan durante tres horas, la mayor parte del tiempo de naderías y cuestiones menores. Franco le dice a Don Juan que le encontraba muy bien de aspecto. Añade que él, el *caudillo,* se siente como un roble, que nunca está enfermo y que tiene veinte años por delante para «resistir el peso del mando». Le ofrece espontáneamente una explicación sobre la Ley de Sucesión y le asegura que Don Juan era como el «tapado» mexicano y que Carrero no supo explicarle bien las cosas. Añade que en la Ley se habla de que el Príncipe llamado a suceder debía tener treinta años y que Don Juan Carlos ha cumplido diez. Hay mucho tiempo por delante, pero es conveniente empezar a prepararle. A los pocos minutos de conversación queda acordado lo que Don Juan había pactado con Sainz Rodríguez: que el Príncipe se instale en España para estudiar su bachillerato. De nada de esto le hablará Don Juan a Gil-Robles. A Franco le parece bien que se organice un grupo de compañeros y que el colegio funcione en la finca *Las Jarillas,* propiedad de un amigo de Don Juan. Franco acepta de antemano los profesores elegidos por el Rey, aunque quiere saber previamente sus nombres. La conversación sobre toda esta cuestión discurre fluida y fácil. Don Juan se da cuenta de que a Pedro Sainz le asistía la razón y lo que quiere el generalísimo no es controlar la educación del Príncipe sino tenerle en España como carta política ante Londres y Washington, con el fin de romper el bloqueo y reanudar la normalidad diplomática.

40. Gil-Robles. *La Monarquía por la que yo luché*. Pág. 267s.

El dictador, una vez satisfecho en su aspiración, mira con gran afecto a Don Juan, se proclama «monárquico fervoroso», sostiene que Alfonso XIII fue «un gran Rey» y que él nunca olvidaría el acto en el que le impuso la medalla militar. Don Juan se siente incómodo porque a Franco se le saltan las lágrimas.

Con un gesto amistoso, el Rey le dice, mientras duda en sacar el pañuelo para enjugar tanta lágrima derramada:

—Me emociona oír a Vuestra Excelencia. Y a mi padre también le hubiera emocionado. Lo que no comprendo entonces es ¿por qué esa saña contra la Monarquía en la Prensa española? ¿Por qué no ordena Vuestra Excelencia que se explique la verdad sobre lo que significa la Institución?

—Porque las cosas están muy mal —asegura Franco—. Va a estallar una nueva guerra y España tendrá que intervenir al lado de los americanos. Créame Vuestra Alteza que eso es inevitable.

—Pero si es un delito gritar ¡viva el Rey!, como ocurre ahora en España, ya se puede imaginar Vuestra Excelencia el papelón de Juanito.

Entonces, y de forma espontánea, Franco se compromete a suspender los «ataques a la Dinastía» y a permitir propaganda monárquica en *ABC* y *Diario de Barcelona*.

—¿Es un compromiso formal? —pregunta el Rey.

—Lo es.

Vanas palabras. Don Juan era un competidor de su poder. La Prensa no hablaría de él. Nadie debía conocer al hijo heredero de Alfonso XIII. Entre 1941 y 1966, la Censura solo permitió que se publicaran en *ABC* cuatro fotos de Don Juan. Parece increíble, pero así es.

Poco más de verdadero interés merece contarse de la entrevista, salvo la impresión de Don Juan de que está hablando con un pobre hombre que se creía Dios, uno y trino.

—¡Qué sorpresa se van a llevar los ministros cuando se enteren de esta entrevista! —se sonríe el *caudillo*—. Bueno, yo les mando y ellos obedecen.

No le habla de Gil-Robles ni en términos elogiosos ni en otros términos. Don Juan, que era caritativo, le diría al antiguo líder de la CEDA que sí lo hizo. En cambio, es verdad que Franco le asegura más o menos lo que transcribe Gil-Robles en su diario: que el enlace entre ambos fuera el duque de Sotomayor, «porque yo no tengo de quién fiarme... mis colaboradores son todos unos chismosos». No dijo indiscretos, sino chismosos.

Tras la entrevista en que queda acordada la educación del Príncipe en España, se sientan a la mesa para el almuerzo a bordo: el

Rey, con el general Martín Alonso a su derecha y Pedro Galíndez a su izquierda; y Franco, quien situó al Infante Don Jaime a su derecha y al duque de Sotomayor a su izquierda. Los otros comensales fueron Pedro Nieto Antúnez, comandante del *Azor*, Eduardo Real de Asúa, Jesús Corcho y Julio Danvila. Pérez Mateos publica el menú de aquel inefable almuerzo: entremeses, huevos a la americana; ternera *benicarló*, patatas a la duquesa; bizcocho helado y palitos de hojaldre.[41]

Real de Asúa está muy impertinente, cosa que nadie le había pedido, contradice al *caudillo* en cuestiones técnicas sobre la pesca del salmón y se ríe cuando el generalísimo reconoce que se había matado con ametralladora cabras heridas en una cacería en Gredos.

Pero la gran tensión que no transcribe Gil-Robles, tal vez porque Don Juan olvidó contárselo, se produce cuando el Rey se refiere a la conferencia de Varsovia que acababa de celebrarse y a la actitud del Kominform, que condenó la política de los comunistas en Yugoslavia, como contraria al marxismo-leninismo. A Don Juan le parecía raro y Franco, lo veía lógico, o tal vez era al revés. Una discrepancia que el Rey nunca recordaba bien. Sí se acordaba y con precisión de la intervención posterior de Franco y de la suya propia.

—No tiene razón Vuestra Alteza —pontifica el *caudillo* con tono paternal—. A veces no le informan bien. Cuando quiso trasladarse a Italia durante la Guerra Mundial le avisé de que no podría porque la frontera suiza estaría minada y así fue, espero que se acuerde.

—De lo que me acuerdo, mi general, es de que Vuestra Excelencia dijo que con un millón de hombres defendería Berlín.

Si una bomba hubiera estallado en la mesa, no se hubiera producido un efecto más devastador. Los propios acompañantes de Don Juan se sienten estremecer. Don Juan había recordado el garrote vil en casa del ajusticiado. Pedro Nieto intenta un quite por chicuelinas, se envuelve en el capote del tiempo y cambia la conversación hacia el estado del mar.

—Yo creo —le confesó, en diciembre de 1969, Don Juan a Anson—[42] que Franco me tenía excluido desde que heredé la Corona en 1941. Los manifiestos del 45 y del 47 no hicieron otra cosa que confirmarle en su posición. Él lo que necesitaba era tiempo por delante, por eso se fijó en Juanito. Pero si no hubiera estado yo excluido de la sucesión, lo hubiera hecho en ese instante. Yo era muy joven y reaccioné visceralmente, con un argumento contra Franco que, desde

41. Pérez Mateos. *El Rey que vino del exilio.* Pág. 35.
42. Archivo Luis María Anson.

1942, era un *leit motiv* de las conversaciones en casa. Fue un error tremendo. Todavía recuerdo la gelidez de aquellos ojos a lo Picasso que tenía Franco, al mirarme. «Mar, trágame», pensé en aquel momento. Pero era tarde. La entrevista estuvo pasable pero el almuerzo fue un desastre. Se estropeó todo. Bueno, lo estropeé yo. La comida, además, era malísima y como él no bebe, ni siquiera cuidó de que nos sirvieran vinos de crianza.

Tanto daño le hizo Don Juan a Franco con el recordatorio del millón de españoles que iban a defender Berlín, tan abierta estaba esa llaga en la que el Rey había hurgado ya en su carta a Kindelán el 10 de febrero de 1945, que el *caudillo*, desde el dogma de la infalibilidad para él definido, contestó a aquella intervención de Don Juan solo mes y medio después y, tergiversando la escueta realidad histórica, afirmó en un discurso en Sevilla, el 11 de octubre de 1948: «Hace años —dijo con un cinismo sin límites— cuando la Gran Guerra estaba en su *último declive* [se está refiriendo al 14 de febrero de 1942] pronuncié en estos salones unas frases que al mundo parecieron sonar como herejías. Y encareciendo la trascendencia del avance comunista, os decía que si sus hordas avanzaban sobre Occidente, un millón de españoles debieran salirles al encuentro y pese a la razón moral y sentido hiperbólico de mis palabras, éstas tropezaron y rebotaron en la sensibilidad de un mundo que no se apercibía o no quería apercibirse de que en el terreno de la lucha había surgido un nuevo enemigo en potencia. No lo quiso comprender el mundo occidental y la esclavitud de millones de seres ha sido el precio de aquella incomprensión [...] y han tenido que pasar varios años para que nuestras tristes palabras resuenen como profecía. Mas la flaqueza de los hombres de Estado y las características peculiares de ineficacia de sus regímenes acaban hermanando el fracaso y la irresponsabilidad.»[43]

El Príncipe Don Juan Carlos en España

Desde *El Saltillo*, Ramón Padilla le pone un telegrama a Vegas, que está bañándose en la playa de El Sardinero, en Santander. Así se entera el preceptor del Príncipe de la entrevista Don Juan-Franco, que significaba exactamente lo contrario de la política por él dirigida desde 1942. Vegas está, pues, liquidado. Acude a Lisboa y, des-

---

43. *ABC*, 12-X-1948. Pág. 18. Véase sobre la intervención de Franco en 1942, pág. 207s. de este libro.

pués de algunas tiranteces, viaja con el Príncipe a su colegio de Friburgo. A mediados de octubre lee en el *Daily Mail* que está decidida la marcha del Príncipe a España. El 27 de ese mes, la Reina Victoria le da instrucciones, en nombre del Rey, para que se traslade con el Príncipe a Estoril. Don Juan, por telegrama, le prohíbe pasar por España. Viaja en un vuelo directo a Lisboa. Ordena papeles y el 4 de noviembre, tras dimitir, se aparta de su Rey. La dimisión de Vegas se produce como la cuenta Gil-Robles y la versión que Sainz Rodríguez ofrece y pone, en parte, en boca de Don Juan no tiene pies ni cabeza.[44] Don Pedro trata de demostrar que Vegas fue eliminado a causa de las declaraciones a *The Observer*. No es así. Esa batalla la perdió Sainz Rodríguez. Ciertamente, el 23 de septiembre de 1947, Vegas, harto de don Pedro, escribió al Rey diciendo que estaba cansado y quería retirarse de la política. Don Juan le retuvo como preceptor de Don Juan Carlos. Transcurrido un año y medio desde las declaraciones a *The Observer*, y después de la entrevista del *Azor*, Vegas, por dignidad, dimite de todo en noviembre de 1948. El 8 de diciembre de 1981, el antiguo secretario político de Don Juan publicará en *ABC*[45] una rectificación demoledora al libro escrito por Sainz Rodríguez, con demasiada ligereza, *Un reinado en la sombra*. «Es triste comprobar —escribió Vegas, reverdeciendo las viejas hostilidades con don Pedro— los estragos que el transcurso del tiempo produce en la memoria de personas que me fueron muy queridas y que otrora la tuvieron privilegiada.» (Vegas fue siempre la exactitud, el orden y la precisión. Sin duda, tiene razón en este caso frente a la frivolidad con que Sainz Rodríguez —y Don Juan— despachan los acontecimientos de su dimisión en el libro *Un reinado en la sombra*.)

El ex-secretario político del Conde de Barcelona se despide de Gil-Robles, que escribe el 4 de noviembre de 1948: «Vegas puede tener defectos —¿quién está libre de ellos?— pero nadie le supera en lealtad, firmeza de ideas, desinterés y cariño al príncipe. ¡Qué grave cosa es la ingratitud, sobre todo en los reyes!»[46] Más de cuarenta años después Juan Carlos I recordará todavía con un rictus de estremecimiento en la cara la dureza de Vegas como preceptor. Y le asegura a Vilallonga:[47] «Cuando digo que Eugenio Vegas era un hombre maravilloso no tengo la impresión de exagerar. Sus enemigos (todos los hombres honestos los tienen) han dicho de él que vivía

44. Cfr. Sainz Rodríguez. *Un reinado en la sombra*. Pág. 269.
45. *ABC*, 8-XII-1981. Pág. 15.
46. Gil-Robles. *La Monarquía por la que yo luché*. Pág. 281.
47. Vilallonga. *El Rey*. Pág. 55.

en el pasado. Quizá era verdad, porque el rigor moral ya no es una virtud de nuestro tiempo. También él creía que el heredero de la Dinastía tenía que ser educado sin ninguna concesión a las debilidades que parecen normales a la gente común. Por eso me educaba de forma que comprendiera que yo era un ser aparte, con muchos más deberes y responsabilidades que los demás. Alguien bromeó un día delante del Conde de Barcelona: "Eugenio Vegas nos está fabricando otro Felipe II." Conociendo a mi padre, aquello le debió de parecer un gran cumplido.»

El 8 de noviembre de 1948, en el *Lusitania*, el Príncipe de Asturias sale de Lisboa con destino a Madrid, donde justo aquel día un estudiante monárquico, Carlos Méndez, había muerto en la prisión de resultas de una paliza con que le obsequiaron los carceleros del Régimen.

—Me di cuenta de la trascendencia que podía tener todo aquello —le dijo Don Juan a Anson un día—. Y derramé una lagrimita.

Aquel viaje cerraba dos años estériles de lucha interna en la Causa monárquica. Pedro Sainz Rodríguez recuperaba las riendas que de una forma u otra tuvo siempre en sus manos desde 1931 a 1945. Eugenio Vegas Latapié y José María Gil-Robles quedaban relegados. La estrategia para la Restauración de la Monarquía dependía otra vez de la poderosa musculatura mental de aquel profesor de literatura. Tras haber fracasado en parte en la primera operación de derribar la República; tras el desastre final de la segunda operación para derribar a Franco, Sainz Rodríguez tenía una idea completamente clara de cómo había que ganar, en su incansable lucha por la Restauración, la tercera operación: engañar a Franco. Y estaba dispuesto a aguantar los años que hiciera falta sin perder los nervios, sin impaciencia. Tenía ya domado al Rey, que era una marioneta entre sus dedos, como lo fue Alfonso XII entre los de Cánovas del Castillo. Y eso le permitía decidir sin trabas y actuar con las manos libres. El arte de la política era para Sainz Rodríguez, como para D'Alembert en sus *Mélanges de littérature*, el arte de engañar a los hombres.

TERCERA ETAPA DE LA RESTAURACIÓN: ENGAÑAR A FRANCO

Capítulo XX

EL TIRA Y AFLOJA DEL PRÍNCIPE, COMO ANZUELO

Consolidada la permanencia del dictador español por decisión norteamericana ante la voracidad de Stalin en Europa, la Monarquía tiene ante sí, en 1948, una tarea urgente: esperar. A Franco no se le puede derribar. Hay que engañarle.

Sainz Rodríguez traza entonces una estrategia bifronte, profunda y audaz. Ha cumplido el catedrático cincuenta años y se encuentra en la cumbre de su madurez política. En la entrevista del *Azor*, Don Juan le ha proporcionado a Franco lo que el *caudillo* necesita para salir de su aislamiento: al Príncipe, cuya presencia en España significa el argumento decisivo para alcanzar la normalización de la situación internacional española. Pero Don Juan Carlos es solo el cebo apetecible de un anzuelo que el profesor Sainz Rodríguez ha lanzado a las aguas jurisdiccionales del tiburón de El Pardo. Franco, cada vez más sosegado, más prudente, gobierna con mayor experiencia y menos errores. Está tranquilo y confiado. Tiene veinte años por delante hasta que se cumplan en el Príncipe los requisitos de la Ley de Sucesión.

Sainz Rodríguez es un hombre leal. Quiere que Don Juan sea el Rey. Lo desea de forma intensa. No ya la vida, sacrificaría, incluso, su entera biblioteca, si con ello consiguiera que Don Juan accediera al Trono. Y tiene esperanzas de que así sea. En dos décadas, una enfermedad súbita puede terminar con Franco. También un accidente. Incluso un atentado. Para que el Príncipe se convierta en posible sustituto del Rey tienen que pasar veinte años. Es mucho tiempo. Si Franco se muere antes y la situación militar es favorable, el Rey de derecho, Don Juan, se convertirá en Rey de hecho de España. Hay que esforzarse para que la Causa monárquica y algunos juanistas, con sus impaciencias, no cometan errores. La mejor política institucional para Sainz Rodríguez es que todo dependa de Sainz Rodríguez. Si hay que nombrar a alguien en el interior de España habrá que elegir a personas inteligentes e inactivas, como Alfonso García Valdecasas. La política de Don Juan debe consistir solo en esperar la ocasión, no cometer errores y no dar facilidades al *caudillo*. Cualquier cosa relacionada con la Monarquía y el Rey debe ponérsele difícil a Franco.

Y si el dictador no se muere o no le matan, es necesario conseguir que en 1968, cuando Don Juan Carlos cumpla treinta años, sea designado sucesor. Éste es el punto secreto de la táctica de Sainz Rodríguez en 1948. No lo desvelará hasta el 5 de marzo de 1966. A pesar de su lealtad incuestionable, no puede explicarle a Don Juan la compleja tela de araña que está tejiendo porque el Rey se lo hubiera impedido. Don Juan se sentía tan Rey que, en esa época, no hubiera aceptado enviar al Príncipe a España si ello suponía que un día él perdería la Corona. Así lo creía don Pedro y así era. Una mañana de sol y tranquilidad, tras visitar el Museo Antropológico en la capital mexicana, el 19 de junio de 1979, Anson le preguntó abiertamente a Don Juan por esta cuestión.

—Si Vuestra Majestad hubiera sabido que enviar al Príncipe a España significaba que un día sería él el Rey y no Vuestra Majestad ¿qué hubiera hecho?

Don Juan meditó un instante.

—No lo hubiera enviado —respondió, con esa sinceridad, a veces demasiado elemental, que era al tiempo una de sus grandes virtudes y uno de sus defectos cardinales.

Pedro Sainz juega con la mano izquierda la carta de Don Juan, en la esperanza de que el dictador se muera a tiempo; con la derecha juega la del Príncipe, por si el dictador prolonga su vida. Lo mejor es que la Monarquía se restaure en Don Juan pero si Franco llega a superar los ochenta años, entonces hay que evitar que el Régimen tome derroteros impensados y el dictador designe otro príncipe o una regencia para sucederle.

Sainz Rodríguez piensa que Franco, en todo caso, debe tropezarse con muchas dificultades en su relación con la Monarquía. Hay que darle la sensación de que continúa la batalla con Don Juan. Es imprescindible hacerle difícil el control del Príncipe. Don Juanito adora a su padre, pero la experiencia de Pedro Sainz le hace saber que un día se producirá la fractura generacional, que aquel niño, que es un Capeto, terminará, ya adulto, alineándose junto al poder y que Franco, entonces, creerá darse el gusto de derrotar a Don Juan, al designar a Don Juan Carlos.

No desea eso Sainz Rodríguez. Don Juan será el Rey, de eso está convencido en 1948, porque veinte años son muchos años. Pero si no fuera así, lo importante es restaurar la Institución y entonces sería la hora de Don Juan Carlos y, después, la de construir una Monarquía, como la inglesa o la belga, es decir, la contraria de la que Franco desea.

Finaliza el año 1948 y se han perdido dos por culpa de la lucha intestina en la Causa monárquica. Ha fracasado la magistral operación de derribar a Franco, que se extendió desde 1941 a 1945. De lo que se trata ahora es de engañar a Franco. El anzuelo está en el agua. Se llama Juan Carlos de Borbón y es el Príncipe de Asturias. Hay que empezar a jugar en él con la habilidad del pescador avezado, deslizando el sedal en la rabiza. Sainz Rodríguez conoce a fondo a Franco desde sus tiempos africanos. «Nunca se me ocurrió esperar de él —escribiría con esa penetración intelectual que era característica de sus juicios políticos— lo que no podía dar. Sabía que era un militar que tomaba el mando. Franco podía cambiar de música, pero no de instrumento. Por eso, cuando la opinión creía que el Régimen podía modificarse, no se daba cuenta de que Franco era un señor que sabía tocar el violín y que, con el violín, podía ejecutar el *Himno de Riego*, la *Marcha Real*, lo que fuese; lo que no podía hacer era tocar el piano. Y cuando le pedían modificaciones, era como si le pidiesen que dejase de tener la mentalidad de mando ordenancista, para adoptar una mentalidad de mando civil: con discusiones, con opiniones, con partidos, con grupos.»[1] Para lidiar a Franco había que meterse en sus propios terrenos.

El Príncipe se instala en la finca *Las Jarillas*, propiedad de los marqueses de Urquijo. Tiene un cuadro de profesores dirigido por José Garrido y como compañeros a Jaime Carvajal, que será siempre el primero de la clase, José Luis Leal, Juan José Macaya, Carlos Borbón-Dos Sicilias, Alfredo Gómez Torres, Álvaro Urzáiz, Fernando Falcó, Alonso Álvarez de Toledo y Agustín Carvajal.

El dictador, naturalmente, no cumple nada de lo que prometió a Don Juan en el *Azor*. La campaña antimonárquica sigue alzada en altas cotas de virulencia. Don Juan es denostado o silenciado. Incluso, si en una regata en Inglaterra ocupa con *El Saltillo* el tercer lugar, la Censura tachará su nombre y los españoles se enterarán de cómo se llama el vencedor, el segundo y el cuarto, porque el tercero no existe.

El Rey está abatido. Sainz Rodríguez, impasible. Juega sus cartas a placer. Don Juan le explica que Gil-Robles le pide que retire de España al Príncipe y que le ha dicho que no, porque lo considera un gesto inútil y quiere cumplir su compromiso con don Pedro. Se sorprende cuando Sainz Rodríguez le dice:

—Y ¿por qué no? Hay que marear un poco el pez, para hacer más apetecible el anzuelo. Lo que le ha pasado a Vuestra Majestad en el *Azor* es como cuando uno le pone la mano en la rodilla a una señora y ésta se deja. Después se empieza a subir la mano y si no hay resis-

---

1. Sainz Rodríguez. *Testimonio y recuerdos*. Pág. 342.

tencia se llega a la ingle sin problemas. Franquito debe tropezarse
con obstáculos al subir los dedos. No todo el monte es el de Venus. Él
necesita al Príncipe en España. Se ha creído que lo tiene todo ganado y que puede meter mano a Vuestra Majestad, a placer. Pues no.
Vamos a tirar del anzuelo, que no pasa nada.[2]

Es Sainz Rodríguez quien hace el guión de una nota que, en
nombre del Rey, Fontanar le entrega a Gil-Robles para que éste la
redacte. El ex-jefe de la CEDA se ha dado cuenta de lo mismo que
Sainz Rodríguez y lo escribe en su diario: «Franco, que desea la presencia del Príncipe en España, por encima de todo...»[3] Don Juan envía la nota al *caudillo*. Estamos ya en septiembre de 1949:

> «No puede dejar de hacer presente S.A.R. el Conde de Barcelona
> su creciente decepción por los escasos resultados de la fase política
> iniciada hace más de un año con la entrevista celebrada en aguas del
> Cantábrico. Esta decepción, aumentada al correr de los días, llegó a
> su plenitud al tener conocimiento del discurso que S.E. el Jefe del Es-
> tado pronunció ante las Cortes el pasado mes de mayo.
>
> Arraiga, en consecuencia, en el ánimo de S.A.R. la idea de que su
> conducta, inspirada en los más puros móviles patrióticos, aparece res-
> paldando una política de confusionismo, nacida del alcance que la opi-
> nión esperanzada dio a un suceso del que lógicamente había que
> aguardar consecuencias prácticas que la acción de gobierno no ha he-
> cho posibles.
>
> La continuación de este estado de cosas haría considerar al Con-
> de de Barcelona que no puede seguir prestándose a mantener en el
> ánimo de tantos españoles la ilusión de acuerdos que por desgracia no
> han llegado a ser realidad. Esto en ningún caso quiere decir que ini-
> ciará actos de hostilidad o disentimiento.
>
> Como padre, siente S.A.R. el dolor sincero de que esta su apreciación
> del momento político, pudiese ser obstáculo para la vuelta del Príncipe a
> España, toda vez que las razones patrióticas y docentes que aconsejaron
> enviarle durante el curso pasado han sido interpretadas en un sentido
> que, por no estar de acuerdo con la realidad, se prestan a desorientacio-
> nes y confusionismos que es necesario desvanecer previamente.»[4]

Solo ante la evidencia de las galeradas tachadas se podría imaginar hoy lo que en aquellos años se prohibía. En un artículo de *ABC*
sobre la lengua española se hacía referencia «al idioma de Cervan-
tes, de Santa Teresa y Alfonso el Sabio». La Censura tachó el nombre del Rey. Juan Ignacio Luca de Tena preguntó personalmente al

---

2. Archivo Luis María Anson.
3. Gil-Robles. *La Monarquía por la que yo luché*. Pág. 305.
4. Archivo Don Juan de Borbón.

director general de Prensa, Cerro Corrochano, por aquella mutilación increíble. La respuesta fue tajante: «Porque eso es propaganda monárquica, Juan Ignacio, no me lo niegues.» El libro de galeradas tachadas que se conserva en *ABC* se convertiría en un best-séller: la censura prohíbe la descripción del traje de boda de la princesa Isabel de Inglaterra; la muerte del príncipe Eugenio de Suecia o de la viuda del Káiser, el retrato del Rey de Noruega, las críticas de libros en cuyo título figura la palabra Monarquía, la presencia de Don Juan en cualquier acto, aunque sea en una exposición en Lisboa. Franco ha decretado que, mientras él no lo decida, la Monarquía no existe. Y nadie debe hablar de la Institución, salvo para denigrarla.

Pedro Sainz, con el alborozado apoyo de Gil-Robles, recomienda a Don Juan que no se pliegue a los deseos del dictador y no le visite en el Palacio de Queluz, residencia oficial del *caudillo* durante su estancia en Lisboa, en octubre de 1949. Le prepara a Don Juan una carta para el dictador, expresando la emoción de ver barcos españoles en el puerto lisboeta. Pero de visitarle, nada. Franco ha convocado a la colonia española justo a la hora en que Don Juan saldría del encuentro, dando la sensación a todos que venía de rendir pleitesía al *caudillo*, el cual en su carta de respuesta (24-X-49), llama a la Reina Victoria, «mi señora».

—Si este cabroncete quiere verle, que venga, que venga aquí a *Villa Giralda* —dice don Pedro.

El Rey había dejado *Villa Bellver* y, tras una corta estancia en la residencia de Ansaldo, *Casa de la Rocha*, alquiló el que sería su verdadero hogar durante más de veinte años: la entrañable *Villa Giralda*.

El dictador, ya en España, replica con dureza a la nota verbal de Don Juan. Sainz se frota las manos. Franco está entrando en el juego y embiste la muleta, cada vez más embebido en el engaño. Don Juan sigue igual. El *caudillo* le creía rendido y no es así. Un respeto para el Rey. No hay quien le meta mano y es necesario tratarle con consideración. Incluso piensa Don Juan no permitir a Doña María que entre en España para la muerte y funeral por su padre, el Infante Don Carlos. Pero cuando su hermano Alfonso habla con ella para comunicarle que el padre se está muriendo, la Condesa de Barcelona llama a Juan Martínez, el chófer y le dice: «Nos vamos.»[5] No llega a tiempo. En su casa de *La Palmera* en Sevilla entra por la puerta trasera y se encuentra ya a sus hermanos Alfonso, Isabel y Dolores vestidos de negro. «Yo que soy capaz de perdonar todo, nunca le perdoné a Franco... que se portase tan mal con mi padre.»

5. Cfr. María de las Mercedes de Borbón *Autobiografía* (libro inédito, transcripción de Javier González de Vega). Folio 116.

El dictador, rastreramente, atiza al Infante Don Jaime contra su hermano, el Rey. Divorciado de la bella Manuela Dampierre, el Infante sordomudo anda en líos con una «starlette» abundosa, bebedora y sensual, Carlota Tiedemann, y acaricia la idea de conseguir algún dinero, retractándose de sus renuncias al Trono. Él no, pero sus hijos, Alfonso y Gonzalo, constituyen un peligro potencial.

El endiosamiento de Franco alcanza límites difíciles de entender para un ciudadano joven de la España democrática. El 1 de octubre de 1949, toda la Prensa del Movimiento publica este editorial:

> «En trance de comparaciones, ¿cabe acaso fijar la figura de Francisco Franco en tiempo, edad o época feliz? Nuestro héroe se nos escapa de las manos en el momento en que pretendemos encastillarle en tal o cual fecha, hora o jornada histórica. Francisco Franco se encuentra por encima del hecho escueto, simple y narrativo. Torpeza sería situarle a la altura de Alejandro el Magno, de Julio César, del Condestable de Borbón, de Gonzalo de Córdoba o de Ambrosio de Spínola. Francisco Franco, el de la mejor espada, pertenece a las huestes de vanguardia del providencial destino. Es el hombre de Dios, el de siempre, el que aparece en el crítico instante y derrota a los enemigos, proclamándose campeón de la milicia del cielo y de la tierra. Le pertenecen por lo tanto —si hacemos caso del maestro Nicolás Maquiavelo— títulos de caudillo, monarca, príncipe y señor de los ejércitos. De caudillo por su probado esfuerzo de mílite; de monarca, por su bien ganada nobleza; de príncipe por su agudo quehacer político; y de señor de los ejércitos, por su valía, competencia y conocimiento de las tácticas, estrategias y demás complejos problemas de la guerra.
>
> Si la guerra es el reflejo de la acción de los héroes, como sostiene Thomas Carlyle, nadie mejor que Francisco Franco para regir la España y la Hispanidad que hoy nos acucian e inquietan. Brindamos, pues, a nuestros enemigos ocasión de paralelismos, comparaciones o cosa parecida. ¿Qué estadista actual se halla al glorioso nivel del general mandatario de España? ¿Quién puede disputarle el laurel de victoria más fructífera, hermosa y honrada? Franco no ha triunfado solamente en el ibérico ruedo. Triunfó, además, en el lejano confín, en el mar casi ignorado, en el suelo irredento. Quieran o no reconocerlo, la batalla librada en España abrió cauce a la cruzada antioriental. A Franco se debe la puesta en pie de guerra del Vaticano, de Washington y del orbe entero, y anteriormente de la Alemania que marchó desde la marca del Este, contra el comunismo, al son de músicas de Tanhausser.
>
> Por si fuera poco, el caudillo, el monarca, el príncipe, el señor de los ejércitos, es, por añadidura, un hombre sencillo, afable, amante

del hogar y humano, hondamente humano. En sus ojos, acostumbrados a mirar cara a cara al peligro, se adivina una firme ternura, un delicado sentimiento, una paternal preocupación por los sufrimientos, las desdichas y las dificultades de cada uno de los españoles.
En este día, aniversario de dichoso y memorable acto, dediquemos un rato de meditación en honor de la figura de Francisco Franco. Renovemos, *in mente*, la promesa de fidelidad a su persona, y en nombre de Cristo perdonemos a los que no comprenden, no oyen y no ven. En este día tenemos que contemplarnos pequeños, enanos, ridículos y patizambos.»

Se comprende, al leer este texto, el miedo cerval que sacudía el espinazo de España. Todavía temblaban en nuestra nación los cipreses del hambre y era demasiado larga la caravana de los que se habían manchado con las sangres de la Guerra Civil.

Don Juan envía de nuevo a su hijo a España

Así es que el anzuelo del Príncipe, cada vez más deseado, debe empatillarse y volver al agua. El Rey prepara el Palacio de Miramar, propiedad suya en San Sebastián, para que sirva de colegio y el Príncipe y sus compañeros estudien allí, después de un curso en el que los profesores viajan de Madrid a Estoril y de Estoril a Madrid.

Franco, que hace ya alardes del más servil proamericanismo, sobre todo fuera de España, se siente políticamente cada vez más satisfecho. Churchill se ha convertido en un encendido partidario de que el *caudillo* se incorpore a la causa de Occidente.[6] Franco, que según Ramón de San Pedro, había encargado una misión discreta a Larraz para que tanteara en Estoril una eventual evolución del Régimen, frena al economista: «Ya no hace falta, la semana pasada vino a verme el almirante Sherman.»[7] El *caudillo* dice que sí a las peticiones de apertura de Estados Unidos. Naturalmente, no piensa reformar nada. Incluso niega con ira la evolución que propone Serrano Súñer. Al poeta Eduardo Carranza, la voz torrencial, «el río que firma poemas a la patria colombiana», le asegura con crudeza: «Pues a Ramón si hay que fusilarlo, se le fusila también.»[8]
La Unión Soviética hace explotar su primera bomba atómica. Mejor para Franco. Mao Ze-dong derrota a Chiang Kai-shek y entra

---

6. Discurso de 10-XII-1948 en los Comunes.
7. Archivo Ramón de San Pedro.
8. Garriga. *Franco-Serrano Súñer*. Pág. 182.

en Pekín, la vieja ciudad de sus amores con Yang Kai-hui. Mejor para Franco. Corea del Norte invade a Corea del Sur. Es la guerra. Mejor para Franco. Cualquier éxito del comunismo internacional consolida al *caudillo* en el esplendor de El Pardo.

Su hija *Nenuca* se casa con un aristócrata, el marqués de Villaverde. De la Diputación de la Grandeza sale una nota, que luego se niega, y que dice: «Verdaderamente un lujurioso refinamiento de raso y dorados, de polvos y de pelucas ha convertido en muñecos a muchos de los que fueron autores de la Historia de España: lista que no es de honor de asistentes al matrimonio Martínez Bordíu-Franco....»[9] Y a continuación la relación de los pocos Grandes de España y títulos de Castilla que estuvieron presentes en la boda. No se merecía Carmen, que es una mujer discreta, sosegada y bella, esa bofetada.

Mientras Franco ejerce pletórico su poder personal, Don Juan disfruta de un placer intelectual que no olvidará nunca. En el restaurante *Boa Viagem* o en *El Faroleiro* se reúne frecuentemente a almorzar con dos intelectuales que se llaman José Ortega y Gasset y Pedro Sainz Rodríguez. Se habla de España desde la cúspide de la inteligencia, desde las crestas distantes de la cultura. Y el Rey sabe escuchar y aprender. A Ortega le gustaba el lema de los soldados de Cromwell: «Vestigia nulla retrorsum», ninguna huella hacia atrás. Y a Sainz le parecía una buena fórmula para la política de Don Juan.

En octubre de 1950, el Príncipe ya está otra vez en España y se incorpora al Palacio de Miramar. Sainz Rodríguez sigue manejando la caña y el anzuelo y, en este caso, hasta un Gil-Robles abatido dice que sí al retorno de Don Juan Carlos.

El *caudillo* consigue, poco a poco, sus propósitos internacionales. Ni él, ni Pedro Sainz se habían equivocado sobre lo que significaba la presencia en España del Príncipe. El 4 de noviembre de 1950, la Asamblea General de las Naciones Unidas vota el regreso de los embajadores a Madrid.

El juego de Sainz Rodríguez prosigue sutil y certero. Es el tira y afloja de un pescador experto. Es el parar, templar y mandar del torero de tronío. Cada carta que le escribe a Don Juan para que éste se la envíe a Franco, es una pieza maestra de simulación, de argucia y engaño. Hay que ponerle las cosas difíciles al invicto *caudillo*. Que no crea que va a jugar a su antojo con Don Juan. Que no piense que abdicará cuando él lo pida. El 10 de julio de 1951, le escribe para dejar bien claro a Franco que él es el Rey y no va a renunciar. «Ha sido

9. Archivo Luis María Anson.

la Providencia —le dice al dictador— la que ha echado sobre mis hombros la responsabilidad de encarnar finalmente los derechos históricos de las dos ramas dinásticas españolas. Fiel a esta herencia, nunca seré yo quien altere las leyes históricas de sucesión que, al no estar justificadas por ninguna suprema urgencia nacional, constituirían un atentado a la misma esencia biológica de la Institución Monárquica.»[10]

Una semana después, el 17 de julio de 1951, crisis de Gobierno. El dictador coloca los mismos collares en otros perros idénticos. Y nombra al que sería, desde el punto de vista del franquismo, uno de sus mejores y más eficaces ministros: Gabriel Arias-Salgado. Rodeado de un equipo de seminaristas y de algunos personajes inteligentes, desquiciados y atroces como Juan Aparicio, primero, y Adolfo Muñoz Alonso, después, con el interregno de unos meses del caballeroso Juan Beneyto, Arias-Salgado impone en España un sistema institucionalizado de censura, más férreo, en cuanto a controles e intransigencias, que los de la Unión Soviética o la China roja. El lápiz turbio de un personajillo rencoroso, Valentín Gutiérrez Durán, revienta de placer, tachándolo todo. A José Luis Milá, de entrada, le secuestran su periódico mensual juanista *La Víspera* y le procesan.[11]

Inútil explicar a las nuevas generaciones lo que fue aquel ministerio de Arias-Salgado y aquella Censura. Nadie creería, por ejemplo, que las palabras divorcio, suicidio o Picasso estaban prohibidas en la Prensa española; que en las fotografías de nadadores y boxeadores la censura pintaba camisetas para velar la inmoralidad escandalosa de los torsos desnudos; que se dictaban a los diversos medios, editoriales enteros de obligada inserción; que todas las páginas del periódico, incluidas las de anuncios y esquelas, debían ser enviadas a la «consulta» y no podían ser publicadas sin el sello previo del censor. Unos años antes, al Premio Nobel de Literatura, Jacinto Benavente, le dejaban estrenar sus obras pero no utilizar su nombre. En el teatro Lara, Conrado Blanco exhibía un cartel que decía: Estreno de *El alfiler en la boca*, por el autor de *La Malquerida*. No se podía poner: «por Jacinto Benavente», porque al dramaturgo se le consideraba indiferente a la gloria del *caudillo*.

---

10. Archivo Don Juan de Borbón.
11. Cfr. Rafael Abella. *Por el Imperio hacia Dios*. Planeta, 1978. Impresionante libro en el que se recogen desde las patéticas semblanzas e imágenes de Buero Vallejo, Miguel Hernández y Julián Besteiro en la cárcel hasta el secuestro de *La Víspera*, en una crónica lúcida de la sordidez de la posguerra.

Franco entra en el juego de Sainz Rodríguez y polemiza sobre la abdicación

El 14 de septiembre de 1951, Franco, como esperaba Sainz Rodríguez, embiste de nuevo la muleta con bronca galopada y contesta a la carta de Don Juan. Entra en el forcejeo de la renuncia: «Respecto a vuestra decisión —le escribe el dictador al Rey— de no alterar las que llamáis leyes históricas de la sucesión con renuncias no justificadas por una suprema urgencia nacional espero que, llegado el caso, si así conviniese al interés de vuestra Patria o de la propia institución monárquica, seguiríais el camino patriótico del renunciamiento, del que dio ejemplo vuestro Augusto Padre que no obstante haber sido Rey y proclamado Soberano por la Nación, abdicó en V.A. sus derechos, al igual que acaba de hacerlo el rey de Bélgica y lo hizo un día el de Inglaterra, proceder obligado en la historia de la institución monárquica.»[12]

Para, en su día, designar al Príncipe, Franco creía que necesitaría entonces la renuncia de Don Juan, pensando que Don Juan Carlos no aceptaría la Corona sin la abdicación previa. Se equivocaba.

Hay en esa carta una frase que, repetida, después en la primera entrevista de *Las Cabezas*, en 1954, conduce a Pedro Sainz a cometer un error: forzar la adhesión de los carlistas a Don Juan, años después, en 1957: «... deseo recordaros que a la legitimidad sucesoria nuestros tradicionalistas han exigido siempre la legitimidad de ejercicio: la identidad del Príncipe con las esencias y principios...».

Durante varios años, Pedro Sainz trabajó con denuedo para resolver el problema carlista, que, tras el fallecimiento en 1936, sin hijos, del último rey de aquella dinastía, Don Alfonso Carlos I, era casi inexistente. «Hay que meterle a Franquito por el culo la T de Fet y de las Jons», decía siempre, con finura, el sabio profesor de literatura.

Los años de la larga espera y del Franco triunfante y en el esplendor de su poder omnímodo se suceden. El 5 de marzo de 1953 muere el dictador soviético Stalin. Poco después, Gil-Robles se rinde y decide instalarse en España. El 26 de agosto se firma el pacto de Madrid con los Estados Unidos. Franco, el abanderado de «por el Imperio, hacia Dios», situará en territorio español tres o cuatro gibral-

12. Archivo Don Juan de Borbón.

tares bajo las armas de la primera potencia del mundo. Pero es la factura que hay que pagar para que dos años después, en 1955, las Naciones Unidas admitan en su seno al camarada del *führer* y del *duce*. El 27 de agosto de 1953, un día después de entregarse a los norteamericanos, el *caudillo* concluye el concordato con el Vaticano. Es el delirio triunfal. Todo le sale bien a Franco.

Capítulo XXI

LAS CABEZAS, 1954: SEGUNDA ENTREVISTA DON JUAN-FRANCO

En junio de 1954, el Príncipe de Asturias termina sus estudios de bachillerato y, de forma discreta, regresa a Estoril con su padre, el Rey.

—Vuestra Majestad tiene que mantenerse ahora firme, paciente y flexible —le explica Sainz Rodríguez—. Franquito necesita al Príncipe en España. Que pague el precio adecuado: una nueva entrevista pública con Vuestra Majestad. Sentarse de tú a tú con Franquito en un despacho, y que la Prensa no tenga más remedio que publicarlo, es algo que favorece a Vuestra Majestad y que robustece la imagen de la Corona en España.

Sainz Rodríguez sugiere a Don Juan que encargue a Gil-Robles el proyecto de educación universitaria del Príncipe. Es lo que más puede molestar a Franco. Autorizados por el Rey, Don Juan Carlos y su hermano Don Alfonso, también estudiante en España, visitan al generalísimo y le dan las gracias por educarse en su patria. Sainz Rodríguez sigue manejando la caña y el anzuelo con destreza. Don Juan envía a Franco, para complacer a Gil-Robles y con Pedro Sainz inflado de satisfacción, una nota en la que comunica al invicto *caudillo* su decisión de que Don Juan Carlos emprenda en octubre su educación superior en la Universidad de Lovaina.

Naturalmente, ni Don Juan ni Pedro Sainz pensaban poner en marcha semejante proyecto. Utilizan a Gil-Robles para dar autenticidad a la maniobra, para que Franco crea que es verdad. El generalísimo toma de nuevo la muleta roja y planchada con la que le cita al natural Sainz Rodríguez. Y la embiste sin escarbar, corneándola con ira. Contesta a Don Juan con una carta que tal vez tenía ya escrita, porque la encabeza llamándole «Señor»,[13] en la que expone su idea de la educación de Don Juan Carlos: primero, militar, en las tres Academias y, luego, universitaria. Es una propuesta llena de sentido común que al Rey le parece bien desde el principio. Pero no hay

---

13. En su correspondencia, Franco encabeza sus cartas, alternativamente, con «Alteza», «Señor», «Mi estimado Príncipe», «Mi estimado Infante» y, a partir de 1957 ya siempre, «Mi querido Infante», que es lo que más podía molestarle a Don Juan. El Rey abre sus cartas con «Mi respetado general», «Mi estimado general», «Excelencia», «Mi general» y a partir de 1957 «Mi querido general».

que decirlo. «Es necesario conducir a Franquito del ronzal hasta una entrevista personal con V.M.», le insiste Sainz Rodríguez.[14]

La propuesta de Franco, sometida a la votación del Consejo Privado

Don Pedro prosigue, pues, la lidia, dominador. Hay una propuesta de Franco. Ha llegado la ocasión de someterle a la humillación de que la voten los miembros del Consejo Privado, los mismos de las fichas «buscadas en un estercolero». Gil-Robles prepara el texto de la consulta. Las respuestas, secretas, están todas en *Villa Giralda* al concluir el mes de julio de 1954. Aranda, Maura, Quiñones, Gil-Robles, Bravo (con una extensa nota adicional) y Carrascal dicen que no. Todos los demás, incluido Sainz Rodríguez, se muestran favorables a que el Príncipe regrese a España para cursar su educación militar.

Don Juan comunica su aceptación a Franco, sin prisas. Le escribe el 23 de septiembre, a bordo de *El Saltillo*. Pedro Sainz se dispone, pues, a envarbascar otra vez las aguas de El Pardo con el bien cebado anzuelo. Y juega con la necesidad del *caudillo* de que el Príncipe continúe en España. Es otoño de 1954 y todavía la ONU no ha admitido al régimen de Franco en su seno.

Quince mil personas solicitan pasaportes, en octubre de ese año, para asistir a un acto social en Estoril: la puesta de largo de la Infanta Pilar. Franco permite cruzar la frontera a tres mil, asombrado del número, porque se cree sus propias mentiras y las de su propaganda: «los monárquicos en España son cuatro gatos».

1954. Los monárquicos ganan las elecciones municipales

Cuatro son, en efecto, y bien enraizados en el 18 de julio, los gatos monárquicos que se presentan a las elecciones por el tercio «padres de familia», el 21 de noviembre de 1954: Joaquín Satrústegui, Juan Manuel Fanjul, Joaquín Calvo-Sotelo y Torcuato Luca de Tena. Y las ganan, aunque oficialmente los partidarios de la Monarquía no son otra cosa que un grupúsculo de rancios aristócratas y nostálgicos. Pero las ganan. A pesar de los resultados que proporciona el ministerio de la Gobernación, todo el mundo sabe que los mo-

14. Archivo Luis María Anson.

nárquicos han triunfado en las elecciones sobre los falangistas, tras soportar las presiones y coacciones más inauditas. *ABC* se hace aquella noche del 21 de noviembre, con policías franquistas, alguno con la pistola en la mano, entre las platinas.

Ha sido, en fin, una jornada de luto para los políticos falangistas que hablan como loros, avanzan como tortugas, saltan como gatos, atacan como gallinas, se defienden como peces, escurriendo el bulto; y se empavorecen ante las urnas, cuyo destino para ellos no debe ser otro que quebrarlas. La clase política de Franco está formada por gente temblorosa y lanar. El día que les falte su *caudillo*, se plegarán a todo.

Se ha perdido ya un trimestre de estudios, pero el Rey y don Pedro siguen esperando imperturbables en Estoril a que Franco comprenda que, sin entrevista, el Príncipe no vuelve. El 13 de diciembre de 1954, el viejo conde de los Andes comunica a Franco que está encargado de ultimar los detalles de la organización de los estudios de Don Juan Carlos. El *caudillo* ha aguantado ya bastante, cede ante lo irremediable y se fija, de común acuerdo, la entrevista en la cumbre para el 29 de diciembre, en la finca de un hombre leal a Don Juan: el conde de Ruiseñada. *Las Cabezas* es una hermosa propiedad en la provincia de Cáceres, a quince kilómetros de Navalmoral de la Mata, enmarcada por la impresionante crestería de la sierra de Gredos.[15]

El Rey y el dictador se entrevistan en *Las Cabezas*

Don Juan se desplaza desde Estoril, el 28 de diciembre de 1954. Franco lo hace desde Madrid, el mismo 29. El Rey conduce su automóvil. Le acompaña Ramón Padilla. En la frontera les esperan Ruiseñada, Hernansanz y Julio Danvila, que había bullido como una olla durante las semanas anteriores, aterrado de quedarse fuera del encuentro. El viejo conde de los Andes, el de Fontanar, y un hombre

---

15. José María Ramón de San Pedro publicó en *Blanco y Negro*, el 25-VI-1966, una versión autorizada por Franco de las entrevistas con Don Juan en *Las Cabezas*. De esa versión se han nutrido la mayoría de los historiadores. La información que proporciona Franco Salgado-Araujo en sus conversaciones con Franco es apologética y poco creíble. Y la de Don Juan a Sainz Rodríguez en *Un reinado en la sombra*, deslavazada e inconcreta, aunque aporta algunas anécdotas de la sobremesa. En el archivo de Anson figuran tres versiones distintas de boca del propio Don Juan y no demasiado coincidentes. Hablaron demasiadas horas sobre naderías y el Conde de Barcelona, con el tiempo, estaba confuso sobre la conversación.

singular, discreto y clave en algunas cuestiones decisivas de la Restauración, José María Ramón de San Pedro, aguardan al Rey en la finca.

El 29, muy temprano, Don Juan ayuda a misa en la capilla de *Las Cabezas*. Después pasea en silencio y solo, hasta las once de la mañana. Es la hora en que llega Franco, acompañado por el segundo jefe de su Casa Militar, almirante Nieto Antúnez.

—¡Qué alegría volver a encontrarle, Señor! —exclama el dictador al saludar al Rey que le espera en la escalinata de la puerta principal. Don Juan recordaba siempre que, además de ese saludo tan respetuoso, Franco cedió el paso al Rey al cruzar cada puerta.

En el salón, junto a la chimenea, se acomodan el Monarca y el dictador. En una habitación contigua, con el pretexto de atender el teléfono, escucha la conversación José María Ramón de San Pedro, que toma notas. Naturalmente, a petición de Franco. Anson puede dar testimonio de esta afirmación pues fue el propio Ramón de San Pedro quien se lo contó, desmintiendo su versión escrita de que la escucha fue «fortuita». En la primera entrevista de *Las Cabezas*, Franco se lo planteó a Ruiseñada. Quería tener notas de la conversación para que no se pudiera decir que había dicho lo que no había dicho. En la segunda entrevista de *Las Cabezas*, en 1960, Franco, muerto Ruiseñada, llamaría directamente a Ramón de San Pedro, a quien había aprendido a estimar por su discreción y talento en las diferentes cacerías a las que acudía todos los años en las fincas de Ruiseñada y, después, de su hijo el marqués de Comillas.

El *caudillo*, tras interesarse por la Reina Victoria, dedica la primera hora de conversación a anécdotas militares sobre la Guerra Civil. Había maquinado hacerse con la conversación desde el principio a través del relato minucioso de lo que conocía a fondo. A Don Juan le da la sensación de que está con el abuelo que cuenta sus batallitas. En la del Ebro se recrea el *caudillo* con morosidad. Después habla de Salazar y del Concordato con la Santa Sede. Elogia a Artajo y se refiere al progreso de Extremadura.

El Rey, tras una de sus carcajadas contagiosas, entra de perfil en la perorata del *caudillo* y le propone hablar de la educación del Príncipe. Franco lo lleva todo bien preparado. Le explica cómo Don Juan Carlos debe estudiar en cada una de las Academias para integrarse en los tres Ejércitos y cerrar sus estudios con un curso final en Zaragoza. Don Juan asiente a todo. Franco pretende concretar entonces la educación universitaria, para la que ha consultado a Natalio Rivas. El Rey le interrumpe.

—Para eso ya tendremos tiempo, Excelencia.

A una referencia del Rey sobre Lovaina, Franco se muestra muy firme y asegura que lo patriótico es estudiar en la Universidad española.

Entonces Don Juan plantea en la conversación una cuestión que le ha propuesto la sagacidad de Sainz Rodríguez. Como ya no se puede hablar de la retirada de Franco, Don Juan le sugiere que nombre un presidente del Gobierno, tras explicar que en toda Europa, lo mismo en las monarquías que en las repúblicas, estaban separadas las funciones de la jefatura del Estado y del Gobierno. Franco se queda desconcertado y replica de forma un poco incoherente. Don Juan no recuerda bien lo hablado y se contradice en las distintas versiones que figuran en el archivo de Anson. Pero el *caudillo* le dice, más o menos, que estaba fuerte, que no le pesaba el trabajo y que si se separaban las funciones le atribuirían a él todo lo bueno y al jefe del Gobierno todo lo malo. O viceversa, pues Don Juan no tenía seguridad en lo que dijo el generalísimo.

—Para mí, España —le asegura textualmente el *caudillo*— es muy fácil de gobernar.

Por instinto, Franco devuelve la estocada recibida, asegurando a Don Juan que Sainz Rodríguez había pertenecido al consejo de una revista «blanca», como «hermano Tertuliano», en conexión con la Gran Logia de Burdeos, que era por lo tanto un masón y que muchos de los colaboradores del Conde de Barcelona eran liberales, además de juerguistas y borrachos. Don Juan se da cuenta de que exactamente eso es lo que el *caudillo* debe decir de él. Replica al instante.

—Tengo plena confianza en Sainz Rodríguez —afirma con un valor que enternecería a don Pedro hasta su muerte cada vez que lo recordaba.

—Yo nunca he puesto mi confianza en nadie —contesta Franco, diciendo una verdad del tamaño de la catedral de Burgos.

Se enzarzan ambos, a continuación, en un torneo anecdótico sobre los logros del régimen, los aciertos colosales de Franco en todos los órdenes, las tímidas críticas de Don Juan sobre la judicatura y la libertad de Prensa. Y hablan de los aduladores que rodean a los gobernantes y a los príncipes. Franco se refiere a Torrijos, Porlier, Riego, Espartero, Narváez, O'Donnell, Prim, Serrano, Topete, Martínez Campos y Primo de Rivera. Los cita a todos para demostrar que la Historia contemporánea de España está vertebrada por el Ejército. Habla de la bofetada de Sánchez Guerra al teniente general Aguilera, asegura que Primo de Rivera tuvo que dimitir por la caída de la peseta, veja a Sanjurjo, asevera que Mola era republicano y que llamaba a la Reina, «esa tonta». Dedica después una parrafada a la política social del Régimen. Y habla, habla, habla, con verborrea incontenible.

Ante un gesto de Don Juan mirando el reloj, el *caudillo* invita al Rey a levantarse y a acudir al almuerzo. Don Juan sienta a su derecha a Nieto Antúnez y a su izquierda al conde de Fontanar. Franco, que se ha estudiado el protocolo monárquico, sitúa a su derecha al conde de los Andes y a su izquierda a Ruiseñada. Según costumbre muy poco conocida de la Monarquía española, el dueño de la casa, cuando el Rey le honra con su presencia, no se sienta a su derecha, sino a su izquierda. Franco, pues, hace de Rey en el almuerzo de *Las Cabezas*. El capellán P. Echezárraga, Padilla, Hernansanz, Ramón de San Pedro y el jacarandoso político Julio Danvila completan la mesa y escuchan un monólogo interminable del *caudillo*, que está en vena. Cuenta anécdotas intrascendentes, habla de un moro audaz y también de un vuelo durante la Guerra Civil, en el transcurso del cual el piloto, por impericia, estuvo a punto de aterrizar en un aeródromo republicano, con Franco como pasajero.

Tras el almuerzo, en el que se sirve un excelente *Vega-Sicilia*, como desquite del *Azor*, según cuenta Ramón de San Pedro, se reúnen de nuevo a solas Don Juan y Franco. El *caudillo* habla de los carlistas y le insta al Rey para que se entienda con don Javier de Borbón Parma y se resuelva la escisión dinástica. Una cuestión, la carlista, ya menor en aquella época, pero que Franco reitera machaconamente. Sainz Rodríguez tomaría cuenta de las palabras del generalísimo, con exceso de entusiasmo y de torpeza.

Don Pedro había preparado un comunicado conjunto, «de poder a poder, de tú a tú, para dejar sorprendida a la opinión española», que Don Juan saca del bolsillo y le propone a Franco. El *caudillo*, irritado, llama a Danvila y le reprocha que no le haya advertido del proyecto de comunicado. El pobre Danvila no sabía nada. Franco traga y dice que sí al comunicado conjunto. También dice que sí a la petición de Don Juan de que se permita propaganda monárquica. Le miente solo a medias porque matiza su respuesta afirmativa y añade: «Siempre y cuando los propagandistas de la doctrina monárquica no caigan, porque ni lo consiento ni lo consentiré, en la impaciencia nada doctrinal, sino política, de decir: "Quitaos vosotros, que nos ponemos nosotros." Eso no.»

A las ocho y media de la tarde, el *caudillo* se despide de todos y abandona *Las Cabezas*. El comunicado conjunto que ha aceptado es insulso e intrascendente, redactado así con gran habilidad por Pedro Sainz para que Franco no lo rechace. Lo importante era el efecto que iba a producir el que una persona, unas veces silenciada, otras veces vilipendiada, por los periódicos de la dictadura, diera un comunicado conjunto con el *caudillo* en aquella España en la que el generalísimo estaba divinizado.

A los pocos días, Franco se da cuenta de la lidia a la que ha sido sometido. Unas semanas después declara en *Arriba*[16] —y exige la inserción obligatoria en toda la Prensa—, «que salía al paso de maliciosas interpretaciones en torno a su entrevista con el Conde de Barcelona... porque la sucesión del Movimiento Nacional es el propio Movimiento, sin mixtificaciones», que «su magistratura es vitalicia» y que «la Monarquía que en nuestra nación pueda un día asentarse *no será ni liberal ni parlamentaria*».

Basta echar una ojeada a la España actual para darse cuenta de la capacidad profética de Franco.

Además de sus declaraciones a *Arriba*, y para aliviar la mala digestión de la entrevista con Don Juan, el *caudillo* le ordena a Danvila que tramite unas declaraciones del Conde de Barcelona en favor del Movimiento. Será el fin del pobre Danvila. Redacta, en efecto, las declaraciones y se las enseña a Don Juan. El Rey las cuestiona y, desde luego, no las firma. Danvila se las lleva a Franco, como si Don Juan las hubiera aceptado, y el *caudillo* enmienda algo el texto con la mayor desfachatez. Ordena, luego, a *ABC* y *Ya* que las publiquen el 24 de junio de 1955.

Sainz Rodríguez recomienda prudencia en la reacción del indignado Don Juan. En lugar de replicar directamente, el Rey le encarga a Joaquín Satrústegui que denuncie la operación, lo que hace magníficamente, en un escrito de extraordinaria dureza sobre la sucia maniobra de las declaraciones apócrifas. Tal fue la reacción, que Franco, temeroso de un desmentido formal del Rey que le pusiera en evidencia, no volvió a referirse a aquellas «declaraciones» de Don Juan.

En enero de 1955 el Príncipe de Asturias, Don Juan Carlos de Borbón, regresa a España con el fin de empezar su preparación para ingresar en la Academia General Militar. Los duques de Montellano, comportándose como lo que son, grandes señores, le dejan su palacio de la Castellana con todo el servicio a su disposición y se retiran a vivir a otro sitio.

Como Danvila ya no es útil para nada, Pedro Sainz, que le aborrece, le elimina del entorno de Don Juan. *Sic transit*.

16. *Arriba*, 23-I-1955.

Capítulo XXII

1955-1956: FALANGISTAS CONTRA JUANCARLISTAS

A finales de 1954, los antiguos compañeros de clase del Príncipe en el colegio y varias docenas de amigos fundan la Juventud Monárquica Española, la célebre JUME, que adopta como emblema un círculo verde. Eligen presidente a Luis María Anson, un jovencísimo escritor que se ha acercado a la solución monárquica por motivos puramente racionales. Ni sentimentalismo, ni tradición, ni familia. Anson pertenece a la clase media española. Se educa, inicialmente, en el pensamiento del austero, honrado, admirable Eugenio Vegas, que, tras su regreso del exilio, vive en la antigua sede de *Cultura Española*, en la calle Gurtubay. Los primeros escritos de Anson están directamente influidos por el pensamiento de Vegas: Monarquía tradicional y antifranquismo profundo. Pero todos ellos están mutilados salvajemente por la Censura. Anson acepta la publicación cercenada, a medias por la vanidad de publicar, a medias porque en Estoril le dicen que lo importante es hablar de Monarquía, mantener el fuego sagrado de la Institución. El primer texto libre que Anson escribe, apartado ya de las intransigencias de Vegas, y a los tres meses de promulgarse la ley Fraga, se titula «La Monarquía de todos». Se publica en *ABC*, el 21 de julio de 1966, supone el secuestro del periódico y el exilio de un año para el periodista.

La JUME, cuyo carnet número 2 corresponde a Juan Antonio Ruiz-Vernacci y el 3 a Iñigo Moreno Arteaga, despliega una actividad muy intensa que alarma a Sainz Rodríguez. Don Pedro, que siente desde el primer momento estima intelectual por Anson, le frena su vehemencia y le recuerda una frase de Chateaubriand: «Pas trop de zèle». No quiere mucha actividad. No desea demasiado entusiasmo. Le preocupan los errores más que los aciertos. Hay que saber esperar.

Lucha por el poder entre juancarlistas y falangistas

La entrevista de *Las Cabezas* y la formación militar del Príncipe de Asturias abren los ojos a muchos dirigentes falangistas. Franco es un traidor y va a entregar el país a la reacción. Hay que hacer frente a la cada vez más nítidamente dibujada sucesión monárquica.

La entrevista con el Príncipe, el 15 de abril de 1955, realizada por Giménez Arnau y publicada por la revista *Semana* y los diarios *ABC* y *La Vanguardia*, irrita y preocupa a los falangistas. La lucha política en España se define, ya en 1955, con toda claridad. De un lado, Carrero Blanco, eminencia gris de la dictadura, que gana terreno cada día en El Pardo y que dos años más tarde, en 1957, forzará la crisis de Gobierno, con la entrada de su entorno católico y monárquico de activistas del Opus Dei. De otro lado, la Secretaría General del Movimiento, la Falange pura y dura, que intensifica hasta el paroxismo su propaganda contra los Borbones. «No queremos Príncipes tontos que no saben gobernar.» Ambos sectores son, en todo caso, cachorrillos colgados de las ubres generosas de la dictadura.

Los falangistas responden a la debilidad del dictador en *Las Cabezas*, el 20 de noviembre de 1955, durante el funeral por José Antonio Primo de Rivera, en El Escorial. «Franco, traidor», grita como un latigazo en el silencio de granito del templo el maestro de escuela Francisco Urdiales al que abofetea luego el jefe superior de Policía, De Diego. Y al salir el generalísimo, desde la guardia que rinde honores, alguien vocifera: «No queremos reyes idiotas.»

La muerte, el mes anterior, de Ortega y Gasset, el primer nombre de la intelectualidad española del siglo XX, había aglutinado a muchos liberales que empezaban a desperezarse contra un dictador cansado y reblandecido, dedicado al ocio, a la caza, a la pesca y al cine, aunque cumpliera siempre de forma ejemplar con sus deberes públicos y con la presidencia efectiva del Consejo de Ministros.

Pero los conatos liberales son, por el momento, una anécdota de tertulia, aunque los apoye a ráfagas el ministro de Educación, Ruiz Giménez, y cuenten con intelectuales que fueron del régimen como Pedro Laín, Antonio Tovar o Dionisio Ridruejo. La lucha encarnizada por el poder se ha abierto ya entre los falangistas y los monárquicos juancarlistas de Carrero. Franco navegará hábilmente entre aquellos dos mares tormentosos hasta 1969.

El 15 de diciembre de 1955, el Príncipe de Asturias jura bandera en la Academia General de Zaragoza. *ABC* le dedica la portada, autorizada expresamente por Franco. Pero la censura falangista de Arias-Salgado torea al *caudillo*. En la larga lista de asistentes al acto figuran docenas de catedráticos e intelectuales. La censura tacha todos esos nombres y obliga a publicar solamente los nombres de una docena de duques y condes para aristocratizar el acto. Casi todos los historiadores reproducen íntegra en sus libros la carta que Don Juan escribe a su hijo. Es un texto menor y convencional, sin otro interés que el de estar escrito, de principio a fin, por el propio Rey.

Ese mismo día, España ingresa en las Naciones Unidas con 55 votos a favor y las abstenciones de México y Bélgica. La Unión Soviética no ejerce su derecho al veto a cambio de que Estados Unidos permita la incorporación de Mongolia. *Do ut des.*
El Príncipe, que adora a su padre, sufre en Zaragoza. No tolera la menor crítica hacia su Rey. «En varias ocasiones —le confesaría a Vilallonga—[17] me peleé con compañeros que habían emitido en mi presencia opiniones sobre mi padre que no me gustaban. Nos dábamos cita, de noche, en el picadero de la Academia, y allí ajustábamos las cuentas a puñetazos.» Y al joven Anson le dice un día. «No sabes cuántas almohadas he mojado llorando porque los aplausos que a mí me dedican aquí debían ser para mi padre.» El Príncipe se considera el primer súbdito del Rey y así se lo escribe en una fotografía, lo que emociona a Don Juan.

1956. Bofetada al *caudillo*: independencia de Marruecos

Franco observa indiferente los movimientos franceses en Marruecos. Él sabe más que nadie de África y los marroquíes del protectorado están con España. Se queda atónito cuando el 6 de marzo de 1956, Francia otorga la independencia a Marruecos. El *caudillo* se ve obligado a encarcelar a los nacionalistas del protectorado. Franco es ya un gobernante que disfruta a palacios llenos del poder y no quiere complicaciones. Si se descuida un poco, es otra vez la guerra en África. Llama a Mohammed V, se olvida de la sangre derramada en tierra marroquí, la misma sangre que echó en cara a Primo de Rivera, y abandona. El 7 de abril de 1956, el *caudillo* invicto pierde Marruecos y con él una parte sustancial de su vida. Sin África, la peripecia existencial de aquel militar que rige con bota de hierro los destinos de España, no se podría explicar. Con indisimulada tristeza, Franco se ve obligado a licenciar su vistosa Guardia Mora, uno de los símbolos del glorioso caudillaje vitalicio que encarna por la gracia de Dios.

Franco: La Falange puede vivir sin la Monarquía; la Monarquía no puede vivir sin la Falange

El 9 de febrero de 1956, el diario falangista *Arriba* titula a toda plana: «Han matado otra vez a Matías Montero.» Con motivo del ho-

17. Vilallonga. *El Rey*. Pág. 140.

menaje a aquel falangista, asesinado durante la República, el día anterior se habían producido confrontaciones violentas entre estudiantes progresistas y del Movimiento. Muy probablemente fue un falangista al que se le escapó un tiro, que hirió gravemente al estudiante Miguel Álvarez. La Secretaría General del Movimiento entra en ebullición. Franco, aturdido, destituye al «liberal» Ruiz Giménez y al caduco Fernández-Cuesta. Les sustituye por Rubio García-Mina y por José Luis Arrese. Con este último, el *caudillo* retorna al más puro fascismo. Los falangistas vuelven a inclinar la balanza a su favor en la lucha que mantienen contra los juancarlistas.

El *caudillo* acosado por Arrese, se lanza en tromba. En Sevilla, el 1 de mayo de 1956, pronuncia aquella frase exaltada y amenazadora: «... si algo se interpusiese en nuestro camino, lo mismo que en nuestra Cruzada, daríamos suelta a la riada de camisas azules y boinas rojas, que lo arrollarían todo».[18] Y concluye el generalísimo de los Ejércitos de Tierra, Mar y Aire: «La Falange puede vivir sin la Monarquía; ¡ah!, la que no podría vivir sería ninguna Monarquía sin la Falange.»[19] Otra vez la voz del clarividente *caudillo* de la guerra y de la paz.

Carrero Blanco, en su despacho oficial de la Castellana, traga quina y prepara su venganza. Ya tiene a su lado a un hombre clave en la operación juancarlista para derrotar a la Falange: Laureano López Rodó, miembro del Opus Dei, hombre inteligente, ordenado y tenaz. A lo largo de este libro, el lector podrá comprobar cómo el taimado Sainz Rodríguez utilizará el talento y la capacidad de López Rodó en la vasta estrategia que había emprendido, en 1948, para engañar a Franco.

1956. Muere en accidente el Infante Don Alfonso

Es obligado hacer un paréntesis doloroso. El sábado 24 de marzo, un grupo de amigos despiden a Don Juan Carlos y Don Alfonsito, que viajan en el *Lusitania* a Lisboa para pasar la Semana Santa con sus padres.

El Jueves Santo, día 29 de marzo de 1956, después de asistir a los oficios en la Iglesia de San Antonio, en un desgraciado suceso al dispararse por accidente una pistola *Long Automatic Star*, calibre 22, muere el Infante Don Alfonso.

El Rey, sereno y con el dolor contenido, tras el entierro del niño

18. *ABC*, 2-V-1956.
19. Ibídem.

en el cementerio de Cascais, ordena al Príncipe que se incorpore a la Academia. A la semana siguiente, un grupo de la Juventud Monárquica empieza a visitarle regularmente por indicación de Don Juan. El Rey se va, como siempre, al mar y arroja a sus aguas la pistola para sepultar la inmensa tragedia. Amalín López-Dóriga, viuda de Ybarra, se ocupa de hacer, hasta su muerte, una labor impagable de compañía y consuelo a Doña María de las Mercedes, destrozada por la muerte del hijo adorado. Don Juan expresaría su agradecimiento a Amalín en una manda testamentaria con un recuerdo para su hijo Fernando Ybarra.

Capítulo XXIII

LA DOBLE OPERACIÓN RUISEÑADA

Juan Claudio Güell, conde de Ruiseñada, se queda aterrado con la incorporación de Arrese al Gobierno y, más aún, cuando se entera de las leyes que prepara. Sabe que Franco está inhibido, que deja hacer a sus ministros y que, en cualquier momento, en la lucha de fondo entre juancarlistas y falangistas, puede tomar medidas irreversibles que robustezcan definitivamente en la sucesión a la Secretaría General del Movimiento, incluso con la designación de un regente como sucesor, dignidad para la que se apuntan ya los nombres de Muñoz Grandes o de Girón. La Regencia derivaría inexorablemente en República.

Urde Ruiseñada, asesorado por Calvo Serer, según afirma el propio Calvo Serer,[21] un plan que asombra por su falta de consistencia. El capitán general de Barcelona, Juan Bautista Sánchez, es un juanista destacado, un monárquico leal, un hombre enérgico y decidido, y, sobre todo, un militar honrado. Está indignado con la corrupción, que la voz popular atribuye a algunos políticos como Arburúa. Ruiseñada le propone a Sánchez repetir la operación Primo de Rivera. Es decir, una sublevación no contra Franco, sino contra el sistema. Sánchez levantaría en armas a la guarnición de Barcelona para plantear al *caudillo* que se quedara como jefe de Estado, ocupándose el militar alzado de la jefatura del Gobierno. Si ante la situación creada, Franco aceptaba, Sánchez daría después los pasos necesarios para acelerar la Restauración en la persona de Don Juan.[22] Ruiseñada informa a Estoril del proyecto. El Rey no cree en él pero no se opone. Sainz Rodríguez piensa que fracasará. A pesar de ello, lo aprueba porque le parece bien crear dificultades a un Franco que, con el nombramiento de Arrese, está comprometiendo la sucesión.

El servicio de inteligencia del *caudillo* detecta la operación. Federico Silva hace alguna referencia al asunto y habla de un almuerzo con Ruiseñada en su comedor privado del hotel *Fénix*.[23] Franco se

---

21. Calvo Serer. *Franco frente al Rey*. Pág. 36.
22. Archivo Luis María Anson. En carta de 17 de mayo de 1993, José María Ramón de San Pedro, hombre de confianza de Ruiseñada, confirma minuciosamente a Anson todos los extremos de la conspiración.
23. Federico Silva. *Memorias*. Pág. 68.

pone nervioso y envía a Muñoz Grandes a dialogar con Juan Bautista Sánchez. El capitán general de Cataluña se muestra irreductible. No se trata de hacer nada contra Franco, como la sublevación de Primo de Rivera, en 1923, no fue tampoco contra el Rey. Se trata de terminar con el partido, con la Falange pura y dura, que puede comprometer el futuro de España, porque los españoles no quieren seguir pagando los salarios de la corrupción de una clase política cada vez más encenagada. Redacta un manifiesto y lo dispone todo como una operación de Estado Mayor. Franco seguiría en la Jefatura del Estado y él se convertiría en presidente del Gobierno para preparar sin traumas la Restauración.

En *El Alamín*, la gran finca de Ruiseñada, el conde organiza, de acuerdo con Fontanar, una cacería para enmascarar una reunión secreta de militares y civiles en apoyo del plan Sánchez. El dictador se entera y ordena que convoquen al militar, como procurador en Cortes. Ruiseñada aplaza la reunión. Juan Bautista Sánchez se indigna y, ante una serie de manifestaciones y huelgas en Barcelona, expresa públicamente su crítica al gobernador civil de la provincia. Los servicios de espionaje de Franco detectan las conversaciones y las claves de los conspiradores con el entorno del Conde de Barcelona en Madrid, Estoril y Lisboa.

Hay maniobras ordinarias en la guarnición de Barcelona. Franco, el novio de la muerte, le envía a Juan Bautista Sánchez dos banderas de la Legión para que supervisen las maniobras. Sus mandos manifiestan al capitán general que están solo a las órdenes del generalísimo. Muñoz Grandes se presenta también en Barcelona y emplea un tono amenazador en la conversación de alta temperatura que mantiene con Juan Bautista Sánchez. La tensión se hace insostenible.

1957. Juan Bautista Sánchez: ¿muerte natural o asesinato?

En la noche del 29 al 30 de enero de 1957, el capitán general de Cataluña aparece muerto en la habitación de un hotel de Puigcerdá. La versión oficial es que un infarto termina con su vida. Tal vez es verdad. Pero nadie lo cree. La clase política y la clase militar, en su inmensa mayoría, piensan que ha sido asesinado. En su extensa biografía de Franco,[24] Ricardo de la Cierva se inclina porque la muerte

---

24. Cfr. Tomo VI, pág. 102. Cfr. Preston. *Franco, caudillo de España*. Pág. 825s. También Fabre, Huertas y Ribas. *Vint anys de resistència catalana*. Barcelona, 1978.

no fue natural, a diferencia de Preston, que acepta la versión oficial. Ruiseñada envía un extenso escrito a la Reina Madre —era el Jefe de la Casa de Doña Victoria—, probablemente copia del que hace llegar al Rey. ¿Muerte natural o asesinato? El autor de este libro se ha inclinado durante muchos años por la primera premisa, como Preston. Pero en 1993, José María Ramón de San Pedro le dice por escrito, de forma tajante: «...y es que Juan Bautista Sánchez murió de un infarto. Pero de un infarto provocado. He querido siempre creer que Franco nunca tuvo nada que ver. Pero algunos falangistas del servicio secreto actuaban ya por su cuenta y eliminaban obstáculos».[25] El conde de Fontanar llama a *Villa Giralda* y le cuenta al Rey todo lo sucedido. Los servicios de inteligencia del dictador graban la conversación. Muñoz Grandes se la hace escuchar a Ruiseñada. Franco pronuncia frases muy duras contra Juan Bautista Sánchez. Se extreman las cautelas en las conversaciones desde *Villa Giralda*.

La tercera fuerza

A Ruiseñada no le llega la corona condal a la cabeza y, aterrado de una posible venganza falangista, se aproxima a Carrero y decide crear una línea monárquica del Movimiento a caballo entre Don Juan y Don Juan Carlos. Es la «tercera fuerza», para la que cuenta con Calvo Serer. El 11 de junio de 1957 firma en *ABC* el artículo fundacional, que, en contra de lo que afirma Sainz Rodríguez,[26] no lo escribe Ramón de San Pedro, sino Calvo Serer. Lo aprueba Carrero. Se titula *Lealtad, continuidad y configuración del futuro*. Cree así Ruiseñada que se congracia con Franco. Se trata de crear un sector abiertamente monárquico en el Movimiento. Algunos juanistas reaccionan airadamente y, encabezados por Joaquín Satrústegui, fundan Unión Española, que propugna desde su declaración primera una Monarquía constitucional, de todos los españoles, al margen de Franco y encarnada en Don Juan.

Pág. 208s. Sainz Rodríguez. *Un reinado en la sombra*. Pág. 166. Luis Suárez. *Francisco Franco y su tiempo*. Tomo V. Pág. 269. Tusell. *Franco y los católicos*. Pág. 428s. Serrano Súñer. *Memorias*. Pág. 238. Franco Salgado-Araujo. *Mis conversaciones con Franco*. Pág. 195s. Calvo Serer. *Franco frente al Rey*. Pág. 36s. José Luis Arrese. *Una etapa constituyente*. Barcelona, 1982. Pág. 234s.
   25. Archivo Luis María Anson.
   26. Sainz Rodríguez. *Un reinado en la sombra*. Pág. 109.

Ruiseñada financia la revista *Reino*. En *Un reinado en la sombra* —libro plagado de errores, dictado al magnetófono para cobrar un dinero necesario para pagar a su chófer y su coche— Sainz Rodríguez atribuye a Anson la dirección de *Reino*,[27] lo que provoca el error de algún historiador. Pero la revista la maneja Pérez Embid y el director es Carlos Rodríguez Eguía desde su primer número, que imita a *L'Express* de entonces, y que aparece el 30 de julio de 1957. En noviembre de ese año, Anson funda la revista antifranquista *Círculo*, aprovechando el paso de Beneyto por la Dirección General de Prensa. Dura cuatro meses y la secuestra la Censura en enero de 1958, con una multa al director, prohibición de firmar en los periódicos durante un año y un pliego de cargos en el que, incluso, se acusa a Anson de no haber sometido a la Censura el anuncio de la cafetería *Iowa*. Tusell[28] recoge con extensión, y certeramente, este pasaje, al que incluso dedica una página de fotografías que permiten contrastar la tropelía de la Censura.

Desde la revista *Círculo*, Anson defiende al más destacado intelectual monárquico de aquella época: Gonzalo Fernández de la Mora, al que admira abiertamente.[29]

1957. Franco: «Si el hijo nos sale rana como nos ha salido el padre, habrá que pensar en Don Alfonso»

Necesario es hacer un paréntesis, clave en la evolución posterior de la actitud personal de Don Juan Carlos. En 1957, con motivo del aniversario de la muerte de Don Alfonsito, Ruiseñada decide inaugurar un busto del Infante en su finca de *El Alamín*. Llama a Anson para que acudan los jóvenes monárquicos. Ruiseñada pretende dar solemnidad al acto. Anson considera que inaugurar el monumento traerá tristes recuerdos a Don Juan Carlos.

—No —interrumpe Ruiseñada—, la inauguración la hará Alfonso de Borbón-Dampierre.

27. Sainz Rodríguez. *Un reinado en la sombra*. Pág. 110.
28. Tusell. *La oposición democrática al franquismo*. Pág. 249s.
29. Cuando Fernández de la Mora se cansa de esperar y se suma al franquismo, Anson se entristece. A Pedro Sainz le parece bien el refuerzo que encuentra López Rodó porque forma parte de una estrategia que Anson no conoce. Tras la Restauración de la Monarquía, Fernández de la Mora tiene la decencia de mantener sus posiciones en favor del último Franco, al que sirvió y del que fue ministro. Aunque ya no se ven, la actitud coherente de Fernández de la Mora reaviva la admiración que Anson siente por él y por los que saben ser leales a sus ideas. Fernández de la Mora publica desde hace años una excelente revista doctrinal, *Razón Española*.

Y ante la extrañeza de Anson:

—Se lo he dicho al generalísimo —sigue Ruiseñada—. Y ¿sabes lo que me ha contestado Franco? Pues textualmente lo siguiente: «Que inaugure el busto Alfonso de Borbón-Dampierre. Quiero que le cultive usted, Ruiseñada. Porque si el hijo nos sale rana, como nos ha salido el padre, habrá que pensar en Don Alfonso.»

Franco introduce, pues, un nuevo elemento de discordia en la Causa monárquica, que tiene el peligro de un miura. Como Don Juan está excluido, si Don Juan Carlos no se muestra dócil, si el Príncipe «sale rana», el dictador puede nombrar sucesor a Don Alfonso, hijo mayor, en definitiva, del hijo mayor, tras la muerte del conde de Covadonga, de Alfonso XIII.

Anson advierte el alcance político de la frase. Envía un informe a Don Juan. Pedro Sainz le llama a Estoril. En un almuerzo con el Rey y don Pedro, Anson repite reiteradas veces, con absoluta precisión, lo que le ha escuchado a Ruiseñada. Sainz Rodríguez se da cuenta entonces de que, además de la regencia que propugnan los falangistas para eludir la Monarquía, si un día Franco aplica la Ley de Sucesión, porque vive tiempo suficiente, el nuevo riesgo se llama Alfonso de Borbón-Dampierre. Don Juan Carlos, con ese instinto político que nunca le ha abandonado, también lo advierte y lidia a su primo lo mejor que puede. Los falangistas de la Secretaría General del Movimiento al poco tiempo comprenden lo que, políticamente, significa Alfonso Dampierre. Y le cultivan a fondo. El muchacho, que es bastante obtuso pero aparenta lo contrario, y tiene una ambición sin límites, se deja querer frente a su Rey legítimo y frente a su primo, el Príncipe de Asturias.

Ruiseñada: ¿muerte natural?

De poco le sirve a Ruiseñada el entusiasmo mostrado en favor de Franco a lo largo de 1957 y su identificación con Carrero. Es un hombre joven y muere, igual que Juan Bautista Sánchez, de un infarto en la estación de Tours, en el coche cama, el 23 de abril de 1958. Nadie duda de que se trata de muerte natural. Si fue obra de los falangistas de los servicios secretos del régimen, hicieron muy bien su trabajo. Que sepa Anson, nadie en la familia, ni tampoco Ramón de San Pedro tuvieron dudas sobre las causas del fallecimiento. En todo caso, los dos conspiradores en favor de un golpe de Estado a lo Primo de Rivera están ya muertos. Para la Secretaría General del Movimiento, para la Falange dura, los juanistas no eran enemigos.

Franco no aceptaría nunca a Don Juan. Los peligrosos, y a los que había que combatir y eliminar, eran los juancarlistas. A Don Juan, el *caudillo* nunca le nombraría sucesor; a Don Juan Carlos, sí era posible. La guerra abierta entre falangistas y juancarlistas se recrudece, aunque el Gobierno de 1957, con la relegación de Arrese, es para los «camisas azules» un golpe de extremada dureza.

1957. Crisis de Gobierno: Carrero recupera el timón

Mientras se desarrolla la doble operación Ruiseñada, Carrero Blanco, ayudado por López Rodó, le ha clavado un rejón de muerte a Arrese y ha conseguido que Franco, el 25 de febrero de 1957, haga una crisis de Gobierno, incorporando a los tecnócratas del Opus. Arrese salta del control de la Secretaría General del Movimiento a un ministerio menor.

Las noticias del alcance de la crisis llegan a los monárquicos de Don Juan durante la celebración, en el hotel *Ritz*, del XXV aniversario de *Acción Española*, con arrollador discurso de José María Pemán y palabras del marqués de Quintanar, conde de los Andes, Eugenio Vegas y el falangista blando, Jesús Fueyo. La euforia en el campo monárquico es grande. La crisis significa la derrota de la Falange después del auge de 1956. «Estamos en el Gabinete Aznar», le dice Alfonso Osorio a Anson, al salir del *Ritz*. Franco durará todavía veinte años, pero era verdad que el nuevo Gobierno, con Carrero, con Castiella, con Jorge Vigón, con el general Barroso, con el almirante Abárzuza, con Navarro Rubio, con Ullastres, con la eliminación de Girón y el desplazamiento de Arrese, significaba una victoria considerable del juancarlismo sobre la Falange. Aquel Gobierno, además, frente a la bancarrota de la política de autarquía económica de Franco y sus falangistas, iba a resanar la economía y a encarrilar una prosperidad que extendería y robustecería las clases medias, lo que facilitaría, en 1975, una estructura económica sobre la cual se podría articular la democracia.

Cerca de Carrero, Laureano López Rodó es ya el hombre fuerte. Visita en secreto a Don Juan el 17 de septiembre de 1957. Le da todavía esperanzas de que Franco puede elegirle sucesor, lo que produce en Don Juan un regocijo interior inextinguible. «Este López Rodó debe creer que soy tonto de baba —piensa—. Lo que quiere él y lo que le ha ordenado Carrero es que me esté quieto y acepte todo lo que dice Franco. Es la fábula de la zorra y el cuervo. Le elogian a uno para que abra el pico y se caiga el queso.» El Rey, en todo caso, cree que López Rodó es un hombre honrado, bien intencionado y amable, y se le despierta por él una simpatía personal que no le abandonará hasta la muerte. Sainz Rodríguez estima que Laureano es el mejor hombre de Carrero y que, en la lucha contra Falange, se muestra sincero, muy activo y capaz. Don Pedro le considera enseguida una pieza clave. Decide jugar la carta de López Rodó a fondo. Antiguos falangistas están desencantados de lo que ocurre en España. Dionisio Ridruejo será el símbolo de varios nombres especialmente relevantes. «... Al cabo de tantos años —declara a la revista cubana *Bohemia*— muchos de los que fuimos vencedores, nos sentimos vencidos. Queremos serlo.»

1958. Doña Carmen da tratamiento de Majestad a Don Juan

El 14 de marzo de 1958 doña Carmen Polo de Franco, que ha organizado en su entorno un pastiche monárquico de Corte, viaja a Portugal y decide visitar *Villa Giralda*. El Rey la recibe en la puerta del chalet. Doña Carmen llega acompañada por el embajador Ibáñez Martín y su esposa. Ante la sorpresa general, doña Carmen hace a Don Juan la reverencia protocolaria y le da tratamiento de Majestad. Es imposible que no lo hubiera hablado antes con Franco. Después, sube la escalera alfombrada de rojo y entra en el salón de la residencia de los Condes de Barcelona. Allí la espera Doña María, que no siente especial simpatía por la esposa del dictador. Doña Carmen hace a la Condesa de Barcelona la reverencia protocolaria, una inclinación doblando la rodilla casi hasta el suelo, y le da también tratamiento de Majestad.

Se sirve el té, Doña María agradece a la esposa del *caudillo* el ramo de orquídeas que le ha hecho llegar, y se habla un poco de todo, en un ambiente sorprendentemente cordial. Don Juan se dispone a emprender la gran aventura marinera de su vida tres días después: seguir la ruta de Colón hasta América en *El Saltillo*. Si la ida fue peligrosa, el regreso resultó terrible. En Puerto Rico, donde ya había visto a Pablo Casals, conocería el Rey a Juan Ramón Jiménez. Habla del viaje proyectado con doña Carmen. Aquella asturiana distinguida demuestra su buena crianza y está encantadora. Se comporta con sencillez y deferencia, y sorprende a todos.

1958. Éxito del juancarlismo frente a Falange con la Ley de Principios del Movimiento Nacional

Tal vez la visita de doña Carmen esté motivada porque Carrero y López Rodó han dado un paso descomunal en su lucha contra Falange. El *caudillo* ha aceptado el texto de una nueva Ley Fundamental: la de Principios Fundamentales del Movimiento Nacional. El 17 de mayo de 1958 el dictador se va a las Cortes para promulgarla. Los falangistas contemplan al césar en la apoteosis de su gloria y su desdén. «Yo, Francisco Franco Bahamonde, *caudillo* de España, consciente de mi responsabilidad ante Dios y ante la Historia, en presencia de las Cortes, promulgo como Principios del Movimiento Nacional...» Es la consagración del cesarismo, la confirmación del mesianismo que tan certeramente detectara Luciano Rincón.

Varios de los doce principios están inspirados en las Bases de Estoril. Carrero y, sobre todo, López Rodó quieren agradar en lo posible a Don Juan. Y, además, satisfacerse con el gran trágala a los falangistas. En el principio VII se establece, de forma inequívoca, como forma de Gobierno, «la Monarquía tradicional, católica, social y representativa».

1958. Las relaciones con la Iglesia

La especial atención de Don Juan a las relaciones de la Corona con la Iglesia se intensifica con el acceso de Juan XXIII al solio pontificio. Con Pío XII, el Rey había mantenido contactos y extensa correspondencia y la actitud del Vaticano con relación a España estaba clara: apoyo a la Restauración de la Monarquía en la persona de Don Juan. El colosal acierto que fue el Concilio Vaticano permite al Conde de Barcelona resituar la política monárquica con relación a la Iglesia. El Rey intensifica el contacto con Juan XXIII, como lo hará a partir de 1963 con Pablo VI. Para Don Juan, el Estado, tras el concilio, debía ser no confesional, pero la Monarquía española que él encarnaba era católica y la cruz remataba la Corona. Jamás tuvo la menor duda en estas cuestiones de fondo. Sabía, como la *Antígona* de Sófocles, que las leyes humanas no pueden prevalecer sobre las divinas. Se sentía muy lejos de Creonte. Nunca hubiera surgido, con Don Juan, un Becket que tuviera necesidad de defender contra su Rey el honor de Dios.

Capítulo XXIV

LA ADHESIÓN DE LOS CARLISTAS A DON JUAN

El 10 de mayo de 1713 Felipe V promulga el «Nuevo reglamento sobre la sucesión en estos Reynos.»[30] Es el Autoacordado. En él se establece que no pueden reinar en España mujeres, en tanto existan varones en la misma línea o en el mismo grado —es decir, una ley semisálica—. Tampoco pueden reinar nacidos fuera de España, una imposición de Luis XIV para que los Habsburgo no regresen a España.

En 1788, tras la muerte de Carlos III, su sucesor Carlos IV, que no había nacido en España, decide abolir aquella Ley Fundamental que le excluía del Trono y que casi nadie recordaba. El Rey convoca las Cortes y aprueban sin debate la Pragmática Sanción que restablece la Ley de Partida por la que pueden reinar mujeres. Pero eso no es más que un pretexto. De lo que se trata es de derogar el Autoacordado y, con él, la prohibición de que no pudieran reinar en España los nacidos fuera del territorio nacional. Carlos IV decide aplazar la publicación en la *Gaceta* de la Pragmática Sanción para evitar suspicacias. Y con el tiempo lo olvida.[31]

Cuando en 1830, casado por cuarta vez con María Cristina de Nápoles, Fernando VII piensa en lo que ocurriría si solo tiene hijas, decide publicar la Pragmática Sanción, aprobada por las Cortes y el Rey en 1789. Su hermano Carlos María Isidro niega legitimidad al acto y, cuando Fernando VII muere en 1833, dejando como sucesora a su hija Isabel II, una niña de tres años, Carlos María Isidro, Carlos V de los carlistas, se alza en armas. Empieza así la primera guerra carlista, que se prolonga seis años. Naturalmente, no se trata solo de una cuestión de legitimidad dinástica. Los vientos de la Reforma que soplaron en Europa durante los siglos XVI y XVII llegan a España en el XIX. Los liberales se refugian tras la niña Reina; los absolutistas, tras Carlos V. Después de seis años terribles, el abrazo de Vergara deja en el Trono a Isabel II.

A Carlos V le sucede su hijo Carlos VI, que muere en 1861 sin hijos. A éste, Juan, hermano de Carlos V, al que los carlistas no reconocen porque aceptó a Isabel II, perdiendo así la legitimidad de ejercicio. Hubiera sido el Juan III de los carlistas, los cuales se

---

30. *Novísima Recopilación.* Libro III. Título I. Pág. 4s.
31. Jesús Pabón. *La otra legitimidad.* Prensa Española, 1965. Pág. 35s.

arraciman en 1868 en torno a su hijo el gran Carlos VII, que reina en una parte de España, organiza su corte en Estella y es derrotado por Alfonso XII en 1876. Al cruzar la frontera pronuncia el célebre «¡Volveré!» Muere en 1909. El hijo de Carlos VII, Jaime III, fallece sin hijos el 2 de octubre de 1931, ya en el exilio Alfonso XIII, con el que había mantenido contactos. La legitimidad carlista la hereda Alfonso Carlos I, hermano de Carlos VII, un anciano que, en 1936, a los ochenta y siete años, muere en Viena sin descendencia. Según la legitimidad de origen carlista, los derechos a la Corona, a través del tercer hijo de Carlos IV, Francisco de Paula, cuyo hijo Francisco de Asís casa con Isabel II, pasan a la rama alfonsina. Como Alfonso XIII no tiene la legitimidad de ejercicio porque ha sido y se mantiene como Rey liberal, los derechos recaen en Don Juan, si éste acepta los principios de la Comunión Tradicionalista. Es, muchos años después, el acto de Estoril de 20 de diciembre de 1957. Un empeño bastante absurdo de Sainz Rodríguez para tapar la boca a Franco. Los nombres más destacados de la Comunión Tradicionalista se adhieren a Don Juan en un acto emotivo en el que el Rey acepta los principios generales de la Comunión Tradicionalista. Más tarde, en 1958, en Lourdes, rodeado de unos dos mil carlistas, Don Juan se pone la boina roja, símbolo de los requetés.

Como don Javier de Borbón Parma, albacea de Alfonso Carlos I, se había proclamado Rey de los carlistas y su hijo Hugo, Príncipe de Asturias, Franco y los falangistas airean esta fórmula para dividir a los monárquicos. Por otra parte, el Autoacordado de 1713 era solo una ley semisálica. Así es que otro sector carlista reconoce a Carlos VIII, hijo de doña Blanca, la hija mayor de Carlos VII. Franco hace una propaganda frenética del «carlosoctavismo», pero este príncipe se le muere sin hijos varones y sus hermanos no se prestan a nuevos juegos.

El error de Sainz Rodríguez al organizar la adhesión de los carlistas a Don Juan provoca la reacción de amplios sectores monárquicos y de la izquierda. Satrústegui, que ha puesto ya en marcha Unión Española, se manifiesta airadamente y Don Juan se queda en una posición difícil. Unos años después, Indalecio Prieto, que en 1948 había acordado, entre monárquicos y socialistas, el Pacto de San Juan de Luz, hace públicas, de acuerdo con Rodolfo Llopis, unas conclusiones en las que se lee: «Que se opondrían a una restauración en la persona de Don Juan de Borbón, dada su adhesión a los tradicionalistas.»[32]

---

32. Archivo Sainz Rodríguez.

El Rey lo que quiere, lo que siempre ha querido, es una Monarquía como la británica y no una Monarquía absoluta como la carlista o fascista como la de Franco. Pero lo hecho, hecho está y, naturalmente, Pedro Sainz nunca reconocerá que se había equivocado.

Debe pasar a la Historia como Juan III

El autor de este libro ha repasado una treintena de obras de Historia relacionadas con la dinastía carlista. En todas ellas, sin excepción, se coloca el ordinal detrás del nombre de cada uno de los reyes carlistas: Carlos V, Carlos VI, Juan III para los tradicionalistas que le reconocieron, Carlos VII, Jaime III y Alfonso Carlos I. Los reyes carlistas no fueron reyes de hecho de España. Lo fueron de derecho para la minoría de la Comunión Tradicionalista. Alguno de los historiadores mencionados que llaman, por ejemplo, a don Carlos Luis de Borbón, Carlos VI, niegan a Don Juan que se le conozca en la Historia como Juan III. No existen argumentos científicos. Sencillamente es que llamarle así molestaba de forma particular a Franco. El ordinal no tiene otra significación que una forma de identificación histórica. Luis XVII de Francia no reinó, pero ocupa en su dinastía el lugar que señala el ordinal. Don Juan no fue Rey de hecho de España. Lo fue de derecho para la inmensa mayoría de los españoles, monárquicos o republicanos, como hijo heredero de Alfonso XIII. En un impecable dictamen para la Academia de la Historia, uno de los historiadores de máximo prestigio en el siglo XX, Carlos Seco Serrano, concluye de forma irrebatible que Don Juan «debe pasar a la Historia con el nombre de Juan III».[33]

---

33. Carlos Seco Serrano. *Debe pasar a la Historia con el nombre de Juan III*. Dictamen para la Academia de la Historia, publicado en *ABC* el 13-VII-1993. Pág. 57.

Capítulo XXV

LAS CABEZAS, 1960: TERCERA ENTREVISTA DON JUAN-FRANCO

En 1959, el Príncipe de Asturias concluye sus estudios militares. El Rey lo retira de España. Sainz Rodríguez asegura: «No hay más que esperar. Franquito necesita al Príncipe y vendrá a comer en la mano de Vuestra Majestad. El chico no debe volver a España hasta que Franquito pase por el aro de una nueva entrevista pública.»

El 29 de enero de 1959, en el hotel *Menfis*, Satrústegui organiza el acto público fundacional de Unión Española. Hablan Miralles, el propio Satrústegui y Tierno Galván, que deslumbra a todos. Dice: «Existe legitimidad nacional cuando una institución se ajusta al nivel psicológico de opinión y de bienestar de la colectividad.» Y añade: «La Monarquía es, a mi juicio, deseable para España, ya que es la Institución que mejor puede lograr la legitimidad nacional.»[34] Centenares de políticos de izquierda y derecha, monárquicos y republicanos, firman el documento fundacional de Unión Española. Es el embrión de la Monarquía de todos. Los falangistas airean el acto del *Menfis* para irritar a Franco y comprometer la política de Carrero. Don Juan duda si debe hacer pública la nota que le piden los monárquicos franquistas desautorizando el acto del *Menfis*. Pedro Sainz se lo impide. Defendería siempre a Satrústegui a dentelladas. Él sabía muy bien por qué lo hacía. Los demás, no.

—Para llegar al postre —le diría un día a Anson—, hay que comerse el primer plato y luego el segundo. Satrústegui es el postre, la Monarquía constitucional. Ya le llegará su hora. No hay que precipitarse, pero sería estúpido anularle.

Se publica el libro *Anti-España 1959*, de Mauricio Carlavilla, en el que se acusa a Don Juan de masón. Es, en parte, una réplica a la obra *¿Para qué...?*, de Juan Antonio Ansaldo, que Franco lee tal vez con varios años de retraso y que le irrita, aunque se trata de un texto de escaso interés, puramente anecdótico, extensísimo y en muchas ocasiones estrambótico.[35]

---

34. Joaquín Satrústegui. *La política de Don Juan III en el exilio. ABC*, 23-XII-90. Pág. 36.

35. Juan Antonio Ansaldo. *¿Para qué..? De Alfonso XIII a Juan III.* Editorial Vasca Ekin. Buenos Aires, 1951. Son 563 páginas de anécdotas menores. Edición rarísima que Anson tiene en su biblioteca. El libro se lo prestó un amigo íntimo de Pedro Sainz, y Anson, siguiendo las enseñanzas del maestro, todavía no se lo ha devuelto.

Sainz Rodríguez elimina al duque de la Torre

El duque de la Torre, preceptor del Príncipe, prepara con rigor y minuciosidad la educación universitaria de Don Juan Carlos. Elige Salamanca, en cuya Universidad enseñan profesores de gran prestigio. Tanto Don Juan como Franco, que conocen los proyectos del duque de la Torre, están de acuerdo. El duque es un hombre independiente y, caso único, tiene a la vez la confianza del Rey y del dictador.

Sainz Rodríguez, sin embargo, decide liquidar al duque de la Torre. Es una de sus más audaces y clarividentes jugadas políticas. Su razonamiento no puede resultar más sencillo. En España, la lucha política se libra ya, descarnada y a cara de perro, entre juancarlistas y falangistas. La posición de la Secretaría General del Movimiento es visceralmente hostil a la Monarquía y a Don Juan. Pero mucho más a Don Juan Carlos, que significa para los falangistas la alternativa viable a la que Franco puede dar paso. Un Príncipe independiente con el duque de la Torre no sería útil en la batalla que se está produciendo. En la estrategia a largo plazo de Sainz Rodríguez, su cerebro sagaz ve con nitidez que resulta necesario entregar el Príncipe a Carrero-López Rodó. Hay que convertir a Don Juan Carlos en la gran baza de los tecnócratas y comprometerles a que luchen por él hasta la extenuación. La victoria de Don Juan Carlos debe ser también la de Carrero y López Rodó sobre la Falange, que, para Sainz Rodríguez, no es otra cosa que el taparrabos de la dictadura militar. Don Pedro quiere que los *lópeces*, con su mediocridad resplandeciente, se conviertan en instrumento seguro de su estrategia bifronte para la Restauración.

Así es que, el 15 de diciembre de 1959, prepara en *Villa Giralda* una encerrona de considerable vileza contra el duque de la Torre.

—Fue una putada —le diría a Anson, años después—. Pero hay putadas que no queda más remedio que hacer. El duque de la Torre era un personaje serio y trabajador, aunque un poco excéntrico. Yo le tenía en gran estima personal. Sus artículos en *ABC*, además, resultaban muy útiles para personas como yo, que padezco de insomnio. Bastaba adentrarme en la lectura de un artículo del duque de la Torre para que un inmenso sopor me invadiera. No tenía, pues, hacia él más que motivos de agradecimiento.

A la encerrona asisten Sainz Rodríguez, Arauz de Robles, Juan Ignacio Luca de Tena, Gonzalo Fernández de la Mora, Florentino Pérez Embid y el conde de la Florida. Todos, bien aleccionados por

Sainz Rodríguez, acorralan al duque de la Torre, que se defiende como una pantera de Java. El Rey asiste a la justa. Dos días después, el duque se rinde. Ricardo de la Cierva publica íntegro en *Franco Don Juan, los reyes sin corona* el relato —el historiador lo cree inédito— que el duque de la Torre le lee un día y le entrega.[36]

1960. Se reorganiza el Consejo Privado

En enero de 1960 se reorganiza el Consejo Privado para que se incorporen los dirigentes tradicionalistas. José María Pemán es el presidente (no existe nombramiento oficial del cargo ni en el archivo de Don Juan ni en el de Pemán); José Yanguas Messía, el vicepresidente, y Alfonso García Valdecasas, el secretario. Sobre este último recaía la responsabilidad de la acción y la organización.

—Como se trataba de no hacer nada y esperar, Valdecasas, de fina inteligencia, era el hombre adecuado. Yo estaba seguro de que nunca haría nada. Pero superó incluso mis esperanzas y las expectativas que pusimos en él —le explicó, ya en 1982, Sainz Rodríguez a Anson.[37]

Pedro Sainz es quien propone que Pemán se alce con la presidencia del Consejo Privado. Siente por él una gran estima personal. «Lo que más aprecio yo en Pemán es su calidad humana, pues pocos hombres tan buenos, tan leales y tan caballeros como él he encontrado en mi vida», escribiría un día.[38]

Don Juan y Franco se intercambian cartas y comunicaciones y se ponen de acuerdo en los profesores, una buena parte de ellos vinculados al Opus Dei. Sainz Rodríguez dice a todos que sí. Incluso a Federico Suárez Verdeguer, un nombre que cuela Franco y que le ha sugerido a Carrero el entorno del Opus. Se trata de un sacerdote de ese Instituto, historiador eminente y autor de un libro insustituible, ya citado, sobre los sucesos de La Granja en 1832.

El director de *ABC*, Luis Calvo, mantiene con Sainz Rodríguez una enloquecida correspondencia camuflada en la que le informa de

---

36. Alfonso Armada, a quien el duque de la Torre le proporcionó los mismos folios, los había ya publicado en *Al servicio de la Corona.* Págs. 95-101. También se los entregó el duque a Anson y figuran en su archivo. El texto de Armada y el del archivo de Anson son idénticos y tienen algunas diferencias con el que publica Ricardo de la Cierva.

37. Archivo Luis María Anson.

38. Sainz Rodríguez. *Semblanzas.* Planeta, 1988. Prólogo de José María de Areilza. Epílogo de Luis María Anson. Pág. 177.

todo. Al lado de las más espinosas cuestiones políticas, Calvo y Sainz debaten bizantinismos literarios y filológicos. O el origen de la minifalda, cuando en Londres arranca la moda de Mary Quant. Calvo le escribe a don Pedro sobre la isla de Samos, donde los argonautas elevaron un templo a Juno, custodiado por muchachas esbeltas de clámide breve, a las que en los textos griegos antiguos se las llama «phainomeridas», es decir, «las que enseñan los muslos».

El *caudillo*, al que nada le importan las disquisiciones eruditas en su gloria inmarcesible, lo que trata es de resolver la educación del Príncipe, sin entrevistarse con Don Juan. Pero cede finalmente a la tenacidad de Sainz Rodríguez y fija para el 29 de marzo de 1960 un nuevo encuentro en *Las Cabezas*. Se han perdido ya varios meses. Franco acude a la finca a ver al Conde de Barcelona «para pedirle al Príncipe —le dice un día Pemán a Salmador— con la concreta tenacidad con que había pedido un día a Hitler aviones o a Mussolini, legionarios».[39]

Don Juan llega a las siete y media de la tarde del lunes 28 de marzo. Muerto Ruiseñada, le acompaña su hijo y dueño de la finca, el marqués de Comillas. El duque de Alburquerque, jefe de la Casa del Conde de Barcelona, y el jefe de su Secretaría, Ramón Padilla, viajan también con el Rey.

Al día siguiente, aniversario de la muerte del hijo que siempre llevó en el corazón, el Infante Don Alfonsito, Don Juan ayuda en la misa por el descanso de su alma.

A las doce de la mañana, el dictador, con tres ayudantes de servicio, Casa Loja, Fuertes de Villavicencio y Puente Bahamonde, vestido de gris y con sombrero de fieltro, llega a *Las Cabezas*, abraza materialmente a Don Juan y bromea con todos. La entrevista, en el mismo salón que en 1954, es breve. Dura poco más de una hora. Ramón de San Pedro repite la operación y toma notas para que quede constancia, según desea Franco, de lo que ha dicho.

El dictador se mantiene cordial pero no está de buen humor. Ha acudido a *Las Cabezas* obligado por las circunstancias, porque sabe que la entrevista no le favorece ante la opinión pública. Tiene preparada una jugada que Don Juan no imagina. Él es Franco, el ungido por la Historia, el «*caudillo* de España por la gracia de Dios».

El Rey abre la conversación refiriéndose a la ebullición en África y a las independencias que empiezan a producirse, aunque cree que no afectarán a Angola y Mozambique por la firmeza y hábil política de Salazar.

---

39. Víctor Salmador. *Don Juan de Borbón*. Pág. 121.

Franco no está por la labor de contrastar su sabiduría sobre África con la de aquel párvulo y entra de lleno en la educación universitaria del Príncipe. Se refiere a su residencia, que apunta puede ser la Casa de los Peces, en El Escorial, y a los riesgos de la Universidad de Madrid con los estudiantes levantiscos. Don Juan le tranquiliza y Franco hace un repaso exhaustivo de materias y profesores. El acuerdo es fácil y fluido, salvo cuando el *caudillo* propone el nombre de Adolfo Muñoz Alonso. Don Juan dice que no y Franco se pliega. Todo está resuelto. Hasta que el dictador mira al Rey de frente y le dice con acidez:

—Sigo sin comprender por qué mantiene Vuestra Alteza a su lado a un masón como Sainz Rodríguez, a pesar de todas las indicaciones que le he hecho.

Y durante unos minutos se explaya en su diatriba contra don Pedro. Le conoce tan bien que sabe que solo si consigue eliminarle del entorno de Don Juan podrá intentar el control del Rey.

—Excelencia —contesta textualmente Don Juan—. Si estuvieran aquí sentados Calvo-Sotelo, Ramiro de Maeztu y Víctor Pradera se echarían a reír. Sainz Rodríguez es un católico practicante, especializado en mística y literatura espiritual. Nadie más alejado de la masonería. Sé que hace tiempo encargó Vuecencia, mi general, una investigación a Joaquín Arrarás y el propio Arrarás me contó que no había encontrado nada. Pero, a pesar de que yo no le doy al asunto de la masonería la importancia que le otorga Vuestra Excelencia, basta con que me presente una prueba concreta para que yo aparte a Sainz Rodríguez de mi lado.

—Pues no solo Sainz Rodríguez. También tiene y ha tenido Vuestra Alteza otros masones a su lado. Aunque no lo sepa, López Oliván, Alfonso de Orleans y el duque de Alba han pertenecido a la masonería.

—Que venga Dios y lo vea —dice Don Juan, y añade algo más en medio de una de sus carcajadas contagiosas.

El *caudillo* desvía la conversación. No está acostumbrado a que le hablen así. Se levanta y pasan a almorzar. A la derecha de Don Juan se sienta Casa Loja; a la izquierda, el conde de Güell. A la derecha de Franco, Alburquerque; a la izquierda, el marqués de Comillas. Villavicencio, Padilla, Puente y Ramón de San Pedro ocupan los restantes lugares. Danvila ha sido laminado.

Franco monopoliza la conversación, pontifica sobre caza y pesca y explica las reformas que está realizando en las residencias reales de La Granja, Riofrío y Aranjuez. Don Juan tiene la impresión de que el *caudillo* considera a España como una finca de su propiedad particular.

A las cuatro de la tarde, el Rey y el dictador regresan al salón y prosiguen su conversación a solas. Don Juan muestra el comunicado que le ha preparado Sainz Rodríguez. Franco dice que no ve necesario dar un comunicado conjunto.

—Si por cualquier razón —le interrumpe Don Juan— encuentra, mi general, que el comunicado es inoportuno, yo no tengo prisa y, como el curso está muy avanzado, me puedo quedar con el chico hasta el mes de octubre.

«En cuanto Vuestra Majestad amenace con retener al Príncipe, Franquito cederá en todo», le había vaticinado Sainz Rodríguez.

Don Pedro tenía razón solo a medias. Franco jugaba con las cartas marcadas. Era ya mucho más largo de lo que suponía Sainz Rodríguez, que le recordaba de novato Jefe de Estado. El *caudillo* le pide a Don Juan que suprima a Don Juan Carlos el título de Príncipe de Asturias, pues «no había sido jurado en las Cortes». No hace caso del argumento del Rey: en las Familias Reales, cuando están en el exilio, la sucesión de títulos se efectúa automáticamente.

El Conde de Barcelona y el generalísimo se han puesto ya de acuerdo en el comunicado cuando llegan los ministros Jorge Vigón y Jesús Rubio. Franco no les invita ni a sentarse. Les trata como a ordenanzas. Don Juan, sonriendo, les pide que se acomoden y prosigue la conversación hasta la despedida a las siete de la tarde.

Al llegar a Madrid, el dictador, que no quería reacciones como las que produjo la anterior entrevista, modifica con la mayor frescura el comunicado conjunto que habían aprobado ambos y ordena a la Censura que todos los periódicos lo publiquen igual. Pedro Sainz no había previsto que aquel hombre, endiosado y mezquino, era capaz de semejante bajeza.

En el comunicado conjunto, que se reproduce a continuación, va en cursiva una supresión que hizo Franco y en negrita los dos añadidos:

«El día 29 de marzo de 1960 se han entrevistado S.E. el Jefe del Estado y S.A.R. el Conde de Barcelona. En la entrevista que se desarrolló en términos de gran cordialidad, se han examinado temas de importancia para la vida nacional, en los que ambos interlocutores se mostraron de acuerdo.

Entre los temas examinados figura el de la nueva y última etapa de estudios civiles de *S.A.R.* el príncipe don Juan Carlos. Se han puntualizado los diferentes extremos de la organización de dichos estudios, que el príncipe ha de realizar en nuestra Patria en íntimo y constante contacto con la Universidad española.

Ante las interpretaciones falsas de base a que la estancia del príncipe en España ha dado lugar, especialmente en el extranjero, Su Excelencia el Jefe del Estado y S.A.R. el Conde de Barcelona hacen público que dicha estancia se debe a razones pedagógicas y de sentido nacional, pues es conveniente al príncipe don Juan Carlos se eduque en el ambiente de su Patria lo que, *conforme a la Ley de Sucesión,* no prejuzga la cuestión sucesoria, ni la normal transmisión de las obligaciones y las responsabilidades dinásticas.

La entrevista terminó con la robustecida persuasión de que la cordialidad y buen entendimiento entre ambas personalidades es preciosa para el porvenir de España y para la consolidación y continuidad de los bienes de la paz y de la obra realizada *por el Movimiento Nacional.*»

El dictador, pues, con la modificación unilateral de un comunicado, acordado por ambas partes y amparado en la censura y la indefensión de Don Juan, hace que el Rey reconozca y acepte, ante la opinión pública, la Ley de Sucesión, que había condenado en el Manifiesto de Estoril de 1947 y, además, que haga un canto al Movimiento Nacional.

El 11 de abril de 1960, Don Juan, que está asqueado por lo sucedido, le escribe a Franco, desviando la responsabilidad a la Censura: «Habrá advertido que, en la prensa española, se ha publicado la nota conjunta de la entrevista con un par de breves interpolaciones y una supresión, sobre la redacción que nosotros allí literalmente acordamos. Me apresuro a afirmar que no es la sustancia de estas variaciones lo que me ha preocupado, pues no las considero fundamentales. Pero me ha preocupado el ver confirmada, en ese extraño episodio, la seguridad que ya le anticipé de que existan en los órganos administrativos de su Régimen, en materia de información o Prensa, piezas o personas que tienen especial empeño en entorpecer la claridad de nuestras relaciones, ya que, naturalmente, supongo a V.E. totalmente ajeno a estas variaciones de lo acordado, que seguramente ha conocido como yo al verlas en letra de molde.»

Con el mayor cinismo, Franco contesta seis días después al Rey para que quede bien claro que él manda en todo y que de nada le valen a Sainz Rodríguez sus maniobras con los comunicados-conjuntos: «Respecto a las pequeñísimas variaciones llevadas a cabo en el texto de la nota que aquí se dio a la Prensa, y que no desvirtúan en lo más mínimo al que en *Las Cabezas* di mi conformidad, se llevaron a cabo con mi expresa autorización, por haber considerado en una nueva lectura que el texto acordado, y que traíais anticipadamente redactado (le falta decir: por Sainz Rodríguez, *n. del a.*), interesaba dejase a salvo la Ley de Sucesión en vigor, consultada y refrendada por la Nación, y que la consolidación y continuidad de la obra realizada es la del Movimiento Nacional, pues ése fue el fondo de nuestra conversación y del equívoco despejado en nuestras cartas, que aclaraba los conceptos vertidos a un gran sector susceptible de nuestro país.»[40]

Es la dictadura y el Rey lo había olvidado. Franco impone arbitrariamente lo que le da la gana. Don Juan reacciona y ordena a Joaquín Satrústegui que explique la verdad. La hoja informativa que difunde *Unión Española* enciende el pelo. Franco y sus trapisondas[41] quedan al descubierto y a la pública vergüenza.

López Rodó, en sus *Memorias*[42] recoge el comunicado tal y como se dio censurado por Franco y las dos cartas entre el Rey y el dictador como si el incidente careciera de importancia, como si Don Juan estuviera de acuerdo con las correcciones. Olvida la libertad de Prensa de la nueva Monarquía. Desde *ABC*, Joaquín Satrústegui, claro, le dio al ex ministro de Franco un baño de consideración.

El Príncipe, en la Universidad Complutense

El 19 de octubre de 1960 saltan chispas cuando el Príncipe entra en el vestíbulo de la Facultad de Derecho. «¡Fuera el príncipe de Sissi!», gritan los carlistas capitaneados por Ortí Bordás. «¡Abajo el Príncipe tonto!» «¡Viva el Rey Javier!» La tensión alcanza unos grados que hacen prácticamente imposible que el Príncipe pueda acudir a la Universidad. El duque de la Torre se frota las manos. Sainz Rodríguez llama telefónicamente por primera vez a Anson.

—Haga usted algo —le dice— No le puedo explicar ahora lo importante que es que Don Juanito asista a clase con normalidad.

Anson negocia con la ASU (Asociación Socialista Universitaria), con la célula comunista clandestina y con las Falanges Universitarias, que preside Alberto Martínez Lacaci. Llega a un acuerdo. Al Príncipe no se le hará ni caso. Como si fuera un estudiante más. Los carlistas se muestran irreductibles. Durante varios días crece la tensión. Son pocos. No más allá de treinta. El 31 de octubre Anson despliega los efectivos que en la Universidad tiene la JUME, por encima de los doscientos estudiantes. Media docena de juanistas rodean a cada carlista, sin violencia. El Príncipe entra en la Facultad sin

40. Archivo Don Juan de Borbón.
41. José María Toquero. *Franco y Don Juan*. Pág. 283.
42. López Rodó. *Memorias*. Tomo I. Pág. 215.

gritos. Una buena parte de los historiadores —Ricardo de la Cierva, Toquero, González Doria, Sainz Rodríguez— dedican grandes elogios a esta gestión de la JUME, iniciada tras una entrevista de sus directivos con el Príncipe en la *Casita de Arriba* en El Escorial, donde vivía. Acompañan a Anson su colaborador más asiduo en aquella época Joaquín Guirao, José María Yanguas y Santiago Álvarez de Toledo. Anson recibe una larga y bella carta de Don Juan. También le escriben Sainz Rodríguez, Juan Ignacio Luca de Tena —quien, como presidente de la Comisión de Información del Consejo Privado, dirige al Rey el 7 de noviembre de 1960 una carta colmada de elogios—, Pemán y Yanguas. La solución del conflicto sosiega las alturas monárquicas. Anson desconocía entonces el fondo de la destitución del duque de la Torre. El incidente en la Universidad le parece una cuestión menor. Pero le causa gran satisfacción recibir tantas felicitaciones.[43]

---

43. Cfr. Sainz Rodríguez. *Un reinado en la sombra*. Págs. 93-99. Sainz reproduce casi íntegro el Informe redactado por Anson para el Consejo Privado y el Rey.

Capítulo XXVI

NOCHEBUENA DE 1961:
¿ACCIDENTE O ATENTADO?

El 24 de diciembre de 1961, día de Nochebuena, Sainz Rodríguez está especialmente activo. A las siete de la tarde telefonea a Anson:

—¿Hay alguna noticia? —pregunta.

—Nada, que yo sepa, don Pedro. Es un día plano.

A la hora repite la llamada, lo que le extraña a Anson. Le recuerda que es Nochebuena, que al día siguiente no sale el periódico. Está en su casa.

—Pues no se mueva usted de ahí.

Poco después de las nueve vuelve a llamar.

—No se entera usted de nada —le grita—. ¿Qué clase de periodista es usted? Franquito ha tenido un gravísimo accidente de caza. Avise usted a Pemán y a Valdecasas, y muévase.

Ante el desconcierto de Anson, Sainz Rodríguez vuelve a gritarle.

—¡Pero no se da usted cuenta, hombre de Dios, que si Franquito se muere esta noche, mañana tenemos al Rey en Palacio!

Con infinitas dificultades, Anson procura informarse. Tiene una situación complicada. Tras ganar un importante premio periodístico, le ofrecieron un almuerzo de homenaje en el hotel *Fénix*, de Madrid. Asistieron ochocientas personas y casi cien militares. Anson, en su discurso, envió a Franco a Yuste y dijo: «Estoy seguro de que en muy poco tiempo volveremos a escuchar, sobre las losas cargadas de Historia del Palacio Real, los pasos amigos del Monarca que llega.» Se organizó un gran escándalo político y la Censura prohibió durante un año la firma de Anson en el periódico, aparte de imponerle sesenta mil pesetas de multa, unos cuatro millones de 1994, pagadas a través de una colecta que organizó Satrústegui. Sobre el acto, Franco le había dicho a *Pacón*: «Es lamentable que con un permiso concedido para una reunión de carácter literario, ésta se haya conver_ido en un mitin político. También deploro la actitud de los militares, los generales que asistían al acto. Hubieran debido marcharse al ver el carácter político que se daba al homenaje a Anson. No lo hicieron, sino que se quedaron hasta el final encantados.»[44]

Por cuarta vez le llama don Pedro.

---

44. Franco Salgado-Araujo. *Mis conversaciones con Franco*. Pág. 319.

—Es verdad todo —le dice Anson—. Franco está en el hospital del Aire. Le han operado, creo que de un brazo, y no es nada grave.

—¿Cómo sabe usted que no es grave? A la edad de Franquito todo es gravísimo.

Todavía don Pedro llamará una vez más, al filo de la medianoche, para pedirle a Anson que se mantenga alerta «porque las anestesias, a la edad que tiene este cabroncete, son muy peligrosas».

Según la estrategia trazada en 1948 por Sainz Rodríguez, Don Juan solo sería Rey de hecho si Franco se moría de una enfermedad súbita, un accidente o un atentado, y el fallecimiento coincidía con una situación militar favorable a Don Juan. ¿Quién era el ministro del Ejército, quién el capitán general de Madrid, quién el de Barcelona, en diciembre de 1961?

Antonio Barroso era el ministro del Ejército; Pablo Martín Alonso, el capitán general de Madrid; Miguel Rodrigo, el capitán general de Barcelona. Además, el almirante Abárzuza era el ministro de Marina. De los otros seis capitanes generales, al menos cuatro estaban cerca de Don Juan, mientras García Valiño dirigía la Escuela Superior del Ejército. Si el dictador hubiese muerto aquella noche, Don Juan habría sido el Rey de España.

El día 24 de diciembre de 1961, tras el almuerzo, Franco decide ir a disparar palomas en el monte de El Pardo. A las cinco y cuarto de la tarde le explota la escopeta con la que cazaba. Tiene la suerte de que, situado en una colina, está apuntando hacia abajo y el impacto solo le afecta a la mano izquierda, en lugar de a la cara. La escopeta es una magnífica J. Purdei & Sons, número 22.513, fabricada en Londres en 1925, del calibre 12. La Unión Española de Explosivos facilitaba a Franco los cartuchos, abrillantados en la base o culote. Eran del 41 especial, cargados con perdigón 7ª.

El marqués de Villaverde atiende al *caudillo* herido y le traslada al hospital central del Aire, en la calle de la Princesa. Los doctores Agustí y Cantero, auxiliados por la enfermera Charo Cardona, le anestesian. El doctor Garaizábal, asesinado después en un atentado en Beire, Mozambique, le opera. El doctor Ramón Soriano, que le atenderá más tarde en su rehabilitación, ha dejado escrito un excelente libro[45] sobre la lesión de Franco.

En sus *Memorias*,[46] Laureano López Rodó revela esta confesión terrible de Camilo Alonso Vega, ministro de la Gobernación, al producirse el accidente: «La opinión del ministro de la Gobernación, que

---

45. Ramón Soriano. *La mano izquierda de Franco*. Planeta, 1981.
46. López Rodó. *Memorias*. Tomo I. Pág. 298.

él me comunicó confidencialmente, es que el accidente no fue fortuito, sino que quienes suministraron la munición lo hicieron con el intento de matar a Franco. Sin embargo, no se instruyó ningún proceso penal para quitar importancia al hecho.»

Paul Preston,[47] sorprendentemente y con alguna ingenuidad,
acepta la versión del libro de Ramón Soriano, que es la oficial: hubo
un error y se introdujo en la escopeta un cartucho de otro calibre, el
16, que había caído casualmente en la bolsa del generalísimo. La
verdad es que resulta muy difícil creer en esa casualidad. Charles
Purdey, que se desplazó en persona a Madrid, confirmó que la escopeta estaba en perfectas condiciones.

En el informe especializado sobre el suceso, se especifica: «Entre
las causas que pueden producir la rotura del cañón de una escopeta
se pueden señalar: los defectos del material del cañón (deficiencias
en la calidad del acero), las sobrepresiones (por obstrucciones u
otras causas) y los accidentes provocados.»[48]

¿Accidente, en fin, o atentado? ¿Tiene razón el ministro de la Gobernación al explicar en secreto a otro alto cargo político que fue un
atentado o la tienen Ramón Soriano y la versión oficial? Sainz Rodríguez era un profundo cristiano y jamás hubiera participado en un
atentado, pero ¿sabía o no sabía que se podía producir por aquellas
fechas un atentado contra Franco? ¿Por qué tanta urgencia la tarde
del 24 de diciembre de 1961? ¿Por qué tuvo información tan rápida?

Hay una persona, escritor de relieve, hombre de la confianza
completa de Sainz Rodríguez, depositario de muchas de sus confidencias que, tal vez, pueda dar alguna explicación adicional a lo que
se narra en este capítulo: Víctor Salmador. Con el seudónimo de
«Coronel Calvo»[49] escribiría poco después un relato de ficción *El caudillo y el otro*, en el que se cuenta un atentado contra Franco que, de
no resultar fallido, hubiera dado paso a la Monarquía de Don Juan.
El libro se abre con una frase terrible de Raymond Cartier:

«Woodrow Wilson quedó reducido por una parálisis cerebral al
estado de una momia, pero los que le rodeaban y, sobre todo, su mujer, consiguieron mantenerle en la Casa Blanca durante diecisiete
meses, denunciando como infamia todo rumor acerca de la invalidez
del presidente.»

Eliseo Bayo, en su interesante obra *Los atentados de Franco*,[50]

47. Paul Preston. *Franco, caudillo de España*. Pág. 865s.
48. Ramón Soriano. *La mano izquierda de Franco*. Pág. 32.
49. Coronel Calvo (Víctor Salmador). *El caudillo y el otro*. Ediciones Master Fer.
Buenos Aires, 1963.
50. Plaza & Janés, 1976.

no aporta ningún dato sobre uno de los pasajes clave en la historia de la dictadura de Franco: el accidente o el atentado que el *caudillo* sufrió entre las brumas y los breñales del monte de El Pardo, una Nochebuena del año 1961. Pero sí desvela Bayo las numerosas conspiraciones de anarquistas y comunistas para preparar atentados contra el dictador español.

Capítulo XXVII

1962-1965: DE LA BODA DEL PRÍNCIPE
A LA CARTA A FRANCO DE SAINZ RODRÍGUEZ

El 14 de mayo de 1962 se casan en Atenas el Príncipe de Asturias y la Princesa Sofía de Grecia. González-Doria describe prolijamente el espléndido acto social de la boda.[51] En el entorno del acontecimiento se producen algunos acontecimientos políticos de relieve. José de Yanguas Messía negocia en Estoril con Don Juan, en Atenas con la Reina Federica, y en Roma con Juan XXIII los problemas religiosos de la conversión al catolicismo de la joven y atractiva Princesa, que es, además, una mujer muy inteligente y con un gran sentido de la independencia.

Franco, al que informa Don Juan telefónicamente del acontecimiento en una situación divertida, casi grotesca (el *caudillo* en lugar de contestar, redacta una nota convencional y se la lee al Rey), no asiste a la boda porque sabe que no puede poner los pies en ningún país democrático. Pero envía de embajador a Atenas a Juan Ignacio Luca de Tena y, en representación suya, al ministro de Marina, almirante Abárzuza, al mando del buque insignia de la Escuadra española, el crucero *Canarias*. Laureano López Rodó le dice a Don Juan que a Franco le gustaría recibir el Toisón de Oro. Es una oficiosidad. Don Juan accede y Franco lo rechaza secamente. En España es el *caudillo* quien otorga condecoraciones y títulos de nobleza. Don Juan recibe honores de Jefe de Estado en Grecia y la adhesión de millares de españoles. Víctor Salmador publica durante aquellos días, a la brava y con el apoyo de Onassis, el *Diario español de Atenas*, claramente antifranquista, lo que causa irritación entre el monarquismo franquista y juancarlista, cada vez más extenso. Salmador, hombre imaginativo y audaz, llegó a preparar ediciones apócrifas de *ABC*, *Pueblo* y *Arriba* para introducirlas en su día clandestinamente en España, lo que no se llegó a consumar.

Como testigo del novio figura Alfonso de Borbón-Dampierre. Don Juan Carlos sabe que su primo es una espada de Damocles sobre su cabeza. Y damasquinada por la Falange. Don Juan también lo sabe. La frase de Franco a Ruiseñada y la propaganda falangista en torno al hijo de Don Jaime preocupan a la Familia Real. El Príncipe de Asturias prefiere tener cerca a su primo y hacerle objeto de

---

51. González-Doria. *Don Juan de España*. Págs. 326-336.

deferencias. El instinto de Don Juan Carlos es certero. Solo unos meses después de la boda, el *caudillo* le dice a *Pacón*:[52] «Don Alfonso de Borbón-Dampierre, que es culto, patriota, podría ser una solución si no se arregla lo de Don Juan Carlos.»

Arias-Salgado ordena que la televisión retrase la difusión del reportaje de la boda hasta la una de la madrugada, para evitar una audiencia masiva. Don Juan, el padre del novio, que preside con Doña María y los Reyes de Grecia la ceremonia, no existe para Televisión Española. Allí donde aparecía, en la Iglesia, en la fiesta en el jardín, en las recepciones oficiales, los técnicos de TVE funden encima del Conde de Barcelona, para que no se le vea, un mueble, una columna o un árbol. Que los españoles contemplen a su Rey en la boda de su hijo es una tropelía contra Franco que no se puede admitir.

Tras un largo viaje de luna de miel, el Rey retira de España al Príncipe y, siguiendo las instrucciones de Sainz Rodríguez, se prepara para la larga espera hasta forzar una nueva entrevista con Franco y concertar la vida de casado de Don Juan Carlos en España. Los Príncipes de Asturias se instalan a vivir en la casa de Ramón Padilla, el *Carpe diem*.[53]

1962. El contubernio de Múnich

Huelgas en España. En junio de 1962, entre el 5 y el 8, se celebra el IV Congreso del Movimiento Europeo. Monárquicos liberales, democristianos, socialistas, socialdemócratas, nacionalistas vascos y catalanes se reúnen bajo la alta autoridad moral de Salvador de Madariaga que, al concluir la reunión, afirma: «Hoy ha terminado la Guerra Civil.» Rodolfo Llopis le pide a Satrústegui que transmita a Don Juan: «El PSOE tiene un compromiso con la República que mantendrá hasta el final. Ahora bien, si la Corona logra establecer pacíficamente una verdadera democracia, a partir de ese momento el PSOE respaldará lealmente a la Monarquía.»[54]

Franco se encoleriza y retorna, en busca del tiempo perdido, a los años cuarenta. Encarcela, deporta, exilia a los asistentes. Álva-

---

52. Franco Salgado-Araujo. *Mis conversaciones con Franco*. Pág. 369.

53. El nombre corresponde a un verso de la Oda XI de Horacio a Leuconia. *Carpe diem quam minimun credula postero*. Collection des Auteurs Latins. Firmin Didot. París, 1861. Pág. 7.

54. Joaquín Satrústegui. *La política de Don Juan III en el exilio*. ABC, 23-XII-90. Pág. 36.

rez de Miranda, Miralles, Barros de Lis, Satrústegui, Cavero, Ruiz-Navarro, Prieto, Pons y Casals quedan confinados en las diferentes islas de las Canarias. A Gil-Robles, Ridruejo, Prados Arrarte, José Federico de Carvajal, Vidal Beneyto, Baeza... los envía al exilio. En casa de Jorgina Satrústegui, primero, y de Tierno Galván, después, se reúnen el «viejo» profesor, Enrique Ruiz-García, Vicente Piniés, Jaime García de Vinuesa y Luis María Anson para organizar la recogida de fondos en beneficio de las familias de los represaliados.

La gresca que en España organiza la Prensa franquista contra el «contubernio» de Múnich es de escándalo nacional. Los falangistas maniobran para hacer daño a los juancarlistas. El presidente del Consejo Privado, José María Pemán, acompañado por el secretario Valdecasas, visita al Rey, que navega en *El Saltillo*. En ausencia de Sainz Rodríguez, redactan una nota muy torpe:

> «El Conde de Barcelona nada sabía de las reuniones de Múnich hasta que después de ocurridas escuchó en alta mar las primeras noticias a través de la radio. Nadie, naturalmente, ha llevado a tales reuniones ninguna representación de su Persona ni de sus ideas. Si alguno de los asistentes formaba parte de su Consejo, ha quedado con este acto fuera de él.»[55]

Es un texto indigno de Don Juan que supone la liquidación en Estoril de José María Gil-Robles, único miembro del Consejo Privado presente en Múnich, y hombre que había servido limpiamente a la Monarquía durante los años más difíciles de la posguerra. Durante muchos meses hay miedo a reunir al Consejo Privado. El 25 de mayo de 1963 Don Juan le escribió a Pemán una extensa carta: «Si crees que la reunión puede disipar los malos humores, puedes convocarla»,[56] dice.

Franco, que es ya un gobernante muy maduro y con larga experiencia, se da cuenta de que «su reacción ante el Congreso de Múnich había sido un grave error».[57] Unas semanas después, el 10 de julio de 1962, liquida dentro de una crisis amplia de Gobierno, al ministro que mejor le había servido durante once años, Gabriel Arias-Salgado, al que hace responsable de la histeria de la Prensa sobre Múnich. El ministro solo sobreviviría unos días a su destitución. Herido en el

---

55. Archivo Luis María Anson.
56. Archivo José María Pemán. Hay otras dos cartas ese año de Don Juan a Pemán, indicándole que se entreviste con Arauz de Robles para una nueva «hornada» de consejeros.
57. Preston. *Franco, caudillo de España*. Pág. 873.

alma al perder el favor del César, se murió de melancolía, como en las viejas crónicas, en la escalera de su casa en la calle de Hermosilla. A Gabriel Arias-Salgado le sustituye Manuel Fraga Iribarne que, cuatro años después, con su Ley de Prensa, abriría la crítica al Régimen y una cierta liberalización. El defensor máximo de la Regencia, que era la fórmula de decir legalmente no a la Monarquía, el general Muñoz Grandes, se convierte en vicepresidente del Gobierno. Pero Carrero y los *lópeces* acentúan decisivamente su poder en aquella crisis.

1963. Los Príncipes de Asturias se instalan en la Zarzuela

En septiembre de 1962, Anson hace una breve crítica elogiosa del libro de Víctor Salmador, *Juan Antonio Ansaldo, caballero de la lealtad*, editado en América, en el que el aviador reconoce no solo que no hubo sabotaje en la muerte de Sanjurjo, sino que fue un error suyo como piloto. Jorge Vigón denuncia a Franco que en la Prensa de Fraga se elogie un libro en el que se ataca al *caudillo*. El ministro se altera, procede contra Anson, que se ve acusado ante el Tribunal de Orden Público del delito de injurias al Jefe del Estado, lo que supone una pena de seis años de cárcel. Andrés Travesí, jefe de Redacción de *ABC*, acude a declarar en su favor, en una sala repleta de personalidades liberales y monárquicas, así como de periodistas extranjeros. El abogado Martín Calderín defiende con eficacia a Anson. Recurre la sentencia y la gana ante el Supremo.

Don Juan y Franco empiezan a intercambiar correspondencia sobre la futura vida en España de Don Juan Carlos, ya casado y cerrado el ciclo de estudios militares y universitarios. Sainz Rodríguez ordena paciencia y aguante hasta que el *caudillo* ceda y se produzca una nueva entrevista. Pasa julio, pasa agosto. Y nada, Franco imperturbable. Pasa septiembre, pasa octubre. Y Franco sin hacer un gesto. Pasan noviembre y diciembre. Lo mismo. «Ya cederá —vaticina don Pedro—. No hay más que aguantar.»

Pero el profesor no cuenta con un factor nuevo. El Príncipe cumple 25 años el 5 de enero y, recién casado, no soporta bien la monótona y aburrida vida de Estoril, en una casa pequeña y prestada. Plantea abiertamente a su padre su deseo de regresar a España. Don Juan cede. Le explica a Sainz Rodríguez que no puede exigir de su hijo, y mucho menos de la Princesa, más esperas. En lugar de entrevista, escribe una carta a Franco el 8 de febrero de 1963. «...No ha pasado por mi imaginación —le dice el Rey al dictador— suspender la presencia del Príncipe de Asturias en España y mucho menos por una decisión mía, siendo así que el asunto ha sido siempre objeto de conversaciones y acuerdos entre nosotros.»[58]

Sainz Rodríguez no quiere que Franco piense que todo está ganado. Resulta importante para su estrategia que al *caudillo* le cueste trabajo ganar cada batalla. Por eso escribe para Don Juan un párrafo que es la clave de la carta: «Comprendo que V.E. por táctica política desea hacer lo menos posible en el sentido de indicar sus intenciones respecto a su sucesión, pero por lo mismo la residencia del Príncipe en España me preocupa hondamente como padre, como español y como Jefe de la Dinastía.»[59] Queda claro que Don Juan es el Rey y que piensa mantener sus derechos.

Franco le contesta, satisfecho, el 18 de febrero de 1963. Esta vez no tiene que pasar por las horcas caudinas de entrevistarse con Don Juan. Le recuerda, eso sí, que la Ley de Sucesión «mantiene todo su vigor» y manifiesta su complacencia por el regreso del Príncipe.

En ese mismo mes de febrero, los Príncipes de Asturias regresan a Madrid para encerrarse en la jaula de oro que les ha preparado el *caudillo*: el Palacio de la Zarzuela. Luis Valls Taberner, discreto y eficaz, resolverá los pequeños problemas de la intendencia personal. La suerte está echada.

Con tres amigos, Don Juan se construye un barco para sustituir a *El Saltillo*. Será el primer *Giralda*. No tiene dinero bastante para ser su solo propietario. Acude, seguramente con torpeza, a Franco porque no quiere que el barco lleve bandera extranjera y su matriculación en España, para un hombre como él que vive en el exilio, resulta prohibitiva. El *caudillo* le resuelve el asunto.

Nace la Infanta Elena, el 20 de diciembre de 1963. Don Juan llama a Anson, le entrega un sobre lacrado con instrucciones muy precisas y le ordena que se lo dé en mano al Príncipe en la Zarzuela. Luego acude al bautizo en Madrid y se ve fugazmente con Franco en la ceremonia religiosa. El presidente de su Consejo Privado, José María Pemán, asiste al acto con el pie en el avión para trasladarse a Israel, donde le espera Anson, pues ambos van a cubrir para el diario *ABC* la visita del Papa Pablo VI.

El Príncipe se muestra preocupado por el acoso que sufre por parte de quienes quieren acercarle a la ortodoxia franquista. Cree que su presencia en España es un arma de doble filo. Se lo dice a su padre. Don Juan escribe al presidente de su Consejo Privado: «Ha-

58. Archivo Don Juan de Borbón.
59. Ibídem.

bla con el Príncipe cuando puedas y verás que ve todo lo del doble filo con la misma claridad que nosotros.»[60]

En el invierno de 1964, Miguel Primo de Rivera visita a Don Juan en *Villa Giralda*. Cuando ve al Rey se arrodilla, abre los brazos en cruz y gime. «Perdonad, Señor, el daño que esta familia os ha hecho.» Don Juan le abraza y le habla de la concordia entre los españoles. Miguel Primo de Rivera, hermano de José Antonio, moriría unas semanas después.

1965. Carta de Sainz Rodríguez a Franco

Durante el año 1964, las reflexiones de Sainz Rodríguez le hacen ver con claridad la situación. Franco, que tiene ya setenta y dos años, está como una manzana. Ni un problema de salud. Dada la vida que lleva, los accidentes son cada vez más improbables. Y fallido el atentado de 1961, no parece probable que los anarquistas o los comunistas pongan otro en marcha. Hay, pues, que desengañarse. Parecía imposible en 1948 que Franco se mantuviera vivo y con facultades veinte años más, alcanzando en el poder los treinta años del Príncipe, es decir, la edad señalada por la Ley de Sucesión. Pero faltan solo tres años para que eso ocurra.

Sainz Rodríguez, con el corazón dolorido, llega a la conclusión de que Don Juan ya no será el Rey de España, de que hay que robustecer la línea juancarlista del Régimen, para no tener una sorpresa con una regencia en última instancia o con el nombramiento de Alfonso de Borbón-Dampierre; y piensa que él será más útil, siempre dentro de la estrategia que trazó en 1948, a caballo entre Madrid y Estoril, contribuyendo con cautela y taimadamente a que el Príncipe sea elegido sucesor. Decide escribir a Franco, enviándole un informe para demostrar que él no es masón.

La carta está fechada en enero, sin día concreto, de 1965. Fue enviada en mano y Sainz Rodríguez nunca la publicó, a pesar de difundir en varios libros el informe sobre la masonería.

Dice así:

> «Excmo. Señor:
> Me dirijo a V.E. para poner en sus manos el adjunto memorándum en que se refuta la infundada acusación de haber yo tenido que ver en cualquier momento de mi vida con la masonería.

60. Archivo José María Pemán.

Aunque no está redactado por mí, he proporcionado todos los elementos para su elaboración y puedo jurar por mi honor ante los Evangelios que todo cuanto en él se dice es verdadero, exacto y comprobable con testimonios y documentación irrefutable. Como en el mismo memorándum se advierte, se ha explicado todo lo referente a determinados hechos relacionados con esa acusación que han llegado a mi conocimiento pues en realidad yo ignoro totalmente cuáles sean los fundamentos aparentes que pueden haber dado lugar a tal inculpación y digo *fundamentos aparentes* y no *pruebas* porque no pueden existir de un hecho que es total y absolutamente falso.

Me he negado a la divulgación de este escrito en parte por la repugnancia que siempre he tenido a cualquier forma de publicidad o exhibicionismo relacionados con mi persona y muy principalmente porque en realidad solo me interesa convencer y esclarecer sobre esta falsedad a una sola persona, pues dejando a un lado el daño moral que su difusión pueda causarme, considero un deber patriótico y de conciencia desenmascarar ante V.E. a aquellas personas que, por motivos que ignoro aunque son presumibles, no han vacilado en confundir a V.E. presentándole hechos que repito tienen que ser totalmente irreales.

Ignoro si la negativa a entregarme el pasaporte normal de cualquier súbdito español obedece a esta acusación que espero será desautorizada por la clarividente perspicacia de V.E. si tiene la bondad de leer el adjunto memorándum, estando yo siempre dispuesto a conocer y refutar cuantos elementos hayan sido aportados a V.E. como fundamento de esta imputación que considero absurda.

Pienso que la actitud que equivocadamente se me atribuye en relación a V.E. ha de tener como supuesta justificación otras acusaciones seguramente también erróneas o malintencionadas que estoy dispuesto a esclarecer en la forma que V.E. juzgue oportuna.

Un largo silencio mío durante mi voluntaria residencia fuera de España del que me considero culpable ha permitido la elaboración en torno a mí de los más absurdos y contradictorios rumores referentes a las más fantásticas evoluciones políticas. Nunca he comprendido la reacción de ciertas personas maduras cambiando por motivos personales fundamentalmente su ideario. Yo de mí puedo afirmar y probar que hoy profeso las mismas ideas y conservo la misma actitud que el día en que en unión de algunos amigos descubrí el cadáver de Calvo Sotelo en el Cementerio del Este o cuando V.E. me hizo el honor de llamarme para colaborar en el primer Gobierno de su Presidencia.

Al llegar a cierta altura de la existencia en que cada día de salud y de vida es un don especial que la Providencia nos concede, no creo que ninguna persona de formación religiosa ponga en riesgo la paz de su conciencia y la salvación de su alma empleando la mentira o la baja intriga política para defenderse.

Si yo hubiera cometido el error —muy grave en un católico ilustrado y consciente— de haberme vinculado de cualquier manera a la masonería no resistiría mintiendo y negando el hecho y habría acudido a la Iglesia para recibir su perdón y su ayuda.

Creo que el mejor servicio que en las circunstancias actuales puedo prestar a España es aprovechar mis últimos años para dar cima a algunas de mis obras históricas para las cuales reuní materiales y elementos durante toda mi vida.

Para ello necesito estar normalmente en España y poder visitar algunas bibliotecas extranjeras, por eso solicito de V.E. que me dé el pasaporte corriente al que cualquier español tiene derecho.

Podría dirigirme a V.E. recordando un antiguo conocimiento y amistad personal que erróneamente se supone desaparecida aunque siempre ha vivido en mi espíritu.

Acudo como cualquier súbdito español al Jefe del Estado guardador supremo de la Justicia. Justicia que confiadamente espero de la rectitud de su conciencia de caballero y de cristiano.

Dios guarde a V.E. muchos años.

PEDRO SAINZ RODRÍGUEZ
Lisboa, enero de 1965»[61]

Desde el desprecio intelectual que Pedro Sainz siente por Franco, le cuesta lágrimas de sangre escribir una carta, tan reverencial, dirigida al articulista de *Revista de Tropas Coloniales*, al recitador de *Oda al 2 de mayo*, al «cabroncete» que ha vejado a su Rey. Pero lo hace. Le pesa el exilio y considera que la baza de Don Juan está perdida y que para engañar a Franco y construir la Monarquía Constitucional que el *caudillo* detesta, es más útil estar en Madrid.

A partir de esa carta, Pedro Sainz Rodríguez deja de llamar a Franco «Franquito», aunque le siga haciendo bromas. Cuando alguien le dice: «Pero, don Pedro, ¿cómo cree usted que se puede retirar Franco...? Y ¿adónde iría?

—Pues aquí, aquí, a mi pisito de *rua* Alexandre Herculano. Estará muy cómodo.

—¿Y le dejaría usted sus libros?

—Hombre no, eso no. Eso es como dejarle un peine a un calvo.

Y cuando alguien le zahería preguntándole por qué negaba inteligencia a Franco, que llevaba treinta años en el poder, don Pedro contestaba:

—Vea usted al dictador Francia en Paraguay. Era un sátrapa. Ahí tiene usted a Trujillo en la República Dominicana. Es un gángster. Además, eso que me dice es como si un filósofo está sobre una

61. Archivo Sainz Rodríguez.

roca meditando ante el mar. Pegado a esa roca hay una lapa. Viene un golpe de mar, se lleva al filósofo. ¿Quién es más inteligente, el filósofo o la lapa?

Acorralado a veces por los *lópeces*, los «orioles», los Pérez Embid con cifras y más cifras del desarrollo español, Pedro Sainz saltaba lleno de ira, golpeaba la mesa, le temblaban los papos, se le hinchaba la vena literaria y clamaba:

—Pero ¿qué me dicen ustedes? ¿Qué se puede esperar de un hombre que el poema que más le gusta es *Oigo, Patria, tu aflicción...*?

Y cuando, para halagarle, ya a finales de los sesenta, algunos visitantes le decían: «Don Pedro, no se puede usted imaginar lo viejo que está Franco. Hay que ver lo que ha perdido ese hombre», Sainz Rodríguez contestaba: «Pues yo le encuentro más o menos como siempre, porque el pobrecito tenía muy poco que perder.»

Aseguraba Sainz Rodríguez que no podía ni escribir ni publicar su obra literaria mientras estuviera en la conspiración contra Franco. Y como la vida del *caudillo* se alargaba y se alargaba, don Pedro decía: «Este cabrón, me deja inédito.»

Y bien. A ese hombre al que desprecia, le escribe la carta arriba reproducida y que ocultó siempre a todos, si bien a Don Juan y a Pemán les informó en su día que había enviado un informe a Franco demostrando que no era masón. Escondida entre millares de folios, Anson, ayudado por Consuelo Gil, descubrió un día esa carta que significa una inflexión clave en la vida política de Pedro Sainz y de la Restauración de la Monarquía. Vagamente, algo le habla a Don Juan puesto que el Rey en extensa misiva a Pemán el 26 de enero de 1965, le escribe que ha hablado con Pedro Sainz, que los del Opus le ofrecen una cátedra (también se la ofrecieron en la Universidad de Comillas), «y me hizo el efecto que él quisiera resolverlo personalmente con Franco, lo que complicaría mucho más las cosas...»[62]

El P. Baeza y Ramón de San Pedro, enlaces de Sainz Rodríguez con Franco

Naturalmente, Franco, que no se fía de nadie y mucho menos de don Pedro, no contesta. Pero Sainz Rodríguez, que ya contaba con ello, vuelve a la carga. Sainz no quiere conflictos. López Oliván, al

62. Archivo José María Pemán.

ser acusado de masón en 1967 por la Prensa del Movimiento, se querelló sin éxtio contra los difusores del bulo. Sainz Rodríguez consultó con Manuel González-Hontoria y el ilustre jurisconsulto le dijo que era una ingenuidad. Así es que prefirió callar y aguantar.

Sainz Rodríguez conoce bien a un jesuita que es amigo del marqués de Comillas y asistente habitual, como capellán, a las cacerías de *El Alamín*. Le pide que sea su enlace con Franco. El jesuita es el padre Francisco Javier Baeza Tordesilla que, en la actualidad tiene más de noventa años, vive al escribir estas líneas y está completamente lúcido. Fue rector de estudiantes jesuitas en Marquain; rector de la Universidad Pontificia de Comillas; rector de la Universidad de Deusto; provincial de Castilla Occidental; fundador de la Universidad Católica de Guatemala *Rafael Landívar*; más adelante se ocupó de trasladar la Universidad de Comillas a Madrid. Sintió siempre gran admiración por las investigaciones de Sainz Rodríguez sobre la literatura espiritual española.

A finales de 1965, y tras aceptar el encargo de don Pedro, visita a Franco en su despacho de El Pardo. Le entrega personalmente el informe sobre la masonería que Pedro Sainz le había enviado meses atrás. El *caudillo* lo deja apartado sobre la mesa.

—No, mi general —le dice el P. Baeza—. Dada la gravedad de la acusación que pesa sobre Pedro Sainz Rodríguez, le pido que lo lea delante de mí.

Franco se sorprende pero lo hace. Lo lee con detenimiento, salvo algunas páginas.

—Sainz Rodríguez —continúa el P. Baeza ante un Franco impresionado— desea tener su pasaporte para volver a España.

El generalísimo medita un momento.

—De acuerdo. Pero solo para entrar en España. No para salir.[63]

El P. Baeza comunica a don Pedro la conversación con Franco. Sainz Rodríguez se siente satisfecho. Se ha avanzado. Comprende que el P. Baeza no puede ser su único enlace con Franco. Tras la entrevista de *Las Cabezas*, en 1960, se había dado cuenta de lo que significaba Ramón de San Pedro. Le llama a Estoril. Le explica la situación, su deseo de volver a España y la necesidad que tiene de una persona que hable con Franco, sin necesidad de demasiados protocolos. Las cacerías en *El Alamín*, una finca de once mil hectáreas a ochenta kilómetros de Madrid, y en otras propiedades de Comillas,

---

63. Anson visitó al P. Baeza el día 14 de abril de 1994, en su residencia madrileña. Mantuvo con él una larga conversación. Las notas, muy minuciosas, figuran en su archivo.

constituyen una gran ocasión. Ramón de San Pedro acepta. Desde hace años mantiene una relación fluida con Franco, sobre todo desde la etapa en que Ruiseñada fue Jefe de la Casa de la Reina Victoria. Ramón de San Pedro se ocupó de la cartera de valores de la Reina y después gestionó la actualización de la pensión que le correspondía por sus «capitulaciones matrimoniales» acordadas en 1906. Ramón de San Pedro despachó varias veces el asunto con Franco y consiguió, aunque no fuera demasiado, que las doscientas cincuenta mil pesetas anuales se transformaran en un millón.[64] Franco, según Ramón de San Pedro, «creía hablar con Dios en la comunión cada mañana. Le observé muy bien en *El Alamín* cuando anualmente, en no menos de ocho temporadas de caza hacía allí dos días de estancia y una noche».[65]

Sainz Rodríguez, pues, tiene ya dos canales discretos de relación con Franco. El *caudillo* da largas al regreso de don Pedro, pero comprende el papel que puede jugar por su influencia sobre Don Juan. Franco conocía a fondo la situación en *Villa Giralda*. El 13 de diciembre de 1963 le dice el generalísimo a *Pacón*: «Don Juan cada vez está más lejos de ceñir la Corona de España, hoy está entregado de lleno al señor Sainz Rodríguez y convencido de que la monarquía constitucional, parecida a la de 1876, es la que hay que restaurar.»[66] Y el 16 de marzo de 1964 sería más rotundo: «En Lisboa lleva la batuta el señor Sainz Rodríguez, enemigo (según él dice) personal mío, cuyo entusiasmo por la masonería como miembro destacado de ella todo el mundo conoce.»[67]

Por tres veces, Franco le hace llegar a Sainz Rodríguez, a través de Ramón de San Pedro, en noviembre de 1967, mayo y diciembre de 1968, el recado de que no nombrará sucesor hasta que se muera la Reina Victoria Eugenia. Naturalmente, Pedro Sainz no quiere servir a Franco, sino engañar a Franco. Si tenemos en cuenta que una de las características del *caudillo* era el permanente recelo de todo y de todos, que le venía de la guerra de África, se comprenderá hasta qué punto el profesor de literatura tiene que ser cauteloso. Sainz Rodríguez se referirá así a Ramón de San Pedro: «tan íntimamente unido a sucesos importantes...».[68]

---

64. En el archivo de Don Juan figura un informe extenso de Ramón de San Pedro sobre la Reina Victoria. Don Juan lo leyó detenidamente, llamó a su antiguo consejero y le recibió en audiencia el 3 de julio de 1989 para puntualizar algunas cuestiones.
65. Archivo Luis María Anson. Carta de Ramón de San Pedro, 16-V-1993.
66. Franco Salgado-Araujo. *Mis conversaciones con Franco*. Pág. 360.
67. Ibídem. Pág. 418.
68. Archivo Ramón de San Pedro.

Entramos ya en 1966. El doble juego, sutilísimo, que Sainz Rodríguez viene realizando desde 1948, en su estrategia bifronte para la Restauración de la Monarquía, se va a aclarar para Don Juan. El sábado, 5 de marzo de 1966, sería un día decisivo y revelador.

Capítulo XXVIII

5 DE MARZO DE 1966

La inactividad de Alfonso Valdecasas ha llegado a tal punto que el propio Pemán recomienda el nombramiento de un delegado político que se ocupe de las cuestiones de organización. Propone a Jesús Pabón. A Sainz Rodríguez le parece bien. El 12 de noviembre de 1964, Don Juan escribe a José María Pemán: «Comprendo tu curiosidad por saber qué pasó con la gestión de J.P. Como te decía, a mí me hizo muy buena impresión y veo que casi por unanimidad los Consejeros le consideran el hombre indicado, aunque alguno, con cierto gracejo, me dijo que era el menos malo. Lo único que me hizo no encargarle ya su cometido, cuando estuvo aquí de visita, fue que me puso algunas pegas que, procediendo de un hombre de su talento, tienen indudable fuerza, pero pensándolo despacio creo que, con todo, sigue siendo, a juicio de casi todos, la persona indicada.»[69] El 26 de enero de 1965, el Rey vuelve a referirse al asunto en su carta dirigida a Pemán: «Me parece muy acertada tu manera de enfocar lo de la Permanente [del Consejo Privado] después del nombramiento de Pabón. Íd. lo que me dices respecto a Florentino. Precisamente esta mañana he tenido la audiencia de Gonzalo Fernández de la Mora. He departido largamente con él y le parece, también, muy acertado lo del nombramiento de Delegado Político y considera que la persona elegida no puede reunir mejores cualidades para el cargo.»[70]

El patinazo con el nuevo Delegado Político es de los que hacen época. El Pabón de 1964-1965 no tiene nada que ver con el dirigente político de la CEDA, dinámico y emprendedor, que habían conocido Pemán y Pedro Sainz. Es ahora un hombre asustadizo y enfermo. Empieza a ejercer sus funciones en los primeros meses de 1965. Don Juan comprende enseguida que se ha equivocado. Sainz Rodríguez descuartiza, injustamente, a Pabón, que es uno de los grandes historiadores españoles del siglo XX. «Hemos pasado de un inactivo a un incapaz. Es un rábula de juzgado», afirma.

A finales de 1965, la agencia *Efe* difunde unas declaraciones de Fraga en el extranjero en las que el ministro de Información asegura que si algún día la Monarquía volvía a España sería con Don Juan Carlos. Don Juan, que está en Suiza con su madre, se indigna.

---

69. Archivo José María Pemán.
70. Ibídem.

Exige una nota de repulsa y una reacción del Príncipe. La nota que redacta Pabón es tan torpe que colma su cólera. Decide terminar con él cuanto antes. El Príncipe visita a Franco y le explica que tiene que ser un buen hijo y que Fraga le ha puesto en un aprieto. El *caudillo* se sorprende: «Pero ¿por qué tanta preocupación? Si eso lo ha dicho un ministro...» Emplea el mismo tono despreciativo de «... si eso lo ha dicho un zapatero».

A primeros de enero de 1966 se falsifica, para referirse a Fraga, un Boletín de los que editaba el Consejo Privado. Don Juan escribe a José María Pemán, José de Yanguas y Alfonso García Valdecasas: «Durante mi estancia en Suiza tuve noticia de una supuesta contestación del Boletín del Consejo Privado a las declaraciones de un ministro español al *Times* de Londres. Supe, acto seguido, que el Boletín era apócrifo y podréis comprender mi indignación por que alguien se atreviera a utilizar indebidamente el formato y el nombre del Boletín de mi Consejo. Apruebo expresamente la denuncia de suplantación que hicisteis por carta de Alfonso a los Consejeros Privados.»[71] Anteriormente le había escrito confidencialmente a Pemán sobre su preocupación de que hubiera traidores —que los había— en el Consejo Privado y se pregunta si, en el Boletín apócrifo del Consejo Privado, habrá «tomado parte en la redacción algún Consejero disidente, lo cual no puedo creer, pues sería una falta de caballerosidad...».[72]

Para compensar la consternación de Don Juan por las declaraciones de Fraga, Pablo Martínez-Almeida, miembro del Consejo Privado, que mantiene, en su casa de María de Molina, en Madrid, una tertulia semanal de carácter liberal, a la que asisten Miguel Ortega, Félix Cifuentes, Juan Jesús González, Juan Antonio Zulueta, Antonio de la Cuesta, Carlos Ollero, José María Ramón de San Pedro y Anson, propone celebrar un acto público de lealtad a Don Juan, con un documento firmado por todos los Consejeros y encabezado por el Príncipe Don Juan Carlos. A Sainz Rodríguez le parece bien. Se fija como fecha el 28 de febrero de 1966, XXV aniversario de la muerte de Alfonso XIII. Unos días antes, Don Juan comunica a Pabón su destitución en una conversación agria y seca. A Pemán le escribe, el 22 de febrero, que ha almorzado con Carrascal y Pabón: «Ante su insistencia, he aceptado, por escrito, su dimisión.» El Príncipe anuncia que no debe faltar al funeral que el dictador celebra en El Escorial todos los años, el 28 de febrero, por Alfonso XIII y «los reyes de las

71. Archivo José María Pemán.
72. Ibídem. Esta carta tiene fecha 11 de enero.

dinastías españolas». Pemán le pide al Rey el aplazamiento. Don Juan le escribe con fecha 22: «Siguiendo tu sugerencia verás que hemos aplazado la reunión del Consejo para el sábado 5 de marzo.»[73]

Pemán y el duque de Alba visitan al Príncipe en la Zarzuela, el viernes 4, para asegurarse de la presencia de Don Juan Carlos. Éste les enseña el billete de avión. No les dice que está sometido a unas presiones terribles por Carrero y su entorno. Creen que el acto de Estoril es una encerrona para Don Juan Carlos y que no debe asistir. Un paso en falso y Franco se decidirá por Alfonso de Borbón-Dampierre. Es el chantaje permanente.

A las 12 de la mañana del día 5, Pemán, Martínez Almeida, Yanguas y Anson conversan con Don Juan en *Villa Giralda*, mientras esperan la llegada del Príncipe para bajar al hotel *Palacio*, donde está preparado un almuerzo con todos los Consejeros. Suena el teléfono. Es el Príncipe. Habla con su padre. Desde el despacho de Don Juan, abierto, se oye en el salón la conversación. Don Juan Carlos dice que está enfermo. El Rey le grita cosas terribles y cuelga. Unos días después, el 26 de marzo de 1966, Franco le diría a *Pacón*: «Hace días (el Príncipe) se negó a asistir al consejo que tuvo lugar en Estoril, bajo la presidencia de su padre, tomando como pretexto una ligera afección de vientre que padecía y que no le impidió visitarme acompañado de la Princesa. En la entrevista me dijo que no le agradaba asistir a dicha reunión política, aunque su padre tenía especial empeño en ello.»[74]

Sereno y dominándose, sin dar una explicación, Don Juan invita a los consejeros a trasladarse al hotel *Palacio*. Por la tarde se celebra el acto de adhesión. Pemán pronuncia un florido discurso y los setenta y dos consejeros que forman en aquella fecha el Consejo Privado, firman, de su puño y letra, el documento de adhesión y lealtad.[75] Don Juan da cuenta de un telegrama del Príncipe y lee unas

---

73. Archivo José María Pemán.

74. Franco Salgado-Araujo. *Mis conversaciones con Franco*. Pág. 466.

75. Éstos son sus nombres: José María Pemán, José de Yanguas, Alfonso García Valdecasas, Ramón de Abadal, José Acedo del Castillo, Rafael Aizpún, duque de Alba, Hermenegildo Altozano, Fernando Álvarez de Miranda, conde de los Andes, Luis María Anson, Fernando Aramburu, José María Arauz de Robles, Luis Arellano, Alfonso Bardají, Juan Antonio Bravo, Rafael Calvo Serer, Joaquín Calvo Sotelo, Geminiano Carrascal, Juan Colomina, Ramón Guardans, Juan Manuel Fanjul, Gonzalo Fernández de la Mora, José Ramón Fernández Bugallal, Antonio Fontán, conde de la Florida, Pedro Galíndez, Juan Antonio Gamazo, Pedro Gamero del Castillo, Manuel García Atance, Eduardo Gil de Santivañes, Juan Jesús González, Manuel Halcón, Antonio Melchor de las Heras, Ignacio Herrero, Juan Ignacio Luca de Tena, Francisco de Luis, Juan José López Ibor, Juan A. Maragall, Jesús Marañón, Pablo Martínez

palabras muy bien construidas, en medio de la emoción general. Por la noche, reservadamente, reúne a cenar en *Villa Giralda* a un grupo de consejeros: Pemán, Yanguas, Sainz Rodríguez, Gamero, Andes, Martínez Almeida, Fanjul y Anson.

Sainz Rodríguez se enfrenta a Don Juan

La cena resulta muy grata y distendida. El Rey ofrece un vino espléndido que se sirve de un gran botellón, con un escanciador de plata dotado de un sistema de bolas que fascina a todos. Al tapar Anson su copa y rechazar el vino, Don Juan le mira con reprobación. No puede entender que sea abstemio.

Tras el café en el salón, el Rey extrae de su pitillera uno de sus toscos cigarrillos de tabaco negro, de picadura, y lo enciende con pausada delectación. Después toma la palabra y con gran serenidad, ademán breve y voz clara, explica a todos:

—Os he reunido esta noche a vosotros, que tenéis toda mi confianza, para explicaros algo que ya conocéis. El Príncipe ha salido hoy de mi autoridad y ha desobedecido una orden mía. Debo decir que tiene ya veintiocho años y en muchas cuestiones su criterio no coincide con el que yo tengo. No quiero hacer críticas, como os podeis imaginar. Pero sí poner los pies en una nueva realidad que se veía venir desde que se casó y yo, por complacerle, acepté que se metiera en la Zarzuela. La unidad de la Dinastía, queridos míos, está rota. Y no podemos basarnos en ella. Toda la política que hemos hecho hasta ahora se ha construido sobre la piña formada por mi hijo y por mí. Eso ya no es así. Resultaría absurdo mantener la ficción y, por tanto, ha llegado el momento de plantearse una nueva política. Os he

---

Almeida, Francisco Melgar, conde de Montarco, Ignacio Muñoz Rojas, Santiago Nadal, Carlos Ollero, Infante D. Alfonso de Orleans, Miguel Ortega Spottorno, Jesús Pabón, Fernando Pereda, Florentino Pérez Embid, Antonio Pérez de Herrasti, Miguel Quijano, Primitivo de la Quintana, Eugenio Rodríguez Pascual, Jesús Rodríguez Salmones, Luis Rosales Camacho, marqués de Rozalejo, Pedro Sainz Rodríguez, Bernardo Salazar, Luis Sánchez Agesta, Francisco Sánchez Ventura, José Antonio Sangróniz, Santiago Torent, duque de la Torre, marqués de Valdeiglesias, Luis Valls Taberner, marqués de la Viesca, Ignacio Villalonga, barón de Viver, Luis de Ybarra, Fermín Zelada. En 1960 se habían creado comisiones en el Consejo. Anson figuró inicialmente en la de Propaganda, presidida por Arauz de Robles y cuyo secretario fue Fernández de la Mora. Después Pemán quiso que pasara a la que presidía el marqués de Luca de Tena: la de Información, como sustituto de Pérez Embid, que era el secretario.

Juan Bautista Sánchez, capitán general de Cataluña, proyectó en 1956 un golpe de Estado a lo Primo de Rivera. Pensaba sublevar a la guarnición catalana y requerir de Franco la presidencia del Gobierno para limpiar la corrupción y erradicar a la Falange. Apareció muerto de un infarto el 29-I-1957, en una habitación de hotel en Puigcerdá. Imposible afirmar si se trató de muerte natural o asesinato.

Juan Claudio Güell, conde de Ruiseñada, participó activamente en el proyecto de golpe de Estado de Juan Bautista Sánchez. Muerto éste, se esforzó por acercarse a Franco, creando una línea monárquica del Movimiento, cuyo manifiesto fue el artículo «Lealtad, continuidad y configuración del futuro», publicado en ABC el 11-VI-1957. Murió de infarto en un coche cama, el 23-IV-1958.

Tras la trágica muerte del Infante Don Alfonso, un grupo de jóvenes amigos acudían los fines de semana a Zaragoza para acompañar al Príncipe Don Juan Carlos. En la foto, en el Gran Hotel de la capital aragonesa, aparecen con el Príncipe, Fernando Montellano, Jaime Carvajal, Luis María Anson, Juan José Macaya y Pedro Ussía, entre otros.

18

Esta foto estuvo durante muchos años en el salón de Villa Giralda. El Príncipe escribió: «Al empuñar por primera vez lleno de emoción nuestra bandera, quiero que tengáis el recuerdo de vuestro súbdito más leal e hijo más cariñoso.»

Don Juan al timón de El Saltillo. El mar fue la gran pasión de su vida.

El 24 de diciembre de 1961 le explotó a Franco la escopeta J. Purdei&Sons, número 22.513. Camilo Alonso Vega le afirmó de forma inequívoca a Laureano López Rodó que había sido un atentado y que no se iba a investigar para no causar alarma. Si Franco llega a morir ese día, Don Juan se hubiera convertido en Rey de España porque el ministro del Ejército (Barroso), el capitán general de Madrid (Martín Alonso) y el de Barcelona (Rodrigo) le eran abiertamente favorables.

Boda de Don Juan en Roma el 12-X-1935.

Boda de Don Juan Carlos en Atenas el 14-V-1962. Ante su padre, al que consideraba su Rey, Don Juan Carlos hace la reverencia protocolaria.

Sainz Rodríguez reanudó el contacto con Franco en 1965. Perdidas las esperanzas de que la Restauración se pudiera hacer, como deseó siempre, en la persona de Don Juan, se esforzó a partir de esa fecha en facilitar el camino para que el caudillo designara a Don Juan Carlos (que en 1968 cumpliría los treinta años exigidos por la Ley de Sucesión), evitando fórmulas como la Regencia o Alfonso de Borbón Dampierre. Tuvo dos enlaces discretos con Franco. El P. Francisco Javier Baeza, que en la fotografía aparece entre Franco y el Príncipe Juan Carlos en El Alamín, y José María Ramón de San Pedro.

5 de marzo de 1966. Foto de la reunión del Consejo Privado en Estoril, con motivo del XXV aniversario de la muerte de Alfonso XIII. Los 72 miembros del Consejo Privado firmaron un documento de lealtad a Don Juan. El Príncipe Don Juan Carlos, que no asistió, salió ese día de la autoridad de su padre. Pemán y Don Juan pronunciaron discursos. Por la noche, en Villa Giralda, en una cena reducida, Sainz Rodríguez, a la izquierda de la fotografía, se enfrentó abruptamente con Don Juan, en un pasaje clave de la historia secreta de la Restauración monárquica.

21

Febrero de 1968: con el Monas-
terio de El Escorial al fondo.

Febrero de 1968: Don Juan en el Valle
de los Caídos, donde estaba enterrado
José Antonio Primo de Rivera y recibi-
ría sepultura, en 1975, Francisco Franco.

Febrero de 1968: Don Juan en el Panteón de Re-
yes, entre los restos de sus antepasados. Por dis-
posición de su hijo el Rey Juan Carlos I, allí repo-
sa Don Juan, ahora en el Pudridero, en un
sarcófago con el nombre Ioannes III. Debajo
no se pondrá Hispaniae rex, pues Don Juan, Rey
de derecho de España, nunca lo fue de hecho.

La Reina Victoria mantuvo siempre una actitud ejemplar hacia su hijo el Rey de derecho de España, Don Juan, y se quedó sorprendida al comprobar la gran popularidad de éste cuando regresó a España en febrero de 1968 para amadrinar a su nieto Don Felipe. Treinta años antes (arriba) también había sido madrina del actual Rey Don Juan Carlos.

Don Juan rectificó el error de su padre y atendió al mundo intelectual. Fue amigo y conoció a Ortega y Gasset, Juan Ramón Jiménez, Pablo Casals, Ramón Menéndez Pidal, Pablo Picasso, Gregorio Marañón, Salvador de Madariaga, Camilo José Cela, Dámaso Alonso y otros muchos personajes.

Con Juan Ramón Jiménez.

Con Pablo Casals.

Con Menéndez Pidal.

Con Vicente Aleixandre en su casa de Wellingtonia. Sainz Rodríguez, Gaitanes, Alburquerque, Dámaso Alonso y Anson aparecen también en la imagen.

24

José María Pemán, presidente del Consejo Privado desde 1960 a 1969, era en aquella época el escritor más celebrado de España. Prudente y leal, gozó de la máxima confianza de Don Juan. Aceptó siempre la dirección política de Pedro Sainz Rodríguez.

José María de Areilza realizó al frente del Secretariado Político de Don Juan, entre 1966 y 1969, una gestión excepcional. Nunca estuvo la Causa monárquica tan bien dirigida como cuando a él le correspondió la responsabilidad. Areilza hubiera sido un formidable presidente de Gobierno de la Monarquía.

El Secretariado Político de Don Juan era una especie de Gobierno en la sombra, al que Franco llamaba Consejo de los rabadanes y al que se refería obsesivamente. Durante los tres años de su existencia, lo dirigió Areilza con excepcional acierto, que era lo que molestaba al caudillo. Esta fotografía fue tomada después de una sesión del Secretariado en Villa Giralda. En torno a Don Juan, además de Areilza, se distinguen en la fotografía a Pemán, Sainz Rodríguez, Nadal, Andes, Juan Jesús González, Obregón, Guillermo Luca de Tena, Aramburu, Anson y Gil de Santivañes.

25

Luis Carrero Blanco encabezó la opción monárquica del Régimen de Franco contra la posición visceralmente antimonárquica de la Falange y la Secretaría General del Movimiento. Fue, sin saberlo, un instrumento clave de la estrategia general trazada por Pedro Sainz Rodríguez para la Restauración de la Monarquía. Murió asesinado el 20-XII-1973. Algunos de sus más estrechos colaboradores dudan de si alguien en el ministerio de la Gobernación conocía los trabajos de ETA en la calle Claudio Coello para preparar el atentado. El fiscal general del Estado, Luis Herrero Tejedor, abrió la investigación sobre el suceso. Fue apartado de ella al ser nombrado ministro y falleció en junio de 1975 en un accidente, aceptado como tal por la familia, pero que despertó dudas en el escritor que lo investigó, Manuel Campo Vidal.

El duque de la Torre, hombre de confianza a la vez de Don Juan y Franco, hubiera hecho de Don Juan Carlos, como preceptor, un Príncipe independiente. Sainz Rodríguez lo necesitaba dependiente de Carrero-López Rodó, para convertirlo en el candidato de Franco cuando entrase en funcionamiento el mecanismo de la Ley de Sucesión. Sainz Rodríguez preparó el 15-I-1959 una encerrona en Villa Giralda al duque de la Torre y le obligó a dimitir, lo que puso la educación universitaria del Príncipe en manos de López Rodó y los tecnócratas del Opus.

Laureano López Rodó, hábil, tenaz, trabajador, sin su actividad tal vez Franco hubiera retrasado indefinidamente el nombramiento de sucesor. El tándem Carrero Blanco-López Rodó ganó el ánimo de Franco hasta derrotar a la Falange, en favor del Príncipe Don Juan Carlos. López Rodó tuvo una actuación sobresaliente.

Ramón Padilla, desde la Guerra Civil hasta su muerte en 1966, fue secretario leal y compañero permanente de Don Juan, realizando a su lado una tarea excepcional por su discreción y prudencia.

26

Pregunta.

Monseñor parece estimar que la aspiración pro
funda del pueblo español es la del cambio del sis
tema autoritario al democrático. ¿Será posible es
te cambio sin graves alteraciones de la paz públi
ca?

Respuesta.

Yo preconizo llevar a cabo este cambio sin   -
riesgos para la comunidad española. Es lo que desea
la inmensa mayoría. Pero sectores minoritarios de -
signo opuesto, y por motivaciones radicalmente distintas, quieren impedir la transformación del régimen franquista en un Estado democrático moderno. -
Los extremismos convergen para bloquear con su ac -
ción el tránsito pacífico a la libertad y a la de -
mocracia. Con una diferencia: la ultra-derecha, la
única que hoy defiende ideológicamente al régimen,
es utilizada por éste como pretexto para frenar esa
gran mayoría que desea el paso a la democracia.

Para desbloquear esta situación de inmovilismo,
que beneficia sólo a la clase política franquista,y
a los medios de negocios que se alimentan de ella -
por la corrupción, es un deber nacional ofrecer una
solución política que garantice,como alternativa se
ria y realista, los legítimos intereses y los valores morales considerados como esenciales tanto -

Antonio García Trevijano trazó, tras el asesinato de Carrero, un plan audaz. Los sindicatos clandestinos y las fuerzas revolucionarias tomarían el poder en España a la muerte de Franco en un gran movimiento de masas, como ocurrió en Portugal en 1974. Si Don Juan se ponía a su frente, la Restauración se haría en su persona. Unas declaraciones del Conde de Barcelona a Le Monde, que suponían la ruptura total con el Régimen y con su hijo, eran el comienzo de la maniobra. Cuando todo estaba aprobado, se opuso frontalmente Sainz Rodríguez y desbarató la operación Trevijano. Éste transformó las declaraciones de Don Juan en los doce puntos programáticos de la Junta Democrática, que jugó un papel de relieve en la transición. Trevijano, pues, estuvo a punto de quebrantar en junio de 1974 la larga operación para engañar a Franco que había puesto en marcha Sainz Rodríguez en 1948. Éste es uno de los dieciocho folios de la entrevista con Don Juan en Le Monde, gestionada por Trevijano. Las correcciones son de puño y letra del Conde de Barcelona.

Este sello que infinidad de españoles pegaba en los sobres de correspondencia irritaba especialmente a Franco.

Arias Navarro, antimonárquico, antijuan-carlista, hombre de confianza de la familia del caudillo, fue elegido presidente del Gobierno tras el asesinato de Carrero. Franco estaba decepcionado por la actitud de Don Juan Carlos y, en lugar de nombrar a Fernández-Miranda, que era el hombre de confianza del Príncipe, designó a Arias. El nuevo presidente liquidó en unas semanas a los más estrechos colaboradores del Príncipe, entre ellos a López Rodó. En la imagen ríe junto a su valedora, la esposa del dictador, a los pocos días del asesinato de Carrero.

Alfonso de Borbón Dampierre fue siempre desleal a Don Juan. Jugó abiertamente a ser nombrado sucesor por Franco contra su primo Don Juan Carlos y, designado éste, continuó, tras su boda (en la imagen) con la nieta del generalísimo, intrigando para que el dictador rectificara. Era hijo del Infante Don Jaime, sordomudo, que renunció a sus derechos dos años antes de casarse, cuando no había perjuicio de terceros. Alfonso de Borbón Dampierre nació, pues, sin derechos. Su madre era la bella Manuela Dampierre, en la foto con sus dos hijos, Alfonso y Gonzalo, niños.

28

Joaquín Satrústegui, lúcido, leal, infatigable, a él se debe en gran parte que la Monarquía actual sea como es. La actividad de Unión Española, sobre todo entre 1969 y 1975, fue clave para polarizar la oposición democrática en torno a Don Juan y para evitar que se formase un movimiento en favor de la III República.

Enrique Tierno Galván, la figura más destacada del socialismo en la última etapa del franquismo, aceptó, gracias a la inteligente actividad de Joaquín Satrústegui, la Monarquía que propugnaba Don Juan, lo que fue clave para atraer a la mayor parte de la oposición democrática.

Esta imagen corresponde a la última semana de octubre de 1975. Franco agoniza. Don Juan se reúne en el hotel Royal de Lausana con Sainz Rodríguez, Pemán, Anson y Gaitanes, que no aparece en la foto. Se preparó el borrador de un Manifiesto que no fue aprobado. Ante las presiones de algunas personalidades para que el Conde de Barcelona permaneciera en silencio a la muerte de Franco, Don Juan tomó la decisión de no firmar el manifiesto y hacer pública en cambio una declaración de su Gabinete de Información (21-XI-1975) que se preparó en París. Es uno de los documentos más importantes de la vida política de Don Juan.

*«Por España, todo por España, ¡Viva España! ¡Viva el Rey!» Con estas palabras termi-
nó Don Juan su discurso de abdicación, el 14 de mayo de 1977, en el Palacio de la
Zarzuela, convocadas ya elecciones libres. Después se cuadró ante su hijo e inclinó la
cabeza. Abdicaba así los derechos a la Corona española, que había defendido de forma ejemplar y dignísima, frente a la dictadura, durante treinta y seis años. Tras el
acto, el Rey Don Juan Carlos saludó a los asistentes y abrazó al autor de este libro.*

Gracias a Torcuato Fernández-Miranda se produjo el punto de inflexión entre la Monarquía de Franco y la que se estableció después en la Constitución de 1978, la contraria de la que el dictador quería. El 4-VII-1976, Fernández-Miranda engañó al Consejo del Reino que dejó el caudillo e introdujo en la terna para presidente del Gobierno el nombre de Adolfo Suárez, que era el «tapado» de Don Juan Carlos.

Adolfo Suárez realizó una soberbia gestión política, al desmontar la dictadura desde dentro y consiguió, con la Ley de Reforma Política, el suicidio de las Cortes de Franco y que el Rey pudiera firmar la Constitución de 1978, sin haber sido perjuro.

Don Juan con José María Pemán, Pedro Sainz Rodríguez y Luis María Anson.

23 de julio de 1969: ante Antonio María de Oriol, ministro de Justicia y notario mayor del Reino, el Príncipe Don Juan Carlos firma, en el Palacio de la Zarzuela, su aceptación como sucesor en la Jefatura del Estado a título de Rey. Por la tarde juraría ante las Cortes de Franco lealtad al jefe del Estado y a los Principios y Leyes Fundamentales del Movimiento.

El 27 de diciembre de 1978 el Rey firma, refrendada por la inmensa mayoría de los españoles en votación libre, la Constitución que establece la Monarquía defendida por Don Juan, la contraria que quería Franco.

En la más bella plaza de Madrid del futuro, que lleva su nombre, se eleva, por suscripción popular, un espectacular monumento en recuerdo de Juan III, obra de Víctor Ochoa. Fue inaugurado, en solemne acto, el 27-VI-1994, por el Rey Don Juan Carlos, acompañado por toda la Familia Real, que se fotografió bajo la efigie de Don Juan junto a las autoridades y el autor de este libro.

convocado aquí esta noche porque me gustaría conocer vuestra opinión y vuestras ideas.

Pemán lamenta lo ocurrido y está de acuerdo en que es necesario trazar las líneas de una política renovada. Yanguas pide prudencia y cuenta una historia de cuando él fue ministro de Alfonso XIII. Andes dice que está de acuerdo con Pemán. Fanjul es más expresivo. Cree que al Príncipe le han puesto entre la espada y el Trono. O se aparta de Don Juan o perderá la Corona. Martínez Almeida está muy brillante y traza una nueva y atractiva política liberal. Los demás callan.

—Está claro, en fin —concluye Don Juan con sosiego—, que debemos estudiar cuanto antes las nuevas líneas políticas de nuestra Causa. Lo que hemos hecho hasta ahora, no sirve.

En ese momento, Pedro Sainz, visiblemente alterado, con las papadas zarandeadas por temblores huidizos, con los ojos como sables, con la voz en la frontera del grito, con el sarcasmo a flor de la enlechada piel, agitada la plata turbia del pelo, interrumpe al Rey.

—Ah, de manera que Vuestra Majestad piensa que es tan alto, tan guapo y tan listo que todo lo sabe y los demás somos unos percebes incapaces de prever las cosas más elementales.

Ante el tono de don Pedro y la agresividad del gesto y la voz, Don Juan parece crisparse, pero se domina, en medio de la tensión súbita que se ha creado y que estremece el apacible salón de *Villa Giralda*.

—Pues no, no es así. Hay algunos menos listos que Vuestra Majestad que teníamos todo esto previsto desde la entrevista del *Azor*. Pero ¿qué idea se ha formado Vuestra Majestad de quién es Franco? Pero ¿es que todavía no se ha dado cuenta del personaje que tiene enfrente? Franco manda más y dispone de más poder que Felipe II. Franco puede hacer en España lo que le salga de los huevos sin que nadie tenga fuerza para oponerle la menor resistencia. Franco puede proclamar mañana la República, o establecer la Regencia, o poner en marcha la mayor putada que se le pueda ocurrir a Vuestra Majestad. Franco puede hacer Rey a Don Juanito, puede hacer Rey a Alfonso Dampierre, puede hacer Rey a Hugo Carlos, puede hacer Rey al fiambre de Carlos VIII, puede hacer Rey, a ver si se entera Vuestra Majestad, que no se entera nunca de nada, puede hacer Rey, si así se le antoja, puede hacer Rey a su propio caballo, como si fuera Calígula. Y al día siguiente, la Prensa unánimemente aplaudiría su decisión y Emilio Romero escribiría en *Pueblo*: «Por fin el *caudillo* ha tomado la decisión más acertada, por fin ha terminado con la ficción de los Borbones caducos y las Monarquías cortesanas, por fin ha dejado como sucesor al símbolo con el que todos estamos de acuerdo, al símbolo de la guerra, al símbolo de la victoria, al símbolo de la cruzada, al caballo, para que sigamos con el Movimiento como hasta ahora, porque la única sucesión posible del Movimiento Nacional es el propio Movimiento Nacional.»

Es tal la belleza formal y la fuerza de la palabra de Pedro Sainz, arisco el gesto, erguida la insolencia, que apenas se oye respirar. Anson nunca le había oído hablar con tal capacidad expresiva.

—Pero ¿qué se ha creído Vuestra Majestad? Pero ¿quién se ha creído Vuestra Majestad que es Vuestra Majestad ante un hombre como Franco? Vuestra Majestad no tiene ni ha tenido desde la conferencia de Potsdam, una sola probabilidad de ser Rey de España. ¿Me ve bien Vuestra Majestad como soy yo, bajo y gordo? ¿Cree Vuestra Majestad que yo podría ganarle un partido de tenis a Manuel Santana? Seguramente no lo cree, ¿verdad? Pues las mismas probabilidades de que yo derrote a Santana tiene Vuestra Majestad de ganarle a Franco o de que Franco le nombre Rey de España. Y sin embargo yo saldría a la pista a jugar porque una lesión de Santana me haría ganar el partido. Ésa es la única probabilidad que ha tenido Vuestra Majestad de ser Rey de España desde 1946: que Franco se muera, que tenga un accidente o que lo maten. Si aquella escopeta de la Navidad del 61 le llega a explotar en la cara en lugar de en una mano, Vuestra Majestad sería hoy el Rey de España. Pero si las cosas siguen como siguen, hay que evitar a toda costa que Franco deje a Muñoz Grandes de regente o nombre a Dampierre sucesor. Con Franco hay que jugar a fondo la baza de Don Juanito, el único anzuelo que puede morder, y luego ya veremos.

Don Pedro ha bajado el tono de voz. Es el catedrático dando su lección magistral.

—Ni vamos, pues, a cambiar la política monárquica, ni vamos a hacer más sandeces. ¿Acaso piensa Vuestra Majestad que la política en Inglaterra la ha hecho Jorge VI o Isabel II? Pues claro que no. La ha hecho Churchill.

Y alzando de nuevo la voz,

—¡Y Churchill soy yo! —grita y baja de nuevo el tono, para susurrar:

—Pues bien, al cabroncete de Franco hay que seguir tratándole igual, como si nada hubiera ocurrido. Don Juanito tiene que jugar su papel en España y lo que ha hecho hoy era inevitable, lo tenía yo completamente previsto y forma parte de una estrategia elemental. La Monarquía, para volver a España, tiene que tener dos caras. Una, la del Príncipe, que sea aceptable para la España franquista. Y otra, en pugna con la primera, la de Vuestra Majestad que sea aceptada por la España no franquista y por el exilio. Todo lo demás es música celestial.

Se calla don Pedro. Se calla el Rey, entre irritado e impresionado. Se calla Pemán. Yanguas empieza a contar otra historia de Alfonso XIII y de su época de ministro, y se levanta la sesión en medio de un silencio denso y un malestar general.

—Vente mañana a verme, después de misa, a eso de las once —le dice Don Juan a Anson, al despedirse.

Al día siguiente, domingo, 6 de marzo de 1966, Anson está ya en el despacho del Rey a las once de la mañana. Don Pedro les ha engañado. La política que está haciendo no termina en Don Juan. Anson, a borbotones, expresa su indignación. Resulta que ha estado al servicio de una política que tenía previsto que Don Juan Carlos pudiera ser Rey antes que su padre. Es intolerable. Don Juan le deja hablar y cebarse contra Sainz Rodríguez. Asiente, además, a sus juicios. Le anima a la invectiva. Está destrozado. Pero al final dice:

—Lo que pasa es que ya es tarde. Pedro tiene razón. Llámale y veniros esta tarde alrededor de las cuatro. Tengo un almuerzo que no puedo dejar, si no comería con vosotros. Que no venga nadie más. Pedro y tú solamente.

(Años más tarde, Don Juan quería autoconvencerse de que siempre estuvo enterado. «Ni yo me engañé a mí mismo, ni nadie [refiriéndose a don Pedro] me engañó»,[76] le asegura a Salmador, tras exponer que cuando envió al Príncipe a España en 1948 pensaba que «la Restauración y la consolidación de la Monarquía podían exigirme a mí un precio, el de mi marginación». Eso no es así. No pensaba en eso. Pero todos los hombres, incluidos los Reyes, se guarecen con el tiempo en fórmulas de justificación.)

Desde las cuatro y media de la tarde hasta las tres de la madrugada del aquel día 6 de marzo, el Rey, don Pedro y Anson mantienen una conversación apasionante. A las ocho de la tarde se interrumpe porque don Pedro, que se ha puesto su mejor traje y está especialmente deferente, se empeña en invitarles a cenar en un restaurante absurdo que ha descubierto en Lisboa. Les da una teórica sobre gastronomía. Al elegir el vino asegura: «Una buena comida es una sinfonía y los temas a desarrollar los impone la bebida que se va a consumir.» Y habla bellamente de la Celestina y su pasión por el vino. Defiende con ardor que se bricen los caldos, viejo rito para que la trasiega limpie el vino y lo transparente en el silencio sombrío de la bodega. Del Sainz Rodríguez tronante del día anterior no queda nada.

---

76. Víctor Salmador. *Don Juan de Borbón*. Pág. 126.

La callada tempestad que había sacudido el ánimo de Don Juan está ya amansada y en calma. Tras la cena, se instalan los tres en la biblioteca de Sainz Rodríguez en la *rua* Alexandre Herculano. Exhibe don Pedro la misma edición florentina de la *Relación de los embajadores venecianos* que Cambó regaló a Don Juan. La conversación se prolonga hasta la madrugada. El Rey aprende la lección de aquella jornada y sabe que tiene que arriar ya las banderas de la soberbia. Los engranajes delicadísimos de la maquinaria política para la Restauración quedan al cuidado de aquel sabio profesor especializado en literatura mística. Él es el arquitecto del edificio monárquico.

Don Pedro explica, punto por punto, sus luchas con Vegas y Gil-Robles tras la conferencia de Potsdam, sus amarguras, la incomprensión del Rey, su estrategia trazada en 1948 para engañar a Franco. Acentúa la exigencia de guardar el más absoluto secreto y espera que, de la disputa de la noche anterior, no quede otra impresión a los consejeros que una bronca entre el Rey y él. Desvela, en fin, el tejido más íntimo de su política minuciosamente planificada, las secretas ganzúas para forzar los portones del poder. Lo cuenta casi todo. No todo porque es demasiado largo. No dice que ha escrito una carta a Franco, pidiéndole volver a Madrid. Tampoco dice que piensa ofrecerle, para acelerar el nombramiento de sucesor del Príncipe, contener la reacción de Don Juan. Se murió sin contárselo a nadie. Como el Gaspar revolucionario del *Diálogo secreto* de Buero Vallejo, Sainz Rodríguez podrá decir con acidez: «Tú eres tu mentira. Si prescindes de ella ¿qué serías?», porque «... todo el mundo hace trampa. Es por la selva en que vivimos. Hay que engañar a los demás».

El Secretariado Político y Areilza

Se decide aquella noche crear un Secretariado Político, que sea un auténtico Gobierno en la sombra, y poner a su frente a un hombre capaz, no como Pabón. Don Pedro asegura que ha hablado ya con Areilza.

—Pero si lo que quiere usted, don Pedro, es que el Rey presente una imagen atractiva para el exilio y la izquierda, no me parece a mí que Areilza, embajador de Franco, sea el nombre más adecuado —objeta Anson.

—Parece mentira que diga usted esas cosas. Es de parvulario político. Naturalmente que nadie más adecuado que Areilza. Es muy inteligente, y, al revés, se excederá en sus contactos con la izquierda, precisamente para lavar su pasado.

Se decide también esa noche ampliar el Consejo Privado y el Rey apunta los nombres que Sainz Rodríguez le sugiere: Gomis, Juan Antonio Zulueta, Martín de Riquer, Jesús Obregón, Guillermo Luca de Tena, Linatti, Ruiz Gallardón... Anson propone a Vegas Latapié. Sainz Rodríguez insiste en el nombre de José María Ramón de San Pedro —él sabía muy bien por qué— y alguien —¿Trevijano, tal vez?— había propuesto ya a Gaitanes.

También se estructura el Secretariado Político, que se divide en cinco secretarías (Leyes, Información, Organización, Economía y Relaciones con la Iglesia) y delegaciones en las provincias.

Unas semanas después de aquella conversación se perfilan los nombres con Areilza: Hermenegildo Altozano, Pablo Martínez Almeida y Luis Sánchez Agesta para Leyes; Luis María Anson, Guillermo Luca de Tena y Ramón Maura para Información; Hermenegildo Altozano, conde de los Andes, Fernando Aramburu y Francisco Melgar para Organización; Luis Gaitanes y Jesús Obregón para Economía; y Juan Jesús González para Relaciones con la Iglesia. Sainz Rodríguez insiste y consigue que José María Ramón de San Pedro se incorpore al Secretariado, lo que sorprende un poco a Areilza y a Anson. Más tarde, Miguel Ortega y Santiago Nadal formarán parte de aquel Gabinete en la sombra, de aquel Consejo de *rabadanes*, como le llamaba Franco.

El 2 de abril, cuando ya todo está decidido con Sainz Rodríguez y Areilza, Don Juan borbonea piadosamente con Pemán y le escribe: «Mucho celebro lo que me dices, pues aunque no he querido dar mi opinión a nadie, para no influenciar en lo más mínimo lo que decida el Consejo, no te oculto que precisamente la solución que apuntas respecto al funcionamiento de una especie de Secretariado me parece la más acertada y ya iremos pensando en los nombres.» De su propuesta el 5 de marzo de 1966 de hacer una política nueva, nada de nada. Ha aceptado plenamente la tesis de Sainz Rodríguez de que todo siga igual. «Me parece conveniente —escribe a Pemán— renovar un poco el Consejo, pero de momento creo es mejor no sustituir la *troika*.»[77]

Trataba con esta carta Don Juan de dulcificar el nombramiento de Areilza, que se había filtrado y producido una reacción altamente desfavorable en la vieja guardia del juanismo. El 25 de abril Pedro Gamero del Castillo escribe una dura carta al Rey: «Todo ello me lleva a sostener que la política monárquica debe seguir beneficiándose, en primer término, del caudal de autoridad y ascendiente en la vida

77. Archivo José María Pemán.

española, acumulado por las personalidades que durante tantos años le han servido con ejemplar lealtad, contribuyendo eficazmente a convertirla en la perspectiva política generalmente aceptada. No debe olvidarse que estas personas gozan de hecho en la sociedad española de un cierto "status" o reconocimiento como representantes de la Monarquía y promotores de su Restauración y que, en todo caso —y más aún teniendo en cuenta la escasez de nuestro capital político— el despilfarro de tal logro sería suicida.»[78]

La carta de Gamero, con el hachazo a Areilza, llega tarde. El nombramiento es un hecho. Don Juan, muy atribulado desde el 5 de marzo de 1966, no tiene otro criterio que el que impone Sainz Rodríguez.

Durante tres años, José María Areilza dio medida de su capacidad política y realizó una ingente labor, no suficientemente reconocida, en la gestión del Secretariado. A él se debe, junto a la actividad de Satrústegui en Unión Española, la incorporación a la solución monárquica de la izquierda nacional. Como suponía Sainz Rodríguez, Areilza fue a veces más allá de lo previsto y sus entrevistas secretas con Rodolfo Llopis,[79] que todos conocían, llegaron a causar alguna alarma a Don Juan y a Sainz Rodríguez. Pero su gestión fue irreprochable. Hubiera sido un formidable Presidente de Gobierno de la Monarquía.

1966. La Monarquía de todos

Anson aprovecha la ley de Fraga que entra en vigor en abril de 1966 y empieza a publicar en *ABC*, periódico del que era en aquella época subdirector, fotos de Don Juan, con el pretexto de cualquier acto, lo que pone muy nervioso a Franco. Sainz Rodríguez sugiere al periodista que escriba un artículo en el que se sintetice lo que piensa Don Juan sobre la Monarquía. «Que a los españoles les quede claro —le dice— que hay una Monarquía, la de Franco, que es la que defienden Carrero y los *lópeces*, y otra Monarquía, la Constitucional, que es la que defiende Don Juan».

—Se lo tendré que enseñar antes al Rey —comenta Anson.

—¡Qué manía la suya todo el día con el Rey a vueltas! Es cojo-

---

78. Archivo Gamero del Castillo.
79. En el archivo de Sainz Rodríguez hay una carta en la que explica cómo Joaquín Arrarás, al que don Pedro escribió el epílogo a su *Historia de la II República*, le advirtió de que la policía vigilaba los contactos de Areilza con Llopis.

nudo el asunto. ¿Pero es que se ha creído usted que el Rey es Metternich? Un día va a oír usted rebuznar al Rey y va a creer que está cantando la Callas. Hay que joderse. El Rey tiene la formación que tiene y nada más. A él le corresponde sancionar la política pero no hacerla. Lo que tiene que hacer el Rey es comer bien, beber bien, jugar al golf, tocarse las pelotas y mantenerse joven y con buen humor, para cautivar a los que acuden a visitarle. De lo demás me encargo yo.

Anson, apabullado, escribe el artículo. Lo hace llegar previamente al Rey. Lo titula «La Monarquía de todos». Se publica el 21 de julio de 1966. Al leerlo en el retrete por la mañana, Franco llama indignado a Fraga y ordena el secuestro de *ABC*. La policía lo retira de los quioscos. Incluso lo arrebatan de las manos a ciudadanos que han comprado *ABC* y lo llevan por la calle. La Guardia Civil lo recoge en los pueblos. El escándalo es monumental. Se han generalizado ya las fotocopiadoras y, como escribe José Antonio Novais en *Le Monde*, «todo el mundo lleva el artículo de Anson en el bolsillo». Se hacen centenares de miles de fotocopias. López Rodó, en sus *Memorias*, se refiere al artículo de Anson[80] y, además de transcribir unas tonterías de Mortes, recoge alborozado la miserable réplica de un periodista, que escribe sabiendo que Anson, maniatado, no puede contestar.

El artículo «La Monarquía de todos» dice así:

«En la vieja Europa de las experiencias y de las sabidurías políticas, una serie de países avanzados, de alto nivel de vida, que han hecho una reforma social justa y han distribuido la riqueza de manera equitativa, sin necesidad de revoluciones armadas, ni de sangre; que, en fin, gozan de libertad en medio de paz prolongada y de ejemplar estabilidad política, son Monarquías: Suecia, Noruega, Bélgica, Holanda, Dinamarca, Inglaterra... Con esto no quiero negar la existencia de repúblicas justas y estables, sino sencillamente subrayar un hecho incuestionable: la Monarquía es un sistema que responde a las exigencias de la más avanzada modernidad social y política, y no solo no entorpece el progreso y la libertad, sino que, por el contrario, los favorece al máximo. De ahí se deriva, tal vez, la profunda popularidad de la institución monárquica en los países europeos que disfrutan de ella, en todos los cuales, por cierto, han gobernado o gobiernan los socialistas. Que en Bélgica, en Dinamarca e Inglaterra el pueblo está con la Monarquía, nadie puede dudarlo. Por eso toda la propaganda antimonárquica desbordada en España por ciertos sectores de dema-

80. López Rodó. *Memorias*. Tomo II. Pág. 59s.

gogos enraizados en ideologías más o menos totalitarias, y torpemente planteada sobre pintorescas imágenes de pelucas, marqueses empolvados, rigodones y explotación del pueblo, se desmorona como un castillo de arena ante la realidad de la Europa de hoy. Mirando hacia Noruega o Suecia resulta verdaderamente difícil convencer a nadie de que la Monarquía es un sistema atrasado que utilizan los poderosos para exprimir al pueblo y privarle de la libertad y de su derecho a intervenir en la vida pública. Aún más, es cierto que algunas de las monarquías derribadas desde la crisis de la Gran Guerra se han convertido, tras pruebas durísimas, en repúblicas libres: la Alemania partida en dos, Austria, Italia, donde si gana el partido de la oposición se terminaría la democracia. Pero la mayor parte de los países europeos que perdieron sus monarquías no lo hicieron en favor de la libertad, sino que, tras breves períodos republicanos, desembocaron en dictaduras. Así, Rusia, Hungría, una parte de Alemania, Yugoslavia, Albania, Rumanía, Polonia, Bulgaria. En Portugal y España, la caída de la Monarquía y la República consiguiente concluyeron en regímenes autoritarios occidentalistas. Hoy, en fin, libertad y Monarquía en Europa se identifican. Y eso no lo puede negar nadie. Conviene tener en cuenta todas estas consideraciones ahora que se habla tanto en España de Monarquía. Porque la Monarquía en sí misma quiere decir poco. Si interesa a los españoles es en función de que cumpla una serie de condiciones: las mismas que satisfacen las monarquías europeas, según ha señalado certeramente Carlos Ollero en su reciente y gran discurso académico. Habrá diferencias de matices y de tal o cual estructura, porque las circunstancias son también diferentes, pero, en líneas generales, la Monarquía española no podrá ser muy distinta de la belga, la noruega o la danesa. Desde 1945 el Régimen español —poco propicio a la permeabilidad— ha experimentado una evolución de noventa grados. Basta leer los discursos y los periódicos de entonces y los de ahora para comprobarlo. ¿Cómo se puede pretender entonces que dentro de veinte años la Monarquía sea igual que el Régimen, hoy? El inmovilismo, sobre todo después del ejemplo del Concilio, es imposible, la evolución se impone y la Monarquía española, incorporada en el futuro, económica y políticamente a Europa de forma casi inevitable, será, en líneas generales, como son las otras monarquías europeas, con sus inconvenientes, pero con todas sus inmensas ventajas de paz, continuidad, progreso económico y libertad.

Por eso, en España los caminos políticos conducen a la Monarquía de Don Juan, que es la Monarquía a la europea, la Monarquía democrática en el mejor sentido del concepto, la Monarquía popular, la Monarquía de todos. En unos meses, desde Serrano Súñer a Tierno Galván, las principales figuras políticas españolas de numerosas tendencias han hecho declaraciones públicas en favor de Don Juan. Hace unos días hablaba yo con Hermenegildo Altozano, el político de más porvenir que tiene el Opus Dei, de este hecho significativo: en la cena que, con motivo de la onomástica del Jefe de la Casa Real Española, se celebró el 23 de junio pasado en Madrid, se encontraban presentes no solo los sectores tradicionalmente conservadores y monárquicos desde Arauz de Robles y su grupo de carlistas a Joaquín Satrústegui y sus liberales, sino también —y esto es lo más significativo— los representantes de ideologías en otro tiempo hostiles a la Monarquía. Así, Villar Massó y sus socialistas, Federico Carvajal y los suyos. Así, Dionisio Ridruejo y su grupo, los socialistas de Tierno y republicanos históricos como el magnífico Prados Arrarte o Félix Cifuentes, hombre de mente extraordinariamente fría y lúcida. Así, el equipo de la *Revista de Occidente*, con José Ortega a la cabeza, sin que faltara Aranguren, ni las adhesiones de Laín y Marías. Mención aparte, por cierto, para algunos sectores del grupo de democracia cristiana, centro de equilibrio de la vida política española, con hombres de calidad humana y la inteligencia de Moutas, Adánez, Barros de Lis, Juan Jesús González, Guerra Zunzunegui. En la mesa donde yo cenaba estaba Miguel Ortega, hijo de Ortega y Gasset, miembro del Consejo Privado de Don Juan, y, viéndole yo pensaba: «Lo importante de esta noche no es la presencia de los grupos conservadores, de los grupos que el 18 de julio sustentaron el Régimen actual, y cuyos nombres sería demasiado largo enumerar ahora. Lo importante es que se encuentren en un acto en honor de Don Juan los que derribaron a su padre, los que dijeron «delenda est Monarchia», y hoy, con un patriotismo admirable y una honestidad intelectual ejemplar, dicen: «la Monarquía debe ser construida». Así se podrá cumplir el deseo clarividente del Jefe del Estado cuando al impedir a Don Juan incorporarse al frente durante la guerra afirmó que no debía pertenecer a los vencedores ni a los vencidos para poder ser un día el Rey de todos los españoles. Pensaba yo esto y pensaba también en la postura ejemplarísima de don Juan Carlos cuando un periodista indiscreto le habló de sus posibilidades al Trono y el Príncipe hizo esta declaración perfecta, recogida en la revista *Time* de 21 de enero de 1966: «Nunca, nunca aceptaré la Corona mientras mi padre esté vivo.»

La Monarquía de Don Juan, pues, que es la del sentido común, significa la sucesión al Régimen sin alteraciones de la paz y del orden. No la convirtamos por cuestión de matices bizantinos en un problema más, sino en un lugar común de convivencia para que los españoles de todas las tendencias puedan abordar pacíficamente la solución de los problemas de España. La Monarquía permanece en Inglaterra, en Bélgica o en Dinamarca porque es útil, mucho más útil que la República. No podemos actuar de espaldas a los tiempos que vivimos, y por eso es necesario, aun a costa de sacrificar matices o posiciones de grupo, ensanchar las bases de nuestra Monarquía. Porque la Monarquía no puede ser excluyente, como lo fue la República. De cara al futuro no hay más Monarquía posible que la Monarquía de todos, al servicio de la justicia social y de los principios de derecho público cristiano.

LUIS MARÍA ANSON»

Cualquier español de la nueva generación, sea de la ideología que sea, considerará este texto moderado y sin aristas. La España de 1966 ya no era la del 40 ni la del 50. Pero este artículo supuso el secuestro de *ABC*, el procesamiento de su autor y, después, la presión sobre la empresa para enmascarar la decisión de enviar a Anson al exilio. Franco reaccionó con desmesura y le dijo a *Pacón* ese mismo 21 de julio de 1966: «Lamento mucho lo ocurrido pero ese artículo no podía ser más tendencioso, inoportuno e impolítico. El mayor enemigo de la Monarquía y del Régimen no hubiera escrito nada más lamentable. Después de una guerra de tres años, con cerca de un millón de muertos y media España destruida, no se le ocurre a este señor otra cosa que la salvación de España está en una Monarquía democrática...»[81] Areilza, que estaba al frente del Secretariado Político, tuvo el valor de elogiar públicamente el artículo, lo calificó de «éxito resonante» y lo llamó «premonitorio en su contenido».[82] A finales de agosto, Fraga Iribarne expuso la situación a Juan Ignacio Luca de Tena, que llamó a su despacho a Anson.

—Franco —le dice— no quiere procesos ni escándalos. Va a sobreseer el asunto pero desea que te vayas al extranjero. Yo voy a hacer —añadió con su caballerosidad proverbial— lo que tú quieras después de hablar con mi hijo Torcuato. Si decides quedarte en España, el periódico arrostrará las consecuencias.[83] Si decides marcharte, elige la corresponsalía que desees. Será un exilio, lo cual es durísimo, pero un exilio soportable.

Anson, naturalmente, decide marcharse. No quiere comprometer al periódico. Se casa antes con una mujer maravillosa, Beatriz Balmaseda, de la que tendría tres hijas. Pasa su luna de miel y rosas en la guerra del Vietnam. Después se instala en Hong Kong. Habla todas las semanas con el Rey y con don Pedro. Y prepara su regreso.

El 21 de diciembre de 1966, una trombosis coronaria termina con la vida de Ramón Padilla, el hombre de máxima confianza del Rey. Con sesenta y cuatro años de edad, el discreto diplomático era una pieza clave en *Villa Giralda*. Don Juan le quería. Cuando el féretro sale del *Carpe diem*, el Rey lo detiene un momento, se inclina sobre él y besa el crucifijo, mientras la emoción le arrasa los ojos.

81. Franco Salgado-Araujo. *Mis conversaciones con Franco*. Pág. 478.
82. Areilza. *A lo largo del siglo*. Pág. 180.
83. El Gobierno tenía en sus manos el cupo de papel para presionar a las empresas periodísticas.

Capítulo XXIX

1968-1969: AÑOS CLAVES

Los juancarlistas de Carrero y López Rodó le van ganando todos los envites a la Falange, el principal de los cuales es la Ley Orgánica del Estado, refrendada el 12 de diciembre de 1966. La firmeza de Carrero y sobre todo la habilísima y tenaz labor de López Rodó en favor del Príncipe Juan Carlos, remueven poco a poco la inercia y la pasividad de El Pardo. La dictadura organiza con eficacia el referéndum y solo el 1'81 por ciento de los españoles votan que no. Hay unos minutos en el recuento en que se riza el rizo de la farsa: el número de votos afirmativos es superior al censo. Franco ha cumplido ya treinta años en el poder y Don Juan le envía un telegrama de felicitación, dentro también —aquí sí que Ricardo de la Cierva advierte la estrategia de Sainz Rodríguez— «de un juego a dos bandas».[84] El historiador subraya una frase de Fraga en su diario: «Almuerzo (uno más) en el difícil tema del diario *Madrid*. Asisten Luis Valls, R. Calvo, Antonio Fontán y Trevijano. Está cada vez más claro que, en lugar de jugar cada vez más claramente a la reforma, hay una organización que se ha repartido el juego: unos van a apoyarse a ultranza en Carrero y otros a jugar a la ruptura.»[85]

El 14 de diciembre de 1967 cae la Monarquía griega lo que conmociona a la Zarzuela y a El Pardo. La dictadura militar termina haciéndose incompatible con el Rey Constantino.

1968. La Reina Victoria regresa a España

Y llegamos al año 1968. El ritmo de los acontecimientos se va a hacer trepidante.

El 5 de enero, el Príncipe de Asturias cumple treinta años, la edad fijada por la Ley de Sucesión para poder ser designado sucesor a título de Rey.

El 30 de enero nace el primer hijo varón de los Príncipes de Asturias: el Infante Don Felipe. Ya hay heredero.

El Rey, acompañado por la Reina Doña María y la Infanta Margarita viaja en coche a España. Almuerza en Elvas. Llega a Madrid

---

84. *Franco Don Juan, los reyes sin corona*. Pág. 148.
85. Fraga Iribarne. *Memoria breve de una vida pública*. Pág. 215.

al anochecer y se instala a vivir en el Palacio de la Zarzuela. El 7 de febrero, después de la comida, se dirige toda la Familia Real al aeropuerto de Barajas para recibir a la Reina Victoria, que vuelve por primera vez a España desde aquel lejano 15 de abril de 1931. No hay ni propaganda, ni horas libres en oficinas y comercios, ni movimiento oficial. Pero el pueblo madrileño cubre los nueve kilómetros desde el aeropuerto a Madrid. González-Doria, recogiendo fuentes de la policía, cifra en ciento cincuenta mil las personas que se movilizaron aquella tarde del 7 de febrero.

La Reina, que viaja desde Niza, baja del avión y, ante los millares y millares de personas que se agolpan en Barajas, ministros y autoridades de Franco, hace con parsimonia la reverencia protocolaria hasta el suelo ante su hijo, el Rey. Y la hace para que no haya duda de cuál es su posición en la cuestión sucesoria. Los ministros Castiella, Oriol, Espinosa San Martín y Lora Tamayo estaban allí sin permiso de Franco, que se negó a recibir a la Reina en Barajas y prohibió a Alonso Vega que acudiera, autorizando solo al ministro del Aire. No se equivoca el dictador. Las puertas del aeropuerto saltan hechas añicos, la multitud se desborda, arrolla a los ministros, y la gran sorpresa: se aplaude con calor a la Reina madre, pero el delirio se forma en torno a Don Juan. Un ¡viva el Rey! interminable le acompaña a cada paso. La muchedumbre bloquea e inmoviliza el automóvil durante catorce r..inutos de reloj. La Reina está sorprendida. «No me podía imaginar que la popularidad de mi hijo Juan fuera tan grande», diría. Doña Victoria toma el té con Franco en el Palacio de la Zarzuela. El *caudillo* ha tenido la deferencia de desplazarse con su esposa, desde El Pardo. Le recuerda a la Reina antiguos tiempos. Y Doña Victoria le dice: «Estamos los dos muy viejecitos.» La Reina tiene una enfermedad hepática, a pesar de lo cual aguanta un besamanos de ocho horas en el Palacio de Liria, abierto por la generosa duquesa de Alba al desfile incesante del pueblo de Madrid.

Pero de lo que toma buena nota Franco es de la popularidad de Don Juan en cada uno de sus movimientos. Visita la Virgen de la Paloma y el barrio es un clamor. Acude a El Escorial y el pueblo se echa a la calle. Entra en el Monasterio, visita el Panteón de Reyes y baja al *Pudridero* donde está su abuela, la Reina Cristina. Reza un rato y Anson advierte la humedad que vela sus ojos. Al pasar por el Valle de los Caídos decide acercarse a la tumba del que fue su amigo José Antonio Primo de Rivera. Recibe a un centenar de militares en el palacio del duque de Alburquerque, en Recoletos. Se entrevista secretamente con el general Díez Alegría en casa de Antonio García Trevijano. Y recibe, en la Zarzuela, audiencias de todas las clases sociales y todas las ideologías, incluidos miembros de Comisiones Obreras.

Y, sobre todo, deshace con un gesto inteligente la torpeza del reinado de su padre en relación a la intelectualidad. Don Juan, que había visitado a Juan Ramón Jiménez, a Pablo Casals, a Pablo Picasso, a Salvador de Madariaga, que había sido amigo de Ortega y Gasset, de Dámaso Alonso, de Gregorio Marañón, que más tarde visitaría en Wellingtonia a Vicente Aleixandre, acude a casa de Ramón Menéndez Pidal, acompañado por Pemán, Marías, Dámaso, Rosales y Anson y le dice:

—Vengo, don Ramón, a rendir en su persona homenaje a la cultura española.

El Rey y su madre apadri an a Felipe de Borbón y Grecia. Franco, con cara de palo, asiste, a ompañado por Doña Carmen, a la ceremonia. Carrero vuelve la espalda al Rey cuando éste se le acerca.

Franco estudia el informe sobre el viaje de Don Juan. Se da cuenta por primera vez de que, con la nueva situación de los medios de comunicación, si no toma decisiones sucesorias enseguida, no podrá contener la popularidad contagiosa de Don Juan. Le frena el temor a que la Reina Victoria haga una declaración en contra de una eventual decisión suya en favor de Don Juan Carlos.

López Rodó aprovecha la situación y ejerce máxima presión sobre El Pardo. Le habla directamente y con valor a Franco. Moviliza a cuantos pueden influirle. Sobre todo a Camilo Alonso Vega.

El 13 de mayo estalla la huelga general en Francia. La Universidad se levanta en un clamor de jóvenes descontentos. Ondean las banderas rojas en manos de muchachas enfundadas en ceñidos pantalones vaqueros, al aire la aterida seda de los vientres agresivos. Es una protesta general, un clamor de la Historia. Es el descontento airado de la nueva generación. Los jóvenes no creen ya en una sociedad de posguerra que se hace irremediablemente vieja. Franco está atónito. No entiende nada. La sociedad de consumo, la sociedad del automóvil y los electrodomésticos había creado la generación del silencio. Pero, de forma súbita, la juventud se revuelve. Aquella generación del hámago y el bostezo, hastiada, aburrida, sin ilusión, está ya en la calle haciendo su propia revolución. Sainz Rodríguez elogiaría a aquellos revolucionarios y también a los *hippies*: «Están con el Evangelio. Solo han cambiado una preposición. En lugar de decir «amaos los unos a los otros», aconsejan «amaos los unos sobre los otros».

Un artículo escrito por Calvo Serer titulado *No, al general De*

Gaulle provoca el secuestro del diario *Madrid* y la reacción iracunda de Franco que poco tiempo después cerraría el periódico.

Don Juan Carlos, flanqueado por Carrero y López Rodó, va tomando de forma cada vez más nítida la postura que había previsto Sainz Rodríguez, incluso con alguna alusión a la eliminación del duque de la Torre, una de las jugadas maestras en la estrategia de Sainz Rodríguez. Y se lo dice a su padre:

—Yo he seguido la línea que tú me trazaste. El duque de la Torre se oponía a que yo me instalara en la Zarzuela. Él quería que yo fuera a estudiar a Salamanca y fuiste tú quien me puso aquí. Con ello tomaste una opción. Estar en la Zarzuela era estar cerca de Franco... Tú has jugado a una carta; yo a otra, por tu mandato...[86]

El 2 de agosto de 1968, ETA asesina al guardia civil José Pardines y al policía Melitón Manzanas. Franco se queda estupefacto. No podía ni imaginar que en su Arcadia perfecta pudieran ocurrir cosas así. Los lobos del terrorismo habían metido sus hocicos entre los tobillos de España. Veinticinco años después no se han restañado las ásperas dentelladas de ETA. El terrorismo es una sangre sin fin que se derrama.

1968. El dictador portugués, descerebrado. López Rodó acosa a Franco

El 7 de septiembre de 1968 un derrame cerebral inmoviliza al dictador portugués Oliveira Salazar, que es sustituido por Marcelo Caetano. Alonso Vega, instigado por López Rodó, le dice a Franco: «Toma nota de Portugal y deja claramente establecido quién habrá de sucederte.» El generalísimo se encuentra muy abatido. Todo un mundo en el que había creído se derrumba a su lado. No entiende las costumbres de la juventud nueva, ni las modas de las playas, ni el rock, ni la minifalda, ni los *hippies*, ni la protesta estudiantil, ni el fervor por el *Che* Guevara, ni casi nada de lo que explota inevitablemente en toda Europa.

El *caudillo* de los sueños imperiales, el que iba a construir un glorioso Imperio hacia Dios, entrega el 12 de octubre de 1968 casi todo lo que le queda a España: Guinea, Fernando Poo, Annobon, Corisco, Elobey Grande, Elobey Chico... Solo resta el Sahara. ¿Por cuánto tiempo?

Gregorio López Bravo acucia a Franco en ese mes de octubre

---

86. López Rodó. *Memorias*. Tomo II. Pág. 314.

para que nombre sucesor y presidente del Gobierno. El *caudillo* es como un boxeador sonado, cada día recibe un nuevo golpe.

También en octubre, Don Juan envía una carta a su hijo, preparada por Sainz Rodríguez y Pemán, en la que se anticipa al nombramiento de sucesor. Pedro Sainz quiere que quede claro que la política bifronte va a continuar. Un Príncipe nombrado sucesor se ocupará de la España oficial. Un Rey hostil a Franco se atraerá a la izquierda y al exilio para evitar que cristalice una tercera República. Don Juan, en esa larga carta muy bien escrita (la redacción es de Pemán, no de Sainz Rodríguez, que hablaba extraordinariamente bien y escribía de forma ramplona), le dice a su hijo: «El tiempo pasa y puede llegar el instante en que el futuro de España tenga que resolverse no como tesis abstracta, sino como realidad viva y concreta en su fórmula institucional y en las personas que hayan de realizarla y encarnarla. Sería imperdonable que en ese momento, conscientes de nuestra responsabilidad y deber, tú y yo no hubiéramos llegado, de común acuerdo, a un concepto de fondo de lo que en esa coyuntura es mejor para España.»[87]

El 24 de octubre, el almirante Carrero le lee y entrega a Franco un memorándum titulado *Consideraciones sobre la aplicación del artículo VI de la Ley de Sucesión*. La presión sobre el *caudillo*, pilotada por el incansable López Rodó, crece. Para Carrero Blanco el Rey no será otra cosa que la guinda sobre la tarta. A Ramón de San Pedro se lo explica de forma pedestre: «Para decírselo a usted con claridad meridiana, aunque la comparación y el razonamiento que voy a hacerle no está pensado para ser expuesto ante las Cortes, la Monarquía que se instaurará en España ya está preparada. Será como una tarta compuesta de almendra, chocolate y crema, porque así nos gusta a quienes hemos de consumirla. Y el Rey será tan solo la guinda, que se coloca en el centro de la tarta, para darle una nota de color.»[88]

El 22 de noviembre, la revista *Point de Vue, Images du monde* (número 1603), especializada en familias reales, publica una entrevista en la que el Príncipe, entre otras muchas cosas, declara: «Nunca, nunca aceptaré la Corona mientras mi padre esté vivo.» Consternación en El Pardo y conmoción en el juancarlismo. Según López Rodó, las declaraciones son apócrifas. El marqués de Mondéjar asegura que el Príncipe no ha dicho nada de eso. Armada le comunica a Juan

87. Archivo Don Juan de Borbón.
88. Archivo Luis María Anson. Carta de José María Ramón de San Pedro de 1-III-1983.

Herrera que las declaraciones no son reales. Y es verdad. Lo que ocurre, y ninguno de los que rodean al Príncipe lo advierte, es que Françoise Laot ha recogido una declaración realizada en 1965 y publicada en enero de 1966 en la revista *Time*[89] en que Don Juan Carlos pronunció exactamente las palabras recogidas en *Point de Vue*. Cuatro años después, una frase de ese alcance significaba que podía quedar excluido de la sucesión.

Don Juan Carlos habla con Juan Ignacio Luca de Tena para que la frase de la revista francesa no se reproduzca en *ABC*. «Las familias reales —le dice el *caudillo* al Príncipe— no deben discutir en la Prensa. Hay que salir al paso indirectamente.»[90]

Fraga propone que se publique una entrevista con el Príncipe en la Prensa española. López Rodó parece atribuirse con notable autocomplacencia la redacción de la entrevista. No es así. «Yo ya tenía —escribe Fraga— la conformidad de la Zarzuela para dar el paso al frente: no lo consulté con nadie, ni aun con el propio Franco. Dediqué aquellos días a meditar el texto de unas declaraciones del Príncipe aclarando las cosas de una vez: en la redacción definitiva me ayudó Gabriel Elorriaga, jefe de mi gabinete, que las llevó a la Zarzuela, donde el Príncipe las aprobó y añadió dos líneas de su puño y letra.»[91]

El director de la agencia *Efe* firma la entrevista según le ordena Fraga y la distribuye a toda la Prensa nacional. La posición del Príncipe está clara. Lo acepta todo y si Franco le nombra será el sucesor a título de Rey, tras jurar los Principios y Leyes Fundamentales.

Don Juan, abrumado, hace pública la previsora carta de octubre, y consulta a su Consejo Privado. Anson llama a Sainz Rodríguez.

—Está saliendo todo a pedir de boca. Conteste usted unas líneas breves reafirmando su lealtad a Don Juan. El gran pez está a punto de morder el anzuelo.

La inmensa mayoría de los consejeros recomiendan silencio. No se ataca al Príncipe, solo se respalda a Don Juan. El sector Yanguas-Valdecasas-Gamero aprovecha la ocasión e intenta desmontar a Areilza. «... al amparo de la política propuesta y aconsejada a V.M. en los últimos tiempos —escribe Pedro Gamero[92] a Don Juan el 27

---

89. *Time Magazine*, 21-I-1966. *Cover story*, con Franco en portada, y reportaje *Spain looks to the future*, de seis páginas.
90. Armada. *Al servicio de la Corona*. Pág. 125.
91. Fraga Iribarne. *Memoria breve de una vida pública*. Pág. 235.
92. Archivo Gamero del Castillo.

de enero de 1969— se han producido hechos notorios que, ciertamente no han sido útiles para el servicio y la custodia de aquella unidad [la de la dinastía]... en consecuencia, mi consejo no puede ser otro que el de la rectificación de aquella política, para hacer otra que sirva con más eficacia a la unidad dinástica. Una persona, y si no fuera posible unas pocas, que contasen con la confianza de V.M. y con la buena acogida del Príncipe deberían quedar encargadas de remediar el daño externo producido...»

El Rey, que recibiría cartas de apoyo de Marías, Chueca, Prados Arrarte, Lafuente Ferrari, escribe a José María Pemán, el 25 de enero:

> «Querido José María:
> Deseo que transmitas a los miembros de mi Consejo Privado mi agradecimiento por la rapidez con que han contestado a la consulta que les solicité en mi carta del pasado día 12 de enero.
> La abrumadora mayoría de adhesiones incondicionales a mi persona que contienen las respuestas y sus ecuánimes opiniones sobre la situación, juntamente con otras muchas y valiosas que me han llegado de los más variados y extensos sectores, refuerzan una vez más mi permanente propósito de cumplir con los deberes irrenunciables que como Jefe de la Dinastía tengo contraídos con el pueblo de España.
> Con mi agradecimiento te envía un afectuoso abrazo,
>
> JUAN»[93]

El 15 de enero Don Juan Carlos visita a Franco. Según Fernando de Liñán, el generalísimo le dice: «Tenga mucha tranquilidad, Alteza. No se deje atraer ahora por nada. Todo está hecho.»

El 16 de enero Don Juan escribe de puño y letra una emotiva carta a José María Pemán, cuya mujer acaba de fallecer: «Tú y María del Carmen habéis constituido un matrimonio tan unido a lo largo de tantos años...»[94]

Sainz Rodríguez le envía a Don Juan un artículo de Salvador de Madariaga en *ABC*, con este párrafo subrayado: «Ni izquierda ni derecha. Yo soy un trabajador intelectual, veo lo uno y lo otro. Para eso tengo dos ojos. El izquierdista es un tuerto del ojo derecho; el derechista lo es del izquierdo. Afortunadamente, ambos mis ojos ven bien. Así es que mi barca no deriva ni a un lado ni a otro. Sigue la proa. Y la proa está en el medio. Por eso es lo primero que hiende las

93. Archivo José María Pemán.
94. Ibídem.

369

aguas del porvenir.» El Rey le escribe una espontánea carta al autor de *El corazón de piedra verde*. Franco ha decidido nombrar sucesor al Príncipe Don Juan Carlos. Faltan dos cosas: esperar a que muera la Reina Victoria, que está muy enferma, y tener la garantía de que la reacción de Estoril será razonable. Según los informes de Franco, a la Reina le quedan semanas de vida. Según Ramón de San Pedro, Sainz Rodríguez está decidido a comprometerse. Contendrá la reacción de Estoril y convencerá, si fuera necesario, al Príncipe para que no exija una entrevista previa entre Franco y Don Juan, para aceptar el nombramiento de sucesor.

El 7 de abril, aprovechando un comentario sobre la política española en el Sahara, el *caudillo* destituye de un plumazo al teniente general García Valiño por coquetear abiertamente con Don Juan.

El 15 de abril de 1969 fallece la Reina Victoria y los acontecimientos sucesorios, a pesar todavía de muchas reticencias de Franco y algunas vacilaciones, se precipitan. Este libro[95] se ha empezado con el relato preciso de lo que ocurrió durante aquellas semanas apasionantes que transcurrieron desde el 15 de abril con la Reina muerta hasta el 29 de julio de ese año 1969 en que Don Juan mantuvo con Sainz Rodríguez, en presencia de Pemán y Anson, una conversación que será la clave para el éxito de la cuarta etapa de la Restauración monárquica: evitar la III República.

---

95. Véase Introducción, con los cinco primeros capítulos, págs. 13 a 79 de este libro.

CUARTA ETAPA DE LA RESTAURACIÓN: EVITAR LA III REPÚBLICA

Capítulo XXX

DON JUAN Y DON JUAN CARLOS EN LA ESTRATEGIA BIFRONTE DE LA CAUSA MONÁRQUICA

Tras los acontecimientos y las tensiones del mes de julio de 1969, relatados en la Introducción de este libro, la estrategia de la Causa monárquica no puede quedar más clara.

Don Juan Carlos es el sucesor a título de Rey. Tiene ante él la tarea ingente, que realiza con discreción y extraordinaria habilidad, de atraerse a la España oficial y evitar, a la vez, los celos o los recelos del generalísimo. Cuenta con el apoyo incondicional de Carrero Blanco y su entorno tecnócrata y con el magnetismo irresistible que para una buena parte de la clase política tiene el generoso pesebre del Régimen.

Don Juan no ha abdicado. Mantiene sus derechos y defiende una Monarquía Constitucional que es, abiertamente, la contraria de la que ha establecido Franco. Su papel consiste en polarizar en torno suyo, para evitar que se organice un movimiento articulado en favor de la III República, al exilio exterior e interior, a los demócratas españoles.

La Monarquía del Movimiento Nacional es inviable en la Europa del último tercio del siglo XX. Franquistas y juancarlistas demuestran una cerril actitud ante el imparable devenir de la Historia. En España, o se construye una Monarquía como la inglesa o la belga, o la Institución durará el tiempo en que se la lleve por delante una tempestad revolucionaria, cuyos vientos soplan ya a través de los oscuros corredores clandestinos de los sindicatos obreros.

Sainz Rodríguez mantiene confianza plena en que el Príncipe Juan Carlos, una vez muerto Franco, se trenzará con la realidad y colocará la Corona sobre la testa del sistema democrático pluralista que exigen los tiempos. A pesar de las cadenas con que el dictador ha engrilletado el palacio de la Zarzuela, el Príncipe está consciente del devenir histórico y, a escondidas de todos y con enormes sigilos, entra en contacto poco a poco con algunos sectores de la izquierda, llegando hasta el propio Carrillo, a través de gestiones que realizan Nicolás Franco Pascual de Pobil, sobrino del *caudillo*, y José Mario Armero. Pero son solo ademanes fugitivos.

El peso de la operación para hacer posible y feraz la Monarquía de todos corresponde a Don Juan y a su admirable sacrificio personal por la Institución y por España, cuando sabe ya que no será Rey. El Conde de Barcelona trabaja abnegadamente no para que su hijo se convierta en Rey, sino para que pueda permanecer como Rey cuando se cumplan las previsiones sucesorias. La inmolación de Don Juan en el altar del patriotismo constituye el pasaje más encomiable de toda su vida política y personal.

Suena la hora de Unión Española en la Causa monárquica. La política de Sainz Rodríguez para que Don Juan no condenase, en situaciones muy comprometedoras y en años críticos, a este grupo, ni rechazara a Satrústegui, se comprende claramente en el verano de 1969.

Gracias a la credibilidad y al prestigio de Unión Española en la izquierda, se puede intentar la vasta operación que exige el futuro de España: organizar la moderación,[1] construir un sistema apoyado por todas las fuerzas democráticas a izquierda y derecha.

España va a tener un Rey. Como en 1874, Sainz Rodríguez se ha planteado lo mismo que entonces Cánovas del Castillo. No significa demasiado que a España vuelva un Rey, que es lo que se ha conseguido gracias a la actitud de Carrero y, sobre todo, a la tenacidad de López Rodó. Lo importante es que la Monarquía tenga continuidad. Un Rey sobre las bayonetas sería un paréntesis histórico, perdido en las sentinas de la dictadura. La Monarquía a finales del siglo XX solo puede instalarse y permanecer sobre la voluntad popular.

Aún más: ése es el destino histórico que debe cumplir la Corona. Frente a un Ejército vencedor de la Guerra Civil, que se adueñó de todo, la única, la sola, la histórica tarea de la Monarquía consiste en devolver la soberanía nacional al pueblo español a través de la voluntad general libremente expresada. Así es de sencillo el planteamiento político de Don Juan.

¿Hubo o no pacto dinástico?

¿Hubo acuerdo entre padre e hijo para esta operación tras los acontecimientos de julio de 1969? Ricardo de la Cierva afirma que lo hubo. Lo llama «el pacto dinástico»[2] y aporta datos de interés e, incluso, una interpretación inteligente de las conversaciones de Don Juan Carlos con Vilallonga en su libro *El Rey.*

---

1. Luis María Anson. *Organizar la moderación. ABC,* 22-II-1972.
2. Ricardo de la Cierva. *Franco Don Juan, los reyes sin corona.* Pág. 659.

Luis Suárez, en una obra insustituible, *Francisco Franco y su tiempo*, discrepa de Ricardo de la Cierva. Y escribe: «De la Cierva, aventura una hipótesis para la que no existen pruebas: la de un pacto secretísimo entre Don Juan y su hijo, según el cual Don Juan Carlos aceptaría las condiciones para la Sucesión, porque sin ellas la Monarquía no iba a ser restaurada, pero una vez en el trono llevaría a cabo las reformas a las que Don Juan se comprometiera. Cuando esas reformas se hubiesen consumado, el Conde abdicaría de sus derechos.»[3] No le falta razón a Suárez Fernández en lo que afirma. No existen esas pruebas. Ni escritas, ni orales. Don Juan no habló nunca del pacto o acuerdo con su hijo ni a Sainz Rodríguez, ni a Pemán, ni a Anson.

Y, sin embargo, lo probable es que la verdad histórica esté al lado de Ricardo de la Cierva. La conversación en aquel verano crucial, o tal vez en Navidad, entre padre e hijo, pudo significar, más o menos expresamente, ese pacto dinástico. «Yo no levantaré bandera contra ti, pero los dos tenemos el deber de construir una Monarquía que permanezca y ésa solo es la que yo defiendo. Quiero que te comprometas a que, muerto Franco, lo intentarás.» Más o menos así pudo ser el planteamiento de Don Juan. Si hubo pacto, el Conde de Barcelona se llevó el secreto a la tumba. No es fácil que el Rey Juan Carlos I lo desvele, a pesar de las insinuaciones deslizadas en el libro de Vilallonga, porque sería tanto como reconocer su propósito de engañar a Franco a las pocas semanas de haber sido nombrado sucesor. Areilza, que conocía con profundidad la política monárquica, escribiría en 1992: «Don Juan sabía que Don Juan Carlos haría suya la Monarquía que él había defendido durante tantos años. El "pacto familiar" había funcionado. Monarquía y libertad iban a convertirse en el lema del reinado.»[4] Por su parte Don Juan Carlos, ya Rey, le diría a Vilallonga: «Hay gente que cuando se entere de que yo ya pensaba legalizar el Partido Comunista siendo todavía Príncipe de España... Dirán... no sé... Se dirán que me disponía a engañarles... a traicionarles.»[5] En todo caso, si hubo «pacto dinástico» está claro que no fue formal y, probablemente, se movió en la vaguedad de una conversación, enmascarado de sutilezas y veladuras. Lo importante es que las cosas han sucedido como si el pacto hubiera existido. Don Juan Carlos le

---

3. Luis Suárez. *Francisco Franco y su tiempo*. Tomo VIII. Pág. 70. Cfr. De la Cierva. *Franquismo*. Pág. 283.

4. José María de Areilza. *A lo largo del siglo*. Pág. 204.

5. Vilallonga. *El Rey*. Pág. 105.

diría a Santiago Carrillo: «Durante veinte años he tenido que hacer de idiota, lo que no es fácil.»[6]

La hora de Unión Española

La Falange, naturalmente, reaccionó como una fiera azuzada tras su derrota de julio de 1969, metió sus largos dedos en las zahúrdas del Opus y destapó el escándalo *Matesa* contra los tecnócratas, que terminó con la dimisión del ministro de Hacienda, la crisis de Gobierno del 29 de octubre de 1969 y el vergonzoso indulto posterior de los implicados. Como la responsabilidad final concernía a Franco, el *caudillo* se indultará a sí mismo el 1 de octubre de 1971.

López Rodó, que maneja como un maestro todos los hilos del poder, reacciona con habilidad al acoso *Matesa* y, conseguido su gran objetivo de que Franco designe sucesor, encarrila hacia otros telares la operación de deshilachar aún más el poder del *caudillo*, presionándole para que nombre presidente de Gobierno. Como la designación solo puede recaer en Carrero, eso significará la victoria por goleada del juancarlismo y el ostracismo definitivo para la Falange, para la Secretaría General de Movimiento, que se quedará reducida a su hosco lazareto de la calle de Alcalá, atravesado por las cinco flechas fascistas.

Sainz Rodríguez vive ya en Madrid y viaja todos los meses a Estoril. Ha confeccionado con Anson una muy detallada lista de dirigentes de la oposición democrática para formalizar los contactos con Don Juan. Excluye de ella solamente a Santiago Carrillo, pero no a quien designe el secretario del Partido Comunista. La Guerra Civil está demasiado viva para don Pedro y teme una reacción incontrolada si trasluce a la opinión pública una entrevista Don Juan-Carrillo. El líder comunista se despachará a gusto contra Sainz Rodríguez en sus *Memorias*.[7]

Don Juan escribe a Pemán el 24 de octubre de 1969 para felicitarle por su artículo *Decir algo*, el día anterior en *ABC*. «Lo que sí he deducido es que la gente esperaba —o espera todavía— otro con "algo más", pero yo bien me hago cargo de lo difícil que te será ello bajo tantos órdenes.»[8] Pemán atiende la sugerencia de su Rey y el 14 de noviembre publica un nuevo artículo en *ABC* titulado *Dios dirá*.

6. Cfr. Vilallonga. *El Rey*. Pág. 146.
7. Cfr. Santiago Carrillo. *Memorias*. Planeta, 1993. Pág. 594s.
8. Archivo José María Pemán.

Sainz Rodríguez negocia reiteradamente con Satrústegui al que encarga la operación de organizar los contactos de la oposición democrática con el Rey. La España actual no sabe cuánto debe de su democracia actual, de sus libertades y su concordia, a la actividad de Satrústegui, Miralles y Piniés y a la capacidad integradora de Unión Española, que se multiplica organizando encuentros y reuniones en Estoril, sobre todo los días anteriores a cada santo del Rey. José María Toquero, en su libro *Franco y Don Juan*, ha hecho una aportación inestimable a este pasaje de nuestra reciente historia. Su versión de la política monárquica es la de Satrústegui. Refleja así una parte sustancial de la realidad, de esa malla que se iría tejiendo, imparable, para dar una textura diferente a las relaciones de la Corona con la izquierda española.

Capítulo XXXI

1972-1973: FRANCO SE DA CUENTA DE QUE SE HA EQUIVOCADO AL DESIGNAR A DON JUAN CARLOS

—¡Coño, qué me está usted diciendo! Pues si Franco no estira la bota enseguida se puede ir al quinto carajo todo lo que hemos hecho hasta ahora. Hay que joderse, menuda putada.

Ésta es la delicada respuesta de Sainz Rodríguez, cuando Anson le comunica por teléfono que Alfonso de Borbón-Dampierre se casa con la nieta del dictador. María del Carmen Martínez-Bordíu es una mujer muy bella e inteligente. Tiene, sobre todo, gran personalidad. Anson recuerda la sorpresa que le produjo una noche en la que, tras una cena —estamos en 1971— le pide los *Poemas de la tierra y del viento* de Mao Ze-dong, en cuya versión española el periodista ha trabajado con un equipo de intelectuales chinos.[9]

El 9 de marzo, con toda la espectacular parafernalia de la más rancia Monarquía, en ceremonia organizada con mimo por doña Carmen Polo, se casa la nieta de Franco con el nieto de Alfonso XIII en el Palacio de El Pardo. El novio es el hijo mayor del hijo mayor, muerto el conde de Covadonga sin descendencia, de aquel Rey. Nació sin derechos porque su padre, el Infante Don Jaime, renunció varios años antes de casarse, cuando no había perjuicio de terceros. Pero nadie o casi nadie en el campo monárquico habla de eso, que es lo sustancial, sino del matrimonio morganático con Manuela Dampierre, lo cual, a pesar de las leyes tradicionales de la Monarquía española, es, a finales del siglo XX, cuestionable.

Los falangistas se dan cuenta de las posibilidades políticas que abre aquella boda y se agrupan en torno a Alfonso Dampierre, en una operación de acoso sobre el *caudillo*, refugiados en la natural querencia de Carmen Franco, la madre, y de Carmen Polo, la abuela. No es fácil que el dictador pueda echarse atrás del nombramiento de Don Juan Carlos. Pero la espada de Damocles, más taraceada y amenazadora que nunca, vuelve a pender sobre el gaznate del Príncipe. Don Juan Carlos dice a más de uno, en su despacho de la Zarzuela: «Si dos tetas valen más que una carreta, imagínate seis tetas a la vez... Vamos a ver qué pasa.»

---

9. Parte de los poemas se publicaron mucho después en un número especial de *ABC Cultural*. 24-XII-1993.

Sainz Rodríguez se muestra literalmente aterrado. Anson no le ha visto nunca manifestar una preocupación mayor. Sabe don Pedro que la Historia ha hecho realidad el sueño dorado de Franco. Su bisnieto será el bisnieto de Alfonso XIII. Si Don Juan Carlos no hubiera sido designado ya, de forma solemne, por la infalibilidad del *caudillo*, no habría duda: Alfonso Dampierre sería el elegido. Tenía, pues, razón don Pedro cuando se humilló ante Franco para regresar a España con la idea de contribuir a que se articulara lo antes posible el nombramiento de sucesor. Tenía razón cuando escabechó al duque de la Torre y puso al Príncipe en manos de Carrero. Tenía razón cuando facilitó a los *lópeces* sus gestiones para que el *caudillo* no se demorara en aplicar la Ley de Sucesión. Sainz Rodríguez le confiesa a Anson que teme por la vida del Príncipe. Valenzuela, Sanjurjo, José Antonio, Mola, Yencken, Juan Bautista Sánchez, Ruiseñada, más tarde Carrero, Herrero Tejedor, parece como si el novio de la muerte tuviera a la amada inmóvil a su lado para despejarle el camino de obstáculos a él o a los suyos. «Nos despertaremos un día —le vaticina a Anson— con la noticia de que Don Juanito ha muerto en un accidente.» Los hijos de Herrero Tejedor lamentan, según Campo Vidal, que su padre no guardara un informe en el que se recogía el temor de los servicios de seguridad franceses de que se preparaba un atentado contra Don Juan Carlos.

El 7 de junio de 1972 Alfonso de Borbón-Dampierre le dice a López Rodó en Estocolmo: «Reconozco la instauración del 22 de julio y a mi primo en tanto respete los Principios Fundamentales. Si no los respetara, dejaría de reconocerle. Mi padre es el Jefe de la Casa de Borbón. Su renuncia no es válida...»

El nieto político de Franco empieza, a los tres meses de la boda, a poner condiciones y a oficiar la ceremonia de la confusión.

1972. El vicepresidente se convertirá en presidente del Gobierno, cuando Franco se muera

López Rodó continúa su incesante presión para recortar los poderes del *caudillo* y le acosa para que nombre presidente del Gobierno. Argumenta que si Franco muere, recaerán demasiadas responsabilidades en el nuevo Rey durante los primeros días. El *caudillo* se harta y decide abofetear a López Rodó para que le deje en paz. Así es que, acogiéndose a su ley de prerrogativas, según la cual puede hacer legalmente lo que le venga en gana, ordena promulgar, el 14 de julio de 1972, sin referéndum, ni Cortes, ni historias, una ley en la que dice:

«Artículo primero.— La Jefatura del Estado, la Jefatura Nacional del Movimiento y la Presidencia del Gobierno corresponden, con titularidad vitalicia, al Caudillo de España y Generalísimo de los Ejércitos.» Así de claro. Para que no haya duda. Y en el artículo tercero «...el vicepresidente del Gobierno quedará investido, en virtud de esta ley, del cargo de presidente del Gobierno...», al producirse las previsiones sucesorias. Ya está servido y bien servido López Rodó. Si Franco se muere, al Rey no se le acumularán las responsabilidades. Carrero se convertirá automáticamente en presidente del Gobierno.

Las intrigas de Alfonso Dampierre

El 12 de octubre de 1972 se casa, en Estoril, la Infanta Margarita, una criatura excepcional, que encuentra al hombre que se merece: Carlos Zurita, un médico trabajador y responsable. Y un gran caballero.

Alfonso de Borbón-Dampierre, que cada día gallea más ante el pánico de Sainz Rodríguez, le escribe una carta al Rey en la que dice: «Querido tío Juan: En la boda de mi prima Margarita invitan al "Excmo. Sr. Embajador de España en Estocolmo y Señora." No se trata de un error. Sin embargo lo natural —pero tú no lo has querido así— es que a tan grato acontecimiento familiar fuera invitado tu sobrino S.A.R. el Príncipe Don Alfonso de Borbón, primogénito de tu hermano mayor, que es el Jefe de la Casa de Borbón y primo hermano del futuro Rey de España y de la contrayente.»

—¡Hay que tocarse las pelotas con el muchacho, qué coño! —fue el moderado comentario de Don Juan, tras leerles la carta a Sainz Rodríguez y Anson.

Los marqueses de Villaverde también están invitados. Tardan demasiado en contestar y el duque de Frías les suprime del cortejo. Pero los Villaverde deciden finalmente desplazarse a Estoril. Cuando llega el sí de los marqueses, Frías les anuncia que no pueden ya figurar en el cortejo, que está cerrado. Cristóbal y *Nenuca* presentan la cuestión a Franco como una bofetada de Don Juan. El *caudillo*, que adora a su hija, se encocora. Ordena que ni el embajador, ni nadie de la Embajada, asistan a la ceremonia, que, junto a Don Juan, presiden el presidente de Portugal, Américo Thomas, y el número dos en la jerarquía española, el Príncipe Don Juan Carlos.

La escalada continúa. Doña Carmen y su hija trabajan a fondo en favor de la nieta. Preston lo ha visto con lucidez: «El grupo de familiares inmediatos —escribe— cada vez más hostiles hacia la opción Carrero Blanco-López Rodó-Don Juan Carlos, presionaba al *caudillo* para que aclarara las cosas.[10]

Don Juan Carlos conoce a fondo la política que está realizando su padre con el que comunica por teléfono con mucha frecuencia. «Proseguía sin cesar sus esfuerzos —le confiesa a Vilallonga— para reunir en torno a la Monarquía a las fuerzas de oposición al régimen franquista. Repetía incansablemente que la Monarquía solo podía ser constitucional y democrática».[11]

El 21 de octubre de 1972, Laureano López Rodó, preocupado, informa a Don Juan Carlos que Alfonso de Borbón-Dampierre ha pedido a Franco que le nombre Príncipe. Carrero defiende el asunto como puede y le dice a su *caudillo* que debe hacerlo a petición de Don Juan Carlos, para que no parezca un acto de nepotismo.

El Príncipe no está por la labor. Con ese instinto político que le viene de la Historia, se da cuenta de la textura de la maniobra: si oficialmente existen dos Príncipes en España, y solo dos, la alternativa está creada y las comparaciones en la opinión pública resultarán inevitables. Todos los que no están con Don Juan Carlos se pondrán detrás de Dampierre.

El Príncipe le echa raza a la situación. Llama a Franco y solicita verle. El generalísimo le cita para el día 20, tras el funeral por Primo de Rivera en el Valle de los Caídos. Hace un frío pelón y, al salir, Franco trata de posponer la conversación.

—No, mi general —dice el Príncipe con firmeza—. Se trata de un asunto urgente y Vuestra Excelencia me dijo que hablaríamos hoy.

Franco, en silencio, le invita a subir al coche. Don Juan Carlos le expone sus razones contrarias a que se nombre Príncipe al nieto político del *caudillo*. Propone que se le haga duque de Cádiz, con tratamiento de Alteza Real. Franco permanece mudo en medio de una gran tirantez. Pero traga. Y el 22 de noviembre, día en que nace el primer bisnieto del *caudillo*, que lo es también de Alfonso XIII, rectifica su decreto y «a petición de Su Alteza Real el Príncipe de España» concede a Alfonso de Borbón-Dampierre el ducado de Cádiz y el tratamiento de Alteza Real.

Pero acusa el golpe. «Siempre se le ha llamado Príncipe a Alfonso de Borbón y ahora que se ha casado con mi nieta no le quieren reconocer esa condición», dice con amargura. Desde su nuevo puesto de presidente del Instituto de Cultura Hispánica, Alfonso Dampierre, para fastidio de Carrero, «volvió a intentar adquirir un papel

---

10. Preston. *Franco, caudillo de España*. Pág. 939.
11. Vilallonga. *El Rey*. Pág. 217.

más relevante por el procedimiento de solicitar para sí el segundo puesto en el orden sucesorio».[12]

En diciembre de 1972 Franco empieza a pensar, bien atizado por su mujer y su hija, que se ha equivocado al designar sucesor. Y que el Príncipe no es tan tonto ni tan dócil como suponía. En su libro *El Rey*, Vilallonga recoge una conversación clara con Armero:

—«... Pero si bien Franco había depositado toda su confianza en el joven príncipe al que creía haber «educado» tan bien, tengo la impresión de que al final de sus días estuvo tentado en más de una ocasión de retirársela.

—¿Pero por qué? ¡El Príncipe había representado su papel a la perfección! ¡Nos engañó a todos!

—Sí, pero, quizá a Franco, no. Era un hombre extremadamente desconfiado. Instigado por todos los que querían derribar a Don Juan Carlos (y eran numerosos), Franco comenzó a dudar del Príncipe. Se enteró, por ejemplo, que Don Juan Carlos mantenía cotidianamente largas conversaciones telefónicas con el Conde de Barcelona. Para Franco aquello significaba que padre e hijo se entendían como uña y carne. Es muy probable que Franco pensara en más de una ocasión dar marcha atrás. Los miembros de su familia, y muy especialmente su yerno, el marqués de Villaverde, le empujaban a destituir a Don Juan Carlos y a nombrar en su lugar a su primo, el mediocre don Alfonso de Borbón-Dampierre, duque de Cádiz, que se había casado con la propia nieta de Franco. Los Franco contemplaron muy en serio el proyecto de instaurar en España una nueva dinastía, la de Borbón y Martínez.»[13]

Don Juan le diría a Sainz Rodríguez, el 28 de septiembre de 1979 «...al final Franco se dio cuenta de que el Príncipe no iba a ser tan idóneo».[14]

Aquel anciano y receloso dictador urde un plan para proteger a su familia en el futuro. Con sus Leyes Fundamentales en la mano, el Rey sería prácticamente un Monarca absoluto si tiene un Consejo del Reino obediente. Si no, es el Rey más constitucional de Europa y no puede hacer nada. Decide, pues, ir modificando el Consejo del Reino con nombres de lealtad incuestionable a su familia y, además, hacerlo funcionar para habituar a todos a la norma establecida.

12. Tusell. *Carrero*. Pág. 421.
13. Vilallonga. *El Rey*. Pág. 23s.
14. Sainz Rodríguez. *Un reinado en la sombra*. Pág. 313.

Franco se envaina la Ley 14-VII-72 y nombra presidente del Gobierno

Así es que se olvida de la Ley que ha promulgado unos meses antes por la que, a su muerte, el vicepresidente del Gobierno se convierte en presidente y hace funcionar el mecanismo del Consejo del Reino, que presenta la terna preceptiva para que el Jefe del Estado elija: Carrero Blanco, Fernández-Cuesta y Fraga son los nombres que propone a Franco el Consejo del Reino, que preside Rodríguez de Valcárcel. El *caudillo* designa al almirante Carrero, que jura como presidente del Gobierno el 9 de julio de 1973, convirtiendo en papel mojado la Ley que solo once meses antes había promulgado el *caudillo*. El almirante propone a continuación a Franco una remodelación del Gobierno, en el que pasa a ocupar la cartera de Asuntos Exteriores, y el virtual delfinato, el hombre que más se lo merece: Laureano López Rodó.

Ni Carrero ni el nuevo ministro de Estado se habían dado cuenta de las espinas que amenazaban entre tantas rosas. En el archivo de Don Juan está el informe que, con membrete del Gabinete de Información del Conde de Barcelona, redacta Anson con este título, *Breve informe para Su Majestad el Rey*, en el que se explica: «Si el Príncipe tiene un Consejo del Reino favorable el día en que se muera Franco, podrá elegir presidente del Gobierno a un hombre de su confianza. Si tiene un Consejo del Reino hostil, tendrá que elegir a quien quiera el Consejo del Reino.» Y concluye el informe, tras explicar los acontecimientos ocurridos desde la boda de Alfonso Dampierre: «Todo lo que ha pasado demuestra a las claras que en El Pardo se mira ya con recelo al Príncipe y su posible política futura.»[15]

Al leer este informe, Sainz Rodríguez, que está en Estoril, reclama la presencia de Anson. Considera exacto lo que el secretario del Gabinete de Información ha expuesto. Don Juan comparte el mismo criterio. Sainz Rodríguez le pide a Anson que le hable a fondo a López Rodó.

Anson regresa a Madrid y llama a Luis Valls Taberner. El banquero organiza, a finales de septiembre, un almuerzo con el ministro de Asuntos Exteriores. López Rodó escucha con atención pero dice que todo son fantasmas, que Franco permanece invariable y que todo está seguro y bien seguro, atado y bien atado. Valls Taberner permanece en silencio.

Tres meses después, ETA asesina a Carrero Blanco. ¿Conocía o no el falangista, antimonárquico, antijuancarlista y ministro de la

15. Archivo de Luis María Anson.

Gobernación, Carlos Arias Navarro, que un comando de ETA trabajaba en la calle de Claudio Coello? He aquí una pregunta que difícilmente encontrará respuesta en la Historia. López Rodó, compañero suyo en el Gobierno, escribe: «Es sorprendente que los servicios de Seguridad del Estado no tuvieran información acerca de una galería subterránea que venía excavándose durante varias semanas bajo una calle por la que pasaba diariamente el presidente del Gobierno.»[16] Fernando Herrero Tejedor, fiscal del Tribunal Supremo, abrió una investigación. Fue apartado de ella por Arias, que le nombró ministro, falleciendo al poco tiempo en accidente.

La muerte de Carrero hace derramar lágrimas a Franco en público, en privado y en un Consejo de Ministros. El anciano dictador no puede entender que en la España feliz que él ha edificado ocurra lo mismo que en la de Alfonso XIII, que se asesine a un presidente del Gobierno, y que éste sea el fiel Carrero, el caballero de la lealtad a Franco. El crimen debería haber dejado paso libre a la Presidencia del Gobierno al vicepresidente Torcuato Fernández-Miranda, político de gran inteligencia y leal a Don Juan Carlos. Pero no es así. El ministro responsable de la catástrofe del asesinato, el falangista, el enemigo de Don Juan Carlos, pero el amigo de la familia de Franco —inolvidable la fotografía riendo con doña Carmen—, es elevado a la Presidencia del Gobierno, elegido por el generalísimo entre una terna que propone el Consejo del Reino con tres nombres del Movimiento: Arias Navarro, García Hernández y Solís. El doctor Gil, el capitán Urcelay y José Antonio Girón ayudan a doña Carmen en su presión sobre el envejecido generalísimo. Arias Navarro actúa enseguida con decisión. Los partidarios del Príncipe son destituidos en cadena: Laureano López Rodó, Gregorio López Bravo, José María López de Letona, Gonzalo Fernández de la Mora, Fernando de Liñán, Tomás Allende, José María Gamazo...

«No hay mal que por bien no venga» —afirma Franco, al referirse al asesinato de Carrero, en el discurso de fin de año en el que resume su política exangüe. El ciudadano medio lo entiende como un rasgo de senilidad. Tal vez no fuera así. Tal vez Franco dice la frase con toda intención y conociendo su profundo alcance. La muerte de Carrero era un mal. Pero Carrero, al que difícilmente Franco podía eliminar por razones históricas, significaba la garantía de futuro para el Príncipe. Su asesinato ha permitido a Franco nombrar a Arias Navarro. Y Arias Navarro —no hay mal que por bien no venga— es la garantía de su familia para el futuro.

16. López Rodó. *Memorias*. Tomo III. Pág. 523.

El panorama para el Príncipe se ha emborrascado. Con un Franco hecho un vejestorio, una familia dominadora, un Alfonso de Borbón-Dampierre tonto y ambicioso y un presidente del Gobierno hostil, la situación ha sufrido un giro de ciento ochenta grados.

Luis Valls Taberner, que recuerda la conversación de septiembre con López Rodó y el secretario del Gabinete de Información de Don Juan, confirmada demasiado pronto e inesperadamente por el asesinato de Carrero, le pone un tarjetón manuscrito a Anson en el que dice: «Querido Luis María: desde este retiro de Castilla te envío mi felicitación. No podíamos prever que tu clara visión tuviera tan pronta comprobación. Con mis mejores deseos para este año. Abrazos. Luis.»

Capítulo XXXII

1974. LA JUNTA DEMOCRÁTICA

Tras el asesinato de Carrero, Laureano López Rodó se percata por fin de la gravedad de la situación. Alfonso Dampierre le dice a José María Gamazo que se encuentra «moderadamente satisfecho» por el giro político que ha producido la desaparición del almirante. «Todos los tiros apuntan contra ti», le asegura el propio Gamazo a López Rodó, el 4 de febrero. La vanidad del ex-ministro no podía ser tan grande como para no darse cuenta de que él no era más que la máscara; que, en realidad, todos los tiros iban contra quien él, acosando a Franco para que le nombrara sucesor, había protegido: el Príncipe Juan Carlos. «El intento del nuevo Gobierno de aislarme políticamente fue una realidad, confirmada por testimonios fidedignos.» A Juan Luis de la Vallina le sugirió Pío Cabanillas que le ofrecería un puesto si se desligaba de López Rodó.[17]

Arias Navarro no tiene la talla de gobernante que los arriscados tiempos exigen. Es incapaz de medir las consecuencias de lo que hace. Un bello discurso, escrito tal vez por Gabriel Cisneros y pronunciado el 12-II-74, desencadena el «espíritu del 12 de febrero», que Pío Cabanillas aprovecha para dar más libertad a una Prensa, todavía amordazada en los diarios, pero que se pronuncia ya con considerable carga crítica en los semanarios.

El 25 de abril de 1974, tal y como había previsto Sainz Rodríguez en 1969, si bien con más retraso, el vendaval revolucionario arrasa la dictadura salazarista encarnada por el profesor Caetano. Los soldados no cubren sus fusiles con condones, según anticipó, con su admirable sentido poético, Sainz Rodríguez, sino con claveles. La conmoción en España es general. Todo el mundo sabe que se está en vísperas del fin de Franco.

El 18 de julio de 1974, la flebitis impide al anciano generalísimo acudir a la recepción de La Granja. Al día siguiente, hundido, firma un decreto por el cual el Príncipe Don Juan Carlos asume la Jefatura del Estado. Cuando se enteran, Doña Carmen y sus hijos echan chispas. Algún historiador recoge sin documentar una frase que corrió por Madrid, según la cual Villaverde le dice al doctor Gil: «¡Vaya buen servicio que has hecho a ese niñato de Juanito!» Cinco semanas después, en un grotesco quita y pon, Franco, empujado por la fa-

---

17. López Rodó. *Memorias*. Tomo IV. Págs. 28-29.

milia, reasume sus funciones. «Como el viejo dictador de *El otoño del patriarca*, la novela que poco después escribiría García Márquez, volverá a hacerse cargo del poder. "Arias, ya estoy curado."» Así resume la situación Juan Pablo Fusi en un libro imprescindible para entender el tránsito de la dictadura a la democracia.[18]

En una cacería, Villaverde había comentado para estupefacción de López Rodó: «Por lo pronto tenemos cinco años de Gobierno de Arias, después ya se verá», torciendo el gesto al referirse a Don Juan Carlos. La familia no ha renunciado a liquidar al Príncipe para sustituirle por Alfonso Dampierre. Las espadas siguen en alto. Franco ya no controla casi nada. Está enfermo. Es un carcamal encogido y decrépito, aunque digno. Arias Navarro no puede con el Gobierno, ni con la calle, ni con los periodistas. El dictador, atizado por su entorno, le obliga a destituir a Pío Cabanillas. Pero todo sigue igual.

Un muchacho joven y comunicativo que se llama Felipe González le gana la partida a Llopis en Suresnes y es elegido secretario general del PSOE en el XIII Congreso del partido. El periodista Pedro Rodríguez empieza a hablar de *Isidoro* en su sección de la Prensa franquista. Una copiosa quinta columna de socialistas y comunistas actúa ya abiertamente en los periódicos, las emisoras de radio, la agencia *Efe* y la televisión de Franco. Todo, salvo el Ejército, está infiltrado. La conmovedora lealtad de hombres como Utrera Molina no es suficiente para sostener el cuarteado edificio. La dictadura se está desmoronando cuando despunta el año final: 1975.

1974. Don Juan y las declaraciones a *Le Monde*

Pero ¿cómo se ve desde Estoril la crisis del Régimen? El mismo día 20 de diciembre de 1973, al conocer la muerte de Carrero, el notario Antonio García Trevijano no duda un instante, sube a su coche y, siete horas después, está con Don Juan en su despacho de *Villa Giralda*. Su plan es simple y diáfano. La dictadura franquista está a punto de resquebrajarse y caer. Los sindicatos clandestinos y la oposición democrática se harán irremediablemente con el poder. Si Don Juan se pone al frente del movimiento democrático de forma decidida, puede ser el Rey de España. No es un planteamiento torpe, sino hábil y audaz. La gran fogata de la conflictividad social está ya crepitando en España. A escondidas de Sainz Rodríguez y de Anson, el

18. Raymond Carr-Juan Pablo Fusi. *España, de la dictadura a la democracia*. Planeta, 1979. Pág. 210.

Rey empieza a mantener contactos periódicos con García Trevijano, que va perfilando una estrategia muy precisa. El derrumbamiento de la dictadura portuguesa unos meses después,[19] en abril de 1974, da la razón a lo que ha venido exponiendo el notario. Don Juan, que vive en Portugal y respira el enfebrecido ambiente revolucionario, cada vez está más convencido de que a su hijo le ocurrirá lo mismo que a Marcelo Caetano. Para alzarse con el liderazgo de la oposición democrática, Trevijano le propone hacer unas declaraciones a *Le Monde*, la biblia entonces del progresismo europeo. Don Juan accede. André Fontaine está de acuerdo. Marcel Niedergang, con su gran prestigio profesional, es el encargado de dar forma periodística a la operación. Se prevé la publicación para el día 28 de junio. Trevijano prepara unas declaraciones serias, bien construidas y rotundas, con doce puntos clave. Significan la ruptura. Don Juan defiende la amnistía, la legalización de los partidos políticos, incluido el comunista, la autonomía de las regiones y el completo establecimiento de las libertades y derechos. El Rey rompe con todo lo que la dictadura significa. Eso supone que también rompe con su hijo.

El miércoles 19 de junio de 1974, la operación Trevijano está cerrada. Carrillo y otros futuros miembros de la Junta Democrática que se reúnen esos días en el *Ritz* lisboeta ni lo saben, ni lo creen. A Niedergang se le espera en Estoril. El Rey decide finalmente consultar con Sainz Rodríguez. Y estalla el temporal. Don Pedro se encoleriza, advierte a Don Juan que esas declaraciones son el fin de la Monarquía y que la Restauración solo se puede hacer como está prevista: con Don Juan Carlos, apoyado por el Ejército, única garantía de que el Rey se siente en el Trono para, una vez en él, desmontar las Leyes Fundamentales de Franco y devolver la soberanía nacional al pueblo español a través de la voluntad general libremente expresada. Para Sainz Rodríguez la cuarta etapa de la Restauración está a punto de culminarse. Si la familia de Franco no tuerce la pasividad del dictador en favor de Alfonso Dampierre, cosa políticamente muy complicada, Don Juan Carlos se convertirá en Rey. La ingente labor realizada por Unión Española y la paciencia de Don Juan con los líderes de la oposición democrática han despejado la aceptación inicial de la Monarquía, por parte del sector más cualificado de la izquierda, hasta unas elecciones generales. Franco perde-

---

19. Vegas Latapié, con sorprendente sentido del humor, le envió un telegrama a Pedro Sainz con esta cita de Balmes: «¿Queréis evitar revoluciones? Haced evoluciones.» *Obras completas* (Primera edición crítica, ordenada y anotada por el P. Ignacio Casanovas). Biblioteca Balmes, 1935. Vol. 14. Pág. 225.

rá así su última batalla y, con ella, la guerra, y Don Juan podrá ver establecida en España la Monarquía por la que tanto ha luchado, lo que significa el triunfo de sus ideas frente a las de Franco. La operación Trevijano lo echaría a perder todo, quebraría la unidad dinástica y arruinaría los sacrificios realizados por Don Juan desde 1969. No se trata de provocar una ruptura, como quiere Trevijano, sino de hacer una flexible evolución, como decía Balmes.

De nada sirve la elocuencia de Sainz Rodríguez. El Rey está harto de todo y no cede. Hará las declaraciones. Se despiden fríamente y don Pedro se va indignado al cine. Por la noche, Don Juan, Gaitanes, Trevijano y varios de sus amigos van a cenar al *Mushasho* en el *Guincho*, cerca de Cascais. Gaitanes, de forma inteligente y moderada, se opone al proyecto de Trevijano y a las declaraciones. Gaitanes preside el Gabinete de Información del Conde de Barcelona, único organismo político que se mantiene en *Villa Giralda*, y su amistad personal con el Rey es muy estrecha. Don Juan le escucha impresionado. Trevijano le dice: «Si no firma esas declaraciones, Don Juan habrá perdido hoy su última oportunidad de ser Rey.»

Al día siguiente, jueves 20 de junio, en casa de José Lacour, el discreto militar que sustituyó a Lema en la Secretaría del Rey, se reúnen a almorzar con Don Juan y Pedro Sainz, Trevijano, Vidal, Rincón y sus amigos. Saltan chispas. Don Pedro se opone frontalmente a las declaraciones. Vocifera que la unidad dinástica no se puede quebrar y que el proyecto es una locura. Trevijano se le enfrenta y afirma que la lealtad a la Monarquía exige firmar las declaraciones. Sainz Rodríguez lee el texto de un discurso que pronunciará Don Juan en la cena del día 22, antevíspera de su santo. Trevijano se apoya en una frase del texto y afirma que «quién ha escrito eso es un traidor». La palabra nefanda estalla como un explosivo en la habitación. A don Pedro se le encabritan sesenta años de lealtad a la Corona. Con el cuerpo bamboche en temblor, el sudor temblando sobre su piel enmollecida, las tres papadas zorollas en agitación, las manos balumbas golpeando la mesa, los ojos bravos en incandescencia, Sainz Rodríguez se vuelca todo él, en un torrente de palabras que se clavan como dagas venecianas, como gumías embravecidas, en la carne de Trevijano. Se levanta, llama a su coche y se marcha, sin apenas un breve gesto de acatamiento a su Rey.

Disuelto el almuerzo y ante el silencio de Don Juan, Trevijano considera que ha perdido la partida. No sabe que no es así. No sabe que durante toda la tarde Don Juan sigue meditando y, en una conversación telefónica con Sainz Rodríguez, se inclina a mantenerse firme.

Don Pedro llama a Anson por teléfono a Madrid. Le explica la situación. «Solo hay un hombre que puede evitar la catástrofe: Pemán. Llámele y véngase con él inmediatamente.»

Al día siguiente, viernes, 21 de junio, Pemán, que ha viajado desde Jerez a Madrid, embarca en el avión con Anson. A media tarde, el Rey les recibe en su despacho de *Villa Giralda*. Está irreductible. Tiene un deber con la Historia. No cree en nada de lo que se ha organizado en España. Piensa que ocurrirá lo mismo que acaba de pasar en Portugal, y aunque tiene dudas de que la oposición democrática, tras una revolución, le acepte, como dice Trevijano, al menos la Institución quedará limpia. Así que piensa llamarle de nuevo y hacer las declaraciones. Pemán y Anson se quedan mudos y desolados.

Sainz Rodríguez enrojece al conocer la reacción del Rey. Dos tigres de Bengala se pasean airados por sus ojos. Está a punto de explotar. Mientras cenan los tres en el hotel *Palacio*, Anson propone: «Deberíamos subir a *Villa Giralda* e intentarlo de nuevo.»

—Pero eso es una violencia —objeta Pemán, moviendo su dedo índice vacilante.

—Yo no puedo ir, pero tú sí, José María. Y Anson también.

En el coche de Sainz Rodríguez, Delfín, su chófer, les conduce hasta *Villa Giralda*. El Rey tiene una cena con invitados y no se le puede interrumpir. Pemán insiste. Está ya muy mayor y el temblor continuo del *parkinson* le macera la garganta. El Rey sale del comedor. Pemán se le acerca, arrastrando los pies sobre la alfombra del salón. Se tropieza y está a punto de caer. Don Juan le sujeta.

—Vuestra Majestad no puede hacer eso... Vuestra Majestad no puede hacer eso —balbucea Pemán.

El Rey le pone las manos sobre los hombros y le asegura: «No te preocupes, José María, que voy a reflexionar», le dice. Y, sin más, se despide de Pemán y Anson con un ademán incierto.

El 22, sábado, por la mañana, Don Juan reclama a Anson. Le recibe breve y secamente. «No tenéis ninguna razón, pero no puedo hacer nada contra vosotros. Ahí tienes las declaraciones.»

—Me da usted la mayor satisfacción de mi vida —se emociona don Pedro al oír la noticia.

Por la noche, se celebra una cena en el hotel *Estoril Sol*, en la que Don Juan pronuncia con el salón abarrotado, el discurso preparado por Sainz Rodríguez, el mismo por el que Trevijano le había llamado traidor. Naturalmente, en *Un reinado en la sombra*, don Pedro, que elude hablar de muchas de sus maniobras clandestinas en relación con Franco —el libro está escrito en 1980, en pleno furor antifranquista— no hace la menor referencia al pasaje Trevijano, aunque dedica nueve páginas al acto y al discurso, reproduciendo crónicas de Oneto, *Arriba, Ya*, Salas y Guirior, Contreras, *Nuevo Diario*, Pedro Rodríguez, Veyrat, Apostua, *Argos* y Carandell. Pemán no se queda al acto político del *Estoril Sol*, pero Anson sí. Constituye un gran éxito. El lunes 24 se celebra la tradicional recepción social en *Villa Giralda*.

Nace la Junta Democrática

En la extensa entrevista para *Le Monde* —dieciocho folios apretados—, Don Juan respondía así a una pregunta sobre cómo satisfaría en su reinado las aspiraciones de la oposición democrática, afirmando por primera vez que autorizaría el Partido Comunista:

> «Tras la triste y trágica experiencia de nuestra guerra civil, el deseo prioritario y esencial de la izquierda, y en general de toda la oposición democrática, es la conquista de las libertades públicas para el pueblo español: amnistía política, libertad de prensa, de opinión y de información; libertad de reunión, libertad sindical, derecho de huelga, libertad de partidos políticos sin exclusiones; reconocimiento de la personalidad regional, en particular la de aquellos pueblos como el catalán y vasco configurados específicamente por la historia; independencia de la función judicial respecto del poder ejecutivo; profesionalidad y neutralidad del Ejército ante la política interior, y, por último, separación de la Iglesia y del Estado. Todo esto, naturalmente, manteniendo un alto nivel de empleo y la defensa del poder adquisitivo de la moneda con una adecuada política anti-inflacionista.»

Trevijano transforma el texto de las respuestas de Don Juan en los doce puntos de la declaración programática de la Junta Democrática, que se reúne, primero, el 25 de julio, en el hotel *Intercontinental* de París y, después, en octubre de ese año 1974, también en la capital francesa, en el hotel *Loti*:

> «1. Formación de un Gobierno Provisional.
> 2. Amnistía total e inmediata para todos los presos y detenidos por razones políticas y sindicales.
> 3. Legalización de los partidos políticos, sin exclusión.
> 4. Libertad sindical.
> 5. Reconocimiento de los derechos de huelga, reunión y manifestaciones pacíficas.
> 6. Libertad de expresión y opinión en radio, TV y prensa.
> 7. Independencia del poder judicial.

8. Neutralidad política y estricta profesionalidad de las Fuerzas Armadas.

9. Reconocimiento, bajo la unidad del Estado, de la personalidad política de los pueblos catalán, vasco, gallego y de las comunidades regionales que lo decidan democráticamente.

10. Separación entre la Iglesia y el Estado.

11. Consulta popular, entre los doce y dieciocho meses del restablecimiento de las libertades democráticas, para decidir la forma definitiva del Estado.

12. Integración en la Comunidad Europea, respeto a los acuerdos internacionales y aceptación de la coexistencia pacífica internacional.»[20]

Representantes, en primer lugar, de Cataluña, País Vasco y Galicia, el partido comunista de Carrillo, el partido socialista de Tierno Galván, el partido maoísta del Trabajo, Comisiones Obreras, algunos carlistas de don Hugo, varios grupos independientes y personalidades independientes como Calvo Serer se integran en la Junta Democrática, que se convierte en fuerza clave de la oposición. Trevijano se había entrevistado con Felipe González antes en el Parador de Antequera, mostrándose conforme el joven socialista con la Junta. Elegido secretario general del PSOE en Suresnes, hizo, sin embargo, una declaración en su contra.[21] En honor de Trevijano es de justicia decir que no se opuso nunca a los contactos de Don Juan con los dirigentes de la Junta.

Socialdemócratas de Ridruejo, democristianos de Gil-Robles, liberales, la Izquierda Democrática de Ruiz Giménez, algunos grupos socialistas de Cataluña, un sector del PNV y otros varios partidos que no aceptan la Junta Democrática, todos ellos en buena relación con Don Juan, crearían un año después la Plataforma de Convergencia Democrática, en la que se integrarán posteriormente el PSOE, UGT y otros sectores, partidos y grupos, de diverso pelaje. El clamor por la libertad del pueblo español ha puesto cerco a la dictadura.

El 27 de septiembre de 1974 Sainz Rodríguez escribe a Don Juan una carta con asuntos de trámite. En un P.S., apuñala de nuevo a

20. Archivo Luis María Anson.

21. Cfr. Cinta de vídeo de la conferencia de García Trevijano en la Universidad de El Escorial, el 16 de agosto de 1994. Durante el coloquio posterior y la intervención de Carrillo, Trevijano acusó al antiguo líder comunista de «traidor», lo que provocó un considerable escándalo y la reconciliación posterior. La versión de Trevijano sobre la fundación de la Junta Democrática se ajusta más a la realidad que la de Carrillo, muy imprecisa, en sus *Memorias*. Pág. 580s.

Trevijano. «Después de la bomba —escribe— con intervención comunista, ¡qué posición tan desagradable para V.M. si Trevijano hubiese logrado sus maniobras!»[22] Pero el Rey no está convencido de que Sainz Rodríguez y Pemán tengan razón y continúa dudando de si debió hacer las declaraciones a *Le Monde* y asumir abiertamente el liderazgo de la oposición democrática. El 28 de mayo de 1975 Rafael Calvo Serer le escribiría desde París una carta de siete folios, en la que le reprocha no haber hecho las declaraciones e insiste: «Me atrevo a repetir lo dicho entonces: que, a la vista del curso que sigue la vida pública de nuestro país, ya no es profecía sino pura constatación histórica, puesto que están siendo aniquilados el régimen de Franco y las posibilidades reales de su sucesor, aún en vida misma del dictador que lo creó, y que ha quedado reducido a la impotencia política y biológica sin darle paso al Príncipe Juan Carlos y sometiéndole además a su propio desgaste.»[23] Pero Sainz Rodríguez se mantiene firme en su estrategia para la Restauración. La realidad es que todo su plan estuvo a punto de zozobrar en junio de 1974 con la intervención de Trevijano. Si no llega a ser por Pemán, el joven notario hubiera derrotado al viejo zorro monárquico. La carta de Calvo Serer pasa, sin embargo, con pena y sin gloria por el ánimo de Don Juan.

22. Archivo Sainz Rodríguez.
23. Archivo Don Juan de Borbón.

Capítulo XXXIII

1975. EL FIN DE LA DICTADURA

El 20 de marzo de 1975, una pelea familiar y un accidente le producen a Don Jaime de Borbón y Battenberg, Infante de España, un hematoma. Tras ser trasladado al hospital Saint-Gall en Suiza, fallece. Alfonso de Borbón-Dampierre es ya el Jefe de la Casa de Borbón. Él y su familia política siguen intrigando para desplazar a Don Juan Carlos en el ánimo de un dictador decrépito, que vive a rastras, pero con dignidad, los últimos meses de su vida.

Don Juan recibe incesantemente a dirigentes de la oposición democrática. Desde 1969, más de un centenar han pasado por su despacho o le han visto en sus viajes en audiencias privadas, y ante todos ha desarrollado la misma argumentación:

—En los tiempos que vivimos, parece lógico que la juventud sea republicana. Usted lo es y, naturalmente, no tengo nada que reprocharle. Pero convendrá conmigo que intentar la proclamación de la República cuando mi hijo acceda al Trono sería tanto como llamar a gritos al Ejército. Tendríamos una nueva dictadura militar con Rey o sin Rey, pero el Ejército vencedor de la Guerra Civil tomaría el poder. Esa nueva dictadura duraría seis, ocho o diez años y sería derribada al fin, porque los pueblos caminan siempre hacia la libertad. Pero podemos evitar mucha sangre y un gran trauma nacional si personas como usted aceptan la Monarquía con el compromiso formal mío de que mi hijo convocará en un plazo corto elecciones generales libres. Tras esas elecciones ustedes pueden continuar con la Monarquía o proclamar la República, pero en lugar de una ruptura traumática se habrá hecho una evolución pacífica de la dictadura a la democracia.

El trabajo ingente de Satrústegui y Unión Española, la credibilidad de Don Juan tras más de cuarenta años de exilio y el buen sentido de muchos dirigentes de la izquierda nacional se congregaron para colmar de éxito la más compleja y difícil de cuantas operaciones había impulsado Sainz Rodríguez para la Restauración de la Monarquía: evitar la III República.

Los contactos de Don Juan con la oposición democrática

Tierno Galván fue hombre llave. Aceptó íntegramente, y la defendió con firmeza, la teoría de Don Juan. De su artículo «La Monarquía puente» participó una buena parte de la izquierda. La tesis de Tierno era lúcida: «Hay que aceptar la Monarquía como el mejor y más fácil puente hacia la democracia. Luego, ya veremos.» En su libro *Cabos sueltos*,[24] el viejo profesor desarrolla su posición en aquellos años críticos que van de 1970 a 1975. También ha explicado muy bien lo que ocurrió en esa época Raúl Morodo. El autor de este libro no se considera autorizado para revelar ni los nombres ni las conversaciones de muchos de los dirigentes de la oposición democrática que visitaron privada o secretamente a Don Juan. Pero, aparte los casos abiertos de los socialistas Tierno Galván y Morodo, el socialdemócrata Dionisio Ridruejo o el democristiano Gil-Robles, voy a reproducir el testimonio ejemplar de tres dirigentes de la oposición democrática, porque ellos tuvieron la generosidad de hacer públicas las entrevistas con Don Juan, en artículos publicados en *ABC* y *El País*.

Fernando Baeza y Fernando Morán se refieren a su encuentro con Don Juan en una espléndida *Tercera* de *ABC*, el 18 de abril de 1993, titulada *Testimonio Socialista*, cuyo texto íntegro dice así:

«En los años sesenta y primera mitad de los setenta, un grupo de socialistas del interior comenzamos a visitar Estoril. Sin duda, no éramos muchos, pero servimos, en la medida de nuestras capacidades, para establecer un vínculo entre la persona de Don Juan y las incipientes formaciones que dentro de España se consideraban socialistas sin prestar obediencia a las instrucciones de Toulouse. Lo cierto es que ya, anteriormente, colectivos como el socialdemócrata de Dionisio Ridruejo y el funcionalista de Enrique Tierno, relacionados en Madrid con la Unión Española de Joaquín Satrústegui —adelantado mayor de la Monarquía parlamentaria—, se habían aproximado a Don Juan, persuadidos de que únicamente la Restauración podía abrir cauce a la recuperación de las libertades democráticas. Nosotros dos, integrados en uno y otro grupo, fuimos partícipes de ese primer acercamiento.

Sin embargo, no fue hasta después del Congreso en Múnich del Movimiento Europeo —junio de 1962— cuando se estrechó la relación del socialismo doméstico con el círculo de Estoril. Era evidente que cada día se ensanchaba el ámbito de quienes cifraban en la actuación de Don Juan la clave de una solución democrática. El proceso de unidad europea iba adquiriendo cuerpo y, gracias al éxito del mismo, centenares de miles de trabajadores españoles encontraban empleo fuera de nuestras fronteras y millones de turistas extranjeros venían a pasar sus vacaciones en la Península. Nada, salvo la voluntad del general Franco, se oponía a que España enderezase sus pasos hacia un sis-

24. Enrique Tierno Galván. *Cabos sueltos*. Bruguera, 1981. Pág. 374s.

tema representativo. Estoril, llegamos a pensar, era la clave. Solo la Restauración podía garantizar, en el contexto internacional, el tránsito incruento de un régimen autoritario a otro democrático.

No es fácil responder, aún hoy y con toda la documentación que en los últimos tiempos se ha puesto a nuestro alcance, a la pregunta: ¿qué causas impidieron que se abreviase el largo paréntesis impuesto por la autocracia?

Franco era un hombre envejecido, en cuyo entorno se movían personajes de corta visión de futuro, como el almirante Carrero Blanco. De hecho, el General carecía de sucesión política, reducido el Movimiento a un testimonio retórico y privadas las FF.AA. del prestigio que sobre éstas pudieran haber ejercido los mandos superiores en la guerra civil. El principal soporte del gastado régimen fue el apoyo que desde 1953 le venían prestando, sin ambages, los sucesivos Gobiernos de los EE.UU., fueran republicanos o demócratas, a trueque de unas bases estratégicas en nuestro suelo, y el miedo de cierta burguesía, lucrada en pingües negocios, a una traumática "regresión histórica", espantajo que la propaganda franquista agitaba contumazmente, si bien con mejor proyección según pasaban los años. Y hay que recordar que ya, por ese entonces, dentro del clero nacional, incluidas sus altas jerarquías, se producían voces disconformes con la continuidad del sistema, de acuerdo con el "aggiornamento" de la Iglesia romana.

El desarrollismo de los años sesenta producía, a efectos del cambio, efectos complejos y, en parte, contradictorios. Por una parte, el desarrollo legitimaba, a corto plazo, el Gobierno autoritario y tecnocrático que lo impulsaba o que se beneficiaba de la coyuntura general europea, mientras que la emigración, aparte de las remesas de divisas, aflojaba la presión salarial y la capacidad de lucha obrera. Por otra parte, pese a los desequilibrios estructurales de tal desarrollo, éste fomentaba la creación de las clases medias imbuidas por la tendencia al consumismo y en parte desideologizadas, pero cuya cultura natural no era la dictadura autoritaria ni su instrumentación tecnocrática, sino un régimen de libertades. Con todo, el mayor problema del Régimen estribaba en la sucesión a la jefatura del Estado. La salud de Franco inspiraba en los círculos del poder económico crecientes inquietudes. La operación consistente en una Restauración que tirase por la borda al heredero designado por Alfonso XIII no estaba aún completada.

En esa coyuntura, la oposición al Régimen miraba con creciente interés hacia Estoril. Los acuerdos de Biarritz no habían hecho posible encontrar en la inmediata posguerra la palanca para una Restauración sostenida por los aliados. El abandono por los Estados Unidos y Francia, y el último desinterés por Londres de la baza monárquica, aceptada en principio por los socialistas, habían imposibilitado una solución al respecto, solución que en el interior de España tropezaba con la oposición de la mayoría de los altos jefes militares y que carecía de un apoyo popular suficientemente activo, dada la desarticulación de las fuerzas democráticas.

La oposición concluye que su misión es la creciente concienciación de la sociedad y, en su caso, el aprovechamiento de las circunstancias sucesorias para imponer un marco democrático. Esta dimensión, la acción concreta en las circunstancias del tránsito de régimen, señalan a Don Juan de Borbón como un protagonista ineludible. Y, naturalmente, reducen el fundamentalismo republicano y matizan el inicial y muy general principio de accidentalismo en cuanto a forma de Estado.

En Toulouse no acababan de entenderlo así, y ello explica ciertas dificultades entre los nuevos grupos socialistas del interior y la tradición tolosana. Recuérdese cómo tanto Tierno como Dionisio Ridruejo fueron entonces acusados de oportunismo institucional desde los órganos de la dirección socialista en Francia. Lo mismo sucedía con los nuevos grupos en Cataluña y otras regiones de nuestra geografía.

Se intensificaron, pues, los contactos con Don Juan. Éste —los dos lo recordamos— nos recibió con máxima cordialidad y con una apreciación correcta de nuestra posición en las primeras entrevistas que con él mantuvimos. Lo mismo podían decir hoy, o lo dijeron cuando aún estaban en vida, no solamente Tierno o Ridruejo, sino tantos otros que se definían socialistas como Raúl Morodo, Prados Arrarte, José Federico de Carvajal, Luis Maestre, Marcelino Lobato...

Algún grupo procedió a una cierta institucionalización de esas relaciones. Las primeras tomas de contacto se plasmaron en la admisión explícita de la Monarquía en la figura de Don Juan, como base institucional para la reconciliación nacional y como soporte y marco de libertades.

Don Juan, con su gran humanidad —física e intelectual—, parecía interesado por cuanto sucedía en nuestra patria. Excelentemente informado —al contrario de lo que algunos vienen diciendo—, sabía tanto inquirir sobre aspectos generales como muy concretos de nuestra realidad nacional. Y siempre lo hacía con cuidado de no herir susceptibilidades ni entrar en terreno fácilmente polémico. Aceptaba —al contrario de varios de sus más próximos consejeros— el hecho histórico del republicanismo socialista y no pretendía, en la ocasión, convertir ideológicamente a sus interlocutores, pero solía agregar: "Sois republicanos, pero antes, supongo, consideráis como valor superior el de la Democracia, y estoy convencido que solo mediante la Restauración en mi persona puede España encontrar sus libertades democráticas." Y de ahí la petición del concurso de todos los españoles de buena fe que así lo deseasen: "Porque hemos de aprender a convivir."

La visión de Don Juan sobre el futuro de España corresponde, en sus líneas maestras, a lo que ha tenido lugar a partir de la transición, que fue algo más que una transacción. Don Juan no se privaba de decir —y así lo hemos escuchado quienes escribimos estas líneas— que la Monarquía en España solo estaría consolidada el día que gobernara con ella el socialismo. Para Don Juan, la Restauración —que por aquellos días pensaba que sería en su persona— había de significar la superación efectiva de la guerra civil, el reencuentro de los españoles en unas reglas de juego democráticas. Por eso quienes, cuales sean sus móviles, resucitan el maniqueísmo político, atribuyendo a unos y otros intencionalidades partidistas de carácter involutivo, están forzando la conciencia democrática que rige los destinos de España desde el consenso constituyente a nuestros días. ¡Cuidado con decir: "que viene la derecha de antes", o "eso es el frentepopulismo"! Si algún personaje puede tener hoy validez es el de aquel Rey padre que quiso serlo de todos los españoles y lo fue en su heredero Juan Carlos, de "Aprended a convivir".

Don Juan, el gran exiliado, hubo de sortear, con cambiante fortuna, todos los bajos y escollos que se presentaban en su derrota. Si bien nunca desmintió los unívocos principios sentados en sus mensajes de Lausanne y de Estoril, tuvo que mantener un difícil equilibrio a partir de la hora en que el Príncipe Juan Carlos y su hermano, Don Alfonso, vinieron a cursar estudios en Madrid bajo la estrecha vigilancia de El Pardo. Ello le obligaría, en esos términos marineros que le eran tan entrañables, a calar la sonda de continuo y a ponerse a la capa con frecuencia. Como era natural, parecidas maniobras, forzadas por las circunstancias, no podían ser correctamente entendidas sino de muy pocos, y no faltaron quienes las denunciasen como fruto de la irresolución, cuando no de la inconsecuencia o de ciertos atavismos. No se comprendió en esas alternativas las decepciones que Don Juan había experimentado a lo largo de su permanencia en Portugal. ¿Cuántos en la patria y entre los que se apresuraron a felicitarle con motivo de su traslado a Estoril seguían diez o quince años después prestándole atención? Y Europa que ya no era la de Winston Churchill (quien tenía una natural afinidad, por buenas razones y también por un cierto paternalismo dinástico británico, con la Casa Real española), sino la Europa concertada con los EE.UU. para otorgar prioridad absoluta a la guerra fría contra el comunismo, admitiendo para ello toda laya de concursos.

Hoy Don Juan, después de varias décadas de augusto apartamiento, en que pudo conocer de ingratitudes y deslealtades, de olvidos y mezquindades, pero también de la gloriosa satisfacción de ver consolidada en democracia "la Monarquía de todos los españoles", comienza en la memoria colectiva de nuestro pueblo a obtener debido reconocimiento. Su destino fue singular, sin semejanza alguna con el de otros dinastas españoles. Hagamos suyas aquellas palabras de San Pablo, en su segunda epístola a Timoteo: "He librado hasta el final el buen combate, he acabado la carrera, he guardado la fe." En paráfrasis: "He luchado por las libertades de España, doy por concluida mi

misión, he guardado el depósito de mis mayores." Ésa es la mejor ejecutoria de quien debió llevar en vida el título de Juan III y que se ha
hecho, en su último viaje, a la alta mar de la Historia.

FERNANDO BAEZA y FERNANDO MORÁN»

Teodulfo Lagunero, por su parte, el día 2 de mayo de 1993, escribe en *El País* otro revelador artículo, cuya primera parte íntegra
dice así:

«José Luis de Vilallonga, en su libro *Le roi* (traducido al español)
se equivoca en varias de sus manifestaciones.

No fue Vilallonga, sino yo, quien por primera vez transmitió a
don Juan de Borbón la postura del Partido Comunista de España. Lo
hice, cuando me recibió en París, en enero de 1974.

En un libro de próxima publicación, así lo escribo:

La figura de don Juan de Borbón siempre fue una preocupación
para el régimen. También para la oposición democrática que tenía
contactos con él. No para los comunistas, que fueron durante el régimen franquista la oposición más combativa; también la más perse-
guida. Los comunistas nunca habían intentado nada con don Juan de
Borbón. Seguramente no lo consideraron viable.

En enero de 1974 (antes de la *revolución de los claveles* en Portugal),
José Mario Armero, siempre dispuesto a ser útil a la causa de la democracia española, me preguntó si quería ser recibido por don Juan de Borbón. Consulté a Santiago Carrillo si al partido comunista le interesaba
que en la entrevista transmitiese algún mensaje. No lo dudó. No solo le
parecía bien, sino que lo consideró muy importante. El mensaje era:

Primero. El partido comunista quería la reconciliación nacional y
la sustitución del régimen dictatorial por una democracia parlamentaria con plenas libertades ciudadanas y respeto a las minorías.

Segundo. España tenía serios problemas y todos, absolutamente
todos los españoles, debíamos contribuir a resolverlos. Los comunistas eran los primeros que estaban dispuestos a hacerlo.

Tercero. El problema de la forma de Estado, república o monarquía, debía resolverlo el pueblo español en consulta electoral libre.
Los comunistas aceptarían el veredicto.

Cuarto. Si don Juan de Borbón contribuía al restablecimiento de
las libertades democráticas en España, los comunistas le aseguraban
su respeto personal, aun en el caso de que el pueblo se pronunciase
por la república.

Quinto. Debía hacer ver a su hijo, el príncipe don Juan Carlos,
que una monarquía no democrática, puesta por el dictador, tendría
muy pocas posibilidades de mantenerse y el tiempo que lo hiciese sería mediante la fuerza y la violencia. Los comunistas lucharían contra
ella como venían luchando 40 años contra la dictadura franquista.

La entrevista se celebró en París en el hotel en el que residía don Alfonso XIII cuando la visitaba. Allí esperaban el presidente de Europa Press, José Mario Armero, y los representantes de la oposición antifranquista, agrupados en la Junta Democrática, Antonio García Trevijano, Rafael Calvo Serer, Pepín Vidal y Mario Rodríguez Aragón, y varias personas más.

El secretario de don Juan, el coronel don José A. Lacour, me introdujo a la *suite* despacho en la que recibía don Juan. Amablemente, de pie, me dio la mano y ofreció asiento. Sobre una pequeña mesa tenía unas carpetas. En la primera aparecía mi nombre; debajo, catedrático y abogado.

Con tacto le manifesté el deseo de Santiago Carrillo de transmitirle un mensaje del partido comunista. "Diga, diga; le escucho con mucho interés." Le informé, con claridad y precisión, del mensaje. No me interrumpió. Cuando terminé se levantó. Hice lo mismo. Creí que la entrevista había terminado y di un paso hacia él, como para despedirme. Me preguntó: "¿Cree que los comunistas quieren sinceramente la reconciliación nacional y que están dispuestos a olvidar todo lo que han pasado?" Contesté que no tenía duda de ello. Añadí: "Conozco a muchos dirigentes comunistas en el exilio. Todos piensan así". "¿De verdad?" "Estoy convencido", le respondí. "Siéntese, siéntese", me indicó. Mandó que repitiera todo el mensaje. Lo hice del principio al final. Me interrumpía de vez en cuando haciendo comentarios o preguntas, que yo contestaba.

Continuamos durante más de una hora la entrevista. Ya más distendidos, cumplida mi misión de transmitirle la postura del partido comunista, en un momento de pausa, cambiando de tema, le dije:

"Don Juan, yo, personalmente, soy republicano (él no se inmutó); toda mi familia lo es. La Primera República Española se proclamó a petición firmada en las Cortes por el general Lagunero, antepasado mío. Yo fui condenado, cuando tenía 18 años, en un consejo de guerra por organizar y participar en una manifestación conmemorando el 14 de abril, en el primer movimiento antifascista organizado en la Universidad española, en Valladolid, en el año 1945, teniendo a mi único hermano en la cárcel y a mi padre, destituido de catedrático y desterrado en Zamora. No obstante, si el pueblo se pronuncia mayoritariamente por la monarquía, como demócrata, la acataré. Si usted me lo permite, le diré que pienso que la única posibilidad de que en España se mantenga una monarquía es siendo democrática y parlamentaria, no una monarquía franquista, impuesta y mantenida por la fuerza. Una monarquía que facilite la amnistía, la reconciliación nacional, el restablecimiento de las libertades públicas y el reconocimiento de los partidos políticos. Libertades públicas que tienen que darse a todos los ciudadanos, a todos los partidos políticos sin excepción, lo que supone legalizar a todos, incluyendo el partido comunista; que se gobierne con una Constitución salida de un Parlamento elegido en elecciones libres y refrendada por la voluntad de todo el pueblo español. Esta monarquía es la única que puede llegar a tener apoyo popular." Don Juan escuchaba atentamente asintiendo con la cabeza. Centró su interés en saber cuál iba a ser la actitud comunista en el momento de la caída de la dictadura. Durante nuestra larga conversación, varias veces insistió en preguntarme si era creíble la postura moderada y reconciliatoria de los comunistas.

Nuevamente de pie, don Juan dijo: "Si es verdad todo lo que usted me dice de los comunistas, ¡qué patriotismo el de esos hombres! ¡Qué patriotismo el de los obreros españoles! ¡Qué generosidad! ¡Lo que tiene que aprender la derecha española!" "Bueno", terminó diciendo, "dígale usted a su amigo que me parece muy bien su postura y que la tendré muy en cuenta".

En aquellos días se estaba dando una batalla en el círculo íntimo de don Juan. Unos, tratando de que hiciese una declaración clara y contundente contra la dictadura. Otros, tratando de evitarlo, considerando que el hacerlo significaba una ruptura frontal con Franco de imprevisibles consecuencias incluso para su hijo don Juan Carlos.

Comenté con Carrillo el desarrollo de la entrevista. Preguntó por mi impresión personal sobre don Juan. Dije que me parecía amable, sencillo, un patriota liberal que quería sinceramente la democracia en España. Santiago quedó plenamente satisfecho. Era consciente, viviendo yo en España, donde ejercía profesionalmente y tenía importantes intereses empresariales, que el ser, en aquellos momentos graves y delicados, interlocutor del partido comunista con don Juan de Borbón suponía asumir un tremendo riesgo. Me lo había pedido, consciente de ese riesgo, porque era imprescindible, en la importantísima y trascendental batalla política que se estaba dando en torno a don Juan de Borbón, que él conociera, de manera directa y clara, la postura del partido comunista.

También estaba yo satisfecho. Si era importante y necesario que los comunistas adoptasen esa posición moderada y reconciliatoria, no menos necesario era que los españoles la conocieran y confiaran en ella. [...]

TEODULFO LAGUNERO»

El 14 de junio de 1975 Don Juan pronuncia en Estoril un discurso de excepcional importancia, en un acto organizado por Unión Española, al que asiste una buena parte de la oposición democrática española, ciento dieciocho comensales según la crónica de Jesús Picatoste en *Blanco y Negro*.[25] «...considero un deber inexcusable

---

25. *Blanco y Negro*, 17-VI-1975, única publicación española que difundió íntegro el discurso.

—afirma— que perseveremos en nuestra actitud hasta que quienes realmente tienen poder para enderezar el rumbo del Estado, se convenzan de que deben hacerlo para que el pueblo español, como es de justicia, tenga acceso por fin a la soberanía nacional». El dictador, cada vez más senil, se irrita. La sombra de Don Juan le persigue hasta el final de sus días. Franco no quiere que la Monarquía se nutra en las savias de la voluntad popular. Ordena que se prohíba al Rey arribar a ningún puerto español.

Pasión y muerte de Francisco Franco

Don Juan Carlos se siente solo, sin Carrero, sin López Rodó, entre un Franco acosado por su familia y un Gobierno abiertamente antijuancarlista. Menos mal que el ministro secretario general del Movimiento, Fernando Herrero Tejedor, y el vicesecretario, Adolfo Suárez, le inspiran confianza. El Príncipe deja entrever que Herrero Tejedor, que es hombre del Opus, aceptado por un sector de Falange y partidario de la apertura, será su primer presidente del Gobierno. Tal vez debió ser más cauto. El 23 de junio de 1975, Herrero Tejedor fallece en una colisión de tráfico cerca de Adanero (Ávila), en el kilómetro 108 de la carretera Madrid-La Coruña. Su coche, un *Dodge* negro, modelo 3.700, matrícula 56M-0243, quedó aplastado por un camión *Pegaso,* matrícula CC-33875, conducido por Germán Corral. ¿Accidente? ¿Quién será capaz de dilucidarlo? Todo inclina a pensar que fue un hecho fortuito y así lo creen los familiares de Herrero, aunque el periodista Campo Vidal lo haya puesto en duda en su libro *Información y servicios secretos en el atentado al presidente Carrero Blanco* (pág. 90s.) En todo caso, el hombre del Príncipe en el Gobierno Arias muere. Y no le reemplaza su segundo, Suárez, sino el falangista Solís, un rollizo esqueleto desempolvado de los desvanes de la Falange dura. El Príncipe llama a Anson, director entonces de la revista *Blanco y Negro.* «Por favor —le pide—, cuídame a Adolfo Suárez. Es uno de los pocos hombres seguros que tengo en ese sector.» Anson lo hace lo mejor que puede y organiza un homenaje político de *Blanco y Negro* al que solo un año después será presidente del Gobierno de la Monarquía.

El 26 de septiembre de 1975 Franco firma cinco sentencias de muerte contra terroristas. El 27 se producen las ejecuciones. Mariscal de Gante, que gestiona la Dirección General de Prensa, ordena que no se publique nada, pues quien lo haga quedará sujeto a la Ley Antiterrorista promulgada en agosto. Solo hay una revista que sirve a la libertad de expresión y desobedece: *Blanco y Negro*. Anson publica un excepcional reportaje colectivo sobre las ejecuciones, coordinado por Jesús Picatoste. La policía secuestra la revista. El Tribunal de Orden Público procede contra Anson.

Pero todo se está acabando. La izquierda portuguesa quema la Embajada de España en Lisboa. El 1 de octubre Franco, desde el balcón del Palacio Real, saluda débilmente a la multitud que le aclama. Hassan II, que conoce la enfermedad final de Franco, activa la *marcha verde* sobre el Sahara. El *caudillo* de los sueños imperiales va a perder el último resto del Imperio. No solo no ha edificado la construcción imperial de los años triunfales, sino que la geografía de su niñez y juventud se ha venido abajo. Tras Tánger, tuvo que ceder, sin resistir siquiera, como ya se ha dicho en este libro, Marruecos, Ifni, Guinea, Fernando Poo, Corisco, Annobon, Elobey grande, Elobey chico. Cae ahora el Sahara.

Con el mismo valor escalofriante que le acompañó desde la adolescencia y que marcó su superioridad sobre los que le rodeaban, preside el Consejo de Ministros del 17 de octubre, con electrodos conectados en el pecho y vigilado a distancia, sabiendo que podía morir en cualquier momento durante la sesión. Ningún ministro advirtió en él una vacilación.

El 18 de octubre redacta, de su puño y letra, su testamento político. Sería injusto no reconocer a ese texto profundidad y emoción. Tras dar instrucciones a Arias sobre Marruecos y llamar a Rodríguez de Valcárcel para firmar las leyes y decretos —«Valcárcel, la firma», se limita a decir—, el 25 de octubre recibe la extremaunción. «Ejecutad el artículo 11», ordena. El Príncipe asume la Jefatura del Estado. En la madrugada del 2 de noviembre, el doctor Hidalgo Huerta le opera a vida o muerte. Empieza para el *caudillo* una agonía atroz, con otras dos operaciones a la desesperada. Ricardo de la Cierva cuenta emocionadamente en su *Vida de Franco*[26] los últimos días del dictador. «Dios mío, cuánto cuesta morir», dice. Son tal vez sus últimas palabras, aunque su médico más tarde cree oírle: «No me deje.» El entorno político duro del *caudillo* presiona para que se le mantenga vivo, al menos hasta el 26 de noviembre, en que expira el mandato de Rodríguez de Valcárcel como presidente de las Cortes. Si Franco dispone de una última energía para firmar y renovar el mandato, que lleva consigo la Presidencia del Consejo del Reino, todavía existen posibilidades de bloquear al futuro Rey.

---

26. *Vida de Franco* (comentada y dirigida por Ricardo de la Cierva). Pág. 794s. Cfr. Vicente Pozuelo. *Los últimos 476 días de Franco*.

Presiones contra un Manifiesto de Don Juan

Sainz Rodríguez envía a Don Juan un proyecto de Manifiesto. La carta que le acompaña refleja la emoción del momento. «Rezo mucho porque Dios ilumine a V.M. y proteja a España. Con un emocionado abrazo —se despide— envío a V.M. el testimonio de mi profunda e invencible lealtad.»[27]

En la última semana de octubre de 1975, Sainz Rodríguez, Pemán y Anson se trasladan a Lausana, donde pasa unos días Don Juan. También acuden Gaitanes, Miralles, Gualba, San Martín, Jaime Carvajal, Guillermo Luca de Tena, Jesús Obregón, el marqués de Marianao, Leopoldo Lovelace y otros muchos.

Don Juan celebra una reunión política con Sainz Rodríguez, con Pemán y con el presidente y el secretario de su Gabinete de Información, Luis Gaitanes y Luis María Anson. Gaitanes, además de presidir el Gabinete de Información, ha sustituido como intendente del Rey al marqués de Casasola, quien durante muchos años realizó un trabajo discreto e impecable. Se decide preparar un manifiesto para difundirlo el día en que muera Franco, tras sus cuarenta años de mandarinato. Sainz Rodríguez presenta el borrador enviado a Don Juan. Algo tenía hablado y acordado con los dirigentes de Unión Española. Pero no dice nada. Se debate el texto. No se llega a un acuerdo. Don Juan decide que se estudie más a fondo. José María Toquero publica el «manifiesto» en su libro *Don Juan de Borbón, el Rey padre*.[28] Es un testimonio sin valor. El texto publicado por Toquero, que difiere en algunos puntos del que, mecanografiado, figura en los archivos de Sainz Rodríguez y Anson, es solo un borrador que ni se corrigió ni se aprobó. Pero alguien lo filtró inmediatamente a Madrid y se produjo una gran ebullición en torno a la Zarzuela.

Tras un homenaje que recibe el 1 de noviembre en Lausana,[29] Don Juan se traslada a París, donde vive en casa del marqués de Marianao, en el bulevar *Malesherbes*. Don Juan Carlos moviliza a varias personas de máximo relieve para que convenzan a su padre de que no publique el Manifiesto ni haga nada. Antonio Fontán, Guillermo Luca de Tena, el general Díez Alegría mantienen conversaciones con el Rey y le piden que permanezca mudo. Ángel B. Abra-

---

27. Archivo Sainz Rodríguez.
28. Pág. 368s.
29. Cfr. *Blanco y Negro*. Reportaje con numerosas fotos, 8-XI-75.

delo deja constancia de lo sucedido en una carta dirigida a *ABC*, haciendo referencia a la reunión celebrada en la Zarzuela, por Don Juan Carlos, el 12 de noviembre de 1975, con los tres ministros militares, a los que comunicó que había decidido enviar a París a Díez-Alegría.[30] Don Juan Carlos llama también a Anson. Hablan por teléfono. El Príncipe está muy preocupado con la reacción de su padre. Todo el aparato del Estado es una pura zozobra. A Gaitanes llega a ofrecerle el Príncipe un avión español, luego francés, para trasladarse —él y Don Juan Carlos— a París y entrevistarse con su padre. Luego se echa para atrás. Gaitanes piensa que ha debido hablar con Arias Navarro y se ha encontrado con la resistencia del presidente. El jefe del Gobierno, en todo caso, había hecho ya la faena de dimitir con motivo de la entrevista en la Zarzuela con los tres ministros militares, lo que obliga a Don Juan Carlos a negociar de forma poco grata para que retire la dimisión.

Franco fallece oficialmente a las cinco y media de la mañana del día 20 de noviembre de 1975, después de casi cuarenta años de dictadura. La conmoción en España resulta inenarrable. A través de la *Operación Lucero* el Ejército domina completamente la situación. A diferencia del *führer* y el *duce*, el *caudillo* muere en la cama y es enterrado con los máximos honores, como un faraón, en su «pirámide» del Valle de los Caídos, escoltado su cadáver por el nuevo Rey.

1975. El último Manifiesto de Don Juan

El sábado 22, en París, en casa de Marianao, se reúnen con Don Juan, Sainz Rodríguez, Jesús Obregón y Anson. El Conde de Barcelona explica que se ha comprometido, acosado por las personalidades que le han visitado a instancias de su hijo, a no publicar un manifiesto. Añade enseguida que incumpliría con su deber si no dijera algo a la muerte de Franco, comprometiéndose públicamente con lo que ha asegurado a la oposición democrática desde 1969. Ha pensado que para eludir la firma de un manifiesto, el Gabinete de Información haga público un comunicado. Encarga la redacción a Sainz Rodríguez y a Anson. Se trasladan ambos a la casa en París, número 69 de la *rue Boissière,* donde vive un hijo de Jesús Obregón, diplomático.

Sentados frente a frente en una mesa —Anson ante la máquina de escribir— se gesta uno de los documentos de mayor alcance polí-

---

30. Archivo Luis María Anson.

tico en la vida de Don Juan. Jesús Obregón, hijo, diría que los gritos se oían en toda la casa porque Anson le hace frente a un Sainz Rodríguez desmelenado y se esfuerza porque el documento se produzca dentro de los límites que la prudencia política exige con relación al nuevo Rey de hecho.

El día 23 por la mañana, a las once, Don Juan recibe en su dormitorio de casa de Marianao, y en torno a una mesa de desayuno, a Sainz Rodríguez y a Anson, que le muestran el texto cuya redacción ha costado más de cuatro horas de debate. Lo aprueba, sin modificar una coma, pero cambia la fecha. Tacha el día 23 y, de su puño y letra, escribe el 21. «No quiero que salga nada de mí siendo mi hijo ya Rey», dice. Don Juan Carlos había sido proclamado el sábado 22, en sesión extraordinaria de las Cortes.

El *Comunicado del Gabinete de Información de S.A.R. el Conde de Barcelona*, dice así:

«Ante las reiteradas instancias de relevantes sectores de la vida pública nacional para que el Jefe de la Casa Real Española haga una declaración sobre los trascendentes acontecimientos ocurridos en nuestro país durante los últimos días, el Gabinete de Información de S.A.R. el Conde de Barcelona informa que Don Juan de Borbón pide a Dios, con espíritu cristiano, por el eterno descanso del alma del Generalísimo Franco, quien durante casi cuarenta años gobernó a nuestro país con un poder personal absoluto. Al mismo tiempo que rinde honor a la memoria de los servicios que el Generalísimo prestó a la nación, el Conde de Barcelona mantiene su bien conocida y permanente postura política, como hijo y heredero de Alfonso XIII y depositario de un tesoro secular cuyos deberes considera irrenunciables.

El Rey Alfonso XIII se ausentó de España, acatando la voluntad popular, para evitar una trágica guerra entre hermanos, que, más tarde, los sectarismos terminaron por desencadenar. El Jefe de la Casa Real Española no olvida ahora que el General Franco, que destacó como gran soldado en tiempos de su Augusto Padre, culminó con éxito la empresa militar que le confiaron sus compañeros de armas. Al recordar ahora los anhelos patrióticos de todos ellos, así como los de cuantos combatieron heroicamente a sus órdenes, Don Juan de Borbón evoca también con respeto a quienes en el otro Ejército lucharon por lo que estimaban ser lo mejor para su patria.

Desde que en 1941 aceptó la sucesión de Alfonso XIII, el Conde de Barcelona se ha esforzado en ofrecer a todos los españoles la Institución Monárquica como instrumento de reconciliación nacional y vehículo para el pacífico acceso del pueblo español a la soberanía, a través de la voluntad general libremente expresada.

No es propósito del Jefe de la Casa Real Española constituirse ahora en juez de la obra del General Franco como hombre de Estado. A lo largo de los últimos treinta y cuatro años, cuantas veces lo consideró necesario para el bien de España, hizo pública su opinión, aunque en ocasiones sus palabras llegaran mutiladas al pueblo español o fueran silenciadas. En sus últimos discursos y declaraciones, el Conde de Barcelona resumió y se ratificó en la línea política que ha presidido toda su vida.

El Jefe de la Casa Real Española considera que la Monarquía, para ser útil a España, debe ser un poder arbitral independiente que facilite la superación de la guerra civil; el establecimiento de una profunda justicia social que elimine la corrupción; la consolidación de una verdadera democracia pluralista; nuestra plena integración en la Comunidad Europea, y el pacífico acceso del pueblo español a la soberanía nacional para que tengan auténtica representatividad las instituciones políticas hasta hoy emanadas de la voluntad del General Franco. Objetivos todos ellos que deben ser primordiales para su hijo y heredero Don Juan Carlos.

S.A.R. el Conde de Barcelona, que ha decidido guardar ahora silencio en espera de que sea oportuna una declaración más extensa, continúa, como siempre, a la disposición y al servicio de los pueblos que gloriosamente forjaron la nación española y proclama, una vez más, el derecho de todos los españoles a acceder a la soberanía nacional.

París, 21 de noviembre de 1975»

Don Juan, que desde 1969 había trabajado con una grandeza de espíritu que le enaltece ante la Historia, en su perjuicio personal y en beneficio de que el Rey, su hijo, pudiera encarnar una Monarquía duradera, establece en este comunicado, para conocimiento de Don Juan Carlos, las condiciones básicas que debe cumplir la nueva Monarquía. «Don Juan —aseguraba Sainz— ha hecho auténticas filigranas en los últimos años y ha conquistado a una señora de buen ver —la izquierda— para que se case con otro, Don Juan Carlos.» De vuelta en Madrid, Sainz Rodríguez deposita el documento, con la fecha de 21-XI-1975 y en sobre cerrado, ante el notario de la capital, Antonio Moxó Ruano, para que quede constancia de la voluntad de Don Juan de que la declaración fuera hecha antes de la proclamación de su hijo.

En la primera semana de diciembre de 1975, Sainz le dice a Anson:

—Don Juanito nació con buena estrella. Desde niño la suerte le ha acompañado siempre, a diferencia de su padre. Tras el asesinato de Carrero y la muerte de Herrero Tejedor, si Franco llega a vivir dos o tres años más, Don Juanito no hubiera sido Rey. Habría muerto un día de un desgraciado accidente de helicóptero, de coche, de moto, de caza, de esquí, vaya usted a saber...

Pedro Sainz le escribe el 27 de noviembre de 1975 una larga y extraña carta a Don Juan, que el Conde de Barcelona recibe en París. «No sabe, Señor —le dice—, lo que estoy sufriendo por no estar juntos para compartir estos momentos con V.M.» Y a continuación lo critica todo, para despedirse «con un abrazo muy conmovido» y firmar con el leoncito de lacre, que no utilizaba desde 1946.

Tras un año y medio de aciertos y tensiones, y gracias a la habilidad política de Torcuato Fernández-Miranda y, luego, de Adolfo Suárez, el Rey Juan Carlos convoca, legalizados todos los partidos, incluido el comunista, elecciones generales libres para el 15 de junio de 1977. La Monarquía va a cumplir así su compromiso histórico de devolver la soberanía nacional al pueblo español, a través de la voluntad general libremente expresada. Los antiguos franquistas son ya como abejas que zumban para instalarse en algún hexágono confortable del laberíntico panal que es la nueva política española. Don Juan sabe que con aquella convocatoria de elecciones se ha cerrado su vida política y que se hace así realidad la Monarquía de todos, por la que durante tantos años peleó bravamente contra la dictadura de Franco, que nunca consiguió descabalgarle de sus ideas, a pesar de tantos ladridos dispersos. Le preocupa en aquellos días el zarpazo del terrorismo. Y sufre por el guardia civil de cada día al que asaltan por sorpresa, para llenar sus entrañas de fuego y metralla y dejarle tendido sobre la querida tierra, con un puñado de rosas rojas en el vientre y los ojos helados contra el cielo.

Y el 14 de mayo de 1977 el Rey de derecho de España, Don Juan III de Borbón abdica en su hijo, el Rey de hecho de España, Don Juan Carlos I, que recibe así, en aquel acto, la legitimidad dinástica, prólogo a la legitimidad popular otorgada cuando el pueblo español, el 6 de diciembre de 1978, refrenda libremente la Monarquía histórica española en una Constitución que liquida las Leyes Fundamentales de la dictadura. Sobre los claveles de la libertad recobrada se posa ya, tranquila y sin miedo, la alegre paloma de la paz.

Capítulo XXXIV

LA ABDICACIÓN

Torcuato Fernández-Miranda, nombrado por el nuevo Rey presidente de las Cortes el 2 de diciembre de 1975, demuestra una extraordinaria habilidad política y es el hombre clave de los primeros meses de la transición. En marzo de 1976, Don Juan hace un viaje a Madrid para advertir abiertamente a su hijo que no puede continuar con Carlos Arias como presidente del Gobierno. «O liquidas a Arias o esto se acaba.» Don Juan Carlos declara en *Newsweek* a Arnaud de Borchgrave que Carlos Arias es un «desastre sin paliativos». Le destituye el 1 de julio de ese año de 1976.

Torcuato Fernández-Miranda engaña al Consejo del Reino, que propone como nuevo presidente del Gobierno a Federico Silva, y cuela en el tercer puesto de la terna, tras López-Bravo, a Adolfo Suárez, con pocos votos. Para su desolación personal, ni Areilza, ni Fraga son tenidos en cuenta por el Consejo del Reino. El Rey nombra a Suárez. Se produce una enorme consternación en los sectores democráticos. Casi nadie cree en Suárez, pero el joven presidente realiza una prodigiosa operación política, que le sitúa entre los grandes jefes de Gobierno del siglo XX. Seduce a las Cortes de Franco y les propone gentilmente el suicidio con la Ley de Reforma Política. La aprueban. Los procuradores creen que conservarán así su lugar en el pesebre. Y se aprestan a inclinar los lomos con la esperanza de que les sigan llenando las alforjas. El Rey, por lo tanto, se desembaraza de las Leyes Fundamentales de Franco sin ser perjuro.

En medio de la efervescencia política, el presidente del Gobierno fija la fecha para las primeras elecciones generales. Ni Suárez, ni Fernández-Miranda dan la menor facilidad para la abdicación de Don Juan. No entienden ni su significado ni su alcance histórico. Terminarán reconociéndolo con el tiempo. En la primavera de 1977, Don Juan quiere cerrar su vida política con un acto solemne en la cubierta del *Dédalo* ante el féretro de su padre Alfonso XIII, abdicando los derechos dinásticos en su hijo. No consigue sus propósitos. Después plantea el acto en el Palacio Real. Tampoco le parece bien al presidente del Gobierno. Finalmente, la abdicación se efectúa el 14 de mayo de 1977, un mes antes de las elecciones generales, en el Palacio de la Zarzuela. Y, en su misma sencillez, alcanza una emocionante grandeza. Ante la Familia Real en pleno, el ministro de Justicia, como notario mayor del Reino, el Jefe de la Casa del Conde de

Barcelona, duque de Alburquerque; y José María Pemán y Luis María Anson, por su antiguo Consejo Privado, Don Juan III pronuncia con la voz velada, el gesto firme y la dignidad en el semblante, un discurso sereno, escrito para la Historia:

«Mi padre, Su Majestad el Rey Alfonso XIII, el 14 de abril de 1931, en su mensaje de despedida al pueblo español, suspendió deliberadamente el ejercicio del Poder, manifestando de forma terminante que deseaba apartarse de cuanto fuese lanzar un compatriota contra otro en fratricida guerra, pero sin renunciar a ninguno de sus derechos, que no consideraba suyos, sino, como dijo, "un depósito acumulado por la Historia, de cuya custodia ha de pedirme rigurosa cuenta". Esta actitud de mi padre, que revela un amor acendrado a España, que todos le han reconocido, ha sido una constante de mi vida, pues desde joven me consagré a su servicio.

Por circunstancias especiales de todos conocidas recayó sobre mí este depósito sagrado y el Rey Alfonso XIII, el 15 de enero de 1941, en su manifiesto de abdicación, decía: "Ofrezco a mi Patria la renuncia de mis derechos para que por ley histórica de sucesión a la Corona quede automáticamente designado, sin discusión posible en cuanto a la legitimidad, mi hijo el Príncipe Don Juan, que encarna en su persona la institución monárquica y que será el día de mañana, cuando España lo juzgue oportuno, el Rey de todos los españoles."

En su testamento recomendó a su familia que me reconociesen como Jefe de la Familia Real, como siempre le había correspondido al Rey en la Monarquía española.

Cuando llegó la hora de su muerte, con plena conciencia de sus actos, invocando el santo nombre de Dios, pidiendo perdón y perdonando a todos, me dio, estando de rodillas, junto a su lecho, el último mandato: "Majestad: sobre todo, España."

El 28 de febrero de 1941 yo tenía veintisiete años. No se habían cumplido todavía dos desde la terminación de nuestra guerra civil y el mundo se sumergía en la mayor conflagración que ha conocido la Historia. Allí, en Roma, asumí el legado histórico de la Monarquía española, que recibía de mi padre.

El amor inmenso a España, que caracterizaba fundamentalmente al Rey Alfonso XIII, me lo inculcó desde niño, y creo no solo haberlo conservado, sino quizá aumentado en tantos años de esperanza ilusionada. El espíritu de servicio a nuestro pueblo, la custodia de los derechos de la dinastía, el amor a nuestra bandera, la unidad de la Patria, admitiendo su enriquecimiento con las peculiaridades regionales, han sido constantes que, grabadas en mi alma, me han acompañado siempre.

El respeto a la voluntad popular, la defensa de los derechos personales, la custodia de la tradición, el deseo del mayor bienestar posible promoviendo los avances sociales justos, han sido y serán preocupación constante de nuestra familia, que nunca regateó esfuerzo y admitió todos los sacrificios, por duros que fuesen, si se trataba de servir a España. En suma, el Rey tiene que serlo para todos los españoles.

Fiel a estos principios, durante treinta y seis años he venido sosteniendo invariablemente que la institución monárquica ha de adecuarse a las realidades sociales que los tiempos demandan; que el Rey tenía que ejercer un poder arbitral por encima de los partidos políticos y clases sociales sin distinciones; que la Monarquía tenía que ser un Estado de Derecho, en el que gobernantes y gobernados han de estar sometidos a las leyes dictadas por los organismos legislativos constituidos por una auténtica representación popular; que aun siendo la religión católica la profesada por la mayoría del pueblo español, había que respetar el ejercicio y la práctica de las otras religiones dentro de un régimen de libertad de cultos, como estableció el Concilio Vaticano II; y, finalmente, que España, por su historia y por su presente, tiene derecho a participar destacadamente en el concierto de las naciones del mundo civilizado.

No siempre este mi pensamiento político llegó exactamente a conocimiento de los españoles a pesar de haber estado en todo momento presidido por el mejor deseo de servir a España. También sobre mi persona y sobre la Monarquía se vertieron toda clase de juicios adversos, pero hoy veo con satisfacción que el tiempo los está rectificando.

Por todo ello, instaurada y consolidada la Monarquía en la persona de mi hijo y heredero Don Juan Carlos, que en las primeras singladuras de su reinado ha encontrado la aquiescencia popular claramente manifestada y que en el orden internacional abre nuevos caminos para la Patria, creo llegado el momento de entregarle el legado histórico que heredé y, en consecuencia, ofrezco a mi Patria la renuncia de los derechos históricos de la Monarquía española, sus títulos, privilegios y la jefatura de la familia y Casa Real de España, que recibí de mi padre, el Rey Alfonso XIII, deseando conservar para mí, y usar como hasta ahora, el título de Conde de Barcelona.

En virtud de esta mi renuncia, sucede en la plenitud de los derechos dinásticos como Rey de España a mi padre el Rey Alfonso XIII, mi hijo y heredero el Rey Don Juan Carlos I.»

Al terminar sus palabras, Don Juan III se cuadra ante su hijo el Rey Juan Carlos I, inclina la cabeza altiva y dice: «¡Majestad, por España, todo por España, viva España, viva el Rey!» Y abdica así sus derechos a la Corona española que había custodiado de forma ejemplar y dignísima, frente a la dictadura, durante treinta y seis años.

Don Juan Carlos I responde a su padre con unas palabras contenidas de emoción:

«Señor:

El mandato de Su Majestad el Rey Alfonso XIII, "sobre todo, España", creo que ha sido cumplido.

El pueblo español, con su fina sensibilidad, ha percibido claramente los grandes sacrificios que hemos tenido que afrontar.

Comprendo que fue dura la separación de un hijo, para que se educase en su Patria, entre españoles, y se formase debidamente para servirla cuando fuese necesario. Considero que he asimilado por completo la gran lección que encierra esta decisión. La educación que he recibido y de la que me siento satisfechísimo me ha formado en el cumplimiento del deber, en el servicio al pueblo español, en la entrega absoluta a ese gran ideal que es nuestra Patria, con su espléndido pasado, su presente apasionante y su futuro lleno de esperanzas.

Hoy, al ofrecer a España la renuncia a los derechos históricos que recibisteis del Rey Alfonso XIII, realizáis un gran acto de servicio. Como hijo me emociona profundamente. Al aceptarla, agradezco vuestra abnegación y desinterés y siento la íntima satisfacción de pertenecer a nuestra dinastía. Y es mi deseo que sigáis usando, como habéis hecho durante tantos años, el título de Conde de Barcelona.

Acabáis de pronunciar importantes palabras. Las recibo. Las oigo y las medito.

Quiero cumplir como Rey los compromisos de este momento histórico. Quiero escuchar y comprender lo que sea mejor para España. Respetaré la voluntad popular, defendiendo los valores tradicionales y pensando sobre todo que la libertad, la justicia y el orden deben inspirar mi reinado. De esta forma la Monarquía será elemento decisivo para la estabilidad necesaria de la nación.

En estos momentos de indudable transcendencia para España y para nuestra familia y al recibir de tus manos el legado histórico que me entregas, quiero rendirte el emocionado tributo de mi cariño filial, unido al respeto profundo que siempre te he profesado, al comprender desde niño que sobre todo y por encima de todo tú no has tenido nunca otro ideal que la entrega absoluta al servicio del pueblo español.»

Tras el discurso de Don Juan Carlos, abrazos, palabras convencionales, fogonazos de los fotógrafos. El Rey, con los ojos nublados, se acerca a Anson y le estrecha entre sus brazos como a un hermano. Por una vez, Anson rompe el protocolo y, en lugar de quedarse firme, abraza también a Don Juan Carlos. Ambos sienten en el fondo del alma, sobre las venas abiertas de la Monarquía, la espesa tristeza dolorida de aquella mañana de sol y primavera.

Capítulo XXXV

1978-1993. QUINCE AÑOS EN ESPAÑA

En octubre de 1977, durante una cena con Felipe González y su amigo el periodista Alfonso S. Palomares, el pujante líder socialista manifiesta a Anson su vivo deseo de conocer a Don Juan. Todavía no ha tenido ocasión de departir con él.

Anson organiza un almuerzo en el restaurante *Zalacaín*, al que asisten con Don Juan, Sainz Rodríguez, el duque de Alburquerque y Luis Rosales. Con Felipe González acude Alfonso S. Palomares, que ha contribuido con diligencia a la preparación del encuentro.

—No quiero que esté Palomares —le dice, al entrar en el restaurante, Don Juan a Anson, quien, a pesar de la violencia, arregla las cosas como puede.

Durante la sobremesa, muy distendida, Felipe González le plantea a Don Juan:

—El resultado que mi partido ha obtenido en las pasadas elecciones ha sido excelente. Yo quisiera preguntarle si la Monarquía aceptaría una eventual victoria socialista en unos próximos comicios.

—Chiquito —le responde Don Juan—, no solo la aceptaría, sino que he dicho cien veces que la consolidación de la Monarquía en España está en función de un largo Gobierno socialista. El triunfo del PSOE no es solo conveniente para la alternancia democrática, sino deseable para la Monarquía.

Con cierta socarronería, Sainz Rodríguez añade:

—La consolidación de la Monarquía será definitiva cuando el Gobierno socialista, tras una o varias victorias, pierda las elecciones y dé paso a los nuevos vencedores, robusteciendo así la alternancia democrática, tan deseable para la Monarquía.[31]

Al salir del restaurante y, tras despedir a Felipe González, Anson le comenta a Don Juan.

—Señor, ¡qué violencia con lo de Palomares! No sabía que Vuestra Majestad tuviera nada contra él.

—Nada en absoluto. Al revés. Me cae muy bien. Pero solo hace unos meses que abdiqué y tengo que andar con especial cuidado en lo que digo. No podía haber un testigo que avalase a González en la

---

31. A Vilallonga, en *El Rey*, pág. 12, le cuenta González, sin citar su nombre, esta intervención de Sainz Rodríguez.

conversación de hoy. Todo ha salido muy bien pero yo podía haberme equivocado y decir algo inconveniente.

La Constitución convierte a Don Juan Carlos de sucesor de Franco en heredero de la Dinastía histórica

El 6 de diciembre de 1978 los españoles votan libremente en favor de una Constitución que establece como forma de Estado la Monarquía liberal y parlamentaria de la que abominaba Franco. El parlamentario más votado en las elecciones de 1977, el senador Joaquín Satrústegui, se ocupa de que, en el artículo 57, se proclame que «la Corona de España es hereditaria en los sucesores de Su Majestad Don Juan Carlos, legítimo heredero de la Dinastía histórica». Con ese gran servicio a la Institución, Satrústegui desvincula a Don Juan Carlos de la farsa de la Ley de Sucesión franquista y le sitúa en el lugar que le corresponde: hijo de Don Juan III, nieto de Alfonso XIII, legítimo heredero de la Dinastía histórica.

El 24 de junio de 1978 el Rey Juan Carlos celebra su santo con una gran fiesta en Palacio. La tradición de los actos en torno a Don Juan en su onomástica ha quedado, como es lógico, interrumpida. El Conde de Barcelona pasa el día de su santo en Mallorca. Solo acuden dos españoles para acompañarle: Jesús de Polanco y Luis María Anson. Comen con él y la sobremesa resulta punzante y divertida. Algún tiempo después, Don Juan llamó a Anson para que le acompañara en automóvil a Santillana. Polanco había organizado una exposición en su Fundación sobre Julio Palacios y el Conde de Barcelona quería ir personalmente a inaugurarla. Beltrán Alburquerque viajó con ellos en el *Mercedes* azul blindado del Conde de Barcelona. Jesús de Polanco atendió a Don Juan con especial deferencia.

En 1981, Sainz Rodríguez publica su libro *Un reinado en la sombra*. Anson lo lee entre perplejo e indignado y mantiene una larga conversación con el sabio profesor, en su casa, cuando las hojas del otoño amarillean en el Parque de las Avenidas.

—En primer lugar, don Pedro, el título es mío. Menos mal que Ricardo de la Cierva publicó hace unos años que yo preparaba un libro titulado *Reinado en la sombra*. En segundo lugar, publicar toda la correspondencia de Don Juan y Franco, sin situarla en su contexto correspondiente, constituye una faena considerable. Son cartas privadas, llenas casi todas ellas de simulación y mentiras. En tercer lugar, transcribir tertulias de sobremesa de Don Juan, por muy grabadas que estén, y no corregirlas, significa tanto como hacerle cometer a nuestro viejo Rey infinidad de errores. Don Juan se acuerda de todo, pero la precisión y el rigor no figuran entre sus puntos fuertes. Por lo demás, el libro está bien, aunque no cuenta usted casi nada de lo que realmente tiene importancia y conoce usted mejor que nadie.

Sorprendentemente, Sainz Rodríguez, sabedor de que es verdad todo lo que está escuchando, no se irrita.

—Mire usted, querido Anson. Estoy harto de que me toque todo el mundo las pelotas. Ese libro, como el anterior, lo he dictado a un magnetófono porque Lara me da el dinero que necesito para pagar mi coche y a mi chófer, sin los cuales soy como un inválido. No le falta a usted razón en lo que ha dicho. Pero todavía es pronto para contar muchas cosas, porque la Monarquía está demasiado tierna. Y yo no me puedo dedicar a estas alturas a joder la situación, explicando algunos acontecimientos. Ya escribirá usted ese libro cuando hayan pasado los años y estemos todos bien muertos y enterrados. Y no vaya usted a hacerme la putada de contar cosas como aquella que tanto le divirtió de la carta de Franco que leí en un burdel. A fin de cuentas, usted es un periodista y hay que ver la cantidad de cabronadas que hacen ustedes cada día. Por cierto, que un hombre inteligente como es usted, que hay que ver el despacho que se ha montado en la agencia *Efe*, ni un ministro, no pensará que alguien va a leer las cartas entre Franco y Don Juan. Nadie lee nada y menos en letra tan pequeña. ¿No creerá usted que va a leer las cartas el escritor ese del que hablamos ayer? Por cierto, que tiene dos hijos. Uno es político y el otro también es medio tonto.

Don Juan tuvo el texto mecanografiado del libro en la mesilla de noche, en su habitación de casa de Gaitanes en La Moraleja, durante un mes y ni se molestó en abrirlo. Le importaba al viejo Rey, y mucho, la Historia, pero no el juicio de sus contemporáneos. A Sainz Rodríguez le traía sin cuidado que se supiera o no el papel que había jugado en la Restauración de la Monarquía. Que se conociera o no la verdad del papel que él había desempeñado. Quería disfrutar de la vida, no de la muerte.

Los años del reinado de Don Juan Carlos transcurren para Don Juan con el orgullo inmenso de ver a su hijo hacer lo que él siempre defendió. La labranza de los pueblos para la libertad exige agotadoras jornadas de tenacidad y equilibrio. Lento es el germinar de la convivencia libre. Don Juan Carlos da la medida con creces del Monarca moderno y prudente. El Rey embrida los corceles del progreso para evitar que se desboquen. Sabe que al abrir de par en par las bodegas de la libertad a un pueblo sediento, se corre el riesgo de provocar la gran borrachera.

Las enfermedades le acosan a Don Juan. Se enfrenta a ellas con la misma firmeza con que políticamente plantó cara a Franco. Primero son los ojos. Sufre varias operaciones, especialmente duras para él, que tiene una hija ciega y sabe muy bien lo que es eso. Después las varices en las piernas. Más tarde, el tumor en la garganta. En noviembre de 1979, al salir del Hospital de la Marina, le confiesa a Alfonso Ussía, concisamente: «Estoy bastante jodido.» Y cuando el joven escritor se refiere al éxito de la nueva Constitución y al papel arbitral del Rey, Don Juan, que está en vena, le comenta: «Sí, mi hijo es el árbitro, pero sin silbato.»

Don Juan entierra a su padre Alfonso XIII en El Escorial

Antes de operarse, se va a Roma, toma el féretro de su padre, lo lleva en un barco de guerra hasta Cartagena y después, abrazado a la bandera roja y gualda, lo deposita, tal y como le juró en el lecho de muerte, bajo las piedras heladas de El Escorial. Es el día 19 de enero de 1980. Don Juan, con el cáncer que le quiebra la garganta y la fiebre de cuarenta grados quemándole los ojos, se cuadra militarmente ante su hijo el Rey, le pide la venia y entra en la Basílica del impresionante Monasterio de granito y grandezas, acompañando a su padre.

Al día siguiente viaja a Nueva York. Un mes más tarde, a finales de febrero, le operan durante siete horas. Le dan tres meses de vida. El médico norteamericano tiene una idea muy vaga de lo que es un Borbón. Vive trece años más. El Rey le visita. También Doña Sofía, y con frecuencia. La Reina cumple con su papel a la perfección. Los españoles la quieren. Se vuelca en el arte, en la cultura. Sobre todo en la música. Rostropovich, según explica el Rey a Vilallonga, nunca deja de tocar para ella la partitura para violonchelo en sí menor de Dvorak.

Con el triunfo electoral de Felipe González se vuelve del revés la Guerra Civil y se hacen ciertos los versos de Ercilla:

Y habiendo ya cantado la victoria
de los contrarios hados rebatidos
quedaron vencedores los vencidos

Pero los socialistas asumen la Constitución, aceptan al Rey y entierran la Guerra Civil. La concordia es ya un hecho.

Don Juan celebra su setenta y cinco cumpleaños en el Palacio de la Granja, el lugar de las fiestas de Franco el 18 de julio; y sus bodas de oro en la residencia del *caudillo* en El Pardo, rodeado de toda la Familia Real.

Cuando Anson llega, en 1983, a la dirección del diario *ABC*, el viejo Rey padre es casi una sombra en la vida española. Pocos se acuerdan de él. Se propone devolverle al lugar que le corresponde en la Historia. La atención del periódico, con su inmensa influencia en la vida española, se vuelca en las actividades de Don Juan y contagia poco a poco a los otros medios. Don Juan vive los últimos años de su vida por encima del bien y del mal, rodeado del respeto y el cariño del pueblo español. Un escritor republicano como Francisco Umbral escribe bellamente: «Lo que uno ve, en fin, es un anciano egregio, que ha pasado como una sombra de oro y silencio por la Historia, y se incorpora hoy en el lecho del cansancio legendario para decir, con la voz noble, quebrada y oracular, las verdades del pueblo que el pueblo vive todos los días.»[32]

Para Antonio Fontán, desde otro ángulo de la intelectualidad, según recoge Salmador,[33] la Restauración de la Monarquía ha sido posible «gracias a la prudencia con que el Conde de Barcelona ha asumido sin equívocos su difícil función. El servicio prestado al país por Don Juan de Borbón será de gran alcance histórico y le atraerá durante generaciones el reconocimiento y la gratitud de su pueblo».

Honores, medallas, placas, conmemoraciones, se acumulan sobre aquel hombre que no desea nada, salvo el amor de su Familia, la amistad de los que le rodean, el bien del pueblo español. Y el mar. Sabe que timonea ya su barco en los últimos crepúsculos, con vientos aquilones y en aguas encrespadas. Quiere adentrarse como siempre en el mar, atrás los acantilados y las múcaras, atrás el adarce de las roquedas y las ardentías, para reflexionar sobre los paisajes finales de su alma.

Sainz Rodríguez, en la Academia

El día 10 de junio de 1979 Pedro Sainz Rodríguez ingresa en la Real Academia Española, cuatro décadas después de ser elegido. Don Juan honra el acto literario. Aquellos dos hombres, sobre cuyas espaldas se ha edificado la Monarquía española, se saludan entre la ternura y la emoción. Sainz Rodríguez habla, ante los escritores, los

32. Francisco Umbral. *El Mundo*, 21-X-1992.
33. Víctor Salmador. *Don Juan de Borbón*. Pág. 102.

419

artistas, los periodistas, los políticos, que abarrotan la historia pálida de aquel salón.

Disfrazado de frac, cruzado de bandas, cubierto de chatarras,
flageladas las papadas por la corbata de pajarita, sobre el estrado de
la Academia Española, ante su viejo Rey taraceado por tantos soles
dispersos, allí está, por fin, don Pedro, ese hombre, el de la altiva
lealtad, el sereno exilio, la pasión por España, el de la palabra mor-
daz, preciso el taco, aguzado el ingenio.

Allí está don Pedro, emperador de las tertulias, soberano del ver-
bo, monarca de todas las conversaciones, capaz de improvisar durante una madrugada entera sobre la metafísica de Heidegger y explicar a continuación los cuatro siglos de literatura festiva y
censoria del chocolate.

Allí está don Pedro, desprecio de cortesanos, terror de eruditos a
la violeta, aleccionador de curas descarriados, predicador de monjas
etéreas, amigo de cardenales y meretrices, el de la voz de terciopelo
ácido, de seda el látigo, cegatos los ojos de ironías, sorda la oreja,
fresca siempre la coña, y jugosa, para los intelectuales del rojerío.

Allí está don Pedro, o lo que es lo mismo: un hombre a treinta mil
libros pegado, león de biblioteca, águila real de la bibliografía, hur-
tador tenaz de ejemplares ajenos, rendido sin remedio al erotismo
ardiente de cualquier edición rara, acariciador de cartivanas, canto-
neras, nervuras, tejuelos, lomeras, viejas pieles azacanadas por el
tiempo, quebrados pergaminos de desvanecidas letras.

Allí está don Pedro y el harén de sus temas permanentes: la literatura mística, las polémicas sobre la cultura española, la crítica
literaria, la decadencia de nuestra patria, la historia política del XIX,
la obra de Menéndez Pelayo y Erasmo, la gastronomía como culto y
cultura.

Allí está don Pedro, enamorado de las lenguas regionales de España, redactor del manifiesto de los escritores castellanos en favor
del idioma catalán contra la dictadura corta de Primo de Rivera; en-
salzador tenaz de las literaturas de Cataluña, Galicia y Vasconia
durante la dictadura larga, combatida, sin pausa, con ira, desde su
exilio lusitano.

Allí está don Pedro, una vida entera al servicio del Rey, crítico
con el primer dictador, implacable con la República, conspirador sin
descanso, organizador del Alzamiento; don Pedro, que cuando aulla-
ban los mastines de la Guerra Civil estuvo donde debía estar y cuando posó el vuelo la paloma de la paz se alineó con la decencia, mientras otros ascendían a zancadas las escaleras de la desvergüenza.

Allí está don Pedro, siempre preocupado por apartar a su Rey de alabanceros, lamerrabeles, traidores y calumniadores de oficio; siempre vigilante para arrojar al basurero de la Historia a los corruptos porque el fruto sano se zocatea enseguida si no se separa a tiempo del que está cedizo.

Allí está don Pedro, que después de una vida entera dedicada a luchar todos los días por la Monarquía, recibió la recompensa de oro: nada.

Allí está don Pedro, que tras la restauración de la Corona, embodegó su actividad política en el odre de los recuerdos, sin asomarse siquiera a las zarceras; Don Pedro, el amigo de Bataillon, de Menéndez Pidal, de Marañón, de García Gómez, de Sánchez-Albornoz, de Dámaso Alonso, de Ortega, del grande y alumbrador Ortega y Gasset que en 1917 escribió estas palabras tremendas en *El Espectador*: «Periodistas, profesores y políticos sin talento componen el Estado mayor de la envidia. Lo que llamamos "opinión pública" y "democracia" no es en gran parte sino la purulenta secreción de esas almas rencorosas.»

Allí está don Pedro, alfil sorprendente del valor físico, sacerdote del valor moral, buzo de la espiritualidad mística, educador de todos, dispuesto a sentarse en la silla curul y enseñar piadosamente a los obispos o a descender a la ergástula de la dictadura y desmelenarse con el vocabulario rahez de la mejor tradición literaria española.

Allí está don Pedro, escultor de almas, quebrantador de escayolas mentales, el de los cien libros pensados y uno escrito, maestro atentísimo de sus discípulos a los que apartaba de los caminos dispersos como el viñador que espergura los rastrojos para que no hurten la savia a los brotes que amanecen en las yemas del sarmiento nuevo.

Allí está don Pedro, la delicadeza constante para la mujer, el culto a la buena educación como médula del verdadero espíritu liberal; don Pedro, que lo saboreó todo, lo consiguió todo, el que gozó de la vida a bibliotecas llenas, el que escribió de sí mismo, entre la admiración y la crueldad: «He sido todo lo que el español medio de mi tiempo aspiraba a ser, menos general y obispo.»

Allí está, en fin, en la alta tribuna de la Real Academia Española, don Pedro Sainz Rodríguez, el que durante cuarenta años afirmó todas las semanas «dentro de unos meses leeré mi discurso de ingreso». Y por fin, un día de la primavera de 1979, cuarenta años le contemplan, cuarenta siglos de sabiduría sobre las espaldas, cuarenta millones de heridas en el alma, cicatrizadas unas, sangrantes otras, nevada la cabeza por los viejos días, las olvidadas risas, mientras las amapolas enrojecen junto a las piedras de Alcalá sobre el alma de Cisneros, don Pedro, ese hombre, segador de las flores del mal, se convierte, por fin, en académico de un idioma hecho para hablar con Dios, para el largo paseo, para las apretadas manos, para los dorados días de vino y rosas, para el amor profundo y sosegado. El viejo Rey, herido por las enfermedades, contempla con orgullo a su consejero más leal, a su maestro permanente.

La muerte de Sainz Rodríguez

El 23 de febrero de 1981 Don Juan siente como un español más el orgullo inmenso por la actuación de su hijo. El Rey solo, con su autoridad y prestigio, detiene el golpe de Estado y salva para España la democracia y la libertad. Esa noche Don Juan Carlos se convierte en un poder histórico. A partir del 24 de febrero, existe ya en España una Monarquía nacional, con el poder arbitral del Rey por encima de los partidos. Don Juan Carlos se ha ganado a pulso la Corona en la tarde, en la noche tensa del 23 de febrero de 1981. El Monarca le diría a Vilallonga: «Estoy orgulloso de haber hecho una realidad indiscutible el viejo sueño de mi padre: ser el Rey de todos los españoles.»[34]

A Don Juan, que se ha traído ya a El Escorial a su madre la Reina Victoria y a sus hermanos, se le van muriendo sus consejeros poco a poco. Encarga a Anson que, en su nombre, presida los funerales de Manuel Halcón, el gran novelista del desnudo pudor; de Juan Manuel Fanjul, el jurista de la lealtad profunda...

Pero cuando muere Sainz Rodríguez, el 14 de diciembre de 1986, quiere ser él quien presida personalmente, con los ojos humedecidos, el funeral por el descanso de su alma, el día en que el viejo luchador conoce ya «la luz purísima en sosiego eterno» de Fray Luis de León... Cuando fallece Joaquín Satrústegui es él, quien, entristecido y turbio, quiere estar en la iglesia para decirle adiós al hombre que, con su tenacidad y esfuerzo, preservó durante los años más difíciles el espíritu liberal de la Monarquía histórica.

Don Juan ha tenido abiertos los ojos sobre demasiadas cosas. Mantiene la curiosidad por todo pero un escepticismo atroz le invade incontenible. «Plus ça change, plus c'est la même chose.» Como Toynbee, quiere ya «ser libertado de la rueda de la existencia, que puede ser algo bello en tanto guía a las estrellas en su curso, pero que es un intolerable camino de noria para nuestros pies humanos».

34. Vilallonga. *El Rey*. Pág. 101.

Se distancia luego del gran filósofo de la Historia porque la Humanidad se ha convertido para él, al acercarse a los ochenta años, en el Ixion amarrado a la rueda, en el Sísifo de la leyenda dorada de los héroes y de los dioses, que empuja la piedra hasta la cumbre de la misma montaña y la ve después caer de forma irremediable, volviendo cada día al eterno retorno del mismo trabajo esperanzado e inútil.

1 de abril de 1993: muere Don Juan III

En mayo de 1992, todo está a punto de consumarse. Llaman a Anson para comunicarle secretamente que la vida de Don Juan se extinguirá en unas semanas. Por primera vez después de tantos años, Anson le pide al anciano Rey que vaya a su casa. Almuerza con él, con Beatriz, su mujer, con los Alburquerque, con Carlos y Doña Margarita, con Alfonso y Rocío Ussía. Don Juan escribe en un viejo libro del siglo XVIII, encuadernado en pergamino de época, con todas las páginas en blanco: «A Luis María Anson, con el afecto y gran aprecio de su viejo amigo. Juan, 23-VI-1992.»

Al despedirse, los dos saben que todo se está terminando. Don Juan se va al mar a morirse. Quiere sentir la sal y el agua y el yodo, y pegarle un tiento a la caña y ver cómo se larga la cangreja, y compartir la ronquera del océano, y entregar la vida a Dios bajo el cielo estrellado, entre el amado oleaje y el bramar de las espumas rientes. «Triste está mi alma hasta la muerte», piensa el viejo Rey con palabras evangélicas, cuando siente que el tránsito está ya muy cerca. Y ve, como Niko Kazantzakis, al Cristo otra vez crucificado, en nuestra Europa tábida, fascinada por su propia decadencia.

Tiene abierta la esperanza Don Juan sobre las nuevas generaciones que se resisten al triunfo de la basura, en medio de la desolación general. El hombre es ciertamente una pasión inútil. Sabe aquel anciano de larga experiencia que recrecerá la injusticia, la mentira, la miseria, la corrupción, los viejos camaradas de la condición humana. Las lanzaderas van y vienen sin cesar en los telares del tiempo. Rodeadas de los altivos estercoleros de la política, las hilanderas de la vida y de la muerte continuarán tejiendo, con sus ruecas impasibles, los mismos y viejos tapices de la Historia.

El zarpazo final de la enfermedad le sorprende en agosto en el Guadalquivir. El doctor Tapia le reclama. Le llevan a rastras a la Clínica Universitaria de Pamplona. La caravana de las máscaras trágicas abre otra vez su desfile de vanidades ante el anciano Rey moribundo que está preparado para el sacrificio de la vida, que acepta sin una queja la ley tremenda de Dios: lo que ha crecido tiene que envejecer y lo que ha sido tiene que morir. España entera vuelve los ojos hacia aquel hombre que suscita un impresionante respeto general. Por primera vez desde 1956, con el quejido de su voz quebrada, Don Juan le habla a su hijo de Don Alfonsito. No quiere morirse sin verlo en El Escorial. El Rey accede. Del cementario de Cascais llega el ataúd de aquel niño que tuvo hasta su muerte toda la humanidad y la alegría de vivir de Don Juan. El Rey acude a la *Villa Giralda* de Puerta de Hierro, en Madrid, para recoger a su padre, que, erguido y digno, ha dejado la clínica para enterrar de nuevo, treinta y seis años después, a su hijo muerto. Casi por instinto, Don Juan Carlos se cuadra ante Don Juan, como en los viejos tiempos, e inclina la cabeza. Después se van juntos a dejar al niño en el interminable sollozo del *Pudridero* de Infantes, en el monasterio de El Escorial. Para Don Juan Carlos su padre siempre había sido el Rey. «Para todos los españoles que venían a visitarnos en Estoril, mi padre era el Rey», le diría el Monarca a Vilallonga.[35] Hasta la esposa del dictador le dio tratamiento de Rey cuando le visitó en *Villa Giralda*.

El 18 de octubre de 1992 Don Juan recibe a dos redactores del *Diario de Navarra*, Javier Errea y Santy Mendive, y responde a sus preguntas. «Veo a España mal, algo desgarrada y con su unidad amenazada», les dice. Ni Gaitanes ni Anson han tenido noticia de estas declaraciones extensas y emocionadas.

Don Juan llama a Anson y el 23 de noviembre de 1992 le recibe en su habitación de la Clínica Universitaria. Hablan de la viva actualidad, sin nostalgia de otros tiempos. En sus ojos se detiene la misma luz que Anson vio una mañana cuando Don Juan leyó en un muro del Museo Antropológico de México: «Estos toltecas eran ciertamente sabios. Solían dialogar con su propio corazón.» Luego, el viejo Rey padre le invita a almorzar en la misma habitación con Rocío Ussía y Teodoro de Leste. Su voz es un ronco gemido. Le pregunta por qué *ABC* solo ha recogido brevemente sus declaraciones en *Diario de Navarra*.

—La España de la que habla Vuestra Majestad es la España de Don Juan Carlos. Es verdad que está «algo desgarrada, y con su unidad amenazada», pero estoy seguro de que Vuestra Majestad piensa que eso se encuadra dentro de la prosperidad general, la libertad recobrada, el prestigio internacional.

Don Juan asiente. El viejo Rey piensa que la nueva generación barrerá sin remedio las hojas del otoño de Occidente y descerrajará

---

35. Vilallonga. *El Rey*. Pág. 50.

luego el arca de su Historia milenaria. Es el signo de los tiempos. En los últimos días de su vida le dañan los vientos que soplan sobre las viejas naves encalladas de los separatismos sin sentido. Sus reflexiones son serenas, pausadas, profundas. Se despiden, ya solos, en la puerta de la habitación. Anson hace un esfuerzo para no llorar. Sabe que no volverá a ver vivo a aquel hombre al que admiró siempre por su grandeza de espíritu y su inmensa generosidad. Don Juan le estrecha la mano. Le abraza. Está seguro de que el hombre que tiene delante le será leal después de muerto. Y le dice unas palabras entrecortadas que Anson nunca olvidará.

Todavía, el 18 de enero de 1993, asistirá Don Juan a un acto público para recibir la medalla de oro de Navarra, rodeado de toda la Familia Real. Es un cadáver altivo que conserva la dignidad. Se esfuerza para que no se adivinen las lágrimas que derrama hacia los adentros del alma. El Príncipe de Asturias lee estas palabras de su abuelo: «Querida María: tenemos, tú y yo, la satisfacción de poder decir hoy que nuestras esperanzas y deseos no estaban descaminados y que hemos administrado prudentemente el legado de la legitimidad histórica, que es, en definitiva, patrimonio de España y de los españoles. Así, cuando España lo ha necesitado, lo ha podido encontrar y hemos tenido la dicha, como súbditos, y la alegría, como padres, de ver encarnada en nuestro hijo, para bien de España, la Institución a la que hemos dedicado nuestras vidas. Por eso podemos decir con orgullo: Señor, deber cumplido.»

Unos días después, tras varias jornadas de espiritualidad intensa, de católico profundo que cree con fe sin fisuras en Dios, tras recibir consciente los sacramentos, entra en coma. Su corazón de lobo de mar aguanta sin auxilios externos una larga agonía indolora. A las tres y media de la tarde del día 1 de abril rinde su alma a Dios Don Juan III de Borbón y Battenberg, Rey de derecho de España durante treinta y seis años, hijo de Alfonso XIII, padre de Juan Carlos I, descendiente directo de los Reyes Católicos, de Felipe II y Carlos III. Aquel hombre que está allí muerto, en la habitación de una clínica, tras soportar la terrible enfermedad sin una queja, tal y como le enseñó de niño su abuela la Reina Cristina de Habsburgo, es la persona que más ha contribuido a superar la tragedia de la Guerra Civil y a hacer posible, con su firmeza y su sacrificio, la concordia y la conciliación entre los españoles.

Unos meses antes, Don Juan le había dicho a su nieto, el Príncipe de Asturias:

—Quiero que sepas que me siento orgulloso de cómo mi hijo está sirviendo a España. Debe tener cuidado con algunos de sus amigos.

Pero no hay un Rey en Europa que haga las cosas mejor que él. En España, los españoles disfrutamos de paz y de libertad gracias a él.

—Abuelo —le interrumpe el Príncipe de Asturias— Sobre todo, gracias a ti.

Y el pueblo, sin propaganda, sin televisiones, sin estridencias, forma colas, largas colas, interminables colas, para desfilar ante su féretro en la capilla del Palacio Real. El Gobierno socialista aprueba por unanimidad un decreto histórico que sitúa a Don Juan en el lugar que le corresponde en la Historia. El Rey dispone que sea enterrado en el Panteón de Reyes del Monasterio de El Escorial. Las lágrimas de Don Juan Carlos y Doña Sofía ante las cámaras de televisión, emocionan al pueblo español y cubren la portada de todos los periódicos. A su funeral de Estado asisten reyes, príncipes, presidentes, dignatarios de cien naciones. Su hijo el Rey de España, con la Reina al lado, preside la ceremonia fúnebre, con el Gobierno en pleno y los miembros que quedan vivos del antiguo Consejo Privado del Conde de Barcelona.

En las naves del Monasterio de El Escorial, que gimen bajo el peso de la Historia, sobrecoge la imagen de Doña María de las Mercedes, vestida de luto, sola en el centro del templo, en su silla de ruedas, el alma puesta en el que fue su compañero durante cincuenta y ocho años. Tiembla entre las columnas de granito la música profunda del *Officium defunctorum*, de Tomás Luis de Victoria. Y se escucha la antífona: «Libera me, Domine, de morte aeterna, in die illa tremenda.»

Un mes después, acompañado por Luis Reverter, Anson acude al *Pudridero* de Reyes a rezar por Don Juan. Lleva flores amarillas y rojas. La madre y el hijo, Doña Victoria y Don Juan, están juntos, tras sus lápidas blancas, en espera de que les trasladen unos metros más allá, al Panteón imponente donde, entre mármoles y bronces viejos, les aguardan los reyes que, con sus virtudes y sus defectos, hicieron posible la Historia de España.

Capítulo XXXVI

DON JUAN Y SU IDEA DE LA MONARQUÍA

Don Juan era monárquico. Al lector le parecerá esta afirmación una *boutade* o una perogrullada. Pretendo, sin embargo, dejar asentada una afirmación seria y muy meditada. Mi actividad profesional me ha permitido mantener, a lo largo de los años, conversaciones a fondo con numerosos Reyes, pretendientes al Trono, Príncipes e Infantes. Podría contar con los dedos de las manos a los que eran o son monárquicos, a los que eran o son capaces de articular de forma coherente una defensa de la Institución. La mayoría de ellos se sentían o se sienten adheridos a la Monarquía por tradición o por sentimentalismo.

El cáustico, agresivo, librepensador, casi ateo, y sobre todo escritor magnífico, Ernest Renan, escribió en *Reforme intellectuelle et morale de la France*: «La Monarquía hereditaria es una concepción política tan profunda que no está al alcance de todas las inteligencias el comprenderla.»[36] Una larga experiencia ha demostrado al autor de este libro que no se encuentra al alcance de las inteligencias de una buena parte de los Reyes, pretendientes al Trono, Príncipes e Infantes entender lo que es la Monarquía. Las razones en favor de la República las comprende cualquiera. Las razones en favor de la Monarquía hereditaria requieren estudio riguroso, así como considerable disciplina mental.

Don Juan, pues, era monárquico. Su idea de la Monarquía, hoy, aquí en España, en Europa, la desarrollaba con claridad. La soberanía nacional reside en el pueblo. Ésa es la columna vertebral de la democracia. A través de la voluntad general libremente expresada, se forma el Parlamento, encargado de hacer las leyes, y el Gobierno, al que corresponde la gestión ejecutiva. Así ocurre en todas las democracias rectamente entendidas, sean monarquías o repúblicas. Pero la esencia profunda de una nación no depende solo de la voluntad general expresada en unas elecciones concretas. Ningún país serio ha sido edificado por una sola generación. No se puede prescindir de todo el pasado. Una nación se forma a través de los siglos y son muchas las generaciones que aportaron su esfuerzo para desarrollarla, para hacerla más justa y más libre. En una democracia pro-

---

36. Ernest Renan. *La Reforme intellectuelle et morale de la France*. Fayard, 1932. Pág. 21. (Hay traducción al español de Carme Vilagiñes. Edicions 62. 1972.)

funda, también las generaciones pasadas poseen el derecho a ser oí-das. Las viejas naciones que han tenido el acierto de conservar sus dinastías han vinculado la Monarquía hereditaria a la continuidad histórica, como símbolo nacional del presente y del pasado, como permanencia de la tradición en el futuro. La ciencia política ha encontrado así una fórmula inteligente y sutil para que estén presentes en la vida nacional la sucesión de generaciones que escribieron la Historia del país. La Monarquía se asienta y nutre en el sufragio universal de los siglos.

Don Juan se sonreía ante los intelectuales que presentan a la Monarquía, para defenderla, como una fórmula *mágica*, rastreando vestigios fugitivos sobre la piel de mármol de la Historia. Ciertamente, después de tantos siglos, la Institución ha presentado formas muy diversas, según las épocas, las razas y las diferentes geografías. Allí donde no ha sabido flexionar y adaptarse a las exigencias de los tiempos nuevos, ha sido derribada. Don Juan creía firmemente que la Corona solo permanece donde resulta útil. La Monarquía no es una forma de Estado *mágica*, sino racional. La voluntad popular la mantiene por razones de utilidad. Entre las naciones políticamente más libres del mundo, socialmente más justas, económicamente más desarrolladas, culturalmente más progresistas, se encuentran las monarquías democráticas, desde la Inglaterra europea al Japón asiático.

Respaldada por el sufragio universal de los siglos, la Monarquía, bajo la democracia pluralista, en la que la soberanía nacional reside en el pueblo, es solo un poder histórico. Aquí está la clave de lo que pensaba Don Juan. Y ese poder, símbolo de la unidad de la patria y de su continuidad, síntesis de la voz de todas las generaciones, resulta especialmente útil en situaciones de grave crisis nacional. Por eso el pueblo mantiene a la Monarquía. Porque el Rey no gobierna, pero reina, a diferencia del enunciado de Thïers.

No hay un solo japonés que no sepa que, sin la Corona, su nación hubiera sido totalmente destruida en la II Guerra Mundial, que los militares hubieran convertido a Tokio en un búnker hasta su aniquilación completa. Pero el pueblo nipón tenía al Emperador, un poder histórico vinculado al interés nacional, generación tras generación. Nadie piensa en Japón que el Emperador puede tomar una decisión en contra del beneficio del país. Y el Emperador, en 1945, desde la rasgada cortina de los crisantemos, pidió la rendición. Era lo que convenía al pueblo. Ningún japonés pensó que Hiro Hito exigía a los militares la rendición por cobardía personal o porque era un traidor a la patria. El Emperador solo podía querer el interés nacional, el bien del pueblo. Todos obedecieron.

El 23 de febrero de 1981 el Rey Juan Carlos I se vistió su uniforme de capitán general de los Ejércitos y ordenó a algunos militares sublevados que tornaran a sus cuarteles. En la democracia española, el poder reside en el pueblo, y el Parlamento y el Gobierno se derivan de la voluntad general libremente expresada. En aquella situación de crisis extrema, actuó el poder histórico, que se centra en el Rey, y que intervino en beneficio de todos. No existe hoy un español serio que piense que Juan Carlos I, si se produjera una conmoción de máxima gravedad, pueda tomar una decisión en beneficio solo de tal o cual partido, de tal o cual sector. Está vinculado a la identidad nacional, al interés de todos. Es un poder histórico al servicio de España y los españoles. La Monarquía se restauró en nuestro país, y aquí permanece, porque es útil para todos, no porque tenga *magia*. Tras la Guerra Civil, el pueblo dejó de ejercer la soberanía nacional. Era la dictadura. Con el paso de los años, entre el Ejército vencedor, que quería que todo permaneciera igual, y la sociedad, que anhelaba cada vez más el cambio, solo había un parachoques: la Monarquía. Solo una fórmula para evitar la colisión y el trauma: la Institución Monárquica, que podía dar garantías, por un lado, a las Fuerzas Armadas de que se preservarían la unidad de la Patria y la bandera que la representa, y, por el otro, satisfacer a la sociedad española, que aspiraba a recuperar el ejercicio de la soberanía nacional. No hay, pues, *magias* que valgan, sino utilidad. Cuando se produjo la catástrofe de Suez, dimitido Eden, herido ya de muerte el Imperio, reblandecida la musculatura militar inglesa, no hubo un británico que creyera que la Reina encargó formar Gobierno a Macmillan para beneficiar a unos sectores o para perjudicar a otros. Isabel II, que no gobierna pero reina, es un poder histórico vinculado por los británicos al interés nacional. Y la Monarquía permanece en Gran Bretaña por su utilidad. No existen razones *mágicas*. El pueblo británico, engarzado en la Commonwealth, prodigiosa arquitectura política impensable sin la Corona, es demasiado pragmático para mantener sistemas o instituciones que no resulten útiles.

Símbolo de la unidad y la continuidad nacionales, poder histórico para intervenir solo en casos de crisis extrema, con capacidad para el arbitraje y la moderación, porque el Rey, a diferencia de otros jefes de Estado, no ha sido elegido por una parte de los votos sino por la Historia, el pueblo tiene derecho a exigir de la Monarquía, según explicaba Don Juan, ejemplaridad. Ejemplaridad concorde, claro es, con los usos y costumbres de cada época.

Por razones personales, aseguraba Don Juan, admirador de la Corona británica y preocupado siempre por sus avatares, el actual

Príncipe de Gales no puede convertir a la Monarquía en un problema más, porque la Institución es una plataforma para que, sobre ella y con respeto a la continuidad histórica, se solucionen los problemas de la nación. Si la Monarquía se convierte en un problema, en lugar de ser una solución, no tiene razón de permanecer, ni siquiera en Inglaterra, porque habrá dejado de resultar útil y lo mejor entonces es sustituirla, por mucha *magia* que tenga.

Con motivo del matrimonio astillado de Carlos y Diana, empalidecidos los días de lujo y rosas, abrumado él por las heridas de la Historia todavía sin cicatrizar, encendidos en ella los ojos de cierva azul y engañada, las cenizas sexuales se derramaron sobre la Monarquía más firme del mundo, que sufrió alguna fisura. Don Juan confiaba en la serenidad de Isabel II para no desvincular la Corona del sentimiento popular. La televisión, que ha transformado la política del último tercio del siglo XX, condiciona también la imagen de la Monarquía. La Familia Real, lo mismo en Inglaterra, que en España o Noruega, es o debe ser, en cierta manera, la familia de todos los ciudadanos. Las hilanderas de la Historia, cuando alborea el siglo XXI, no pueden tejer otros tapices que los de la voluntad popular. Porque el Rey está para el pueblo, no el pueblo para el Rey. «Que el reinar es tarea —escribió Quevedo— que los cetros piden más sudor que los arados, y sudor teñido de las venas; que la Corona es el peso molesto que fatiga los hombros del alma primero que las fuerzas del cuerpo; que los palacios para el príncipe ocioso son sepulcros de una vida muerta, y para el que atiende son patíbulos de una muerte viva; lo afirman las gloriosas memorias de aquellos esclarecidos príncipes que no mancharon sus recordaciones contando entre su edad coronada alguna hora sin trabajo.»

EN RESUMEN

La repercusión mundial de la catástrofe económica de 1929 en Estados Unidos y los errores políticos de Alfonso XIII precipitaron la caída de la Monarquía española. El Rey no supo atraerse a los intelectuales de su época. El Palacio de Oriente era solo una luz oscura, un fulgor remoto para los escritores y los artistas. Tampoco fue capaz el Monarca de entender los movimientos de las masas obreras y la trémula incorporación socialista a la vida pública. Tenía una idea decimonónica del juego político en torno al poder.

Perdidos así, para la Monarquía, el cerebro y los brazos de la nación, la Corona, al empezar la década de los treinta, era una ficción, una altiva cáscara histórica sin contenido. Como ha explicado con justicia y rigor histórico Seco Serrano, Alfonso XIII puso siempre el interés de España por encima del suyo propio, por encima, también, de la Institución que representaba. Por eso se situó fuera de la Constitución en 1923, al aceptar la dictadura de Primo de Rivera. Creía que era lo que el pueblo español demandaba. Tal vez no le faltaba razón al interpretar el sentimiento popular en aquella circunstancia. Pero el Rey está para servir a la Constitución y garantizar su cumplimiento. El 13 de septiembre de 1923 empezó la cuenta atrás de la Monarquía española. El Rey tenía los días contados. Como advirtió la Reina madre María Cristina, el dictador arrastraría en su caída a la Monarquía.

Seco Serrano subraya la erosión que supuso para el sistema la liquidación de los grandes partidos históricos y la incapacidad de la Corona para permeabilizarse a los nuevos tiempos y ensanchar sus bases con la incorporación de las modernas corrientes de opinión. Tras unas elecciones ganadas por los monárquicos, pero en las que los republicanos vencieron en las grandes capitales, Alfonso XIII supo poner fin a su reinado y resignar la Corona sin ensangrentar las páginas de la Historia de España. Su gesto fue el primer peldaño para la Restauración futura. Acertó plenamente el Rey, el 14 de abril de 1931. Si se llega a aferrar al Trono, hubiera sido derribado en breve plazo con violencia y con sangre. Y la Institución Monárquica hubiera resultado causante de la división entre los españoles, quedando manchada e inservible. Era absurdo, y probablemente antipatriótico, luchar contra la ilusión colectiva que en ese momento representaba la República. Un caudaloso río subterráneo de opinión pública transcurría de forma incontenible hacia el cambio de régimen. Cuando unos años después se produjo el desencanto nacional ante el fracaso del sistema republicano, la Monarquía volvió a ser una solución gracias al gesto de Alfonso XIII de acatar, en 1931, la voluntad popular y despedirse de España, con lágrimas en el alma, desde el apacible mar de la Cartagena mediterránea.

La España republicana suscitó un entusiasmo colectivo con pocos antecedentes en nuestra Historia. Para el español medio, la racionalidad de la República lo iba a resolver todo. Una abrumadora mayoría del pueblo así lo creía. Dos intelectuales, sin embargo, se pusieron a trabajar ya el 15 de abril de 1931, entre el delirio colectivo del fervor republicano, en una empresa utópica: la Restauración de la Monarquía. Sus nombres apenas dicen nada a la nueva generación, incluso a los intelectuales cultos: Eugenio Vegas Latapié y Pedro Sainz Rodríguez.

La República, como ideología revolucionaria

La operación que en nuestro país se realizó, entre 1931 y 1936, para derribar la República gravitó sustancialmente sobre la actividad de Vegas Latapié en *Acción Española* y de Sainz Rodríguez con los militares. Pero ninguno de los dos hubiera podido hacer nada, o casi nada, si la República en España hubiera sido una forma de Gobierno, en lugar de una ideología revolucionaria que se desarrollaba imparablemente.

Ahí está la clave para entender lo que sucedió. El nuevo régimen en España no tenía nada que ver con una República como las de Suiza o Estados Unidos. No se convirtió nunca en una fórmula constitucional, en un terreno de juego político para que todos los españoles contribuyeran a la resolución de los problemas nacionales en igualdad de condiciones. La República española no fue para muchos sino la coartada tórpida para conducir a España a la dictadura del proletariado, es decir, al comunismo. Cuando la clase media tuvo conciencia clara, sobre todo en 1935 y 1936, de cual era el destino de la República, reaccionó contra ella y conspiró para establecer frente a la dictadura del proletariado, frente al comunismo, su propia dictadura, la dictadura de la clase media, es decir, el fascismo. Para ello, apeló al sector de la clase media que tiene la fuerza: el Ejército. Y así se produjo el 18 de julio de 1936.

Pedro Sainz Rodríguez, con gran sagacidad, había advertido todo esto en 1932. La adhesión de la derecha política a la República le hizo comprender que la vía electoral estaba cegada y que el régimen republicano solo sería derribado por un golpe de Estado. Fracasado el amago del 10 de agosto de 1932, en el que Franco no quiso intervenir, Sainz Rodríguez trazó una estrategia de fondo para derribar la República. A través de *Acción Española* y el diario *ABC,* plumas muy claras, desde Castro Albarrán a Ramiro de Maeztu, defendieron y difundieron el derecho a la rebeldía contra el poder constituido en determinadas circunstancias. Se evitaban así los escrúpulos de conciencia de los católicos en general y, sobre todo, de los carlistas, sin los cuales la sublevación era imposible. Conspiró Sainz Rodríguez contra el nuncio, monseñor Tedeschini, para frenar a la Santa Sede, cuya posición era favorable, y con no escaso entusiasmo, a que los católicos acatasen el poder constituido, es decir, la República. Contribuyó a articular a los militares para el Alzamiento y fue en ocasiones el enlace que aceptó Franco. Creó el Bloque Nacional y potenció la figura de José Calvo Sotelo. Y, sobre todo, supo aprovechar, por un lado, los errores republicanos en la política militar y en la política religiosa; por otro lado, la alarma creciente de la clase media española, que se iba dando cuenta de que la República era solo un instrumento de los revolucionarios para implantar en España lo que unos años antes había triunfado en Rusia, meca de muchos de los más destacados intelectuales y artistas de la época: la dictadura del proletariado, el comunismo.

El golpe de Estado contra la República

En los fogones políticos de Sainz Rodríguez se cocinó un plan sencillo y audaz: golpe de Estado, el general Sanjurjo encabeza el Ejecutivo, referéndum en favor de la Monarquía, regreso durante seis meses de Alfonso XIII para darle esa satisfacción histórica, y abdicación en su hijo Don Juan. El fracaso parcial del golpe de Estado y la muerte de Sanjurjo desbarataron los planes de Sainz Rodríguez. La República fue derribada, pero no se restauró la Monarquía. Tras una tremenda Guerra Civil, se estableció en España la dictadura de la clase media, es decir, el fascismo, aglutinado en torno al general victorioso: Francisco Franco, un hombre tímido, acomplejado y tenaz, de valor físico espeluznante, que se jugó la vida desde la adolescencia y que, tras ser encumbrado a la Jefatura del Estado en plena guerra, tomó una decisión radical que es la clave profunda de su política: morirse en el poder. No es verdad que la Guerra Civil la ganaran las *derechas*, como suele escribirse con estólida simplificación. En aquella lucha entre hermanos españoles contendieron, por un lado, la extrema derecha y la derecha; por el otro lado, la izquierda y la extrema izquierda. La Guerra Civil, tal vez por la lamentable radicalización a que conduce toda lucha armada, la ganó la extrema derecha, el fascismo. El jefe de la derecha, José María Gil-Robles, tuvo que exiliarse. Conviene no olvidarlo. Y de haber vencido en la Guerra Civil las *izquierdas*, hubiera ocurrido al revés. Se habría impuesto la extrema izquierda, el comunismo. Y el jefe político de la izquierda, Indalecio Prieto, hubiese tenido que exiliarse.

En el envite del 18 de julio de 1936, la Providencia trabajó intensamente en favor de la Restauración de la Monarquía. Se ha reflexionado poco en algo que es sustancial: si los planes de Sainz Rodríguez llegan a salir bien, el nuevo Rey Don Juan III, a pesar de haberse educado en la Marina británica, a pesar del cariño por su madre inglesa, no hubiera podido resistir la presión del entorno militar y político, y España se hubiera alineado con el Eje en la Guerra Mundial. El destino de la Monarquía española hubiera sido, en 1946, el mismo que tuvo la rumana, la búlgara o la italiana: la extinción.

Derribar a Franco, Yalta y Potsdam

Cinco meses después de concluida la Guerra Civil española, estalló la II Guerra Mundial. Franco y sus principales consejeros creyeron ciegamente en la victoria de Hitler y jugaron a fondo esa carta. A pesar de una inteligente advertencia de Carrero Blanco, Franco acudió a Hendaya, a la entrevista con Hitler, el 23 de octubre de 1940, con su sonrisa de sumiso acatamiento, con su gorro cuartelero en ristre y su bracito en alto, decidido a entrar en guerra y obtener una serie de ventajas que colmaran el espíritu imperial del Movimiento Nacional. Paul Preston lo explica de forma rigurosa y desapasionada. Fue la actitud de un Pétain bien informado de las aspiraciones de Franco sobre las colonias francesas en África lo que echó atrás a Hitler, aparte de las propias pretensiones del *führer* de burlar después al mariscal y edificar a su costa un imperio alemán en el Norte de África. Las versiones de la habilidad del *caudillo* para sortear al *führer*, para ponerle nervioso, su posición en favor de la paz, todo eso no son más que patrañas históricas repetidas un millón de veces por los servicios de propaganda de la dictadura.

Sainz Rodríguez tuvo pronto la certeza de que frente a un Franco germanófilo, la Restauración monárquica estaba en función de un Don Juan aliadófilo. La conspiración que perpetró en España en este sentido, le condujo al exilio en 1942. Su antiguo amigo Francisco Franco le consideró reo de alta traición. Pero, sin restarle importancia a las ideas de uno y otro, conviene no engañarse. La lucha entre Don Juan y Franco no fue ideológica. Eso lo ha advertido con claridad Ricardo de la Cierva. No era el demócrata y aliadófilo que combatía al germanófilo y totalitario. Las ideas políticas contaron poco. Entre Franco y Don Juan no hubo otra cosa, sustancialmente, que la lucha pura y simple, descarnada, por el poder.

Instalado en Portugal, en contacto diario con el antiguo jefe de la derecha nacional, José María-Gil Robles, fallecido ya el Rey Alfonso XIII, Sainz Rodríguez se entendió a fondo con el *Intelligence Service* y acordó que si Franco entraba en guerra en favor de Hitler, la Escuadra británica tomaría las Canarias, instalándose en aquella provincia española un Gobierno de «resistencia», tipo De Gaulle, con Don Juan como Rey y el propio Sainz Rodríguez al frente del Ejecutivo. Era una apuesta arriesgada, pues a los británicos les hubiera costado mucho trabajo, ya en la paz, renunciar a su presencia militar en una zona geográfica tan suculenta.

Para la circunstancia más probable de que Franco no entrara en guerra, Sainz Rodríguez puso en marcha una operación de gran alcance con el fin de derribar al dictador tras la victoria aliada. A pesar de la dificultad de comunicaciones —Don Juan estaba en Suiza, bien flanqueado por Vegas Latapié y López Oliván— la acción de la causa monárquica, tímida y torpe dentro de España, sutil y magistral en el exterior, da idea de la imaginación, la capacidad de maniobra y la penetración política de Sainz Rodríguez. Los contactos entre Don Juan de Borbón y Allen Dulles, director del contraespionaje norteamericano en Europa, permiten a los monárquicos disponer de una información privilegiada. Estamos en plena Guerra Mundial y cualquier gestión con las Cancillerías y los Gobiernos que participaban en la contienda era especialmente difícil.

Sainz Rodríguez consiguió sus propósitos. En la Conferencia de Yalta, febrero de 1945, los aliados vencedores decidieron terminar con Franco y aprobaron la Restauración de la Monarquía en la persona de Don Juan. Una guerra de guerrillas en el Norte de la Península, a cargo de los exiliados, justificaría la intervención. Stalin se sumó a los deseos de Roosevelt, ante los recelos de Churchill. Pero no sinceramente. El dictador soviético aceptaba la Monarquía de Don Juan en España porque pensaba derribarla en poco tiempo.

Tanto en Lisboa como en Lausana, se vivieron días de euforia. El Pardo, en cambio, era un cementerio, con los torvos cipreses falangistas genuflexos ante el decaído dictador. Tras Yalta, el acceso de Don Juan al Trono de España parecía un hecho consumado. El *caudillo* no podría enfrentarse a los aliados victoriosos.

Había una exigencia formal que cumplir: los aliados querían que Don Juan condenase públicamente el régimen totalitario del general Franco. Fue el manifiesto de 19 de marzo de 1945. La censura prohibió que se publicara en España. Pero todo parecía resuelto. Sainz Rodríguez se felicitaba cada día. El *duce* Mussolini estaba muerto y su cadáver había sido miserablemente vejado en una plaza de Milán; el *fürher* Hitler, atrincherado en su búnker de Berlín, se había suicidado; el *caudillo* Franco era solo un trámite, una pavesa ante el huracán de los triunfadores. Tras la victoria aliada, aunque tratase de resistir, que lo hubiera hecho, porque estuvo siempre dispuesto a morir en el poder, sería derribado en cuestión de días.

Sin embargo, unas semanas antes del fin de la Guerra Mundial en Europa, ocurrió un acontecimiento que Sainz Rodríguez no pudo prever: el 12 de abril de 1945 expiró Roosevelt. Su sucesor, Truman, que despreciaba a Franco todavía más que el presidente fallecido, era hombre lúcido y bien informado. No tenía nada que ver con el anciano y macilento Roosevelt. Participaba de los crecientes recelos de Churchill hacia Stalin y tenía miedo de la voracidad del dictador soviético en Europa. Una Monarquía débil en España era un riesgo geográfico, estratégico y político que Estados Unidos no podía correr. Truman, en contra de lo aprobado por Roosevelt, decidió la permanencia de Franco, que era una garantía segura contra el comunismo expansivo. El nuevo presidente norteamericano sacrificaba así a Don Juan, comprometido por los aliados, ante la opinión pública española, con un manifiesto de condena radical de un régimen, que ya no iba a caer.

Cinco años de trabajo magistral de Sainz Rodríguez se vinieron abajo. El nuevo Imperio decidía. Cuando, en el mes de septiembre de 1945, el consejero de Don Juan conoció las resoluciones de la Conferencia de Potsdam, se estremeció. La condena verbal de Franco era brutal, las medidas de aislamiento contra él se tornaron radicales, pero los carros de combate aliados no iban a entrar ya en España. No se proyectaba acción militar contra el *caudillo*. Con el pragmatismo político que le caracterizaba, y que era su mejor cualidad, Sainz Rodríguez se dio cuenta de que todo estaba perdido. La operación de derribar a Franco había fracasado y el dictador continuaría en el poder.

Muchos años después, Sainz Rodríguez reconocería que la Providencia, había hecho, también en aquella ocasión, nuevas horas extraordinarias en favor de la Restauración. Porque a Truman no le faltaba razón. La Monarquía de Don Juan, en 1946, habría sido débil y una victoria socialista-comunista en elecciones libres se la hubiera llevado por delante. Los futuribles históricos carecen de rigor científico, pero el buen sentido conduce a considerar la alta probabilidad de que en España hubiera ocurrido lo que proyectaba Stalin y abortó Truman. Franco, aquel hombrecito hábil, mediocre y mezquino, fue el beneficiario.

Don Juan, Vegas y Gil-Robles contra Sainz Rodríguez

Ni Gil-Robles, ni Vegas Latapié, ni López Oliván vieron las cosas como Sainz Rodríguez. Tampoco Don Juan. El Rey era un joven inteligente y simpático, pero inmaduro, de formación política incipiente y con la petulancia propia de sus años. Creía saberlo todo y apenas sabía nada. Cuando, en febrero de 1946, se trasladó de Lausana a Estoril, pensaba que era cuestión de semanas su retorno al Palacio Real de Madrid. Gil-Robles y Vegas alimentaban su torpeza. Franco, según ellos, no podría resistir el bloqueo y la presión aliada, con el Frente Popular en Francia y un Gobierno laborista en Inglaterra.

Sainz Rodríguez se quedó solo. Sabía que era necesario cambiar de estrategia. A Franco no se le iba a derribar. Había que aceptar su permanencia en el poder y tejer una espesa tela de araña para engañarle. Pero Vegas se enfrentaba agriamente a Sainz, en presencia de Don Juan, y el Rey le daba la razón. Al sabio consejero le irritaban los choques cada vez más frontales con su contendiente. Vegas tenía presta la ira, altivo el semblante y a flor de labios la palabra abrupta. Sainz Rodríguez se encontraba, además, mediatizado porque le aterraba que Vegas y Gil-Robles le recordaran que había sido ministro de Franco. El frenesí antifranquista dominaba la política de Don Juan. Pedro Sainz sufría pero no callaba, aunque sus argumentos no los escuchaba nadie. Pasaban las semanas y el tiempo le iba dando la razón. Pero Don Juan, con enorme torpeza, y apoyado en la terca actitud de Vegas y Gil-Robles, no cedía. La negociación con los socialistas, puesta en marcha por Sainz Rodríguez en 1945, proseguía pilotada por Gil-Robles. Sainz Rodríguez, con exceso de generosidad, había pensado que Indalecio Prieto fuera el primer presidente de Gobierno de la Monarquía restaurada, cuando éste se conformaba con mucho menos. Fueron los tiempos de euforia porque la Conferencia de Yalta significaba la liquidación del *caudillo*. Pero tras Potsdam, la negociación con los socialistas, que concluyó a trancas y barrancas en 1948, perdió interés para Sainz Rodríguez.

Franco, abrumado tras la Conferencia de Yalta y el Manifiesto del Rey, conocía la actitud de los aliados en favor de Don Juan. Durante varios meses creyó que su destino sería el mismo que el de sus dos aliados, Mussolini y Hitler, en favor del cual había alineado en orden de combate la poderosa División Azul, durante la guerra ahora perdida. Se puso nervioso y movió sus peones cerca de Don Juan, que, implacable, rechazó diversas soluciones propuestas por el *caudillo* porque sabía que Franco solo pretendía ganar tiempo. La mayor parte de la correspondencia entre el dictador y el Rey, las propuestas de uno y otro, constituyen una gran farsa. En el verano de 1945, el *caudillo* era solo un hombre acosado dispuesto a resistir hasta la muerte. Pero al término del verano, una larga conversación con Carrero Blanco le hizo entender lo que significaba la Conferencia de Potsdam. En 1946 sabía ya que estaba a salvo. Para complacer a los aliados que querían la Monarquía y romper el bloqueo a que estaba sometido, urdió la ley de Sucesión. En 1947 España se convertía en Reino, si bien Franco tomaba todas las cautelas para permanecer de forma vitalicia en el poder. Se atribuía, además, la facultad de elegir como sucesor a título de Rey al príncipe que quisiera, sin otra condición que ser español, católico y con más de treinta años. El dictador, naturalmente, tenía excluido a Don Juan, probablemente desde que heredó la Corona, en 1941, aunque sobre eso discuten los historiadores, porque era un competidor, una alternativa real e inmediata. Deseaba el *caudillo*, en su megalomanía, que le sucediera un Rey, y había puesto sus ojos en el hijo de Don Juan, que tenía nueve años y, por lo tanto, había mucho tiempo por delante.

Ante aquella Monarquía electiva, ante la burla del *caudillo*, Don Juan reaccionó indignado, con el apoyo incondicional de Vegas, Sainz y Gil-Robles. Este último redactó el Manifiesto de 7 de abril de 1947, contra la ley de Sucesión. Vegas Latapié lo retocó a fondo. El dictador, que se sabía seguro en el poder, ordenó que se publicaran juntos los dos manifiestos: el del 19 de marzo de 1945 y el del 7 de abril de 1947, para provocar la reacción de la domesticada opinión pública contra Don Juan. Sainz Rodríguez, que aceptaba la necesidad del Manifiesto, luchó en vano por otra redacción más flexible, y se opuso luego frontalmente, y también sin éxito, a las declaraciones de Don Juan a *The Observer* el 13 de abril de ese mismo año. «Es un error —repetía al Rey— darle a Franco patadas en los huevos, que los tiene bien puestos y delicados; es absurdo que estos dos banderilleros ciegos, Vegas y Gil-Robles, se dediquen a clavar banderillas en culo tan rotundo, porque va a continuar sentándolo en su poltrona de El Pardo. Hay que presentarle una muleta que pueda embestir y lidiarle como a un marrajo.» Y le daba la razón a su buen amigo Ortega y Gasset. «Toda realidad desconocida —afirmaba, citando al autor de *La rebelión de las masas*— prepara su venganza.»

Engañar a Franco: la estrategia de Sainz Rodríguez con el *caudillo*, Don Juan y Don Juan Carlos

Pasaron los meses. Don Juan escuchaba a Sainz Rodríguez cada vez con más atención. Uno de los hombres especialmente apreciados por el Rey, el conde de Fontanar, coincidía punto por punto con Sainz Rodríguez en los informes que enviaba desde Madrid. El tiempo transcurría y las previsiones de Vegas y Gil-Robles no se cumplían. Aquel jovencito inmaduro e impertinente que era Don Juan empezaba a aprender sus primeras lecciones profundas de ciencia política. Estaba cada día más nervioso. En diciembre de 1947, y a pesar de la euforia de Gil-Robles tras varias entrevistas con Bevin, en Londres, el Rey, en una conversación telefónica con Mountbatten, comprendió, y aceptó por fin, que los aliados no harían nada. Despreciaban a Franco pero les convenía su política ante el telón de acero que Stalin estaba levantando en la Europa del Este, satelizada y sometida. Ésa era la pura verdad. Las democracias occidentales se plegaban a las dictaduras de España y Portugal porque les convenía.

Sainz Rodríguez explicó entonces a Don Juan que debía hacer un primer gesto hacia Franco y enviar a estudiar a España al Príncipe de Asturias, porque, según su reiterado argumento, un Príncipe que no vive en su patria y no habla el idioma de su generación, difícilmente puede reinar. Don Juan aceptó. La entrevista con Franco, preparada por Danvila y Oriol, se celebró en el *Azor* el 25 de agosto de 1948. Era el fin de Vegas y Gil-Robles, los dos perdedores ante el Rey a causa de una política que, tras la muerte de Roosevelt, se había desmoronado.

Pero Sainz Rodríguez no le dijo en 1948 toda la verdad al Rey. Le engañó, lo mismo que a Franco, aunque por razones distintas. Si Don Juan hubiera sabido entonces que la nueva política que se ponía en marcha podía terminar en que él no sería el Rey, no hubiese aceptado, y Don Juan Carlos no hubiera estudiado en España.

Tras el fracaso en derribar a Franco, Sainz Rodríguez había meditado una compleja estrategia a largo plazo para engañar al dictador. Tuvo también que callar ante Don Juan, durante muchos años, una parte de la verdad para poder llevarla a la práctica. Don Juan Carlos era el único anzuelo que podía picar el *caudillo*. Había que arrojarlo a sus aguas con todos los riesgos que eso suponía. Sainz

Rodríguez fue en todo momento leal a Don Juan. Deseó siempre que fuera el Rey. Y hasta muy avanzados los sesenta, tuvo la esperanza de que así fuera. Si Franco moría en atentado, en accidente o de una enfermedad súbita, y la situación de los capitanes generales resultaba favorable, porque España era un país ocupado por su propio Ejército y en él residía la soberanía nacional, Don Juan se convertiría en Rey de hecho. Eso hubiera ocurrido el 24 de diciembre de 1961, cuando al *caudillo* le explotó una escopeta —¿accidente, atentado?— con la fortuna, para él, de que solo se hirió en una mano, la izquierda, naturalmente.

Pero si Franco no moría de repente, estaba claro que Don Juan no sería Rey de hecho de España. El dictador honraba al Monarca en el exilio con un odio africano. Excluido Don Juan, era evidente para Sainz Rodríguez que había que engañar a Franco. Había que conseguir que el *caudillo* eligiera sucesor al Príncipe de Asturias, forzándole a aplicar, en su día, su propia ley de Sucesión, tras producir de forma aparente o real un divorcio entre el padre y el hijo. Una vez mordido ese anzuelo, se trataría de reconducir a Don Juan Carlos a una Monarquía como el resto de las Monarquías europeas, que era lo contrario de lo que quería Franco. Esta segunda parte de la historia es la que el *caudillo* ni se podía imaginar.

En 1959, Sainz Rodríguez dio una batalla campal contra el duque de la Torre, preceptor del Príncipe de Asturias y hombre de confianza, a la vez, de Don Juan y de Franco. Sainz Rodríguez no quería un Príncipe independiente, y con el duque de la Torre lo hubiera sido. En España estaba ya dibujada una lucha de fondo por el poder: la Falange contra Carrero y sus tecnócratas. La Falange y la Secretaría General del Movimiento eran visceralmente hostiles a la Monarquía y al Príncipe. Carrero Blanco y los *lópeces* estaban a favor. Lo inteligente era colocar a Don Juan Carlos bajo su control. Con el duque de la Torre, el Príncipe sería independiente de unos y otros. Sainz Rodríguez lo necesitaba dependiente de Carrero. El almirante se murió sin saber que fue el instrumento de una paciente y sagaz estrategia trazada por Sainz Rodríguez. López Rodó tal vez se entere ahora. En 1965, cuatro años después del accidente o el atentado de la Nochebuena del 61, Sainz perdió las esperanzas de que a Franco le pasara algo, que se muriera de repente, y que Don Juan se convirtiera en Rey de hecho. Así es que decidió secretamente reanudar relaciones con el dictador, no para someterse a él, hay que decirlo en su honor, sino para hacer más fácil la operación de engañarle. Le escribió una carta reverencial, que se publica en este libro, y de la que nunca habló a nadie. Pero sin éxito inmediato. Los recelos del *cau-*

dillo hacia su antiguo amigo eran ingentes. Buscó entonces Sainz Rodríguez dos enlaces con Franco discretos y eficaces: el P. Francisco Javier Baeza y José María Ramón de San Pedro.

El 5 de marzo de 1966, el Príncipe de Asturias salió de la autoridad de su padre. Es un pasaje clave para entender la política monárquica y la historia verdadera de la Restauración. Aquel día, Sainz Rodríguez se vio obligado a explicar el fondo de su estrategia para engañar a Franco. Don Juan montó en cólera. Su principal y más admirado consejero había considerado la posibilidad, ya desde 1948, de que él no fuera el Rey. La ira, sin embargo, no le nubló la inteligencia. Tenía ya más de cincuenta años y era un hombre maduro. Así es que aceptó, resignado el ánimo, la táctica recién conocida. Sainz Rodríguez respiró. La unidad dinástica estaba a salvo. Don Juan sufriría, pero no levantaría bandera contra su hijo si un día Franco consumaba en Don Juan Carlos la sucesión.

Una serie de circunstancias en 1968, el éxito de Don Juan en Madrid, que alarmó al *caudillo*, la enfermedad del dictador portugués Salazar, que se quedó inconsciente, la caída del general De Gaulle y el fallecimiento de la Reina Victoria Eugenia, ya en 1969 decidirán a Franco a nombrar sucesor. Veinte años después, el dictador, bien auxiliado desde la sombra por Sainz Rodríguez, que se comprometió con él a dominar la reacción de Don Juan; bien presionado por Carrero y López Rodó, que le cubrían todos los flancos interiores, mordió el anzuelo que el consejero del Rey le había tendido en 1948. Franco creía que lo tenía todo «atado y bien atado» en torno a un Príncipe dócil, rendido al Movimiento Nacional y a sus Leyes Fundamentales. Solo un historiador, Luis Suárez, se da cuenta, al analizar los acontecimientos de julio de 1969, de que hay algo mucho más complejo tras la operación política que conduce al Príncipe de Asturias al Palacio de las Cortes para ser proclamado, con despiadada humillación de Franco a Don Juan, sucesor a título de Rey por el *caudillo* de España. El manifiesto del Rey, de 19 de julio de 1969, redactado por Pedro Sainz, es una pieza maestra de penetración política. Así lo ha intuido certeramente Luis Suárez en un libro fundamental, *Francisco Franco y su tiempo*.

Evitar la III República

Sainz Rodríguez trazó entonces, en el verano del 69, la estrategia final para la Restauración. La Monarquía de Franco, encarnada en Don Juan Carlos, no tenía la menor probabilidad de durar. Un movimiento de masas de los pujantes sindicatos clandestinos terminaría con ella en dos o tres años y se proclamaría una III República, ya inamovible. Es lo que sucedió en 1974 en Portugal con Caetano, el sucesor del dictador Salazar. Sainz Rodríguez destinó al Príncipe a conquistar a los vencedores y a los herederos de los vencedores de la Gerra Civil. A Don Juan le reservó el papel decisivo de relacionarse con los dirigentes de la oposición democrática —los perdedores y los herederos de los perdedores de la Guerra Civil— y comprometerse con ellos a que su hijo convocaría elecciones libres. Tratar de proclamar la República al acceder Don Juan Carlos al Trono era tanto como llamar a gritos a una nueva dictadura militar, que sería derribada pasado un tiempo, pero con sangre y violencia, con un gran trauma nacional. Don Juan, con su prestigio acumulado en cuarenta años de exilio, garantizaba elecciones libres convocadas por la nueva Monarquía.

Y así se produjo, en noviembre de 1975, algo que dejó estupefactos a los estudiosos de la ciencia política en todo el mundo. La cuestión, en efecto, no podía resultar más sorprendente. Muere un dictador tras cuarenta años de régimen autárquico, después de haber sido el amigo y colaborador de Hitler y Mussolini. Deja ungido como Rey a un Príncipe que ha jurado los Principios y Leyes Fundamentales de la dictadura. Y en un país desarrollado como España, en las postrimerías del siglo XX, ese Príncipe accede al Trono sin que se produzca ni un conato en favor de la República. Mitterrand había escrito: «¡Heredero de Franco! ¡Bonita pierna para un cojo que corre hacia el vacío!» No era así. La oposición democrática no estaba con la República, sino a la espera de que la Monarquía convocara elecciones libres.

Bastaría analizar esta circunstancia para reconocer la sagacidad de la política de Sainz Rodríguez y el acierto de Don Juan al asumirla y timonearla, a pesar del sacrificio personal que para él significaba. Toda la gestión política realizada desde 1969 a 1975 fructificó en el momento decisivo de la Restauración e hizo posible la continuidad de la Monarquía, porque el nuevo Rey, eficazmente auxiliado por Torcuato Fernández-Miranda, o bien comprendió enseguida las razones de su padre y la inviabilidad de la Monarquía de Franco, o tal vez tenía ya cerrado con Don Juan, a espaldas del dictador, un acuerdo más o menos expreso en este sentido. Así es que Don Juan Carlos destrozó enseguida al hombre del *caudillo*, Arias Navarro, al que calificó, en abril de 1976, de «desastre sin paliativos»; engañó clamorosamente al Consejo del Reino de la dictadura y nombró presidente del Gobierno a Adolfo Suárez, para que hiciera la reforma política desde dentro del Régimen, de manera que nadie pudiera acusarle de perjuro. Suárez se recreó en una operación de circo y los procuradores franquistas en Cortes, creyendo que así salvaban sus prebendas y sus cargos, aprobaron una ley de Reforma Política que abrió el horizonte para las elecciones democráticas, primero, y la posterior Constitución, después. De la obra legislativa de Franco no quedaba ya nada. Da vértigo la carrera en pelo emprendida en 1976 por no pocos de aquellos falangistas valerosos para instalarse en la nueva situación. ¡Qué tino el suyo para introducir las cinco flechas en el carcaj de la Historia! ¿Y qué decir de los franquistas adictos a la vieja caravana de las cifras triunfales? A muchos de ellos las flechas les fueron útiles para metérselas a Franco por el rabel que tantas veces relamieron. Pero ¿a quién que conozca la condición humana le puede sorprender esto? Iguales son los hombres de todas las épocas y por eso la Historia se repite con tenaz monotonía. La fidelidad de los aduladores turíferos concluye cuando se termina el poder del adulado. Tácito escribió esta frase de diamante refiriéndose a Vitelio: «Fue ultrajado a su muerte con la misma bajeza con que había sido adorado en vida.» Me acuerdo que reproduje esta cita en 1974, un año antes de la muerte de Franco, en una *tercera* de *ABC*, sin esperanza de ser escuchado ni entendido. El poder ensordece los oídos y se muestra más propicio a fijarse en los aspavientos que en la verdad profunda.

El 14 de mayo de 1977, cumplido el compromiso que había contraído con la oposición democrática, y que se resume en su admirable declaración de 21 de noviembre de 1975, convocadas ya elecciones generales libres, Don Juan abdicó la Corona en su hijo, Rey de hecho desde la muerte del dictador. La política profunda de Don Juan —relegar al Ejército a los cuarteles y devolver la soberanía nacional al pueblo español a través de la voluntad general libremente expresada— había triunfado. La Monarquía de todos ante la primera experiencia electoral era un hecho. Las elecciones generales del 15 de junio de 1977 significaban el triunfo histórico de Don Juan sobre Franco. El viejo Rey terminó cruzando a galope tendido por las páginas de la Historia. Su impresionante estatura moral destacaba cada día más entre los pigmeos.

La habilidad táctica de Sainz Rodríguez, pues, y el sacrificio personal de Don Juan evitaron un movimiento serio en favor de la III República. El Rey Juan Carlos, como había previsto Sainz Rodríguez, se colocó al lado del nuevo poder, el pueblo, la democracia, y firmó, el 27 de diciembre de 1978, una Constitución que arrumbó en los desvanes de la dictadura los principios inmutables y las Leyes Fundamentales del Movimiento Nacional, estableciendo la Monarquía de todos que quería Don Juan, es decir, la contraria de la que impuso Franco. El dictador, que solo se consideraba responsable ante Dios y ante la Historia, había sido finalmente engañado, ante esa misma Historia que creyó dominar, por la astucia de un profesor de literatura, Pedro Sainz Rodríguez. El 14 de diciembre de 1986, el viejo catedrático fallecía en Madrid, rodeado de libros doloridos y de la ternura de Consuelo Gil. Probablemente, sin él, no habría hoy Monarquía en España. Pero nunca recibió nada de la Institución, a la que sirvió durante su vida entera. Nunca pidió nada. Nunca esperó recibir nada. «A los Reyes, como a las mujeres, se les da todo y siempre lo tienen en poco», solía decir Pedro Sainz, robándole, con algún descaro, el pensamiento a Balzac. Su amigo Anson le dedicó en *ABC* el artículo necrológico que se merecía. Y los viejos dioses de la literatura lloraron con desconsuelo sobre su cadáver. Don Juan, con los ojos astillados, presidió su funeral. Sabía mejor que nadie que, sin Pedro Sainz, la Corona no ceñiría la cabeza de su hijo Juan Carlos. Como sin Cánovas del Castillo, el Ejército no hubiera podido restaurar la Monarquía en Alfonso XII, y mucho menos que ésta permaneciera.

Tras la muerte de Sainz Rodríguez, Don Juan vivió sus últimos años con el orgullo de ver a su hijo hacer lo que él siempre propugnó. Las brasas de la Monarquía que mantuvo encendidas se habían reavivado en la antorcha del relevo. Peleó bravamente el viejo Rey contra el cáncer que se le había enroscado en la garganta, mientras escondía a cuantos le rodeaban los viejos dolores enterrados, la oscura herida que le apretaba el alma. La muerte le descargó los fatigados hombros de tantos fardos abyectos, de tantos húmedos rencores, para encender en él la llama de amor viva. Era el 1 de abril de 1993. Recibió entonces el reconocimiento histórico que se merecía por parte de su hijo, el Rey; por parte de un Gobierno socialista elegido democráticamente; por parte, sobre todo, del pueblo español, en unas jornadas de emoción nacional. Le otorgaron honores de Rey en su entierro y en su funeral. Y, por disposición de su hijo, fue sepultado en el lugar que le correspondía, en el Panteón de Reyes del Monasterio de El Escorial, junto al fragor incesante de las cenizas de Carlos I y Felipe II, de Carlos III y Alfonso XIII, entre los Reyes que escribieron la Historia de España. A través de una suscripción popular, los españoles erigieron un impresionante monumento a la memoria de Don Juan en la más bella plaza del Madrid del futuro. Y allí se ha quedado para los siglos, ante el pueblo que tanto amó, con un tropel de bronce en la cabeza, derramada ya definitivamente la hiel incomprensible del destino. La justicia histórica se manifiesta siempre de forma inexorable. Franco creyó haber aplastado a Don Juan. Estaba seguro de haberlo dejado todo «atado y bien atado». Pero las dictaduras son solo los paréntesis de la Historia.

Madrid, verano de 1994

APÉNDICES

DOCUMENTACIÓN
SOBRE DON JUAN DE BORBÓN

Algunos archivos consultados

Archivo de Don Juan de Borbón
Archivo de Pedro Gamero del Castillo
Archivo del conde de los Andes
Archivo de Pedro Sainz Rodríguez

Archivo de Luis María Anson
Archivo de J. M. Ramón de San Pedro
Archivo del conde de Fontanar
Archivo de José María Pemán

Algunos libros consultados

ABC, *La II guerra mundial,* Madrid, 1989.

Abella, Rafael, *La vida cotidiana durante la guerra civil. La España nacional,* Barcelona, 1978; *Por el Imperio hacia Dios,* Barcelona, 1978.

Acheson, Dean, *Present at the Creation: My Years in the State Department,* New York, 1969.

Aguado, Emiliano, *Manuel Azaña,* Barcelona, 1972.

Aguado Sánchez, Francisco, *El maquis en España,* 2 vols., Madrid, 1975-1980.

Aguirre, Julen (seudónimo de Eva Forest), *Operación Ogro: cómo y por qué ejecutamos a Carrero Blanco,* Hendaya/París, 1974.

Aguirre y Lecube, José Antonio de, *De Guernica a Nueva York,* Buenos Aires, 1944.

Alcalá Zamora, Niceto, *Memorias,* Barcelona, 1977.

Alcázar de Velasco, Ángel, *Serrano Súñer en la Falange,* Madrid/Barcelona, 1941; *Siete días de Salamanca,* Madrid, 1976.

Alderete, Ramón de, *... Y estos Borbones nos quieren gobernar,* París, 1974.

Alonso Baquer, José Ramón, *El Ejército en la sociedad española,* Madrid, 1971; *Historia política del Ejército español,* Madrid, 1974.

Álvarez Puga, E., *Historia de la Falange,* Barcelona, 1969; *Matesa: más allá del escándalo,* Barcelona, 1974.

Andrade, Jaime de (seudónimo de Francisco Franco Bahamonde), *Raza, anecdotario para el guión de una película,* Madrid, 1942.

Ángel, Miguel, *Los guerrilleros españoles en Francia 1940-1945,* La Habana, 1971.

Ansaldo, Juan Antonio, *¿Para qué...?,* Buenos Aires, 1951.

Anso, Mariano, *Yo fui ministro de Negrín,* Barcelona, 1976.

Areilza, José María de, *Embajadores sobre España,* Madrid, 1947; *Así los he visto,* Barcelona, 1974; *Diario de un ministro de la Monarquía,* Barcelona, 1977; *Memorias exteriores 1947-1964,* Barcelona, 1984; *Crónica de libertad,* Barcelona, 1985; *A lo largo del siglo,* Barcelona, 1992.

Areilza, José María de, y **Castiella, Fernando María,** *Reivindicaciones de España,* Madrid, 1941.

Arenillas de Chaves, Ignacio, *El proceso de Besteiro,* Madrid, 1976.

Ariza, Julián, *Comisiones Obreras,* Barcelona, 1979.

Armada, Alfonso, *Al servicio de la Corona,* Barcelona, 1983.

Armero, José Mario, *La política exterior de Franco,* Barcelona, 1978.

Aroca Sardogna, J. María, *Los republicanos que no se exiliaron,* Barcelona, 1969.

Aron, Robert, *Histoire de Vichy,* París, 1969.

Arrarás, Joaquín, *Franco,* Madrid, 1938; *Memorias íntimas de Azaña,* Madrid, 1939; *Historia de la cruzada española,* Madrid, 1939-1943; *Historia de la segunda República,* 3 vols., Madrid, 1964-1968.

Arrese, Domingo de, *La España de Franco,* Madrid, 1946.

Arrese, José Luis de, *Treinta años de política,* Madrid, 1966; *Una etapa constituyente,* Madrid, 1966.

Arteaga, Federico de, *ETA y el proceso de Burgos,* Madrid, 1971.

Attard, Emilio, *La Constitución por dentro,* Barcelona, 1983.

Avni, Haim, *España, Franco y los judíos,* Madrid, 1982.

Azaña, Manuel, *Obras completas,* 4 vols., México DF, 1966-1968.

Azcárate, Pablo de, *Mi Embajada en Londres durante la guerra civil española,* Barcelona, 1976.

Aznar, Manuel, *Historia militar de la guerra de España,* 3 vols., Madrid, 1958; *Burgos, marzo de 1939; Franco,* Madrid, 1975.

Azpíroz Pascual, José María y **Elboj Broto, Fernando,** *La sublevación de Jaca,* Zaragoza, 1984.

Badía, Javier, *Acción Española* (Tesis doctoral inédita).

Bahamonde y Sánchez de Castro, Antonio, *Un año con Queipo: memorias de un nacionalista,* Barcelona, 1938.

Balansó, Juan, *La Casa Real de España,* Madrid, 1976; *La Familia Real y la familia irreal,* Barcelona, 1992; *Los reales primos de Europa,* Barcelona, 1993.

Baón, Rogelio, *La cara humana de un Caudillo,* Madrid, 1975.

Bardavío, Joaquín, *La crisis: historia de quince días,* Madrid 1974; *Los silencios del Rey,* Madrid, 1979; *La rama trágica de los Borbones,* Barcelona, 1989.

Barea, Arturo, *La forja de un rebelde,* Buenos Aires, 1951.

Bayo, Eliseo, *Los atentados contra Franco,* Barcelona, 1977.

Bayod, Ángel, *Franco visto por sus ministros,* Barcelona, 1981.

Beaulac, Willard L., *Franco: Silent Ally in World War II,* Carbondale, 1986.

Ben-Ami, Shlomo, *Los orígenes de la segunda República,* Madrid, 1990.

Benavides, Manuel D., *El último pirata del Mediterráneo,* Barcelona, 1934.

Berenguer, Dámaso, *De la Dictadura a la República,* Madrid, 1946.

Bergamín, José, *De una España peregrina,* Madrid, 1972.

Bertrán Güell, Felipe, *Preparación y desarrollo del alzamiento nacional,* Valladolid, 1939.

Blanco Escolá, Carlos, *La Academia General Militar de Zaragoza (1928-1931),* Barcelona, 1989.

Blaye, Édouard de, *Franco ou la Monarchie sans Roi,* París, 1974.

Blázquez, Feliciano, *La traición de los clérigos en la España de Franco,* Madrid, 1991.

Blinkhorn, Martin, *Carlismo y contrarrevolución en España,* Barcelona, 1979.

Bolín, Luis, *España, los años vitales,* Madrid, 1967.

Bolloten, Burnett, *The Spanish Civil War: Revolution and Counterrevolution,* Chapel Hill, 1991.

Bonaventura, Armando, *Madrid-Moscovo da ditadura à República e à guerra civil de Espanha,* Lisboa, 1937.

Bonmatí de Codecido, Francisco, *El Príncipe Don Juan de España,* Valladolid, 1938.

Boor, Jakim (seudónimo de Francisco Franco), *Masonería,* Madrid, 1952.

Borbón, Juan de, *Mi vida marinera,* Madrid, 1978.

Borbón, María de las Mercedes de, *Autobiografía* (transcripción de Javier González de Vega. Inédita)

Borrás Betriu, Rafael, *El día en que mataron a Carrero Blanco,* Barcelona, 1974.

Bowers, Claude G., *My Mission to Spain*, Londres, 1954.

Boyd, Crolyn P., *Política pretoriana de Alfonso XIII*, Madrid, 1990.

Bravo Morata, Federico, *Franco y los muertos providenciales*, Madrid, 1979.

Brenan, Gerald, *El laberinto español*, Barcelona, 1985.

Brissaud, André, *Canaris. La guerra española y la II guerra mundial*, Barcelona, 1972.

Broué, Pierre y **Témime, Émile**, *La revolución y la guerra de España*, Madrid, 1977.

Buckley, Henry, *Life and Death of the Spanish Republic*, Londres, 1940.

Bullock, Alan, *Ernest Bevin: Foreign Secretary 1945-1951*, Londres, 1983; *Hitler y Stalin*, Barcelona, 1994.

Burdick, Charles, *Germany's Military Strategy and Spain in World War II*, New York-Syracuse, 1968.

Burgo, Jaime del, *Conspiración y guerra civil*, Madrid, 1970.

Cabanellas, Guillermo, *La guerra de los mil días*, 2 vols., Buenos Aires, 1973.

Cabezas, Juan Antonio, *La cara íntima de los Borbones. Pequeña historia de una dinastía*, Madrid, 1979.

Cacho Zabalza, Antonio, *La Unión Militar Española*, Alicante, 1940.

Calleja, Juan José, *Yagüe, un corazón al rojo*, Barcelona, 1963.

Calleja, J. L., *Don Juan Carlos ¿Por qué?*, Madrid, 1972.

Calvo, coronel (seudónimo de Víctor Salmador), *El Caudillo y el otro*, Buenos Aires, 1967.

Calvo Serer, Rafael, *Franco frente al Rey. El proceso del régimen*, París, 1972.

Calvo Sotelo, José, *Mis servicios al Estado. Seis años de gestión: apuntes para la Historia*, Madrid, 1931.

Cambó, Francesc, *Meditacions: dietari (1941-1946)*, Barcelona, 1982.

Campo Vidal, Manuel, *Información y servicios secretos en el atentado al presidente Carrero Blanco*, Barcelona, 1983.

Cantaluppo, Roberto, *Embajada en España*, Barcelona, 1951.

Cantarero del Castillo, Manuel, *Falange y socialismo*, Barcelona, 1973.

Cardona, Gabriel, *El poder militar en la España contemporánea hasta la guerra civil*, Madrid, 1983; *El problema militar en España*, Madrid, 1990.

Carlavilla, Mauricio, *Anti-España 1959*, Madrid, 1959.

Carr, Raymond, *España 1808-1939*, Barcelona, 1969; *La tragedia española*, Madrid, 1986.

Carrero Blanco, almirante, *España y el mar*, 2 vols., Madrid 1962-1964; *Discursos y escritos 1943-1973*, Madrid, 1974.

Carrillo, Santiago, *Y después de Franco ¿qué?*, París, 1966; *Memorias*, 1993.

Casado, José, *Por qué condené a los capitanes Galán y García Hernández*, Madrid, 1935.

Casado, Segismundo, *Así cayó Madrid*, Madrid, 1968.

Casas de la Vega, R., *Brunete*, Madrid, 1967; *Teruel y Alfambra: la reconquista de Teruel*, 2 vols., Barcelona, 1973 y 1976.

Castiella Maíz, Fernando Mª., *Política exterior española (1890-1960)*, Madrid, 1960; *Negociaciones sobre Gibraltar*, Madrid, 1968.

Castillo Puche, José Luis, *Diario íntimo de Alfonso XIII*, Madrid, 1961.

Castro Albarrán, Aniceto de, *El derecho al Alzamiento*, Salamanca, 1941.

Cattell, David, *Soviet Diplomacy and the Spanish civil war*, Universidad de California, 1957.

Caute, David, *The Great Fear: The Anti-Communist Purge under Truman and Eisenhower*, Londres, 1978.

Cave Brown, Anthony, *The Secret Servant: The Life of Sir Stewart Menzies, Churchill's Spymaster*, Londres, 1988.

Cervera, Juan, *Memorias de guerra*, Madrid, 1968.

Chamberlain, Neville, *In search of peace*, New York, 1939.

Chamorro, Eduardo, y **Fontes, Ignacio**, *Las bases norteamericanas en España*, Barcelona, 1976.

Chao Rego, José, *La Iglesia en el franquismo,* Madrid, 1976.

Chapaprieta, Joaquín, *La paz fue posible,* Barcelona, 1971.

Chase, Allan, *Falange: The Axis Secret Army in the Americas,* New York 1943.

Chávez Camacho, Armando, *Misión de prensa en España,* México DF, 1948.

Churchill, Winston S., *Great Contemporaries,* Collins. Fontana Books, 1959. (1ª ed. 1937); *La Segunda Guerra Mundial,* Barcelona, 1985.

Ciano, Galeazzo, conde de, *Europa verso la catástrofe. Coloqui verbalizzati,* Verona, 1948; *Diario,* Barcelona, 1946.

Cierva, Juan de la, *Notas de mi vida,* Madrid, 1955.

Cierva, Ricardo de la, *Historia de la guerra civil española. Antecedentes,* Madrid, 1969; *Francisco Franco. Un siglo de España,* Madrid 1972-1973; *Francisco Franco: un siglo de España,* 2 vols., Madrid, 1973; *Historia del franquismo: I orígenes y configuración (1939-1945),* Barcelona, 1975; *Historia del franquismo: II aislamiento, transformación, agonía (1945-1975),* Barcelona, 1978; *Hendaya, punto final,* Barcelona, 1981; *Francisco Franco: biografía histórica,* 6 vols., Barcelona, 1982; *Vida de Franco,* Prensa Española,1984 (coordinado y dirigido por R. de la C.); *La derecha sin remedio (1801-1987),* Barcelona, 1987; *Franco Don Juan, los reyes sin corona,* Madrid, 1992-93.

Cillán Apallategui, Antonio, *El léxico político de Franco en las Cortes españolas,* Zaragoza, 1970.

Cimadevilla, Francisco, *El general Primo de Rivera,* Madrid, 1944.

Clark, C. L., *The evolution of the Franco regime,* 3 vols., Washington, 1954.

Claudín, Fernando, *Eurocomunismo y socialismo,* Madrid, 1977.

Clavera, Juan; Esteva, Joan; Mones, M. A.; Montserrat, Antonio, y **Ros Hombravella, J.,** *Capitalismo espa-*

ñol: de la autarquía a la estabilización (1939-1959), 2 vols., Madrid, 1973.

Clemente, José Carlos, *Historia del carlismo contemporáneo (1935-1972),* Barcelona, 1977.

Coles, S. F. Arthur, *Franco of Spain,* Londres, 1955.

Colodny, Robert G., *The Struggle for Madrid: The Central Epic of the Spanish Conflict 1936-1937,* New York, 1958.

Comín Colomer, Eduardo, *La Masonería en España. Apuntes para una interpretación masónica de la Historia patria,* Madrid, 1944; *La República en el exilio,* Barcelona, 1957.

Conforti, Olao, *Guadalajara, la primera derrota del fascismo,* Madrid, 1977.

Cooper, Norman B., *Catholicism and the Franco Regime,* Beverly Hills, 1975.

Cordero de Torres, José Mª., *Relaciones exteriores de España,* Madrid, 1954.

Cortada, James W., *Relaciones España-USA 1941-45,* Barcelona, 1973.

Cortés-Cavanillas, Julián, *Alfonso XIII, vida, confesiones y muerte,* Barcelona, 1966.

Cosa, Juan de la (seud. de Luis Carrero Blanco), *España ante el mundo,* Madrid, 1950.

Cossias, T., *La lucha contra el «maquis» en España,* Madrid, 1956.

Costa i Deu, J., y **Sabaté, Modest,** *La veritat del 6 d'octubre,* Barcelona, 1936.

Coverdale, John F., *La intervención fascista en la guerra civil española,* Madrid, 1979.

Cox, Geoffrey, *Defence of Madrid,* Londres, 1937.

Creach, Jean, *Le cœur et l'epée,* París, 1958.

Cross, J. A., *Sir Samuel Hoare: A Political Biography,* Londres, 1977.

Crozier, Brian, *Franco, una biografía,* 2 vols., Madrid, 1969; *Franco, crepúsculo de un hombre,* Madrid, 1980.

Culla i Clarà, Joan B., *El republica-*

nisme lerrouxista a Catalunya (1901-1923), Barcelona, 1986.

Dahms, H. G., *Francisco Franco*, Madrid, 1975.

Dalton, Hugh, *The Second World War Diary of Hugh Dalton 1940-1945*, Londres, 1986.

Dávila, Sancho, *José Antonio, Salamanca y otras cosas*, Madrid, 1967.

Díaz, Carmen, viuda de Franco, *Mi vida con Ramón Franco*, Barcelona, 1981.

Díaz, Elías, *Pensamiento español, 1939-1973*, Madrid, 1974.

Díaz, José, *Tres años de lucha por el Frente Popular*, París, 1970.

Díaz Nosty, Bernardo, *Las Cortes de Franco: treinta años orgánicos*, Barcelona, 1972; *La comuna asturiana: revolución de octubre de 1934*, Bilbao, 1974.

Díaz-Plaja, Fernando, *El siglo XX. La guerra (1936-39)*, Madrid, 1963; *La historia de España en sus documentos. Del desastre de 1898 al príncipe Juan Carlos*, Barcelona, 1971.

Díaz de Villegas, José, *La División Azul en línea*, Barcelona, 1967.

Domínguez, Javier, *Organizaciones obreras cristianas en la oposición al franquismo (1951-1975)*, Bilbao, 1985.

Doussinague, J. M., *España tenía razón*, Madrid, 1949.

Drochon, P., *Le clericalisme dans l'Espagne franquiste*, Poitiers, 1961.

Dulles, Allen W., *Germany's underground*, New York, 1947.

Duverger, M., *De la dictadure*, París, 1961.

Dzelepy, E. N., *Franco, Hitler y los Estados Unidos*. México, 1963.

Ebenstein, William, *Church and State in Franco Spain*, Princeton, 1960.

Eby, Cecil, *The Siege of the Alcázar*, Londres, 1966.

Eden, Anthony, *The Eden Memoirs. Facing the dictators*, Londres, 1962.

Eisenhower, Dwight, *The White House Years, Mandate for change*, New York, 1963; *Cruzada en Europa*, Barcelona, 1979.

Ellwood, Sheelag M., *Spanish Fascism in the Franco Era*, Londres, 1987.

Equipo Mundo, *Los 90 ministros de Franco*, Barcelona, 1970.

Escobar, Adrián C., *Diálogo íntimo con España*, Buenos Aires, 1950.

Escofet, Frederic, *Al servei de Catalunya i de la República*, 2 vols., Vol. 1; *La desfeta 6 d'octubre 1934*, Vol. II, *La victòria 19 de juliol 1936*, París, 1973.

Espadas Burgos, Manuel, *Franquismo y política exterior*, Madrid, 1988.

Espín, E., *Azaña en el poder: el partido de Acción Republicana*, Madrid, 1980.

Espinar Gallego, Ramón, *El impacto de la II guerra mundial en Europa y en España*, Madrid, 1986.

Esteban, Jorge de, y **López Guerra, Luis,** *La crisis del Estado franquista*, Barcelona, 1977.

Esteban Infantes, Emilio, *La sublevación del general Sanjurjo*, Madrid, 1933; *La División Azul*, Barcelona, 1956; *El general Sanjurjo*, Barcelona, 1957.

Estrella Estrella, José Emilio, *Don Juan de Borbón*, Madrid, 1966.

Febo, Giuliana di, *La santa de la raza: un culto barroco en la España franquista (1937-1962)*, Barcelona, 1988.

Feis, Herbert, *The Spanish Story. Franco and the Nations at War*, New York, 1966.

Fernández Almagro, Melchor, *Historia del reinado de Don Alfonso XIII*, Barcelona, 1934; *Cánovas*, Madrid, 1951; *Historia política de la España Contemporánea*, Madrid, 1959.

Fernández Areal, Manuel, *La política católica en España*, Barcelona, 1970; *La libertad de prensa en España (1938-1971)*, Madrid, 1971.

Fernández Cuenca, Carlos, *La guerra española y el cine*, Madrid, 1972.

Fernández-Cuesta, Raimundo, *Testimonio, recuerdos y reflexiones*, Madrid, 1985.

Ferrer Benimeli, José A., *Masonería española contemporánea*, 2 vols., Madrid, 1980; *La Masonería y la Constitución de 1931*, Madrid, 1980.

Ferri, Llibert; Muixí, Jordi, y Sanjuán, Eduardo, *Las huelgas contra Franco (1939-1956)*, Barcelona, 1978.

Ferro, Antonio, *Salazar*, Lisboa, s.f.

Ferro, Marc, *Pétain*, París, 1987.

Figuero, Javier, y Herrero, Luis, *La muerte de Franco jamás contada*, Barcelona, 1985.

Foltz, Charles Jr., *The Masquerade in Spain*, Boston, 1948.

Fontán, Antonio, *Los católicos en la Universidad española actual*, Madrid, 1961.

Fontana, José María, *Los catalanes en la guerra de España*, 2ª ed. Barcelona, 1977; *Franco. Radiografía del personaje para sus contemporáneos*, Barcelona, 1979.

Forrestal, James, *The Forrestal Diaries*, Walter Millis, New York, Viking Press, 1951.

Fraga Iribarne, Manuel, *Memoria breve de una vida pública*, Barcelona, 1980; *En busca del tiempo servido*, Barcelona, 1987.

Franco, comandante Ramón, *Águilas y garras: historia sincera de una empresa discutida*, Madrid, s.f.; *Madrid bajo las bombas*, Madrid, 1931.

Franco Bahamonde, Francisco, *Diario de una bandera* (1ª ed. 1922); *Pensamiento político de Franco*, editado por Agustín del Río Cisneros, 2 vols., Madrid, 1975; *Raza; Masonería*, Madrid, 1981; *Documentos Inéditos para la Historia del Generalísimo Franco*, Madrid, 1992.

Franco Bahamonde, Pilar, *Nosotros los Franco*, Barcelona, 1977.

Franco Salgado-Araujo, Francisco, *Mis conversaciones privadas con Franco*, Barcelona, 1976; *Mi vida junto a Franco*, Barcelona, 1977.

Frank, Williard C., *Seapower. Politics and Onset of Spanish War, 1936*, Pittsburgh, 1969.

Fraser, Ronald, *Blood of Spain: The Experience of Civil War 1936-1939*, Londres, 1979.

Fuente, Ismael; García, Javier, y Prieto, Joaquín, *Golpe mortal: asesinato de Carrero y agonía del franquismo*, Madrid, 1983.

Fuentes, E., *La oposición antifranquista de 1939 a 1955*, París, 1966.

Fuentes Quintana, Enrique, *El desarrollo económico de España. Juicio crítico sobre el Informe del Banco Mundial*, Madrid, 1963.

Fusi, Juan Pablo, *Franco: autoritarismo y poder personal*, Madrid, 1985.

Fusi, Juan Pablo, y Carr, Raymond, *España, de la dictadura a la democracia*, Barcelona, 1979.

Galindo Herrero, Santiago, *Los partidos monárquicos bajo la segunda República*, 2ª edición, Madrid, 1956.

Galinsoga, Luis de, y Franco Salgado, Francisco, *Centinela de Occidente*, Barcelona, 1956.

Gallo, Max, *Histoire de l'Espagne franquiste*, Verviers, 1969; *Spain Under Franco: A History*, Londres, 1973.

Gárate Córdoba, José María, *Franco, escritor*, Madrid, 1972.

García, P., *Los chistes de Franco*, Madrid, 1977.

García de la Escalera, Inés, *El general Varela*, Madrid, 1959.

García Escudero, J. M., *Catolicismo español*, Madrid, 1955; *Cánovas, un hombre para nuestro tiempo*, Madrid, 1989.

García Figueras, Tomás, *Marruecos*, Barcelona, 1939.

García Lacalle, Andrés, *Mitos y verdades: la aviación de caza en la guerra española*, México DF, 1973.

García Lahiguera, Fernando, *Ramón Serrano Súñer: un documento para la historia*, Barcelona, 1983.

García Serrano, Rafael, *Diccionario para un macuto*, Madrid, 1966.

García Trevijano, Antonio, *El discurso de la República*, Madrid, 1994.

García Valiño, Rafael, *Guerra de Liberación española*, Madrid, 1949.

García Venero, Maximiano, *El general Fanjul: Madrid en el alzamiento nacional*, Madrid, 1967; *Falange en la guerra de España; la unificación y Hedilla*, París, 1967; *Historia de la Unifi-*

cación (Falange y Requeté en 1937), Madrid, 1970.

Garitaonandía, Carmelo, y Granja, José Luis de la, *La guerra civil en el País Vasco*, Bilbao, 1987.

Garriga, Ramón, *La España de Franco: de la División Azul al pacto con los Estados Unidos (1943 a 1951)*, Puebla, México, 1971; *Guadalajara y sus consecuencias*, Madrid, 1974; *La España de Franco*, Madrid, 1977; *El cardenal Segura y el nacional-catolicismo*, Barcelona, 1977; *Ramón Franco, el hermano maldito*, Barcelona, 1978; *La señora de El Pardo*, Barcelona, 1979; *Nicolás Franco, el hermano brujo*, Barcelona, 1980; *Los validos de Franco*, Barcelona, 1981; *El general Yagüe*, Barcelona, 1985; *Franco-Serrano Súñer: un drama político*, Barcelona, 1986.

Garrigues y Díaz-Cañabate, Antonio, *Diálogos conmigo mismo*, Barcelona, 1978.

Gaulle, Charles de, *Mémoires de guerre*, París, 1954-59.

Georgel, Jacques, *El franquismo; historia y balance 1939-1969*, París, 1970.

Gerstacker, F., *General Franco*, Berlín, 1965.

Gibello, Antonio, *José Antonio. Apuntes para una biografía polémica*, Madrid, 1975.

Gibson, Ian, *En busca de José Antonio*, Barcelona, 1980; *Paracuellos, cómo fue*, Barcelona, 1983; *Queipo de Llano: Sevilla, verano de 1936*, Barcelona, 1986; *El asesinato de García Lorca*, Barcelona, 1987.

Gil, Vicente, *Cuarenta años junto a Franco*, Barcelona, 1981.

Gil-Robles, José María, *No fue posible la paz*, Madrid, 1968; *Discursos parlamentarios*, Madrid, 1971; *Marginalia política*, Madrid, 1975; *La Monarquía por la que yo luché*, Madrid, 1976; *La aventura de las autonomías*, Madrid, 1981.

Giménez-Arnau, José Antonio, *Memorias de memoria*, Barcelona, 1978.

Giménez Caballero, Ernesto, *Memo-*

rias de un dictador, Barcelona, 1979; *España y Franco*, Cegama, 1938.

Gironella, José María, *Conversaciones con Don Juan de Borbón*, Madrid, 1967.

Glick, Thomas F. *The memoirs of a Spanish Aeronaut*, New Mexico, 1984.

Goded, Manuel, *Un «faccioso» cien por cien*, Zaragoza, 1939.

Goebbels, Joseph, *The Goebbels Diaries, enero 1942-diciembre 1943*, Londres, 1948; *The Goebbels Diaries 1939-41*, Londres, 1982.

Gomá, cardenal, *Por Dios y por España 1936-1939*, Barcelona, 1940.

Gomá, coronel José, *La guerra en el aire*, Barcelona, 1958.

Gómez-Navarro, José Luis, *El régimen de Primo de Rivera: reyes, dictaduras y dictadores*, Madrid, 1991.

Gómez Oliveros, comandante Benito, *General Moscardó (sin novedad en El Alcázar)*, Barcelona, 1956.

Gómez Pérez, Rafael, *El franquismo y la Iglesia*, Madrid, 1986.

Gómez Santos, Marino, *La Reina Victoria Eugenia*, Madrid, 1993.

Gondi, Ovidio, *La hispanidad franquista al servicio de Hitler*, México, DF, 1979.

González, Fernando, *Liturgias para un caudillo: manual de dictadores*, Madrid, 1977.

González, Manuel Jesús, *La economía política del franquismo (1940-1970)*, Madrid, 1979.

González, Sancho, *Diez años de Historia difícil: índice de la neutralidad española*, Madrid, 1947; *El nuevo Estado español*, Madrid, 1961.

González, Valentín, *Comunista en España y antiestalinista en la U.R.S.S.*, México, 1952.

González Betes, Antonio, *Franco y el Dragon Rapide*, Madrid, 1987.

González Calbet, María Teresa, *La dictadura de Primo de Rivera: el directorio militar*, Madrid, 1987.

González-Doria, Fernando, *Juan Carlos y Sofía*, Madrid, 1962; *Don Juan de España*, Madrid, 1968; *Don*

Juan de Borbón, el padre del Rey, Madrid, 1976.

González Duró, Enrique, *Franco: una biografía psicológica,* Madrid, 1992.

González Egido, Luciano, *Agonizar en Salamanca: Unamuno, julio-diciembre 1936,* Madrid, 1986.

González Portilla, Manuel, y **Garmendia, José María,** *La guerra civil en el País Vasco,* Madrid, 1988; *La posguerra en el País Vasco: política, acumulación, miseria,* San Sebastián, 1988.

Gordón Ordás, Félix, *Mi política en España,* México, 1961-1963; *Mi política fuera de España,* México, 1965-67.

Gracia, Fernando, *Lo que nunca nos contaron de Don Juan,* Madrid, 1993.

Graebner, Norman A., *The cold war,* New York, 1963.

Graham, Helen, y **Preston, Paul,** *The Popular Front in Europe,* Londres, 1987.

Granados, A., *El cardenal Gomá: Primado de España,* Madrid, 1969.

Grecia, Federica de, *Memorias,* Madrid, 1971.

Griffis, Stanton, *Lying in State,* New York, 1952.

Guarner, Vicente, *Cataluña en la guerra de España,* Madrid, 1975.

Gubern, Román, *«Raza» (un ensueño del General Franco),* Madrid, 1977.

Gutiérrez, Fernando, *Curas represaliados en el franquismo,* Madrid, 1977.

Gutiérrez Ravé, José, *Las cortes errantes del Frente Popular,* Madrid, 1953; *El Conde de Barcelona,* Prensa Española, Madrid, 1962; *Antonio Goicoechea,* Madrid, 1965.

Harris Smith, R., *OSS. The secret history of American first Central Intelligence Agency,* Ucla-Berkeley, 1972.

Hayes, Carlton J. H., *Misión de guerra en España,* Madrid, 1946; *The United States and Spain,* New York, 1951.

Heaton, P. M., *Welsh Blockade Runners in the Spanish Civil War,* Newport, 1985.

Hedilla, Manuel, *Testimonio,* Barcelona, 1972.

Heine, Hartmut, *La guerrilla antifranquista en Galicia,* Vigo, 1980; *La oposición política al franquismo,* Barcelona, 1983.

Heras, Jesús de las, y **Villarín, Juan,** *El año Arias, diario político español 1974,* Madrid, 1975.

Heredia, Miguel, *Los heraldos del Rey,* Madrid, 1976.

Hericourt, Pierre, *Pourquoi Franco vaincra,* París, 1939.

Hermet, Guy, *Les communistes en Espagne,* París, 1971; *L'Espagne de Franco,* París, 1974; *Les Catholiques dans l'Espagne Franquiste,* 2 vols., París, 1980-81.

Herráiz, Ismael, *Italia, fuera de combate,* Madrid, 1944.

Hidalgo, Diego, *¿Por qué fui lanzado del Ministerio de la Guerra? Diez meses de actuación ministerial,* Madrid, 1934.

Hidalgo, Ramón, *La ayuda alemana a España 1936-1939,* Madrid, 1975.

Hills, George, *Spain,* Londres, 1970; *Franco, el hombre y su nación,* Madrid, 1975; *Monarquía, República, Franquismo,* Madrid, 1980.

Hinsley, F. H., *British Intelligence in the Second World War,* Londres, 1979-1990.

Hitler, Adolf, *Hitler's Table Talk 1941-1944,* Londres, 1953.

Hoare, Samuel, *Embajador ante Franco en misión especial,* Madrid, 1977. 1ª ed. en inglés, en Collins Clear, 1946.

Hodgson, Robert, *Spain Resurgent. Franco frente a Hitler,* Barcelona, 1954.

Höhne, Heinz, *Canaris,* Londres, 1979.

Howson, Gerald, *Aircraft of the Spanish Civil War,* Londres, 1990.

Hoyos, marqués de, *Mi testimonio,* Madrid, 1962; *Reflexiones,* Madrid, 1963.

Ibárruri, Dolores, *El único camino,* París, 1964.

Iglesias Selgas, Carlos, *Mañana, la Monarquía,* Madrid, 1975.

Iniesta Cano, Carlos, *Memorias y recuerdos,* Barcelona, 1984.

Ippecourt, P., *Les chemins d'Espagne: mémoires et documents sur la guerre* *secrete à travers des Pyrénées: 1940-1945,* París, 1948.

Iribarren, José María, *Con el general Mola: escenas y aspectos inéditos de la guerra civil,* Zaragoza, 1937; *Mola,* Zaragoza, 1938.

Isorni, Jacques, *Philippe Pétain,* París, 1972.

Iturralde, Juan, *El catolicismo y la cruzada de Franco,* 3 vols., Toulouse, 1965; *La guerra de Franco: los vascos y la Iglesia,* 2 vols., San Sebastián, 1978.

Jackson, Gabriel, *La República española y la Guerra Civil,* Barcelona, 1990.

Jaráiz Franco, Pilar, *Historia de una disidencia,* Barcelona, 1981.

Jato, David, *Gibraltar decidió la guerra,* Barcelona, 1971.

Jellinek, Frank, *La guerra civil en España,* Gijón, 1978.

Jiménez de Asúa, Luis, Vidarte, Juan-Simeón, y vv. aa., *Castilblanco,* Madrid, 1933.

Jiménez Losantos, Federico, *La última salida de Azaña,* Barcelona, 1994.

Juliá, Santos, *Manuel Azaña: una biografía política, del Ateneo al Palacio Nacional,* Madrid, 1990.

Kaiser, Carlos J., *La guerrilla antifranquista: historia del maquis,* Madrid, 1976.

Kay, Hugh, *Salazar and Modern Portugal,* Londres, 1970.

Kindelán, Alfredo, *La verdad de mis relaciones con Franco,* Barcelona, 1981; *Mis cuadernos de guerra,* Barcelona, 1982.

Kleinfeld, Gerald R., y Tambs, Lewis A., *Hitler's Spanish Legion: The Blue Divison in Rusia,* Carbondale, 1979.

Knickerbocker, H. R., *The Siege of the Alcazar: A War-Log of the Spanish Revolution,* Londres, 1936.

Knoblaugh, H. Edward, *Correspondent in Spain,* New York, 1937.

Koestler, Arthur, *Spanish Testament,* Londres, 1937.

Koltsov, Mijail, *Diario de la guerra de España,* París, 1963.

Lacomba Avellán, Juan Antonio, *La crisis española de 1917,* Madrid, 1970.

Lacruz, Francisco, *El Alzamiento, la revolución y el terror en Barcelona,* Barcelona, 1943.

Lafeber, Walter, *America, Russia and the Cold War 1945-1975,* New York, 1976.

Lago, Julián, *Las contramemorias de Franco,* Barcelona, 1976.

Largo Caballero, Francisco, *Mis recuerdos,* México DF, 1954.

Last, Jef, *The Spanish Tragedy,* Londres, 1939.

Lavardín, Javier, *Historia del último pretendiente a la Corona de España,* París, 1976.

Leal, Alfonso, *Pensamientos políticos del Conde de Barcelona,* Madrid, 1971.

Ledesma Ramos, Ramiro (Roberto Lanzas). *¿Fascismo en España?,* Barcelona, 1968.

Lerroux, Alejandro, *La pequeña historia,* Madrid, 1963.

Lichtenstein, Fritz, *Rescue efforts in the Iberian Peninsula,* Londres, 1969.

Liddell Hart, capitán, *Britain and Spain,* Londres, 1938.

Líster, Enrique, *Nuestra guerra,* París, 1966.

Linz, Juan, *An Authoritarian Regime: Spain,* Helsinki, 1964.

Lizarza, A. de (seudónimo de Andrés M. de Irujo), *Los vascos y la República española,* Buenos Aires, 1944; *Memorias de la conspiración,* Pamplona, 1953.

Lizcano, Pablo, *La generación del 56: la Universidad contra Franco,* Barcelona, 1981.

Llarch, Juan, *Franco, biografía,* Barcelona, 1983.

Lloyd, Alan, *Franco,* Londres, 1970.

Lojendio, Luis María de, *Operaciones militares de la guerra de España,* Barcelona, 1940.

Longo, Luigi, *Le brigate internazionali in Spagna,* Roma, 1956.

López Fernández, Antonio, *Defensa de Madrid,* México DF, 1945.

López Martínez, Nicolás, *El Vaticano y España,* Burgos, 1972.

López Ochoa, general Eduardo, *De la Dictadura a la República,* Madrid, 1930; *Campaña militar de Asturias en octubre de 1934,* Madrid, 1936.

López Rodó, Laureano, *La larga marcha hacia la Monarquía,* Barcelona, 1977; *Memorias,* Barcelona, 1990; *Memorias. Años decisivos,* Barcelona, 1991; *Memorias. El principio del fin,* Barcelona, 1992; *Memorias. Claves de la transición,* Barcelona, 1993.

Luca de Tena, Juan Ignacio, *Mis amigos muertos,* Barcelona, 1971.

Luca de Tena, Torcuato, *Papeles para la pequeña y la gran historia: memorias de mi padre y mías,* Barcelona, 1991; *Franco, sí, pero...,* Barcelona, 1993.

Lukacs, John, *The Last European War: September 1939-December 1941,* Londres, 1976.

Madariaga, Salvador de, *Ideario para la Constitución de la III República española,* Madrid, 1935; *Anarquía o jerarquía,* Madrid, 1935; *España,* Barcelona, 1964; *Anarquía o jerarquía. Memorias de un federalista,* Buenos Aires, 1967; *Memorias (1921-1936),* Madrid, 1974.

Maíz, B. Félix, *Alzamiento en España,* Pamplona, 1952; *Mola, aquel hombre,* Barcelona, 1976.

Malraux, André, *L'Espoir,* París, 1962.

Marañón, Gregorio, *Liberalismo y comunismo,* Buenos Aires, 1938.

Maravall, José María, *El desarrollo económico y la clase obrera,* Barcelona, 1970.

Marco Miranda, Vicente, *Las conspiraciones contra la dictadura (1923-1930), relato de un testigo,* Madrid, 1975.

Mariñas, Francisco J., *El general Varela,* Barcelona, 1956.

Maritain, Jacques, *Los rebeldes españoles no hacen una guerra santa,* Madrid-Valencia, 1937.

Marquina, A., *La diplomacia vaticana y la España de Franco,* Madrid, 1983.

Marquina Barrio, Antonio, y Ospina, Gloria Inés, *España y los judíos en el siglo XX,* Madrid, 1987.

Marrero Suárez, Vicente, *La guerra española y el trust de cerebros,* Madrid, 1962.

Marsá, Graco, *La sublevación de Jaca: relato de un rebelde,* París, 1931.

Martin, Claude, *Franco, soldado y estadista,* Madrid, 1966.

Martín, Miguel, *El colonialismo español en Marruecos (1860-1956),* París, 1973.

Martínez Bande, J. M., *La marcha sobre Madrid,* Madrid, 1968; *El final del frente norte,* Madrid, 1972; *La ofensiva sobre Segovia y la batalla de Brunete,* Madrid, 1972; *Los cien últimos días de la República,* Barcelona, 1973. *La batalla de Teruel,* Madrid, 1974; *Del alzamiento a la guerra civil. Verano de 1936,* 1975; *La batalla del Ebro,* Madrid, 1978.

Martínez Barrio, Diego, *Memorias,* Barcelona, 1983.

Martínez-Bordíu Ortega, Andrés, *Franco en familia,* Barcelona, 1994.

Martínez Ferrol, Manuel, *La sucesión,* Barcelona, 1975.

Martínez Leal, comandante Alfredo, *El asedio del Alcázar de Toledo: memorias de un testigo,* Toledo.

Martínez Nadal, Rafael, *Antonio Torres y la política española del Foreign Office (1940-1944),* Madrid, 1989.

Martínez Parrilla, Jaime, *Las fuerzas armadas francesas ante la guerra civil española (1936-1939),* Madrid, 1987.

Matthews, Herbert L., *The Yoke and the Arrows: A Report on Spain,* Londres, 1958.

Maura, duque de, y Fernández Almagro, Melchor, *Por qué cayó Alfonso XIII,* Madrid, 1948.

Maura, Miguel, *Así cayó Alfonso XIII,* México DF, 1962.

Maura Gamazo, Gabriel, *Bosquejo histórico de la Dictadura,* Madrid, 1930.

McNeill-Moss, comandante Geoffrey, *The Epic of the Alcázar,* Londres, 1937.

Medina, Manuel, *Un Rey para la Humanidad,* Sevilla, 1988.

Melgar, Francisco, *El noble final de la escisión dinástica,* Madrid, 1964.

Mesquida, Luis M., *La batalla del Ebro,* Tarragona, 1967-1970.

Miguel, Amando de, *Sociología del franquismo,* Barcelona, 1975; *Franco, Franco, Franco,* Madrid, 1976; *La pirámide social española,* Barcelona, 1977.

Miguélez, Faustino, *La lucha de los mineros asturianos bajo el franquismo,* Barcelona, 1976.

Millán Astray, J., *Franco, el Caudillo,* Salamanca, 1939.

Millán Mestre, Manuel, *Fraga Iribarne: retrato en tres tiempos,* Barcelona, 1975.

Mirandet, François, *L'Espagne de Franco,* París, 1948.

Mola Vidal, Emilio, *Obras Completas,* Valladolid, 1940.

Montero Moreno, Antonio, *Historia de la persecución religiosa en España 1936-1939,* Madrid, 1961.

Montes Aguilera, Francisco, *Un marino español: el Conde de Barcelona,* Madrid, 1966.

Morales Lezcano, Víctor, *Historia de la no-beligerancia española durante la segunda guerra mundial,* Las Palmas, 1980.

Morán, Gregorio, *Adolfo Suárez: historia de una ambición,* Barcelona, 1979; *Los españoles que dejaron de serlo: Euskadi, 1937-1981,* Barcelona, 1982; *Miseria y grandeza del Partido Comunista de España 1939-1985,* Barcelona, 1986.

Moreno Nieto, Luis, *Franco y Toledo,* Toledo, 1972.

Moreno Villalba, Faustino, *Franco, héroe cristiano en la guerra,* Madrid, 1985.

Morodo, Raúl, *Acción Española,* Madrid, 1980.

Moscardó Ituarte, José, *Diario del Alcázar,* Madrid, 1943.

Moure Mariño, Luis, *Perfil humano de Franco,* Burgos, 1938; *La generación del 36: memorias de Salamanca y Burgos,* La Coruña, 1989.

Muñoz, Juan, *El poder de la Banca en España,* Madrid, 1969.

Muñoz, Pedro, *Hay que vigilar al Rey,* Madrid, 1992.

Muñoz Alonso, Alejandro, *El terrorismo en España,* Barcelona, 1982.

Muñoz Tinoco, Concha, *Diego Hidalgo, un notario republicano,* Badajoz, 1986.

Muro Zegri, D., *La epopeya del Alcázar,* Valladolid, 1937.

Nassaes, Alcofar, *La aviación legionaria en la guerra española,* Barcelona, 1975.

Navarro Rubio, Mariano, *Mis memorias: Testimonio de una vida política truncada por el Caso Matesa,* Barcelona, 1991.

Nenni, Pietro, *La guerra de España,* México, 1964.

Neves, Mario, *La matanza de Badajoz,* Badajoz, 1986.

Nourry, Philipe, *Francisco Franco: la conquista del poder,* Gijón, 1976.

Olagaray, Guillermo de, *La Monarquía, institución histórica de la soberanía española,* Madrid, 1977.

Olagüe, Ignacio, *La decadencia española,* Madrid, 1950.

Onaindía, Alberto, *Hombre de paz en la guerra,* Buenos Aires, 1973; *El «Pacto» de Santoña, antecedentes y desenlace,* Bilbao, 1983.

Oneto, José, *Arias, entre dos crisis 1973-1975,* Madrid, 1975.

Oriol y Urquijo, L. M., *España, aire nuevo. Proyecto para una generación,* Madrid, 1965.

Ortzi (seudónimo de Letamendía), *Historia de Euzkadi: el nacionalismo vasco,* París, 1975.

Ossorio y Gallardo, Ángel, *Mis memorias,* Buenos Aires, 1946; *Vida y sacrificio de Companys,* Barcelona, 1976.

Pabón, Jesús, *La otra legitimidad,* Madrid, 1965; *Cambó,* 2 vols., Madrid, 1969.

Palacio Attard, Vicente, *Cinco historias de la República y de la guerra,* Madrid, 1973.

Paxton, Robert O., *Vichy France: Old Guard and New Order 1940-1944,* Londres, 1972.

Payne, Stanley G., *Franco's Spain,* Londres, 1968; *El nacionalismo vasco: de sus orígenes a ETA,* Barcelona, 1974; *El régimen de Franco 1936-1975,* Madrid, 1987; *Franco: el perfil de la historia,* Madrid, 1992.

Peers, E. Allison, *Spain in Eclipse: 1937-1943,* Londres, 1945.

Pemán, José María, *El Conde de Barcelona,* Madrid, 1962; *Mis almuerzos con gente importante,* Barcelona, 1970; *Mis encuentros con Franco,* Barcelona, 1976.

Pemartín, José, *Los valores históricos en la dictadura española,* Madrid, 1928.

Peñafiel, Jaime, *Dios salve a la Reina,* Madrid, 1993.

Pereira, Pedro Theotónio, *Memórias postos em que servi e algunas recordações pessoais,* Lisboa, 1973.

Pérez Mateos, Juan Antonio, *La infancia desconocida de un Rey,* Barcelona, 1980; *El Rey que vino del exilio,* Barcelona, 1981.

Pérez Salas, coronel Jesús, *Guerra en España (1936-1939),* México DF, 1947.

Philby, Kim, *My Silent War,* Londres, 1968.

Piazzoni, Sandro, *Las tropas Flechas Negras en la guerra de España (1937-1939),* Barcelona, 1941.

Pietri, François, *Mes annés d'Espagne, 1940-1948,* París, 1954.

Plenn, Abel, *Wind in the Olive Trees: Spain from the Inside,* New York, 1946.

Pons Prades, Eduardo, *Republicanos españoles en la II Guerra Mundial,* Barcelona, 1975; *Guerrillas españolas 1936-1960,* Barcelona, 1977.

Portela Valladares, Manuel, *Memorias: dentro del drama español,* Madrid, 1988.

Portero, Florentino, *Franco aislado: la cuestión española (1945-1950),* Madrid, 1989.

Pou Serradell, Víctor, *España y la Comunidad Europea,* Madrid, 1973.

Pozuelo, Vicente, *Los últimos 476 días de Franco,* Barcelona, 1980.

Pradera, Víctor, *El Estado nuevo,* Madrid, 1935.

Preston, Paul, *España en crisis,* Madrid, 1977; *The Coming of the Spanish Civil War: Reform, Reaction and Revolution in the Second Republic 1931-1936,* Londres, 1978; *España en crisis: evolución y decadencia del régimen de Franco,* México, 1978; *Las derechas españolas en el siglo veinte: autoritarismo, fascismo, golpismo,* Madrid, 1986; *Revolución y guerra en España,* Madrid, 1986; *El triunfo de la democracia en España, 1969-1982,* Barcelona, 1986; *La guerra civil española,* Barcelona, 1987; *Salvador de Madariaga and the Quest for Liberty in Spain,* Oxford, 1987; *The Politics of Revenge: Fascism and the Military in the 20th Century Spain,* Londres, 1990; *Franco, caudillo de España,* Barcelona, 1994 (la versión inglesa, *Franco, A biography,* publicada por Harper Collins, es de 1993).

Prieto, Indalecio, *Convulsiones de España,* México DF, 1967-69; *Palabras al viento,* México DF, 1969.

Primo de Rivera, José Antonio, *Textos de doctrina política,* Madrid, 1966.

Qasim Bin Ahmad, *Britain, Franco Spain, and the Cold War, 1945-1950,* New York, 1992.

Queipo de Llano, Gonzalo, *El general Queipo de Llano perseguido por la dictadura,* Madrid, 1930.

Quintanilla, José Luis,*Sofía, Princesa de España,* Madrid, 1975.

Quintanilla, Luis, *Los rehenes del Alcázar de Toledo,* París, 1967.

Ramírez, Luis (seudónimo de Luciano Rincón), *Franco, historia de un mesianismo,* París, 1964; *Nuestros primeros veinticinco años,* París, 1964.

Ramírez, Pedro J., *El año que murió Franco,* Barcelona, 1985.

Ramón-Laca, Julio de, *Bajo la férula de Queipo: cómo fue gobernada Andalucía,* Sevilla, 1939.

Reig Tapia, Alberto, *Ideología e historia: sobre la represión franquista y la guerra civil,* Madrid, 1984.

Reynaud, Paul, *Au cœur de la Mêlée 1930-1945,* París 1951.

Ribbentrop, Joachim von, *The Ribbentrop Memoirs,* Londres, 1954.

Ridruejo, Dionisio, *Escrito en España,* Madrid, 1967; *Casi unas memorias,* Barcelona, 1976.

Río Cisneros, Agustín del, *Viraje político español durante la segunda guerra mundial (1942-1945) y réplica al cerco internacional (1945-1946),* Madrid, 1946; *Política internacional de España: El caso español en la ONU y en el mundo,* Madrid, 1946; *El pensamiento de José Antonio,* Madrid, 1962; *Pensamiento político de Franco,* Madrid, 1964; *José Antonio y la revolución nacional,* Madrid, 1974.

Risco, Alberto S. J., *La epopeya del Alcázar de Toledo,* San Sebastián, 1941.

Rivas Cherif, Cipriano, *Retrato de un desconocido: vida de Manuel Azaña,* Barcelona, 1980.

Roa, Vicente, *Apoteosis y ocaso del franquismo,* Madrid, 1976.

Rodríguez, Cesáreo, *Franco, ¿Rey de España?,* Madrid, 1962.

Rodríguez Aisa, María Luisa, *El cardenal Gomá y la guerra de España: aspectos de la gestión pública del Primado 1936-1939,* Madrid, 1981.

Rodríguez Armada, Armandino, y **Novais, José Antonio,** *¿Quién mató a Julián Grimau?,* Madrid, 1976.

Rodríguez-Moñino Soriano, Rafael, *La misión diplomática del XVII duque de Alba en la Embajada de España en Londres (1937-1945),* Valencia, 1971.

Rojas, Carlos, *Por qué perdimos la guerra,* Barcelona, 1970.

Rojo, general Vicente, *Así fue la defensa de Madrid,* México DF, 1967; *¡Alerta los pueblos!,* Barcelona, 1974; *España heroica: diez bocetos de la guerra española,* Barcelona, 1975.

Romanones, conde de, *El Ejército y la Política,* Madrid, 1920.

Romanones, condesa de (Aline Griffith), *La espía vestida de rojo,* Barcelona, 1987.

Romero, Emilio, *Cartas a un príncipe,* Madrid, 1964.

Romero, Luis, *Tres días de julio (18, 19 y 20 de 1936),* Barcelona, 1968.

Ros, Samuel, y **Bouthelier, Antonio,** *A hombros de la Falange: Historia del traslado de los restos de José Antonio,* Barcelona, 1940.

Rubio, Javier, *La emigración española a Francia,* Barcelona, 1974.

Rubottom, R. Richard, y **Murphy, J. Carter,** *Spain and the United States Since World War II,* New York, 1984.

Rudel, Christian, *La Phalange. Histoire du fascisme en Espagne,* París, 1972.

Ruhl, Klaus-Jörg, *Franco, Falange y III Reich,* Madrid, 1986.

Ruiz Albéniz, V., *Las crónicas del Tebib Arrumi,* Valladolid, 1938-1941.

Ruiz Ayúcar, Ángel, *El Partido Comunista. Treinta y siete años de clandestinidad,* Madrid, 1976.

Ruiz Ocaña, Carlos, *Los Ejércitos españoles: las Fuerzas Armadas en la defensa nacional,* Madrid, 1980.

Saborit, Andrés, *La huelga de agosto de 1917,* México, 1967; *Julián Besteiro,* Buenos Aires, 1967.

Sainz Rodríguez, Pedro, *La escuela y el Estado nuevo,* Burgos, 1938; *Testimonio y recuerdos,* Barcelona, 1978; *Un reinado en la sombra,* Barcelona, 1981; *Semblanzas,* Barcelona, 1988.

Saiz, Alfonso Carlos, *Indalecio Prieto. Crónica de un corazón,* Barcelona, 1984.

Salas Larrazábal, Jesús, *La guerra de España desde el aire,* Barcelona, 1972; *Historia del Ejército popular de la República,* Madrid, 1973; *La intervención extranjera en la guerra de España,* Madrid, 1974; *Guernica, el bombardeo,* Madrid, 1981.

Salas y Guirior, José, *Don Juan visto de cerca, ABC,* julio de 1978.

Salazar Alonso, Rafael, *Bajo el signo de la revolución,* Madrid, 1935.

Salgado, Enrique, *Radiografía de Franco,* Barcelona, 1985.

461

Salmador, Víctor, *Don Juan de Borbón. Grandeza y servidumbre del deber,* Barcelona, 1976; *Los archivos secretos de Franco,* Madrid, 1985.

Salva Miquel, Francisco y **Vicente, Juan,** *Francisco Franco (historia de un español),* Barcelona, 1959.

San Martín, José Ignacio, *Servicio especial: a las órdenes de Carrero Blanco,* Barcelona, 1983.

Sánchez Albornoz, Claudio, *España, un enigma histórico,* 1956; *Mi testamento histórico-político,* Barcelona, 1975; *De mi anecdotario político,* Barcelona, 1976.

Sánchez del Arco, Manuel, *El sur de España en la reconquista de Madrid,* Sevilla, 1937.

Sánchez Blanco, Jaime, *La importancia de llamarse Franco: el negocio inmobiliario de doña Pilar,* Madrid, 1978.

Sánchez y García Sauco, Juan Antonio, *La revolución de 1934 en Asturias,* Madrid, 1974.

Sánchez Silva, José María *Cartas a un niño sobre Francisco Franco. Biografía epistolar ilustrada,* Madrid, 1966; *«Franco, ese hombre»,* guión cinematográfico, Madrid, 1966.

Sánchez Silva, José María, y **Sáenz de Heredia, José Luis,** *Franco... ese hombre,* Madrid, 1975.

Sánchez Soler, Mariano, *Villaverde: fortuna y caída de la casa Franco,* Barcelona, 1990.

Sangróniz, José Antonio, *Marruecos. Sus condiciones físicas, sus habitantes y las instituciones indígenas,* Madrid, 1921.

Saña, Heleno, *El franquismo sin mitos: conversaciones con Serrano Súñer,* Barcelona, 1982.

Sarasqueta, Antxon, *De Franco a Felipe,* Barcelona, 1984.

Sartorius, Nicolás, *¿Qué son las Comisiones Obreras?,* Madrid, 1977.

Sauerwein, Jules, *Monarcas de ayer y de mañana,* México, 1953; *Exilados regios no Estoril,* Lisboa, 1955.

Saz Campos, Ismael, *Mussolini contra la II República: hostilidad, conspiraciones, intervención (1931-1936),* Valencia, 1986.

Schellenberg, Walter, *The Schellenberg Memoirs: A Record of the Nazi Secret Service,* Londres, 1956.

Schmidt, Paul, *Hitler's Interpreter: The Secret History of German Diplomacy 1935-1945,* Londres, 1951.

Seco Serrano, Carlos, *Historia de España,* Tomo VI, Barcelona, 1973; *Alfonso XIII y la crisis de la Restauración,* Madrid, 1979; *Militarismo y civilismo en la España contemporánea,* Madrid, 1984.

Séguéla, Mathieu, *Franco-Pétain,* Barcelona, 1994.

Semprún, Jorge, *Autobiografía de Federico Sánchez,* Madrid, 1977.

Senra, Alfonso, *Del 10 de agosto a la sala sexta del Supremo,* Madrid, 1933.

Sentís, Carlos, *El Rey,* abril, 1946.

Serrano Súñer, Ramón, *Entre Hendaya y Gibraltar,* Madrid, 1947; *Semblanza de José Antonio, joven,* Barcelona, 1958; *Ensayos al viento,* Madrid, 1969; *Entre el silencio y la propaganda, la Historia como fue. Memorias,* Barcelona, 1977; *De anteayer y de hoy,* Barcelona, 1981; *El franquismo sin mitos,* Barcelona, 1982.

Sevilla Andrés, Diego, *Historia política de España, 1800-1973,* Madrid, 1974.

Shaw, Duncan, *Fútbol y franquismo,* Madrid, 1987.

Shirer, William L., *The Rise and Fall of the Third Reich,* Londres, 1959.

Shneideman, J. Lee, *Spain and Franco 1949-1959,* New York, 1973.

Shubert, Adrian, *The Road to Revolution in Spain: The Coal Miners of Asturias 1860-1934,* Urbana, 1987.

Sierra, Ramón, *Don Juan de Borbón,* Madrid, 1965.

Silva, Carlos de, *General Millán Astray, el legionario,* Barcelona, 1956.

Silva Muñoz, Federico, *Memorias políticas,* Barcelona, 1993.

Simonnot, Philippe, *Le secret de l'armistice,* París, 1990.

Sinova, Justino, *Historia de la transición,* Madrid, 1984; *Historia del Franquismo,* Madrid, 1985.

Smyth, Denis, *Diplomacy and Strategy of Survival: British Policy and Franco's Spain, 1940-41,* Cambridge, 1986.

Somoza Silva, Lázaro, *El general Miaja: biografía de un héroe,* México DF, 1944.

Sorel, Andrés, *Búsqueda, reconstrucción e historia de la guerrilla española del siglo XX, a través de sus documentos, relatos y protagonistas,* París, 1970.

Soriano, Ramón, *La mano izquierda de Franco,* Barcelona, 1981.

Spengler, Oswald, *La decadencia de Occidente,* Madrid, 1958.

Suárez Fernández, Luis, *Francisco Franco y su tiempo,* 8 vols., Madrid, 1984; *Franco: la historia y sus documentos,* 20 vols., Madrid, 1986.

Sueiro, Daniel, *El Valle de los Caídos: los secretos de la cripta franquista,* Barcelona, 1983.

Sueiro, Daniel, y **Díaz Nosty, Bernardo,** *Historia del franquismo,* Barcelona, 1985.

Tagüeña Lacorte, Manuel, *Testimonio de dos guerras,* México DF, 1973.

Talón, Vicente, *Arde Guernica,* Madrid, 1970.

Tamames, Ramón, *Estructura económica de España,* Madrid, 1965; *Introducción a la economía española,* Madrid, 1970; *La República: la era de Franco,* Madrid, 1973.

Téllez, Antonio, *La guerrilla urbana. 1: Facerías,* París, 1973; *La guerrilla urbana en España: Sabaté,* París, 1973.

Tello, José Ángel, *Ideología y política: la Iglesia católica española (1936-1959),* Zaragoza, 1984.

Terrón Montero, Javier, *La prensa de España durante el régimen de Franco,* Madrid, 1981.

Thomas, Hugh, *The Spanish Civil War,* Londres, 1961.

Tierno Galván, Enrique, *Cabos sueltos,* Barcelona, 1981.

Toquero, José María, *Franco y Don Juan: La oposición monárquica al franquismo,* Barcelona, 1989; *Don Juan de Borbón, el Rey padre,* Barcelona, 1992.

Toynbee, Arnold J., *La guerra de los neutrales,* Barcelona, 1958; *Estudio de la Historia,* 13 vols., 1964.

Trevor-Roper, Hugh, *Hitler War Directives,* Londres, 1956; *The Philby Affair,* Londres, 1968.

Truman, Harry S., *Memoirs. Year of Decisions 1945,* New York, 1955.

Trythall, J. W. D., *Franco: a political biography,* Londres-New York, 1970.

Tuñón de Lara, Manuel, *La España del siglo XX,* Barcelona, 1974.

Tusell, Javier, *Las elecciones del Frente Popular,* Madrid, 1971; *La oposición democrática al franquismo 1939-1962,* Barcelona, 1977; *Franco y los católicos: la política interior española entre 1945 y 1957,* Madrid, 1984; *Radiografías de un golpe de Estado: el ascenso al poder del general Primo de Rivera,* Madrid, 1987; *Carrero, la eminencia gris del régimen de Franco,* Madrid, 1993.

Tusell, Javier, y **Calvo, José,** *Giménez Fernández: precursor de la democracia española,* Madrid, 1990.

Tusell, Javier, y **García Queipo de Llano, Genoveva,** *Franco y Mussolini: la política española durante la segunda guerra mundial,* Barcelona, 1985.

Tusquets, P. Juan, *Orígenes de la revolución española,* Barcelona, 1932; *La Francmasonería, crimen de lesa patria,* Burgos, 1937; *Masonería y separatismo,* Burgos, 1937.

Ullmann, Joan Connelly, *La Semana Trágica (1898-1912),* Barcelona, 1972.

Umbral, Francisco, *Leyenda del César visionario,* Barcelona, 1991.

Utrera Molina, José, *Sin cambiar de bandera,* Barcelona, 1989.

Vaca de Osma, José Antonio, *Paisajes con Franco al fondo,* Barcelona, 1987; *La larga guerra de Francisco Franco,* Madrid, 1991.

Vadillo, Fernando, *Alrededores de Le-*

ningrado, Barcelona, 1971; *Orillas del Voljov,* Barcelona, 1971.

Valdesoto, Fernando, *Francisco Franco,* Madrid, 1943.

Valle, José María del, *Las instituciones de la República en el exilio,* París, 1976.

Valls, Fernando, *La enseñanza de la literatura en el franquismo 1936-1951,* Barcelona, 1983.

Valls Montes, Rafael, *La interpretación de la Historia de España y sus orígenes ideológicos en el bachillerato franquista (1938-1953),* Valencia, 1984.

Vázquez Montalbán, Manuel, *El pequeño libro pardo del general,* París, 1972; *Los demonios familiares de Franco,* Barcelona, 1978; *Autobiografía del general Franco,* Barcelona, 1992.

Vegas Latapié, Eugenio, *Memorias políticas: el suicidio de la Monarquía y la segunda República,* Barcelona, 1983; *Caminos del desengaño: memorias políticas II (1936-1938),* Madrid, 1987.

Velarde Fuertes, Juan, *Sobre la decadencia económica de España,* Madrid, 1969.

Venegas, José, *Las elecciones del Frente Popular,* Buenos Aires, 1942.

Vicens Vives, Jaime, *Historia económica de España,* Barcelona, 1959.

Vidarte, Juan-Simeón, *Todos fuimos culpables: testimonio de un socialista español,* México DF, 1973; *El bienio negro y la insurrección de Asturias,* Barcelona, 1978.

Vigón, general Jorge, *Milicia y Política,* Madrid, 1947; *General Mola (el conspirador),* Barcelona, 1957; *Mañana,* Madrid, 1966; *Cuadernos de guerra y notas de paz,* Oviedo, 1970.

Vila-San-Juan, J.L., *¿Así fue? Enigmas de la guerra civil española,* Barcelona, 1972.

Vilallonga, José Luis de, *El Rey,* Barcelona, 1993.

Vilanova, Antonio, *La defensa del Alcázar de Toledo,* México, 1963.

Vilar, Sergio, *Protagonistas de la España democrática: la oposición a la dictadura, 1939-1969,* París, 1968; *La naturaleza del franquismo,* Barcelona, 1977.

Viñas, Ángel, *La Alemania nazi y el 18 de julio,* Madrid, 1977; *Los pactos secretos de Franco con Estados Unidos,* Barcelona, 1981; *Guerra, dinero, dictadura: ayuda fascista y autarquía en la España de Franco,* Barcelona, 1984.

Vizcaíno Casas, Fernando, *1975/El año en que Franco murió en la cama,* Barcelona, 1992. *1969/El año en que Franco hizo Rey a Don Juan Carlos,* Barcelona, 1994.

Walters, Vernon A., *Silent Missions,* New York, 1978.

Weinberg, Gerhard L., *The Foreing Policy of Hitler's Germany: Diplomatic Revolution in Europe,* Chicago, 1970.

Welles, Benjamin, *Spain: the gentle anarchy,* New York, 1965.

Wernitz, Andres von, *Dinastías europeas,* Madrid, 1990.

Whealey, Robert H., *Hitler and Spain: the Nazi Role in the Spanish Civil War,* Lexington, Kentucky, 1989.

Whitaker, Arthur P., *Spain and the Defense of the West: Ally and Liability,* New York, 1961.

Woodward, Sir Llewellyn, *British Foreign Policy in the Second World War,* Londres, 1970.

Wyden, Peter, *The Passionate War: The Narrative History of the Spanish Civil War, 1936-1939,* New York, 1983.

Ynfante, Jesús, *La prodigiosa aventura del Opus Dei: Génesis y desarrollo de la Santa Mafia,* París, 1970.

Zugazagoitia, Julián, *Guerra y visicitudes de los españoles,* París, 1968.

ÍNDICE ONOMÁSTICO